Nationalisme, antisémitisme et fascisme en France

Ouvrages de
Michel Winock

Histoire politique de la revue « Esprit », 1930-1950
Éd. du Seuil, 1975

« La gauche depuis 1968 »
in Jean Touchard, La Gauche en France depuis 1900
Éd. du Seuil, coll. « Points Histoire », 1981

Mémoires d'un communard. Jean Allemane
présentation, notes et postface
Maspero, 1981

Édouard Drumont et Cie
Antisémitisme et fascisme en France
Éd. du Seuil, coll. « XXe siècle », 1982

La République se meurt. Chronique 1956-1958
Éd. du Seuil, 1978
rééd. Gallimard, coll. « Folio Histoire », 1985

La Fièvre hexagonale
Les grandes crises politiques de 1871 à 1968
Calmann-Lévy, 1986
Éd. du Seuil, coll. « Points Histoire », 1987

Chronique des années soixante
Éd. du Seuil, 1987

1789. L'année sans pareille
Orban, 1988
rééd. Hachette, coll. « Pluriel », 1989

EN COLLABORATION AVEC J.-P. AZÉMA

Naissance et Mort de la IIIe République
Calmann-Lévy, 1970 ; éd. revue et complétée en 1976
rééd. sous le titre La Troisième République
Hachette, coll. « Pluriel », 1978 ; rééd. 1986

Michel Winock

Nationalisme,
antisémitisme
et fascisme
en France

Éditions du Seuil

ISBN 2-02-011628-6

© ÉDITIONS DU SEUIL, FÉVRIER 1982
pour les chapitres extraits d'*Édouard Drumont et C*ie
et MARS 1990 pour les autres chapitres
et la composition du volume.

Présentation

Trois thèmes principaux font l'objet de ce livre, qui pourrait aussi s'intituler : le Moi national et ses maladies. D'abord, le *nationalisme* — ou plutôt *les* nationalismes, car le mot peut recevoir plusieurs définitions. Nous avons insisté sur les deux types que la France a connus : le nationalisme ouvert, issu de la philosophie optimiste des Lumières et des souvenirs de la Révolution (celui de Michelet, mais aussi celui du général de Gaulle), et le nationalisme fermé, fondé sur une vision pessimiste de l'évolution historique, l'idée prévalente de la décadence et l'obsession de protéger, fortifier, immuniser l'identité collective contre tous les agents de corruption, vrais ou supposés, la menaçant.

Ensuite, nous avons voulu approfondir l'examen de ce nationalisme fermé à travers l'ordre imaginaire qu'il s'est construit. La politique est moins faite de rationalité que de mythes et de mythologies. Quels partis pourraient prétendre y échapper ? Le mythe suprême ne serait-il pas l'illusion du rationalisme politique ? Cependant, la démonologie et le délire de l'extrême droite ont dépassé les fictions ordinaires : l'*antisémitisme* en est la frénésie permanente. Sur ce thème, nous avons repris les études qui composaient notre *Édouard Drumont et Cie*, publié au Seuil en 1982, en les complétant de nouvelles approches*.

Enfin, il nous a paru nécessaire de traiter de deux autres catégories de notre histoire politique : le *bonapartisme* et le *fascisme*, qui ont partie liée, elles aussi, avec le nationalisme, et sur lesquelles une historiographie récente est revenue.

---

* Sur les 25 chapitres du présent ouvrage, 7 appartiennent à *Édouard Drumont et Cie*.

Ces trois thèmes sont illustrés, dans une dernière section, par des cas particuliers — hommes politiques et écrivains — qui ont marqué d'une manière ou d'une autre l'histoire du nationalisme français, dans ses variations et ses contradictions.

1

Du nationalisme français

1

Nationalisme ouvert et nationalisme fermé

Au lendemain des élections législatives de 1902, qui ont été remportées par le Bloc des gauches, Charles Péguy écrit, dans les *Cahiers de la Quinzaine* :

« Les élections ont prouvé que la poussée nationaliste est beaucoup plus compacte, beaucoup plus dense, beaucoup plus serrée, beaucoup plus carrée qu'on ne s'y attendait. Les querelles individuelles des principaux antisémites et des principaux nationalistes ne peuvent nous masquer le danger antisémite et nationaliste. Au contraire, si les partis nationalistes, aussi mal conduits par des chefs rivaux, ont obtenu pourtant les résultats que nous connaissons, qui ne voit qu'il faut que ces partis aient à leur service des passions compactes dans des masses compactes. On ne fabrique pas par stratagème, artifice, des mouvements aussi étendus, aussi profonds, aussi durables [1]. »

Ce mot : *nationaliste*, que l'on trouve sous la plume d'un écrivain qualifié lui-même, une dizaine d'années plus tard, de « nationaliste », est d'usage récent. Les dictionnaires donnent l'année 1798 comme date de son apparition, mais tout au long du XIXe siècle, il n'est qu'un mot savant et oublié, que Littré ignore dans son grand dictionnaire élaboré sous le Second Empire. C'est dans les dix dernières années du siècle que cet adjectif — et le substantif qui lui est lié — va servir à désigner une tendance politique que l'on classe nettement à droite, et même à l'extrême droite. Son introduc-

---

1. Charles Péguy, « Les élections », in *Œuvres en prose 1898-1908*, Gallimard, « Bibliothèque de la Pléiade », 1959, p. 1311.

Seuls les lieux d'édition autres que Paris sont indiqués.

---

tion semble être redevable à un article de Maurice Barrès, dans *Le Figaro*, en 1892[1].

Au demeurant, dans notre langage, les mots « nationalisme » et « nationaliste » sont ambivalents. Le même terme, en effet, sert à caractériser deux mouvements historiques, tantôt successifs, tantôt simultanés. D'abord, le nationalisme des peuples qui aspirent à la création d'un État-nation souverain — c'est ce qu'on appelle aussi parfois le mouvement nationalitaire, dont l'aboutissement en Europe a correspondu aux traités qui concluent la Première Guerre mondiale et achèvent la destruction des grands empires ; au XXe siècle, ce mouvement nationalitaire, qu'on appellera désormais nationaliste, est principalement le fait des peuples colonisés : l'accès à l'indépendance des États du « tiers monde » en a été le résultat. Cependant, le même mot *nationalisme* est pratiqué, depuis l'affaire Dreyfus surtout, pour étiqueter les diverses doctrines qui, dans un État constitué, subordonnent tout aux intérêts exclusifs de la nation, de l'État-nation, à sa force, à sa puissance, à sa grandeur.

En principe, la France n'a pu connaître que ce nationalisme du second type, puisque, depuis longtemps, son unité et sa souveraineté étaient acquises. Mais la réalité n'est pas si simple, car le mouvement nationalitaire qui brasse et reconstruit l'Europe tout au long du XXe siècle, on peut dire que la France, que la Révolution française, y ont — directement ou indirectement — contribué. L'idée nationale s'est, à la fin du XVIIIe siècle, confondue avec la poussée démocratique. Le « Vive la nation ! » des soldats de Valmy, au moment où l'on allait fonder la première République, en septembre 1792, ce cri-là signifiait non seulement un élan patriotique repoussant les armées étrangères ; il affirmait aussi la liberté et l'égalité du peuple souverain. A l'Europe des dynasties, il opposait l'Europe des nations ; à l'Europe des monarques, l'Europe des citoyens.

Ainsi, avant la lettre, la France a connu un nationalisme, un nationalisme de gauche, républicain, fondé sur la souveraineté populaire, et appelant les nations asservies à se déli-

1. Voir Raoul Girardet, *Le Nationalisme français 1871-1914*, Éd. du Seuil, « Points Histoire », 1983, p. 8 et 9.

vrer de leurs chaînes. Ce nationalisme a sa propre histoire. Mais, entre ce nationalisme des « patriotes » et le nationalisme des « nationalistes » (ceux qui assumèrent le mot, Barrès, Déroulède, Maurras, et tant d'autres), il serait erroné d'imaginer une cloison étanche qui les isolerait l'un de l'autre. Entre ces deux mouvements, on observe des passages, des convergences, voire des compromis.

Le nationalisme républicain.

Tout commence avec la Révolution française. Celle-ci proclamait, dans la Déclaration des droits de l'homme et du citoyen : « Le principe de toute souveraineté réside essentiellement dans la nation. Nul corps, nul individu ne peut exercer d'autorité qui n'en émane expressément » (art. 3). Ainsi parlant, la Constituante déplaçait la source de la légitimité, du souverain héréditaire au peuple français dans son ensemble : la monarchie d'Ancien Régime, en attendant la monarchie tout court, était abolie. La loi devait être l'expression de « la volonté générale ». En bonne logique, cette souveraineté nationale impliquait l'idée d'indépendance nationale. Qu'était-ce qu'une nation ? Non pas le rassemblement hasardeux de populations sous le sceptre d'une dynastie qui, au gré des guerres et des stratégies matrimoniales, en variait la dimension et la composition. La Nation était elle-même le résultat d'une volonté générale. Ainsi, la fête de la Fédération, le 14 juillet 1790, posait le principe d'une cohésion volontaire des Français à la communauté nationale — y compris de ceux qui, selon la loi ancienne, dépendaient de souverains étrangers : le pape, pour les Avignonnais (le comtat Venaissin fut rattaché à la France en 1791) ; les princes possessionnés d'Allemagne, pour les Alsaciens. Face à l'Europe dynastique, protestant contre ces principes nationaux, Merlin de Douai répliquait, le 28 octobre 1790, à l'Assemblée nationale :

« Aujourd'hui que les rois sont généralement reconnus pour n'être que les délégués et les mandataires des nations dont ils avaient jusqu'à présent passé pour les propriétaires et les maîtres, qu'importent au peuple d'Alsace, qu'importent au peuple français les conventions qui, dans les temps du despotisme, ont eu pour objet d'unir le premier au second ? *Le peuple alsacien s'est uni au peuple français, parce qu'il l'a voulu* [1]. »

En germe, cette volonté-là annonçait le bouleversement de la carte politique de l'Europe : la liberté des peuples à disposer d'eux-mêmes, c'est l'idée révolutionnaire qui va redessiner toutes les frontières. Le mouvement nationalitaire, qui va se répandre et embraser le continent en 1848, a d'abord confondu le principe des nationalités et le principe démocratique. Le nationalisme de la France républicaine avait vocation universelle : « Le Dieu des nations a parlé par la France », s'exclame Michelet.

La nation ? Les constituants lui donnaient encore une définition abstraite, juridique. Mais les poètes et les historiens, dont Michelet a été sans doute le plus marquant, ont, tout au long du XIXe siècle, enrichi d'un contenu affectif le principe de nation française, transfiguré son histoire en destin, et pourvu le culte patriotique d'une mythologie : celle d'un peuple élu.

Nul mieux que Michelet n'a réussi à conjuguer l'amour de la France, l'amour charnel de la terre française, l'amour spirituel d'une « âme » française, avec l'amour universel de l'humanité :

« Cette nation, écrit-il dans *Le Peuple*, a deux choses très fortes que je ne vois chez nulle autre. Elle a à la fois le principe et la légende, l'idée plus large et plus humaine, et en même temps la tradition plus suivie.

« Cette tradition, c'est celle qui fait de l'histoire de France celle de l'humanité. En elle se perpétue, sous forme diverse, l'idéal moral du monde [...], le saint de la France, quel qu'il soit, est celui de toutes les nations, il est adopté, béni et pleuré du genre humain. »

Matrice de la révolution universelle, « fraternité vivante », la France est une « religion ». Les autres nations ont leur légende, elles aussi, mais ce ne sont que des « légendes spéciales », au lieu que « la légende nationale de France est une traînée de lumière immense, non interrompue, véritable

---

1. Cité par Jacques Godechot, *La Pensée révolutionnaire 1780-1799*, Colin, 1964, p. 122. C'est nous qui soulignons.

voie lactée sur laquelle le monde eut toujours les yeux [1] ».

Le nationalisme républicain, dès les origines, déclarait la paix au monde, mais se tenait prêt à affronter les tyrans, les armes à la main. L'amour révolutionnaire du genre humain ne se confondait nullement avec le pacifisme : la patrie en danger, la levée en masse, les soldats de l'An II (chantés par Victor Hugo), les paroles mêmes de *La Marseillaise*, autant de souvenirs et de mots martiaux qui s'attachent à la mémoire révolutionnaire, et qui se nourrissent aussi bien de l'imagination populaire que des doctrines de la gauche française.

La Commune de Paris, qui se dresse en mars 1871 contre le gouvernement des « ruraux », a été largement due à la frustration patriotique éprouvée par les républicains et les révolutionnaires de la capitale, pendant et à l'issue du siège de Paris. C'était alors l'extrême gauche — jacobine, blanquiste, voire socialiste — qui faisait montre de « nationalisme », contre un gouvernement réputé avoir failli à sa mission de défense nationale. La lutte de la Commune contre « Versailles » fut, dans une large mesure, une guerre de substitution ; la guerre civile, l'avorton de la guerre nationale [2].

La défaite de 1871 et l'amputation des départements alsaciens et lorrain entretiennent, pendant une vingtaine d'années, un esprit de revanche sur l'Allemagne, une fièvre de patriotisme endémique, dont l'œuvre des fondateurs de la IIIe République n'est pas épargnée. Léon Gambetta, qui s'était illustré durant la guerre franco-allemande par son inlassable énergie à soulever la province contre l'envahisseur, devient, la paix signée, le leader d'un parti républicain qui, de place en place, de discours en discours, réaffirme l'impératif patriotique et paie sa part à la légende nationale :

« Mais, s'exclame-t-il à Thonon, le 29 septembre 1872, il n'y a pas que cette France glorieuse, que cette France révolutionnaire, que cette France émancipatrice et initiatrice du genre humain, que cette France d'une activité merveilleuse et, comme on l'a dit, cette France nourrice des idées géné-

---

1. Michelet, *Le Peuple*, 1846, p. 276-278.
2. « On ne saurait trop le répéter, la révolution de Paris ne fut que le contrecoup du faux combat livré par les hommes du 4 septembre à l'ennemi national » (Jules Andrieu, *Notes pour servir à l'histoire de la Commune de Paris en 1871*, Payot, 1971, p. 107).

rales du monde ; il y a une autre France que je n'aime pas moins, une autre France qui m'est encore plus chère, c'est la France misérable, c'est la France vaincue et humiliée [1]... »

Appelés à reconstruire cette France vaincue, les fondateurs de la nouvelle République veilleront à consolider le ciment national. Leur œuvre scolaire, notamment, assurera une véritable pédagogie nationaliste : l'histoire, la géographie, la morale et l'instruction civique, les leçons de choses, tout doit contribuer à tremper l'âme nationale ; entretenir le souvenir des provinces perdues, développer l'usage de la langue française au détriment des « dialectes » et « patois » (œuvre reprise de la Révolution et de l'abbé Grégoire), animer le culte des héros nationaux... On songe même, un moment, à une préparation de guerre enfantine : en 1882, trois ministres (Guerre, Instruction publique, Intérieur) cosignent un décret visant à généraliser les bataillons scolaires, dont l'expérimentation avait eu lieu deux ans plus tôt à Paris, dans le Ve arrondissement. L'armée et l'école vont collaborer pendant quelques années à l'enrégimentement partiel de la jeunesse. Cette tentative se révèle un échec au bout d'une dizaine d'années, mais on voit que l'idée de mobilisation enfantine est antérieure aux régimes totalitaires : c'est dans une république parlementaire qu'elle fut conçue.

La préparation à la guerre — fût-elle une guerre défensive — visait ensemble la mise en condition des esprits et l'entraînement des corps. C'est un ami de Léon Gambetta, Paul Déroulède, qui fonde, en 1882, pour cette « préparation des forces vengeresses » — selon son expression — la Ligue des patriotes. Une ligue qui veut être apolitique et toute tendue vers le conditionnement moral et physique de la revanche : société de gymnastique, de tir au fusil, armée de réserve, la Ligue des patriotes devait être à l'armée ce que la Ligue de l'enseignement est à l'École : une inspiratrice, une alliée, un instrument de propagande. Cependant, dès 1886, l'apolitisme déclaré de la Ligue est mis au rancart : Déroulède fait son entrée dans l'arène politique. Moment de rupture : le boulangisme annonçait un nouveau nationalisme, celui-là

---

1. Cité par Pierre Barral, *Les Fondateurs de la Troisième République*, Colin, 1968, p. 206.

d'opposition et de droite. La ligne bleue des Vosges n'en était plus le seul horizon : le Palais-Bourbon et l'Élysée devenaient l'enjeu prioritaire.

Le nationalisme conservateur.

Paul Déroulède a précisé le moment charnière où son action est devenue une action politique d'opposition. Dans un discours qu'il a fait lire lors d'un meeting, le 23 mai 1901, le fondateur de la Ligue des patriotes explique :

« C'est en 1886, à Buzenval, au milieu des drapeaux rouges criminellement déployés sur la tombe de nos soldats, et cela en présence et avec l'approbation de certains députés, que j'ai compris pour la première fois dans quel état d'anarchie nous étions tombés et que, pour la première fois, j'ai déclaré qu'avant de libérer l'Alsace et la Lorraine, il fallait libérer la France[1]. »

Nous saisissons sur le vif le moment de transition qui voit le passage d'un nationalisme à l'autre. La présence de drapeaux rouges à une cérémonie militaire (commémoration d'une bataille de la dernière guerre) en est-elle la raison, le prétexte ou le déclic ? Toujours est-il que Déroulède fixe bien la nouvelle hiérarchie des devoirs : l'ordre intérieur d'abord, la revanche extérieure après ! Le régime parlementaire, voilà l'ennemi ! L'année suivante, les débuts du boulangisme offrent à Paul Déroulède la solution politique recherchée : la république plébiscitaire doit remplacer la république parlementaire.

Ne faisons pas, toutefois, du boulangisme un simple accès de fièvre nationaliste. Au cours des trois années (1887-1889) pendant lesquelles le mouvement se développe, jusqu'à son acmé, lors de l'élection législative partielle à Paris, en janvier 1889, puis décline et s'effondre, le boulangisme est devenu un mouvement d'opinion d'une riche complexité, où concourent les « patriotes » de Déroulède, des radicaux désireux d'en finir avec la république opportuniste, des socialistes rêvant d'une révolution sociale, des bonapartistes et les

---

1. Paul Déroulède, *Qui vive ? France ! « Quand même », Notes et Discours 1883-1910*, 1910, p. 254.

monarchistes manigançant à qui mieux mieux en vue d'une restauration... Bref, un mouvement d'opinion nourri, de l'extrême gauche à l'extrême droite, de tous les mécontentements de l'heure, se cristallise sur un général à cheval et sur un programme laconique — Dissolution, Révision, Constituante —, suffisamment vague pour laisser à chaque clan ses espoirs et autoriser ses calculs. Pot-pourri où chacun reconnaîtra les siens — jusques et y compris les antécédents du fascisme[1].

Pour ce qui nous concerne ici, il n'est pas douteux que le boulangisme si hétéroclite a été le creuset d'un nouveau nationalisme, qui ne prendra vraiment son nom qu'une dizaine d'années plus tard et qui est mû par un impératif prioritaire : le changement de régime, l'instauration d'un pouvoir personnel, directement appuyé sur la volonté nationale. L'échec même du boulangisme aura pour effet de fixer à droite le mouvement nationaliste[2]. Après 1889, l'espoir des restaurations s'est effondré ; en 1892, le pape conseille aux catholiques français de se rallier à la République. Le mouvement nationaliste va se trouver renforcé et décanté par ses clientèles droitières : une véritable doctrine « nationaliste » (puisque désormais le mot se répand avec l'aide des théoriciens de la nouvelle école) est élaborée et diffusée, l'affaire Dreyfus en étant le stade paroxystique. « Véritable doctrine » est trop dire. Il vaudrait mieux parler d'ensemble doctrinal, auquel divers esprits ont apporté leur écot sans trouver une commune solution politique, même si l'adversaire — la république parlementaire — leur était commun. Ce nationalisme antidreyfusard regroupe, en effet, sans les confondre complètement, ceux qui viennent de la Révolution et ceux qui viennent de la contre-Révolution.

Le moment Dreyfus.

Paul Déroulède fait partie du premier groupe. Retrouvant son élan au cours de l'affaire Dreyfus, la Ligue des patriotes

1. Voir Michel Winock, *La Fièvre hexagonale. Les grandes crises politiques 1871-1968*, Éd. du Seuil, « Points Histoire », 1987.
2. Voir Philippe Levillain, *Boulanger, fossoyeur de la monarchie*, Flammarion, 1982.

a mobilisé, en particulier à Paris, une bonne fraction de la clientèle républicaine. L'attitude résolument « putschiste » de son chef vaut à celui-ci l'exil[1]. Hostile à « la comédie parlementaire », Déroulède ne s'en dit pas moins l'adversaire d'une dictature et préconise une république plébiscitaire et populaire, à la tête de laquelle le chef de l'État, émancipé de « l'oppressive tutelle des deux Chambres », serait « le premier des représentants du peuple ». Dans la mouvance de la Ligue, on retrouve un certain nombre d'ex-révolutionnaires, une ancienne extrême gauche, soit issue des rangs blanquistes, soit influencée par Rochefort. Les éditoriaux de celui-ci dans *L'Intransigeant* amènent à la cause nationaliste un petit peuple — parisien surtout — volontiers anticlérical, sansculotte, dont les anciens ont pu faire le coup de feu au temps de la Commune.

Autre élément : la composante antisémite. A vrai dire, l'antisémitisme baigne l'ensemble du mouvement nationaliste : de Déroulède à Maurras, de Rochefort à Barrès, la dénonciation de « l'invasion juive » est de toutes les salives. Encore faut-il distinguer des organes et des structures proprement antisémites. Côté journaux, *La Libre Parole* d'Édouard Drumont, et les diverses éditions parisiennes et régionales de *La Croix* des Pères assomptionnistes. Pour le reste, signalons seulement la Ligue antisémitique, lancée par Drumont, dirigée avant sa mort par le marquis de Morès, reprise enfin par Jules Guérin, qui la transforme en « Grand Occident de France » — appellation dérisoire visant la francmaçonnerie, communément assimilée à la « juiverie[2] ». Substitut de l'ennemi extérieur, le Juif est appelé par la mythologie des antisémites à figurer, à l'intérieur, l'ennemi nécessaire contre lequel il devient plus facile d'assurer la cohésion nationale.

Au cours de l'affaire Dreyfus, le nationalisme rallie aussi

1. Paul Déroulède, le 23 février 1899, à l'occasion des funérailles du président Félix Faure, avait tenté d'entraîner le général Roget à marcher sur l'Élysée. Malgré son acquittement par le jury de la Seine, Déroulède, de nouveau arrêté, est condamné par la Haute Cour à dix ans de bannissement.
2. Voir Zeev Sternhell, *La Droite révolutionnaire*, Éd. du Seuil, « Points Histoire », 1984.

à sa cause une bonne partie des gens en place, l'*establishment* des arts et des lettres, ainsi qu'en témoigne le succès de la Ligue de la patrie française. Autant les deux ligues précédentes — celle de Déroulède, celle de Guérin — recrutent dans les couches populaires, autant celle-ci dans le Bottin mondain. Elle est créée à la fin de l'année 1898, en protestation contre les intellectuels dreyfusards : académiciens (François Coppée, Jules Lemaître, Paul Bourget, et une vingtaine d'autres), membres de l'Institut, artistes en vogue (Degas, Renoir, Caran d'Ache, Forain...), pétitionnent pour l'Armée, mise en cause. Mais trop mondaine et conservatrice pour être dangereuse, la Ligue de la patrie française ne survit pas à l'affaire Dreyfus [1].

Cependant, c'est un des noms les plus illustres de la Ligue de la patrie française, Maurice Barrès, qui s'impose comme l'une des deux «têtes» (l'autre étant Charles Maurras) du nationalisme conservateur. Barrès, qui n'a pas l'esprit de système, offrira au nationalisme un art poétique. Ses romans (*Colette Baudoche*, *Les Déracinés*, etc.), ses *Cahiers*, constituent une somme nationaliste, où l'on repère bon nombre d'idées de son époque, mais traitées par une âme sensible, un esthète, qui s'entend à les émailler de formules imagées [2].

Il est convenu d'opposer le syncrétisme de Barrès (qui intègre notamment dans sa vision nationale la Révolution de 1789) au monarchisme sectaire de Maurras. Pourtant, le nationalisme de Barrès est, dans son fondement, aux antipodes du nationalisme républicain. Celui-ci s'appuie sur l'idée d'une nation conçue comme le produit d'une volonté générale. Celui-là, sur un non-vouloir catégorique : «Le nationalisme, écrit Barrès, c'est l'acceptation d'un déterminisme [3].» Paradoxe : Barrès et tant d'autres nationalistes conservateurs, trempés d'antigermanisme, récusent la défi-

1. Voir Jean-Pierre Rioux, *Nationalisme et Conservatisme, la Ligue de la patrie française 1899-1904*, Beauchesne, 1977.
2. C'est peut-être le reproche qu'on peut adresser au livre de Zeev Sternhell, *Maurice Barrès et le Nationalisme français*, Presses de la Fondation nationale des sciences politiques, 1972 : d'avoir trop systématisé une pensée qui ne l'était pas.
3. Maurice Barrès, *Scènes et Doctrines du nationalisme*, 1902, p. 8.

nition française de la nation, au profit de l'allemande, dans laquelle l'inconscient submerge la volonté ou le consentement. Là-dessus, du reste, il arrive à Barrès de se contredire, et ce n'est pas par rigueur théorique qu'il va exercer une influence, profonde, sur plusieurs générations (d'écrivains notamment), mais davantage par son sens de la formule, de la métaphore, de l'évocation. Avec lui, le nationalisme a perdu les abstractions révolutionnaires. Anti-intellectualiste, il fonde sa passion du Moi national sur le culte de la Terre et des Morts, et entonne l'hymne de l'enracinement. Avec lui, loin des grands horizons, récusant la dimension universelle, le nationalisme se rétracte dans son pré carré. C'est un chant d'angoisse, au cœur de la décadence, en l'honneur d'une France menacée de décomposition. L'appel à l'« énergie », qu'il réitère de livre en livre, prend des accents crépusculaires, hanté qu'il est par l'œuvre de la mort : « Mon sentiment de la mort et ce grouillement des vers dans un cadavre qui est toute ma vie secrète [1]... »

La première vague nationaliste, le boulangisme, avait porté Barrès le romantique ; la deuxième vague, celle de l'antidreyfusisme, a offert au nationalisme français son doctrinaire positiviste, Charles Maurras. Celui-ci a dénoncé dans l'affaire Dreyfus un complot étranger, visant à dissoudre la communauté nationale avec ses deux garants : l'Armée et l'Église. Radicalement pessimiste sur la nature humaine, selon la tradition contre-révolutionnaire, il ne croit possible la cohésion sociale qu'au moyen de solides cadres institutionnels : la famille, les corporations professionnelles, l'Église catholique, un État unifié. D'abord républicain, sans foi religieuse, faisant de la patrie un primat exclusif, Maurras induit du nationalisme la solution politique enfin trouvée : la restauration monarchique. Royalisme raisonné, sans contenu affectif ou métaphysique : « A d'autres, dit-il, le vieux droit divin, solennelle sottise des courtisans inintelligents du passé [2]. »

La pensée maurrassienne qui s'élabore au cours de l'affaire Dreyfus et dans ses lendemains marque une coupure dans l'histoire du nationalisme. En un sens, cette pensée en est

1. Maurice Barrès, *Mes cahiers*, Plon, 1929, I, p. 114.
2. Cité par Jacques Paugam, *L'Age d'or du maurrassisme*, Denoël, 1971, p. 117.

un achèvement : par la force de ses constructions logiques autant que par l'efficacité de ses démolitions, Maurras dote le nationalisme d'une rigueur théorique sans précédent. Qui plus est, faisant école, Maurras met en place un remarquable dispositif pédagogique et politique, de longue portée : la Ligue d'Action française (1905), l'Institut d'Action française (1905), la transformation de la *Revue de l'Action française* (1899) en journal quotidien, *L'Action française* (1908), le service d'ordre des Camelots du roi, etc. Bref, un foyer rayonnant sur plusieurs générations successives. En même temps, l'hégémonie intellectuelle de Maurras sur le courant nationaliste va tarir celui-ci. Car la pensée de Maurras est une pensée exclusive. Cet écrivain qui ne veut entendre que la raison des faits (« se soumettre aux faits ») élimine résolument du patrimoine français et de la richesse nationale tout ce qui est étranger à son classicisme : la Révolution et tout ce qui s'ensuit, les protestants, les Juifs, les francs-maçons, les « métèques » (les « Quatre États confédérés »)… C'est à la hache que Maurras reconstruit la France de ses vœux, préférant l'abstraction de son système aux réalités concrètes de son temps et introduisant dans le nationalisme un esprit d'orthodoxie et un sectarisme qui ajouteront à ses divisions et contribueront à son impuissance.

Quoi qu'il en soit, dans les premières années du XXe siècle, un nationalisme conservateur a achevé de se constituer : l'antidreyfusisme en a été le ressort initial et le principe unifiant. Même si des adeptes de celui-ci s'y retrouvent, il diffère profondément du nationalisme républicain, enfant d'une nation jeune, expansive et missionnaire, marqué par la foi dans le progrès et la fraternité des peuples. Au contraire, le nationalisme conservateur, invariablement pessimiste, joue dans une chapelle ardente aux dimensions hexagonales le grand air de la décadence. La France est menacée de mort, minée de l'intérieur, à la fois par ses institutions parlementaires, par les bouleversements économiques et sociaux (où l'on dénonce toujours « la main du Juif »), la dégradation de l'ancienne société, la ruine de la famille, la déchristianisation… Toutes tendances confondues, ce nationalisme mortuaire en appelle à une résurrection : restauration de l'autorité étatique, renforcement de l'Armée, protection des anciennes mœurs, dissolution des facteurs de division… A des doses variables, la xénophobie, l'antisémitisme, l'antiparlementarisme, sont diffusés en des styles appropriés à chacun des publics visés. A côté des crispations d'une France vaincue — celle qui, au fond, n'a jamais accepté le régime républicain issu de la Révolution —, on ne doit pas oublier les colères d'une France déçue — celle d'un peuple qui prête d'autant plus l'oreille à ses nouvaux tribuns qu'il n'a rien reçu de cette République, trop bourgeoise, dans laquelle il avait placé tant d'espérance. C'est la conjonction de la France vaincue et de la France déçue qui donne son sens au propos de Péguy que nous rappelions plus haut : oui, le nationalisme était devenu un mouvement profond, un mouvement de masse.

L'Union sacrée.

Cependant, l'opposition des deux nationalismes, celui de droite et celui de gauche, devait s'affaiblir à partir du moment où le Reich de Guillaume II, menant une agressive *Weltpolitik*, prend, en 1905, la figure d'un danger, non plus théorique, mais concret, immédiat, et mortel, lors du voyage du Kaiser à Tanger. Cette année-là, le nationalisme français entre dans une nouvelle phase : celle d'une convergence entre républicains et conservateurs, qui s'achève en «Union sacrée», en août 1914. Autant le nationalisme des premières années du siècle est obnubilé par les affaires intérieures, autant les relations internationales deviennent, à partir de 1905, et progressivement, le facteur décisif d'une passion nationale dont la tonalité a changé.

Pour illustrer ce mouvement de convergence, on peut retenir le cas de Péguy. Certes, Charles Péguy, en raison des contradictions qu'on lui a reprochées, ne représente que lui-même. Et pourtant, son attitude, son évolution, témoignent d'un changement d'esprit dont il n'a pas le monopole, même s'il l'exprime mieux que d'autres. Péguy avait été un dreyfusard militant, un socialiste, un républicain laïque. De 1905 à 1914, sans jamais renier ni son dreyfusisme ni son républicanisme, il se place sur des positions de plus en plus hostiles au parti socialiste, tout en manifestant sa nouvelle foi catholique. Péguy devient-il nationaliste ? Non, il l'a toujours été.

Mais, à partir de 1905, son nationalisme républicain se trouve en contradiction avec les idées et les pratiques de sa propre famille politique — celle du socialisme français. Déjà le socialisme parlementaire de Jaurès, alliance du socialisme et du combisme, la décomposition du dreyfusisme en politique politicienne, avaient rendu sévère Péguy à l'endroit de ses amis socialistes. Mais la crise de Tanger aggrave sa critique et consomme sa rupture.

Le 31 mars 1905, Guillaume II, lors de sa visite éclair et théâtrale à Tanger, remet en cause le récent accord franco-britannique sur le Maroc, déclarant : « C'est au sultan du Maroc, souverain indépendant, que je fais ma visite, et j'espère que, sous sa haute souveraineté, un Maroc libre sera ouvert à la concurrence pacifique de toutes les nations, sans monopole de toute sorte. » L'émoi que provoque ce défi germanique à la France, la crise qui s'ensuit (la démission de Delcassé du Quai d'Orsay, le compromis d'Algésiras en 1906, lequel, tout en confirmant l'indépendance de l'empire chérifien, reconnaissait à la France des droits spéciaux au Maroc...) déclenchent la crainte d'une guerre imminente. « Ce fut une révélation », dira Péguy. Le 19 juin 1905, Clemenceau, autre dreyfusard, écrit dans *L'Aurore* : « Être ou ne pas être, voilà le problème qui nous est posé pour la première fois depuis la guerre de Cent Ans par une implacable volonté de suprématie. Nous devons à nos mères, à nos pères, et à nos enfants de tout épuiser pour sauver le trésor de vie française que nous avons reçu de ceux qui nous précédèrent et dont nous devrons rendre compte à ceux qui suivront [1]. » La prescience d'une menace mortelle pour la France, c'est dans tous les partis et dans toutes les familles politiques qu'on en trouve la marque — et son corollaire, le désir d'un renforcement national.

Peu à peu, Péguy se sépare de la gauche. Notamment de cette gauche socialiste, où un Gustave Hervé défraie la chronique antimilitariste et que ménage Jaurès. A *Leur Patrie* d'Hervé, il oppose *Notre Patrie*, livre dans lequel il renouvelle l'expression du nationalisme révolutionnaire. Ligne qu'il défend encore en 1913, alors que s'en prenant à Jaurès qu'il

---

1. Cité par Raoul Girardet, *op. cit.*, p. 224.

traite, entre autres injures, de « volumineux poussah », il affirme : « En temps de guerre, en République, il n'y a plus que la politique de la Convention nationale. Je suis pour la politique de la Convention nationale contre la politique de l'Assemblée de Bordeaux, je suis pour les Parisiens contre les ruraux, je suis pour la Commune de Paris, pour l'une et l'autre Commune, contre la paix, je suis pour la Commune contre la capitulation, je suis pour la politique de Proudhon et pour la politique de Blanqui contre l'affreux petit Thiers [1]. »

Cependant, le nationalisme républicain de Péguy, qui s'exprime ici dans toute sa pureté, est ailleurs quelque peu altéré par « l'air du temps ». L'auteur du *Mystère de la charité de Jeanne d'Arc* est, depuis peu, revenu à la foi catholique, comme de nombreux intellectuels de cette période où le rationalisme scientiste cède de plus en plus de terrain. L'influence de Bergson en est une illustration : le retour en force de l'intuition, la vogue d'un certain anti-intellectualisme, vont de pair avec le renouveau spiritualiste. Il faudrait aussi évoquer le regain d'intérêt pour le service (au sens fort du mot) militaire. En 1913, le roman d'Ernest Psichari, *L'Appel des armes*, symbolise au mieux cette redécouverte de la « grandeur militaire » par une nouvelle génération bourgeoise. Le désir de « revanche », l'envie d'en découdre, deviennent explicites dans la correspondance de Péguy. En janvier 1912, il écrit à un ami ; « J'ai passé une nuit fort agréable. J'ai rêvé toute la nuit qu'on mobilisait. » A un autre : « La gloire serait d'entrer dans Weimar à la tête d'une bonne section d'infanterie. » Quelques jours plus tard, à Alexandre Millerand, *nouveau ministre de la Guerre* : « Puissions-nous avoir sous vous cette guerre qui depuis 1905 est notre seule pensée ; non pas l'avoir seulement mais la faire [2]. »

« Air du temps », disions-nous. C'est qu'à partir de 1911 et l'affaire d'Agadir la tension monte encore dans les relations franco-allemandes. L'idée d'une guerre inévitable se

---

1. Charles Péguy, *L'Argent Suite*, in *Œuvres en prose 1909-1914*, Gallimard, « La Pléiade », 1961, p. 1239.
2. Citations empruntées à Éric Cahm, *Péguy et le Nationalisme français*, Cahiers de l'Amitié Charles-Péguy, n° 25, 1972, p. 116-118.

répand. Les tendances pacifistes deviennent minoritaires. En 1913, la majorité de gauche à la Chambre ne peut empêcher l'élection de Poincaré, républicain de droite, à la présidence de la République ; le 7 août de la même année, la loi des trois ans (de service militaire) est votée. Au printemps, les radicaux et les socialistes ont beau remporter les élections : ils n'ont pu faire de la loi des trois ans leur programme commun... La dramatisation des relations internationales, depuis 1905, a certainement contribué à la transformation des esprits, dont Péguy n'est qu'un illustre exemple. En 1911, Henri Massis et Alfred de Tarde avaient publié, sous le pseudonyme commun d'Agathon, une *Enquête sur les jeunes gens d'aujourd'hui*, qui révèle les tendances de la «nouvelle vague», et qui est confirmée par une série d'enquêtes analogues publiées par *Le Temps*, *Le Gaulois*, *La Revue hebdomadaire*, *La Revue des Français*. Plus tard, Henri Dartigue en fera la synthèse dans son livre : *De l'état d'esprit de la jeunesse française avant la guerre* — dont témoigne aussi le *Jean Barois* de Roger Martin du Gard. Cette nouvelle génération apparaît gagnée par le goût de l'action ; elle révoque en doute l'anarchisme intellectuel, aspire à l'ordre, à la discipline ; demande à l'art un enseignement moral ; elle pratique le sport, fait l'éloge de l'aventure ; elle va à la messe et adhère aussi au culte de la nation.

Dans les années qui précèdent la guerre, la France est gagnée par un nationalisme diffus. Est-ce la revanche du nationalisme de droite, vaincu de l'affaire Dreyfus ? Oui et non. Oui, dans la mesure où les thèmes de ce nationalisme se sont répandus à travers les journaux et les livres ; où l'on en discerne l'influence dans les goûts du jour. Mais, comme en témoignent aussi bien Péguy que Clemenceau, l'élection de Poincaré à la présidence et le vote de la loi des trois ans, c'est aussi le nationalisme républicain, que le danger extérieur a réveillé. L'entrée en guerre des Français, le 3 août 1914, va en faire bientôt la démonstration. Barrès, en 1917, écrivant *Les Diverses Familles spirituelles de la France*, consacrera la réconciliation des ennemis de l'intérieur face à une «barbarie» aux multiples visages. «Le génie de la France, écrit-il, sommeillait sur un oreiller de vipères. Il semblait qu'il allât périr étouffé dans les nœuds dégoûtants de la guerre civile. Mais les cloches sonnent le tocsin, et voici que le dormeur se réveille dans un élan d'amour. Catholiques, protestants, israélites, socialistes, traditionalistes, soudain laissent tomber leurs griefs. » L'exclusion faisait place à la communion.

Le chapitre de l'« Union sacrée » est connu, il n'y a pas à s'y attarder. Sauf peut-être sur un point, sur un sujet d'étonnement : comment les socialistes, dont le chef est assassiné le 31 juillet 1914, comment les syndicalistes de la CGT, qui avaient, les uns et les autres, « déclaré la guerre à la guerre », promis la grève générale en cas de mobilisation du même nom, comment ces militants, ces révolutionnaires, en quelques jours, en quelques heures, se sont-ils retrouvés côte à côte avec leurs « ennemis de classe », pour la défense de la patrie ? Et comment, en dépit de la durée de la guerre, le mouvement ouvrier français a-t-il pu apporter jusqu'en 1918 son soutien à la défense nationale ?

Passons sur les événements de juillet 1914, sur l'impuissance de l'Internationale socialiste à mettre en œuvre un moyen efficace pour empêcher la guerre, et venons-en au principal : si les socialistes français ont participé à l'Union sacrée ou l'ont soutenue, c'est qu'en leur sein le nationalisme révolutionnaire et républicain vibrait encore, après avoir été refoulé, dénoncé comme une idéologie de classe, attaqué dans tous les organes et dans tous les congrès du mouvement socialiste et syndicaliste. Signes avant-coureurs : Gustave Hervé, champion de l'antipatriotisme, avait, lors de sa dernière sortie de prison en 1912, évolué vers les positions d'un « socialisme national ». En cette même année 1912, le 16 décembre, la CGT avait déclenché une grève de vingt-quatre heures, en vue de « l'organisation de la résistance à la guerre » : ce fut un échec cuisant. Mais, dans les discours mêmes de ceux qui ont milité le plus ardemment pour la paix — Jaurès, Vaillant, Allemane, et tant d'autres —, on rencontre des traces non seulement d'amour patriotique, mais celles d'un véritable orgueil national. Les socialistes ont de bonnes raisons de vouloir défendre leur patrie : la France, à leurs yeux, reste le sanctuaire de la Révolution. Face à une Allemagne autocratique et agressive, la défense du territoire national devient un devoir sacré. Ce n'est qu'en 1914 que les socialistes arrivent à cette

conclusion, mais leur jacobinisme n'a jamais cessé d'être un
élément de leur doctrine. Les diverses familles socialistes ont
été hostiles aux armées permanentes et au bellicisme des nationalistes, mais ceux mêmes qui se sont déclarés par défi « antipatriotes » se ralliaient pour la plupart à cette déclaration du
député antimilitariste Avez : « On nous traite de 'sans patrie',
parce qu'entre les peuples nous ne voyons pas de frontières… ;
néanmoins, si le territoire français était envahi, nous serions
les premiers à défendre le pays qui a vu naître les principes
de la Révolution, du progrès et de la civilisation [1]. » Jaurès,
lui, récusant, dans *L'Armée nouvelle* (1911), le mot de Marx
et d'Engels selon lequel « les ouvriers n'ont pas de patrie »,
déclare : « La patrie n'a pas pour fondement des catégories
économiques exclusives, elle n'est pas enfermée dans le cadre
étroit d'une propriété de classe. Elle a bien plus de profondeur organique et bien plus de hauteur idéale. Elle tient par
ses racines au fond même de la vie humaine et, si l'on peut
dire, à la physiologie de l'homme [2]. »

En 1905, lors de la première alarme, un anarchiste russe,
Kropotkine, exprimait sans ambages la pensée profonde d'un
socialisme français, dont l'internationalisme s'accordait fort
bien avec la fierté nationale : « Si la France était envahie par
les Allemands, je regretterais une chose : c'est qu'avec mes
soixante ans passés, je n'aurais probablement pas la force
de prendre le fusil pour la défendre… Non pas comme soldat de la bourgeoisie, bien entendu, mais comme soldat de
la Révolution […]. Un nouvel écrasement de la France serait
un malheur pour la civilisation [3]. »

Déclin et contradictions.

L'exaltation nationaliste va perdre progressivement sa raison d'être après la victoire. Le jacobinisme intraitable d'un
Clemenceau, porté à la présidence du Conseil en 1917, a

1. Voir Michel Winock, « Socialisme et patriotisme en France
1891-1894 », *Revue d'histoire moderne et contemporaine*, t. XX, juil.-
septembre 1973.
2. Jean Jaurès, *L'Armée nouvelle*, 1911, Éditions sociales, nlle éd.,
1977, p. 326.
3. Cf. Michel Winock, art. cité.

complété le nationalisme du républicain modéré Poincaré, président de la République de 1913 à 1920. Dans les années qui suivent la guerre, le nationalisme français reste encore sur le qui-vive : l'Allemagne doit payer, l'Allemagne doit réparer, car c'est elle qui a provoqué la guerre mondiale. Redevenu président du Conseil, soutenu par une Chambre bleu horizon qui entend faire appliquer les traités, Raymond Poincaré n'hésite pas à faire occuper la Ruhr, en 1923, pour amener le gouvernement allemand à résipiscence — malgré l'avis hostile des anciens Alliés britannique et américain. Mais, à partir de 1924, le Cartel des gauches, d'abord, la politique étrangère d'Aristide Briand ensuite, mettent un terme à l'attitude intransigeante qui a précédé. L'ère de la sécurité collective a commencé ; la paix devient un idéal universel, que chaque État doit servir de son mieux ; en 1926, l'Allemagne est admise à la Société des nations et, deux ans plus tard, les représentants de 15 États signent à Paris le pacte Briand-Kellogg, proclamant solennellement la renonciation générale à la guerre. On se prend à rêver que l'humanité est entrée à tout jamais dans les temps de la paix, jusqu'au moment où la crise économique et les bouleversements politiques qui s'ensuivent vont faire resurgir de nouvelles agressivités nationalistes : au Japon, en Italie, en Allemagne. L'invasion de la Mandchourie par les Japonais en 1931 met fin aux illusions : les années trente vont se trouver sous la menace d'un nouveau conflit mondial, qui finit par éclater en 1939.

Tout au long de ces années dramatiques, nous assistons au déclin du nationalisme français, dans ses diverses composantes. C'est qu'alors la passion collective de la revanche n'a plus de raison d'être : les départements d'Alsace et de Lorraine ont été réintégrés au territoire national. La France n'a plus de revendication territoriale : les vainqueurs sont toujours pacifiques. Qui plus est, les Français ont tellement souffert de la Grande Guerre que leur nationalisme est sensiblement affaibli par un nouveau courant de pensée qui ne cesse de se nourrir à droite comme à gauche : le pacifisme. Un sentiment immédiat, quasi biologique, qui va bientôt servir la cause idéologique des camps antagonistes.

Le 24 novembre 1924, la médaille militaire était conférée à un de ces soldats inconnus, brave parmi les braves, témoin de cette piétaille héroïque qui avait su résister à la marée germanique. L'homme s'appelait Louis-Ferdinand Destouches, engagé volontaire en 1912, à l'âge de dix-huit ans. Grièvement blessé au bras droit et à la tête lors d'une mission accomplie en Flandre occidentale, ce maréchal des logis d'un régiment de cuirassiers, qui venait d'être cité à l'ordre du jour de l'armée, n'avait pas fini de faire parler de lui. Comme beaucoup de ses camarades anciens combattants, lui qui avait fait la guerre dans un état d'esprit nationaliste allait en revenir radicalement pacifiste [1]. Le même Destouches, devenu médecin entre-temps, publiait en 1932, sous un pseudonyme qui devait le rendre célèbre — Céline —, un premier roman qui fut un coup de tonnerre dans la production littéraire de l'époque : *Voyage au bout de la nuit*. Son héros, Bardamu, pris dans le grand carnage de 14-18, exprime crûment ce pacifisme viscéral, devenu commun à tant de Français : « Moi, quand on me parlait de la France, je pensais irrésistiblement à mes tripes. »

Ce qui rend particulièrement intéressant et représentatif le pacifisme de Céline est qu'il bénéficie des louanges et de la gauche et de la droite. La presse d'extrême gauche, encore antimilitariste, fait un succès au *Voyage*, qui reçoit le prix Renaudot ; la revue communiste *Monde* d'Henri Barbusse a été la première à défendre cet ouvrage sulfureux. Mais, à droite, dans *Candide*, Léon Daudet, d'Action française, tresse aussi un vibrant éloge du nouveau talent révélé. Cette convergence montre à quel point l'atmosphère des années trente est différente de celle de l'avant-guerre. Cependant, cinq ans plus tard, lorsqu'il publie son furieux pamphlet antisémite, *Bagatelles pour un massacre*, l'« anarchiste » Céline se classe résolument à l'extrême droite, qu'il achève de séduire [2].

Dans cet exemple littéraire, il est important d'observer la conjonction nouvelle du pacifisme et de l'antisémitisme —

1. La thèse d'Antoine Prost sur *Les Anciens Combattants et la Société française 1914-1939* (Presses de la Fondation nationale des sciences politiques, 1977, 3 vol.) a démontré le pacifisme dominant des organisations d'anciens combattants dans la France de l'entre-deux-guerres.

2. Voir Frédérick Vitoux, *La Vie de Céline*, Grasset, 1988, et Jacqueline Morand, *Les Idées politiques de Louis-Ferdinand Céline*, Librairie générale de droit et de jurisprudence Pichon et Durand Auzias, 1972, p. 192.

telle qu'elle va triompher dans le discours du nationalisme conservateur, entre 1935 et 1939. Ce nationalisme — de *L'Action française* à *Gringoire*, de Brasillach à Drieu La Rochelle — se tourne résolument, comme au temps de l'affaire Dreyfus, vers l'intérieur. La crise des années trente lui donne l'occasion de recommencer le procès du régime parlementaire, du socialisme — qui n'hésite pas à s'allier au communisme — et d'une manière générale le procès de la décadence dont la France est malade. Or, tandis qu'il faudrait raffermir l'État de la société — soit par la restauration monarchique, soit par l'instauration d'une dictature fasciste —, la gauche, le Front populaire, les Juifs, voudraient, au nom de « l'antifascisme », entraîner le pays exsangue dans un nouveau conflit suicidaire. Cette guerre, disent tous les organes du nationalisme conservateur, est une guerre « juive », une guerre idéologique voulue par les Juifs, pour renverser Hitler. Ainsi, tandis qu'avant 1914 les Juifs étaient accusés par les antisémites de « trahir » la France, au profit de l'Allemagne, les voilà désormais coupables d'empêcher la bonne entente franco-allemande et de préparer une nouvelle guerre. Le nationalisme conservateur, en restant antisémite, met pour l'heure en sourdine son antigermanisme et se découvre une nouvelle vocation pour la paix. Les « jeunes gens d'aujourd'hui » ne sont plus ceux d'hier : s'ils défilent encore devant la statue de Jeanne d'Arc, c'est pour montrer leur force à « l'ennemi intérieur » — le socialiste, le communiste, le « métèque », le franc-maçon, le « youpin » — plus que pour parer à une nouvelle invasion allemande.

Lors de cette débâcle du nationalisme conservateur face au danger hitlérien, on aurait pu espérer, par un effet de compensation, le bon usage d'un nationalisme républicain, déterminé à proclamer la patrie et la démocratie en danger, face aux conquérants nazis. De fait, on vit reprendre flamme, ici et là, la vieille ardeur jacobine contre la coalition des cours étrangères et des « émigrés de Coblence ». A dater de 1935, on découvre aussi un parti communiste, si antimilitariste jusque-là, qui se rallie sur les invites de Staline à une vigoureuse politique de défense nationale et ouvre son panthéon à tous ces héros républicains, distingués au champ d'honneur, au rang desquels Jeanne d'Arc, peut-être malgré elle, figure

aux côtés des va-nu-pieds de l'An II. Maurice Thorez exalte
la réconciliation du drapeau rouge et du drapeau tricolore :
les précédents ne manquaient pas. Mais, malgré ce sursaut
communiste et quelques autres revirements voisins, le pacifisme — avec toutes ces nuances — reste dominant sur la gauche, à l'heure de la reculade de Munich [1]. De sorte qu'à la
veille de la Seconde Guerre mondiale, l'état d'esprit des
Français était sensiblement modifié par comparaison avec la
ferveur patriotique de 1914.

Révolution nationale et France libre.

Au moment de Munich, un colonel français écrit à sa
« chère petite femme chérie » : « L'argent allemand et la monnaie italienne ont coulé à flots ces jours-ci dans toute la presse
française, surtout dans celle qui est dite 'nationale' (*Le Jour*,
Gringoire, *Le Journal*, *Le Matin*, etc.) pour persuader notre
peuple qu'il fallait lâcher et le terroriser par l'image de la
guerre. » Puis, au lendemain de la capitulation, le 1er octobre 1938 : « Voici donc la détente. Les Français, comme des
étourneaux, poussent des cris de joie, cependant que les troupes allemandes entrent triomphalement sur le territoire d'un
État [la Tchécoslovaquie] que nous avons construit nous-
mêmes, dont nous garantissons les frontières et qui était notre
allié. Peu à peu nous prenons l'habitude du recul et de l'humiliation, à ce point qu'elle nous devient une seconde nature.
Nous boirons le calice jusqu'à la lie [2]. » La lucidité du colonel de Gaulle — puisque c'est de lui qu'il s'agit — démontrait que tous les contemporains d'Agathon (de Gaulle,
saint-cyrien, avait 21 ans en 1911) n'étaient pas résignés à
la soumission. Moins de deux ans plus tard, l'aventure gaulliste commençait.

Les années 1940-1944 ont complètement bouleversé l'histoire du nationalisme français. Tandis que le vieux nationalisme jacobin a pu inspirer une partie de la Résistance
intérieure — mais sans faire l'unanimité d'une gauche, dont

---

1. Voir Michel Winock, « L'esprit de Munich », dans *Les Années trente*, Éd. du Seuil, « Points Histoire », 1990.
2. Charles de Gaulle, *Lettres, Notes et Carnets, 1919-juin 1940*, Plon, 1980, p. 474-476.

le pacifisme intégral a poussé un certain nombre de représentants au ralliement à Vichy, voire à la collaboration avec l'occupant —, le nationalisme conservateur entonna son chant du cygne. Dans la logique de l'antidreyfusisme et du nationalisme munichois : l'intérieur d'abord ! Le changement de régime comme priorité ! La Révolution nationale du maréchal Pétain s'isole volontairement du monde en guerre et veut reconstruire les institutions et la société française, selon les principes de la tradition antirépublicaine, antiparlementaire et antisémite. Cela signifie, en fait, non seulement l'acceptation de la défaite — alors que l'allié britannique continue seul la lutte —, mais surtout une collaboration d'État avec l'Allemagne hitlérienne et une lutte idéologique et militaire contre ceux des Français qui s'organisent dans la Résistance et la France libre pour continuer le combat. Nationalisme paradoxal s'il en fut que celui de ces gens élevés dans la haine de l'Allemagne et préférant en définitive le nouvel ordre européen de Hitler au rétablissement de la République : « Si les Anglo-Américains devaient gagner, disait encore Maurras en 1944, cela signifierait le retour des francs-maçons, des Juifs et de tout le personnel politique éliminé en 1940[1]. »

Mais tous les nationalistes de la génération d'Agathon ne tombèrent pas dans l'impasse de la Révolution nationale, puisque c'est l'un d'eux, Charles de Gaulle, qui devait incarner l'esprit de la France libre. Sa formation intellectuelle mais aussi les circonstances (voir, ci-dessus, ce qu'il dit de la « presse nationale » au moment de Munich) placent de Gaulle « au-dessus des partis ». Son nationalisme, comme l'a dit Jean Touchard, est « un nationalisme syncrétique, un nationalisme d'amalgame qui incorpore dans une même synthèse tous les âges et toutes les formes du nationalisme français[2] ». Toutes les formes, sans doute, aussi bien celles du nationalisme républicain conservateur — mais non tous les contenus. En particulier, on ne trouvera chez lui ni la xénophobie ni l'antisémitisme des Barrès et des Maurras ; de ce point de vue, son nationalisme serait plus proche de celui d'un Péguy...

« Toute ma vie, je me suis fait une certaine idée de la

1. Cité par Eugen Weber, *L'Action française*, Stock, 1964.
2. Jean Touchard, *Le Gaullisme 1940-1969*, Éd. du Seuil, « Points Histoire », 1978, p. 299.

France. Le sentiment me l'inspire aussi bien que la raison. Ce qu'il y a, en moi, d'affectif imagine naturellement la France, telle la princesse des contes ou la madone aux fresques des murs, vouée à une destinée éminente et exceptionnelle. J'ai, d'instinct, l'impression que la Providence l'a créée pour des succès achevés ou des malheurs exemplaires. S'il advient que la médiocrité marque, pourtant, ses faits et gestes, j'en éprouve la sensation d'une absurde anomalie, imputable aux fautes des Français, non au génie de la patrie. Mais aussi, le côté positif de mon esprit me convainc que la France n'est réellement elle-même qu'au premier rang [...]. Bref, à mon sens, la France ne peut être la France sans la grandeur. »

Cet extraordinaire morceau d'anthologie par lequel s'ouvrent les *Mémoires de guerre* montrent bien à quelle génération appartient de Gaulle : celle de « 14-18 ». Son nationalisme, à la fois syncrétique et épuré, aura été le dernier à occuper le pouvoir sans masque. Mais, par un singulier paradoxe, dans les deux temps les plus forts de sa carrière, le nationaliste de Gaulle comptera parmi ses adversaires les plus acharnés à le perdre... d'autres nationalistes. Les premiers sont ceux de la Révolution dite nationale et de la Collaboration. Comme eux, sinon sur les mêmes bases, de Gaulle avait en vue le remplacement de la république parlementaire par un régime plus autoritaire et surtout plus efficace. Mais, contrairement à eux, en bonne logique nationaliste, il lui parut nécessaire de parer au plus pressé : la victoire militaire sur un ennemi engagé dans une guerre mondiale. Après quoi, l'on pourrait passer à la réforme des institutions. Pour cela, il dut attendre 1958, faire plusieurs faux pas, traverser son « désert »... et être servi par les circonstances autant que par les réseaux de ses fidèles. Du moins, à l'inverse des maurrassiens, mais avec une bonne dose de cet « empirisme organisateur » prôné par Maurras, il réussit son œuvre par étapes, sans mettre la charrue devant les bœufs.

La guerre d'Algérie le ramène au pouvoir et bientôt l'entraîne dans un nouveau face à face avec d'autres nationalistes — ceux qui ont confondu la cause de la nation française avec celle de la présence du même nom à maintenir coûte que coûte en Algérie. Comme si la France avait eu besoin à sa tête, pour achever la décolonisation, du plus indiscutable des nationalistes. Il fallait transférer la puissance des valeurs et des symboles nationaux attachés à la colonisation dans une autre entreprise : le redressement de l'État, celui de la monnaie, celui de la diplomatie... En quelques années, l'opération est réussie. Loin d'affaiblir sa position dans le monde, l'indépendance de l'Algérie permet à la France gaullienne de rétablir le respect du drapeau tricolore à travers les continents. Mieux : se ressourçant à ses origines, le nationalisme gaullien se fait, partout dans le monde et jusqu'au Québec, le champion de l'indépendance nationale, contre les deux « super-grands ». Quoi qu'on pense de cette politique extérieure, aux résultats peut-être plus symboliques que concrets, il faut admettre que la France des années soixante, enfin en paix, en pleine expansion économique, tenant la dragée haute au « protecteur » américain, a éprouvé une fierté nationale — à droite comme à gauche — dont les points de comparaison sont fort éloignés dans le temps. Mais le nationalisme du général de Gaulle était frappé d'obsolescence ; les mots qu'il employait ne sonnent plus juste aux oreilles des nouvelles générations ; lui parti, aucun de ses successeurs à l'Élysée n'osera plus reprendre son discours — comme si le nationalisme du Général n'avait eu pour mission que de remettre, avec un langage archaïque, la France à l'heure de son temps.

Métamorphoses.

Il est légitime de se demander, en effet, si le nationalisme a encore un avenir dans la France d'aujourd'hui. Comme sentiment, ce n'est pas douteux. Un sondage de la SOFRES, publié par *L'Expansion* en mai 1983, montrait que les symboles nationaux — *La Marseillaise*, le 14-Juillet, le drapeau tricolore — « gardaient la même valeur » pour 70 % des personnes interrogées. D'autre part, les mutations économiques et leurs conséquences sociales ont largement contribué à réveiller les vieux démons du nationalisme conservateur, dont la xénophobie et le racisme, qui, malgré leurs euphémismes, n'en sont pas moins d'actualité.

Cependant, le nationalisme français apparaît de moins en moins comme un projet politique sérieux. Les néogaullistes eux-mêmes deviennent « européens ». C'est que l'espace français — espace territorial, potentiel démographique, puissance économique — paraît trop faible au regard des espaces américain, soviétique ou chinois. De sorte que le nationalisme français se trouve menacé par le haut : par l'intégration de la France dans un ensemble qui la dépasse. Les structures en existent déjà : CEE, Pacte atlantique, etc. Cet ensemble transnational peut présenter plusieurs cas de figure. Deux principalement. Le premier est l'Occident, ou « monde libre », qui se définit par un certain nombre de valeurs communes, exprimées à travers les institutions des démocraties libérales. Le second, plus limité, est celui d'une Europe unifiée, du moins l'Europe libérale. Il est notable que le nationalisme conservateur a tendance aujourd'hui à élargir son horizon aux dimensions européennes. La nouvelle droite, foncièrement hostile à l'« Occident », farouchement antiaméricaniste, exalte un nationalisme européen dont elle inventorie les origines, non plus dans le monde méditerranéen, latin et classique de l'Action française, mais dans le mythe indo-européen [1]. Déjà, le relais européen avait été prôné par le barrésien Drieu La Rochelle, et quelques autres nationalistes convertis à l'ordre nouveau des années quarante.

Parallèlement, le nationalisme français est défié par en bas, c'est-à-dire par les mouvements de revendication indépendantiste, dont la Bretagne, la Corse, le Pays Basque, voire l'incertaine Occitanie, sont les théâtres, à des degrés divers. Peut-être faut-il considérer que l'élargissement territorial des sentiments « nationalistes » favorise, dialectiquement, les éruptions régionalistes ? Dans le sondage de *L'Expansion* cité plus haut, 43 % des Français interrogés considéraient les mouvements autonomistes comme « une menace sérieuse pour l'unité de la France ». Voué à l'extension d'un côté, à l'écartèlement de l'autre, le nationalisme traditionnel paraît aujourd'hui dépourvu de perspective politique — quand bien même la conscience d'être français

---

1. Sur la Nouvelle Droite, voir surtout Pierre-André Taguieff, « La stratégie culturelle de la Nouvelle Droite en France, 1968-1983 », dans *Vous avez dit fascismes ?*, Arthaud-Montalba, 1984.

résiste à l'uniformisation des modes de vie et de culture, de Vienne à San Francisco.

Nationalisme ouvert, nationalisme fermé.

Si l'on veut bien dépasser l'inévitable distinguo droite-gauche, nationalisme républicain-nationalisme conservateur, on peut observer que la France a été le théâtre de deux sortes de nationalismes, qui ont pu s'exprimer parfois dans le même courant politique, dans la même bouche, sous la même plume : les circonstances en décidaient. Il me semble que la France a connu un nationalisme ouvert et un nationalisme fermé. Nationalisme ouvert : celui d'une nation, pénétrée d'une mission civilisatrice, s'auto-admirant pour ses vertus et ses héros, oubliant volontiers ses défauts, mais généreuse, hospitalière, solidaire des autres nations en formation, défenseur des opprimés, hissant le drapeau de la liberté et de l'indépendance pour tous les peuples du monde. Ce nationalisme-là, on en retrouve l'esprit et l'enthousiasme jusque dans l'œuvre coloniale. Aux yeux d'un Jaurès, adversaire de l'impérialisme, la colonisation française n'était pas perverse en soi : elle contribuait à civiliser, elle était une étape du progrès humain, pourvu qu'elle soit convaincue de ce devoir. De cette conviction, on retrouve la trace dans le nationalisme de certains officiers attachés à défendre coûte que coûte l'Algérie française. Les choses ne sont pas si simples, et il faut se garder, ici comme ailleurs, des dichotomies trop faciles. A un Michelet républicain, on pourrait sans mal opposer un Michelet antimoderne, réactionnaire ; un Barrès, inspirateur des écrivains fascistes, a pu être lu par des résistants comme une leçon d'énergie nécessaire à la lutte antifasciste ; de Péguy, à la même époque, on tirait un enseignement réactionnaire et maréchaliste, ici, et un encouragement contre le pétainisme, ailleurs ; aussi bien, le culte des mêmes héros se pratiquait chez les militants de la Révolution nationale et dans les maquis : Jeanne d'Arc en sait quelque chose. Le corpus traditionaliste et le corpus jacobin ont parfois produit conjointement ce nationalisme ouvert. Nationalisme néanmoins, et pas simple patriotisme : celui-ci se définirait comme l'attachement naturel à la terre de ses pères (étymologiquement), tandis que celui-là fait de sa propre nation une valeur suprême, moyennant un légendaire éloigné, peu ou prou, des réalités historiques. Nationalisme, oui. Mais ouvert aux autres peuples, aux autres races, aux autres nations — et point crispé sur « la France seule ».

Un autre nationalisme (celui de « la France aux Français ») resurgit périodiquement, au moment des grandes crises : crise économique, crise des institutions, crise intellectuelle et morale... Boulangisme, affaire Dreyfus, crise des années trente, décolonisation, dépression économique, notre histoire retentit de ces périodes et de ces événements dramatiques au cours desquels un nationalisme fermé présente ses successifs avatars comme un remède. Un nationalisme clos, apeuré, exclusif, définissant la nation par l'élimination des intrus : Juifs, immigrés, révolutionnaires ; une paranoïa collective, nourrie des obsessions de la décadence et du complot. Une focalisation sur l'essence française, chaque fois réinventée au gré des modes et des découvertes scientifiques, qui font varier l'influence gauloise et l'influence germanique, l'apport du Nord et l'apport de la Méditerranée, le chant des bardes et les vers des troubadours. Ce nationalisme-là est vécu comme la passion de l'or chez le père Grandet : c'est un trésor à protéger contre tous ceux — innombrables — qui le convoitent. Un nationalisme qui, au lieu de représenter la nation, n'est plus que l'expression d'un clan décidé à en finir avec les institutions démocratiques et à nettoyer la France de ce qui a fait sa diversité, sa richesse. On peut lire dans les expressions successives de ce nationalisme obsidional les résistances aux manifestations successives de la modernité : la peur de la liberté, la peur de la civilisation urbaine, la peur de l'affrontement avec l'Autre sous toutes ses formes.

Depuis le petit matin de Valmy, le nationalisme français n'a cessé de charrier le meilleur et le pire. Quand Ernest Lavisse enseignait que « la France est la plus juste, la plus libre, la plus humaine des patries », on pouvait toujours mettre en doute le résultat de cette compétition imaginaire entre les nations ; du moins, cette illusion flatteuse obligeait : l'orgueil pouvait se faire serviteur de la vertu. Mais quand la France idéale n'est plus qu'un repli, qu'un racornissement, qu'un raccourcissement d'humanité sur un Moi chiche et jaloux, le nationalisme qui en défend la généalogie et la « pureté » chimériques devient une de ces passions françaises, dont notre histoire contemporaine est sortie meurtrie — si elle en est sortie.

Car on peut redouter que l'état de crise où nous vivons depuis le milieu des années 1970 ne recrée les conditions d'une nouvelle flambée nationaliste. Au nationalisme ouvert du général de Gaulle — celui des années soixante — succèdent, en effet, les ténébreuses incantations du nationalisme fermé. Le déclin démographique de la France et de l'Europe, la contrainte des mutations économiques sur le marché de l'emploi, l'achèvement des grands mouvements de sécularisation et d'urbanisation entamés à la fin du XIXᵉ siècle, ce sont là autant de facteurs anxiogènes dans une population frappée par le chômage (ou la peur du chômage), dépourvue de structures protectrices (la communauté villageoise, l'Église, la famille patriarcale) et en mal de projet collectif.

La grande débâcle en cours des utopies de gauche ajoute encore à l'insécurité psychologique. La peur de l'avenir risque, à nouveau, de favoriser les éloquents tribuns du simplisme politique autant que les prophètes de malheur. La tentation est alors, pour beaucoup, de dénoncer les agents du mal dans tout ce qui vient d'*ailleurs* ; de convoiter le retour aux sources nationales comme unique solution de salut. Certes, la question de l'identité « nationale » est posée : française, européenne, occidentale… ? Mais, quelle que soit la réponse, ceux qui veulent à tout prix la préserver, la protéger, l'immuniser, participent d'une même attitude défensive, en dépit de l'agressivité de leur vocabulaire. La classe politique — les politiciens professionnels — tombe, comme hier, sous l'accusation de trahison : qu'ils soient libéraux, socialistes ou communistes, les hommes politiques sont suspectés de comploter la dissolution du Moi national dans le brassage général des peuples et des civilisations. L'expression de cette hantise, telle qu'un Jean-Marie Le Pen ou un Jean Cau en témoignent [1], rencontre

1. Jean-Marie Le Pen, « Le Front national », et Jean Cau, « Réflexions sur la décadence », dans Jean-Pierre Apparu, *La Droite aujourd'hui*, Albin Michel, 1979.

l'adhésion de trop de gens pour qu'on puisse la négliger. Elle est le signe, en cette fin de siècle, d'un nouveau malaise dans notre civilisation. L'historien de l'avenir pourra seul en mesurer la portée. L'historien d'aujourd'hui peut toujours en rappeler les antécédents et en cerner par comparaison la causalité ; c'est peut-être déjà, faute de mieux, contribuer à élucider un phénomène inquiétant.

Les nationalismes proposent des solutions simplistes à des questions parfois réelles. Car la définition de notre identité collective et de notre communauté culturelle, la place des Français et des Européens dans un monde en déséquilibre démographique accru, la sécurité des citoyens et son corollaire — la confiance mutuelle entre les habitants d'un même pays —, c'est l'actualité qui en fait des questions prégnantes. Les réponses du nationalisme sont caricaturales et dangereuses ; elles risquent d'être encore plus dangereuses que caricaturales si les autres familles, libérales ou démocrates, restent sourdes aux désarrois qu'elles manifestent ou impuissantes à y répondre.

2
Le retour
du national-populisme

La France est de retour : sous ce titre d'un livre de Jean-Marie Le Pen que faut-il entendre ? Dans les conversations, on parle de « fascisme » ; dans certaines proclamations, de « totalitarisme » ; dans les journaux, avec plus de prudence, on enveloppe la marchandise lepéniste sous le terme vague d'« extrême droite ». Le principal intéressé se déclare, lui, le porte-parole d'une « droite populaire », « sociale et nationale ». Pour une fois, sa définition est peut-être la plus exacte. Disons, pour faire plus court : un « national-populisme [1] ». Une vieille histoire.

Le phénomène est apparu voilà un siècle, entre deux crises politiques bien connues, le boulangisme et l'affaire Dreyfus (1887-1900). On a vu, en ces années-là, prendre forme une nouvelle droite, défiant les représentants officiels du parti conservateur, entamant l'audience de l'extrême gauche, troublant le jeu politique installé, en mobilisant les « masses » sur quelques slogans serinés. Ce nouveau courant était « populaire ». Il opposait le peuple, son bon sens, son honnêteté, à une classe politique corrompue et avachie dans les délices parlementaires. Face à la gabegie et aux « voleurs », il fallait lui rendre la parole. Comme Le Pen qui, aujourd'hui, préconise d'« élargir le droit de référendum », les Drumont, les Rochefort, les boulangistes défiaient l'équivalent de « la bande des quatre » par la *vox populi*. Maurice Barrès, interprète le plus distingué de la tendance, a fait la théorie de « l'instinct des humbles » contre la « logique » des intellectuels.

1. Le terme « national-populisme » a été introduit en France, en 1984, par Pierre-André Taguieff.

Cette droite s'affirmait « sociale », offrant sa protection à tous les « petits » contre tous les « gros ». Son public était par excellence, mais non exclusivement, celui des anciennes couches moyennes de l'artisanat et du commerce menacées par l'usine et les grands magasins. Elle pouvait rallier les membres de toutes les professions inquiètes des changements dans la structure économique du pays. La dépression, source de chômage, qui devait durer jusqu'aux dernières années du siècle, pouvait lui concilier la sympathie des sans-emploi. La politique laïque du régime lui assurait l'adhésion de nombreux catholiques.

Enfin, cette nouvelle droite était « nationale », en sacralisant la communauté du même nom, au mépris de toutes les autres. Quand Le Pen nous récite son éternel credo : « J'aime mieux mes filles que mes nièces ; mes nièces que mes voisines ; mes voisines que des inconnus et les inconnus que des ennemis », il reprend l'antienne d'un Moi national farouche, en proie à la fièvre obsidionale, muraillé contre l'univers. Nous sommes ici aux antipodes d'un Michelet faisant de la France « l'idéal moral du monde », d'un Montesquieu, anti-Le Pen avant la lettre, écrivant : « Si j'avais su quelque chose utile à ma famille et qui ne l'eût pas été à ma patrie, j'aurais cherché à l'oublier ; si j'avais su quelque chose utile à ma patrie et qui eût été préjudiciable à l'Europe, ou qui eût été utile à l'Europe et préjudiciable au genre humain, je l'aurais rejeté comme un crime. » Contre la tradition humaniste, le national-populisme, lui, érige l'égoïsme tribal en idéal spirituel et politique. L'obsession de la « race », la phobie du métissage, la haine de l'étranger sont les expressions courantes de cette régression au stade de la société fermée.

Un discours en trois temps.

Les tribuns populistes sont les contemporains de l'ère des masses : grande presse et libertés publiques concourent à faire de l'opinion un acteur principal de la vie politique. Les professionnels de celle-ci doivent compter avec les éditorialistes et les échotiers des feuilles populaires. *La Croix, L'Intransigeant, La Libre Parole*, entre autres, ameutent leurs lecteurs sur quelques idées simples, non démontrées mais répétées à l'envi, et obtenant du même coup une force de contagion efficace. L'important est de trouver la formule qui fait choc. Un Rochefort, ex-opposant à l'Empire, ex-déporté de la Nouvelle-Calédonie, rallié au populisme, est passé maître en la matière : toute la France répète ses calembours, ses paillardises, ses quolibets. Plus c'est gros, plus ça fait mouche. L'image violente, la formule explosive suscitent beaucoup plus d'adhérents qu'une argumentation serrée. Le national-populisme inaugure une technique de la propagande politique qui frappe Gustave Le Bon, observateur du mouvement boulangiste, auteur de *Psychologie des foules*, publié en 1895 : « L'affirmation pure et simple, dégagée de tout raisonnement et de toute preuve, constitue un sûr moyen de faire pénétrer une idée dans l'esprit des foules [...]. La chose répétée finit, en effet, par s'incruster dans ces régions profondes de l'inconscient où s'élaborent les motifs de nos actions. » A quoi fait écho l'élève Le Pen : « La politique, c'est l'art de dire et de redire les choses de façon incessante jusqu'au moment où elles sont comprises et assimilées. »

Quelles « choses » ? Trois affirmations principales, qui font système :

1° *Nous sommes en décadence*. Les livres et les harangues lepénistes sont rythmés par le mot « décadence », tout comme un Maurice Barrès était jadis hanté par les « crépuscules d'Occident ». Les chants funèbres de Drumont s'emparaient aussi de tous les signes de décrépitude. « Jamais la France n'a été dans une situation plus critique », écrit-il, dans *La France juive*, en 1886. Ou dans un livre antérieur, *Mon vieux Paris* : « Un souvenir de civilisations disparues vous obsède à chaque instant dans ce Paris colossal. » Et de flétrir l'immoralité croissante, la criminalité, la corruption, l'exploitation du vice, l'auteur exprimant le « sentiment accablant que la société est en train de voler en éclats » ; une impression tragique de dégénérescence... La métaphore médicale imprime la crainte dans l'imagination. Barrès emploie, comme son maître Jules Soury, des images pathologiques pour rendre compte du mal politique : « Oui, écrit-il dans *L'Appel au soldat*, Boulanger entendait que le parlementarisme est un poison du cerveau comme l'alcoolisme, le saturnisme, la syphilis, et que, dans les verbalismes et la vacuité de ce régime, tout

Français s'intoxique. » Dans les années trente, nul mieux que Drieu, disciple de Barrès, ne parlera du « fait écrasant » de la décadence comme d'une nécrose qui mine le pays : « Il y a une puissance de syphilis dans la France », écrit-il dans *Gilles*. De même, pour Le Pen, les frayeurs provoquées par le SIDA — frayeurs qu'il s'efforce d'aggraver par ses propos outrés — étaient opportunément sa croisade : un virus travaille à la décomposition du tissu social.

2° *Les coupables sont connus*. Le tableau lugubre de la décadence, inspiré par des faits tantôt avérés, tantôt exagérés, tantôt fictifs, et toujours détachés de leur contexte, puis mélangés et montés dramatiquement en épingle, appelle la désignation des coupables. L'astuce du magicien populiste est de concentrer toutes les responsabilités sur quelques têtes précises ; de décharger l'angoisse qu'il a contribué à faire croître dans son auditoire sur une minorité d'agents maléfiques, contre lesquels il pourra ressouder la plus grande union entre les membres de la communauté. Loin de donner au changement — vécu comme un cauchemar — l'analyse des causes complexes qui y travaillent, le démagogue utilise les facilités de la « causalité diabolique ». A l'époque de Boulanger, il s'agit encore principalement de la classe politique, faite d'incapables et de prévaricateurs. Mais, déjà, une interprétation plus « profonde » du déclin est en cours, se développe, et s'imposera dans les années 1890 : « l'invasion juive ». Édouard Drumont, qui en a été le vulgarisateur le plus fameux, grâce à ses best-sellers et à son journal quotidien, a révélé le mystère de ce passage douloureux des temps bénis au temps des troubles d'une formule qui a fait date : « Tout vient du Juif ; tout revient au Juif. » Le reste est secondaire, subsidiaire, et dépendant de cette causalité centrale, selon laquelle un complot des fils de Sion vise à détruire la France chrétienne.

Dans les années trente, la crise venue, le vieux cri de Drumont : « la France aux Français », est répété à l'unisson par une myriade d'organisations plus ou moins groupusculaires et de publications véhémentes qui concourent de haine xénophobe et antisémite. Dès 1931, Pierre Amidieu du Clos avait donné le ton à la Chambre des députés : « Nous ne souffrons pas d'une crise de chômage national, mais d'une crise d'invasion étrangère. » Parmi les excitateurs les plus acharnés, Henri Béraud assure le succès de l'hebdomadaire *Gringoire* : « Admire, Français moyen, écrit-il en 1937, admire tout ton saoul, le beau cadeau que te fait l'univers, admire la guenille levantine, la pouillerie des ghettos, la vermine des Carpates et les terroristes macédoniens. » L'arrivée à la présidence du Conseil de Léon Blum déchaîne les interprètes de la causalité diabolique : « Le Juif ruine mieux, écrit un Laurent Viguier. Et de même que le vainqueur impose au vaincu des charges pour alourdir sa défaite le Juif nous a imposé sa loi 'sociale' pour saper toute activité productrice et empêcher tout élan vers le travail » (*Les Juifs à travers Léon Blum*).

Pour rendre aux yeux des foules les choses évidentes, il faut réduire le complexe à l'élémentaire. Comme dit encore l'auteur de *L'Appel au soldat* : « L'imagination populaire simplifie les conditions du monde réel. » Dans le national-populisme lepéniste, l'immigré maghrébin s'est substitué au Juif, même si de lourdes allusions tendent à démontrer que celui-ci n'est toujours pas innocenté. « Tout vient de l'immigration ; tout revient à l'immigration. » Le chômage ? « Deux millions et demi de chômeurs, ce sont deux millions et demi d'immigrés de trop. » La criminalité ? L'hebdomadaire du Front national publie une rubrique régulière sur les méfaits des « envahisseurs ». La crise démographique ? Les étrangers y contribuent en s'installant dans les HLM à la place des Français, ainsi découragés de faire des enfants faute de logement. Le déséquilibre de nos échanges ? Ce sont les exportations de devises vers les pays d'origine qui en sont la cause. Etc. D'où s'ensuit le « droit de légitime défense » des « indigènes français » face à « la vague déferlante du démographisme asiatique et africain ». Menacés de « submersion », nous devons donc réagir.

3° *Heureusement, voici le Sauveur*. Barrès, bon guide décidément, écrit de Boulanger : « Qu'importe son programme, c'est en sa personne qu'on a foi. Mieux qu'aucun texte, sa présence touche les cœurs, les échauffe. On veut lui remettre le pouvoir, parce qu'on a confiance qu'en toute circonstance il sentira comme la nation. » Un homme providentiel doit nous faire sortir de la décadence comme Moïse a su faire sortir son peuple d'Égypte. Tous les populismes trouvent la solution politique dans l'élection d'un homme déjà élu par les dieux, et dont la mission sera de nettoyer l'État de ses serviteurs abusifs et de redonner la parole au peuple. Après l'échec de Boulanger en 1889, le mouvement populiste n'a pas su lui trouver de remplaçant : ce fut une des faiblesses de l'antidreyfusisme, tiraillé entre plusieurs ligues et chapelles, sans que Déroulède, Drumont, Rochefort, Jules Guérin ou quelque général pût s'imposer. Dans les années trente, en pleine recrudescence du national-populisme, la guerre des chefs et la concurrence des ligues ont redoublé. En 1935, Jean Renaud, de la Solidarité française, réclame un président de la République « comme Salazar ». La même année, Gustave Hervé, ex-champion de l'antimilitarisme socialiste passé au « socialisme national », trouve mieux : *C'est Pétain qu'il nous faut* (« si Boulanger, entre nous, c'était du toc, Pétain, ce n'est pas du toc, c'est de la gloire pure et modeste »). La défaite militaire de 1940 devait le combler. Et, de fait, Pétain reprit en partie le programme du vieux populisme rajeuni par les années trente : statut des Juifs, guerre aux francs-maçons, mise en congé *sine die* du Parlement, réconciliation des classes dans la Charte du travail... Tout y était, sauf la parole rendue au peuple. Parfois — autre cas de figure — la revendication populiste, jouant les apprentis sorciers, favorise l'arrivée au pouvoir d'un Sauveur inattendu et incontrôlable : Poujade prépare ainsi le lit de De Gaulle, dont toute l'action sera à l'inverse des espérances poujadistes : renforcement des concentrations industrielles et commerciales, fin de l'Algérie française.

Ce qui désigne aujourd'hui Le Pen à ses compatriotes comme Chef providentiel tient à quelques attributs marquants, dont il se glorifie. Sa nationalité d'abord. Il se flatte de ses origines bretonnes à juste titre, car au commencement était le Celte, le Français de granit, autrement dur que les Français sédimentaires, ceux que les vagues de conquêtes successives ont accumulés dans l'extrême Europe occidentale. Et même Le Pen conjugue les deux définitions du principe nationalitaire. Jean-Marie est français par la longue chaîne de ses ancêtres qui aboutit à sa crinière blonde (?) et à ses yeux bleus. Mais Le Pen l'est aussi parce qu'il l'a mérité et voulu : son engagement dans les parachutistes en Indochine et en Algérie en témoigne. Un sang pur à l'allemande et un volontaire à la française : on ne fait pas mieux. A ses certificats d'appartenance, il ajoute la virilité. Rien ne lui plaît tant que de poser en tenue de combat : treillis militaire, béret rouge de para, gants de boxeur, pose devant ses dobermans, « homme tranquille » à la John Wayne... Sa phobie de l'homosexualité achève le portrait du surmâle. Bravant toutes les infortunes, se relevant de toutes les adversités, « seul contre tous » il poursuit sa mission. Corollaire de la virilité : la volonté. « La multitude écoute toujours l'homme doué de volonté forte », écrit Le Bon. Chez Le Pen, cela se manifeste par l'absence de doute, d'état d'âme délétère, de scrupules intellectuels : il donne de la voix, du geste, au besoin du bras d'honneur. Il est l'homme des foules, l'homme-foule, sorti des masses. Le contraire d'un énarque, d'un homme du « milieu », élevé dans le sérail, ou d'un bourgeois dévoyé. Il ne représente pas le peuple ; il *est* le peuple par excellence. Enfin, comme tous les démagogues, il est orateur-né : sans sa verve, point de Le Pen. Il subjugue par ses formules où l'approximation le dispute au mauvais goût ; flatte les vieux par les slogans pétainistes et maurrassiens (« La vie n'est pas neutre », « La France d'abord »...) ; amuse la galerie en retournant les injures (« Je suis la bête immonde, qui monte, qui monte... »). Mais aussi par ses dons de dramatisation et de suggestion. Faire peur (nous sommes menacés, envahis, contaminés...) et, du même pas, rassurer (je suis votre « rempart ») : c'est tout l'art. Tel veut apparaître l'homme qui entend rétablir le travail, la famille, la patrie, la peine de mort et le latin à la messe.

Du bon usage d'un démagogue.

Quels que soient ses talents de tréteaux, Le Pen, pendant près de vingt ans, n'a eu l'oreille que d'infimes minorités de revenchards irréductibles. Son audience soudaine révèle la montée du désarroi, partagé par beaucoup : crise de l'emploi, sentiment d'insécurité, impuissance apparente des gouvernants de gauche et de droite, angoisse face à l'avenir... On entend moins parler d'un autre malaise : celui qui s'installe dans notre culture politique. La période que nous traversons, en effet, n'est pas seulement troublée par la gestation de la société postindustrielle qui provoque des perturbations en chaîne et, partant, de profondes inquiétudes. Au même moment, nous sommes en train de vivre la crise de nos représentations politiques : crise de l'État-nation, appelé à se fondre dans une unité européenne plus vaste ; crise de la mémoire nationale comme l'attestent les révisions historiques de la Révolution, notre mythe des origines ; crise de l'encadrement populaire, avec l'érosion des syndicats et du Parti communiste ; crise de l'idéologie socialiste, après l'expérience Mauroy et la contre-expérience Fabius ; impuissance du « rassemblement » gaulliste. Sur quelles croyances communes allons-nous fonder la nouvelle citoyenneté ? Dans cette période difficile de transition, aucune de nos familles politiques anciennes n'a su traiter de front et à fond le problème de l'immigration, qui fait toute l'audience de Le Pen.

Pendant près d'un siècle, la France a su accueillir et intégrer des millions d'étrangers. Plusieurs institutions y ont concouru : l'école d'abord ; subsidiairement, le service militaire, l'entreprise, le mouvement ouvrier. Une idéologie progressiste, à base d'optimisme républicain, sous-tendait les comportements : le ralliement à la patrie des droits de l'homme, à la démocratie laïque, à la nation dont Michelet disait : « C'est bien plus qu'une nation, c'est la fraternité vivante », allait de soi ; en deux générations on devenait citoyens. Mythes que tout cela ? Sans doute, mais vivants, actifs, créateurs ! Or la gauche, au pouvoir au moment de l'essor du Front national, s'est laissé intimider par l'idéologie de la différence. Et la droite qui l'a remplacée ne semble pas mieux armée contre son pouvoir inhibiteur. Au nom de la différence, les idéologues de la Nouvelle Droite ont prêché le « chacun chez soi », et Le Pen se défend d'être « raciste » : il parle de son respect pour « l'identité » des autres. Au nom de la différence, un certain gauchisme a conçu l'idée d'un ensemble « multiculturel », le rêve d'une polyphonie où chacun chanterait à sa façon pour le bonheur de tous. Tandis que les uns règlent le problème par l'exclusion, d'autres le font par la négation d'une communauté nationale. Les deux positions, sans être parfaitement symétriques, témoignent néanmoins d'un même manque de confiance dans nos valeurs (judéo-chrétiennes, républicaines, laïques) qui ont fait notre pays et dans notre faculté de les transmettre. Par des moyens apparemment contraires, on en arrivera à un même désastre : la ségrégation — ou de droit ou de fait. Saura-t-on, gauche socialiste et droite libérale, en se plaçant au-dessus des querelles partisanes, prévenir cette menace et mettre en œuvre une politique d'intégration appropriée mais sans peur ni complexe? Ce qui signifie tout à la fois des moyens (pour l'école notamment) et des principes (un même droit, une même loi pour tous). Voilà le défi que nous lance sans le vouloir le retour du national-populisme. C'est plus important à considérer que l'effet Le Pen dans la prochaine élection présidentielle.

3

L'antiaméricanisme
français

Les préjugés et les stéréotypes courant sur les nations étrangères sont de tous les peuples. Les Français n'échappent pas à la règle. Ainsi deux nations nous ont obsédés longtemps. D'abord l'Angleterre, rivale séculaire depuis Jeanne d'Arc jusqu'à Mers el-Kébir ; puis l'Allemagne, ennemie héréditaire, depuis Napoléon jusqu'à Hitler. Depuis la Seconde Guerre mondiale, cependant, les vieilles nations européennes ont perdu largement leur nature irréductible. Les tendances à l'unification de l'Europe deviennent des nécessités, les contrastes sont moins tranchés, un marché culturel commun devient réalité... Du même coup, l'anglophobie et l'antigermanisme d'autrefois sont sentis comme des passions séniles.

En revanche, l'antiaméricanisme se porte apparemment bien, si l'on en juge par la presse française des dernières années. Après que notre ministre de la Culture Jack Lang eut fait, à Mexico, en juillet 1982, cette espèce de déclaration de guerre à « l'impérialisme culturel américain », la presse — *Nouvel Observateur* et *Monde* en tête — se saisit de ce beau sujet de débat estival et laissa libre cours aux sentiments les plus variés et les plus vifs. On y voyait cependant qu'on ne pouvait disserter des États-Unis comme d'un autre pays. L'*autre*, l'Américain, même quand on le déteste, on n'en parle pas comme jadis de l'« Angliche » ou du « Boche » car il n'est pas radicalement différent de nous : il est une part de nous-même, un mauvais côté à refouler. Le vieil ennemi

L'Histoire, n° 50, novembre 1982, et « La Guerre froide » in *L'Amérique dans les têtes : un siècle de fascinations et d'aversions*, sous la direction de Marie-France Toinet, Denis Lacorne et Jacques Rupnik, Hachette, 1986.

héréditaire, il était facile de ne pas le « gober », parce que sa différence ethnologique sautait aux yeux. Cette extériorité de la menace cuisait des haines sans mélange. Mais l'Amérique, faite de tous les morceaux du monde, ébauche d'une civilisation planétaire, nous la craignons parce qu'elle est en nous, parce qu'elle est une des virtualités à haute probabilité de notre avenir.

Bien sûr, il existe aussi un antiaméricanisme spécifiquement politique. Mais celui-ci est assez récent. Comme sentiment « de masse », il n'émerge vraiment qu'au moment de la Guerre froide dans l'opinion de gauche. Au vrai, depuis longtemps déjà, et dans toutes les familles politiques, les Français avaient senti, non pas dans les États-Unis (avec lesquels ils ne furent jamais en guerre), mais dans la société et dans les mœurs américaines, la figure menaçante de l'anti-France.

Il nous faut remonter au moins au début du XIXe siècle. Nous disposons d'un premier guide : la thèse de René Rémond — dont l'étude s'arrête, malheureusement pour nous, à 1852 [1]. Elle porte cependant sur cette période capitale où l'on assiste à un retournement du mythe américain positif en mythe négatif. « Mythe », doit-on dire, dans la mesure où la société américaine est fort peu connue au temps de la marine à voile : si « le fait américain est au cœur d'un débat permanent », c'est moins en raison de l'information qu'on en a qu'à la faveur des préjugés et des conflits d'idées propres à la France.

Avant les premiers pas des États-Unis indépendants, les Français avaient applaudi à la simplicité de la vie américaine : un monde naturel, selon Rousseau, s'édifiait outre-Atlantique. Ce n'était pas l'avis de Bonald et de l'école traditionaliste et ultra, qui vitupéraient, dans la construction des États-Unis, un produit de l'abstraction, où la nature n'était pour rien et, dans la société américaine, une addition d'ennuis, de conformismes et d'utilitarismes, qu'expliquait, entre autres, l'absence d'histoire et de tradition. L'esprit aristocratique des ultras dénonçait dans l'Amérique naissante un comble de bourgeoisisme, où la hiérarchie ne tenait que par l'argent.

---

1. René Rémond, *Les États-Unis devant l'opinion française, 1815-1852*, Colin, 1962.

Or cette critique, très minoritaire sous la Restauration, gagne du terrain sous la monarchie de Juillet au point que, vers 1834-1835, le retournement d'opinion est consommé. La mort de La Fayette en 1834 est un bon point de repère, nous dit René Rémond : « Lui disparu, et cessant de faire écran », les yeux se dessillent. Notamment, une critique de gauche vient renforcer la critique de droite. Déjà la rupture de 1789-1793 avait affaibli en France le « rêve américain ». La Révolution française, écrit François Furet, « incarne désormais, elle et elle seule, la liberté et l'égalité, le grand commencement de l'émancipation des hommes. Il n'y a pas de place dans la pensée jacobine pour deux nations pilotes [1] ».

La nouvelle école socialiste des années 1830 dénonce l'Amérique et le principe d'individualisme antiégalitaire qui en fonde la vie sociale. Ainsi Buchez, socialiste teinté de christianisme, écrit-il : « C'est l'égoïsme organisé solidement, c'est le mal régularisé et systématisé, c'est en un mot le matérialisme de la destinée humaine. » Le thème du matérialisme lancé par la droite, repris par la gauche, ne va pas cesser de défrayer la chronique américaine. « Instincts bruts », « appétits charnels », « passions pécuniaires », nous voici bien loin des bergeries qu'on imaginait d'abord. Surtout, la critique démocrate et républicaine ne manque pas de flétrir le mauvais traitement que subissent les Indiens et les Noirs : « Cette bande de négriers, écrit le Dr Cerise, qui parlent de fraternité, d'égalité et qui font un trafic honteux de chair... »

A partir de 1830, les visites de l'Amérique se font moins rares. Les relations de voyage altèrent sensiblement les chromos de naguère. Et puis, les mœurs politiques se sont révélées, lors de l'élection du président Jackson, comme les moins recommandables. Les mieux disposés à l'égard des États-Unis, comme Stendhal, avouent leur répugnance envers la vulgarité, l'utilitarisme, la bigoterie d'un peuple « sans Opéra », « sans fantaisie ni imagination ». A la suite des commentateurs français, Tocqueville notamment, Stendhal s'effraie de la « tyrannie de l'opinion », qui a remplacé, avec autrement de contrainte, les despotismes traditionnels.

---

1. François Furet, *L'Atelier de l'histoire*, Flammarion, 1982, p. 209.

La critique, d'abord issue des milieux conservateurs, a ainsi gagné les rangs libéraux et démocrates. Chaque parti dénonce dans les États-Unis un épouvantail fait de ses propres répugnances et contre lequel il se définit. Pour les uns, les méfaits de l'égalité, pour les autres le conformisme intolérant ou l'esclavagisme, mais tous s'entendent à juger les Américains comme un peuple fruste, insensible aux choses de l'esprit, enfermé dans la plus plate utilité bourgeoise : « L'Américain des États-Unis, écrit la comtesse Merlin, [...] ne comprend ni le beau luxe des arts ni l'élan généreux du dévouement chevaleresque, lui dont la vie est un cours éternel de géométrie. »

Sans doute il y eut Tocqueville, auquel on doit l'analyse la plus perspicace de la société américaine. Mais on ne prit dans Tocqueville que ce qu'on y cherchait : sa volonté d'interprétation objective — surmontant ses préjugés d'aristocrate — ne fit guère école. Les États-Unis, en soi, n'intéressaient pas ; les images qu'on en avait servaient de preuves et d'illustrations à des discours contradictoires.

Otés les aspects purement politiques qui sont encore de peu de poids, les divergences culturelles se sont affirmées. René Rémond, dans la conclusion de sa thèse, nous propose de les formuler en termes géographiques : « Nord contre Midi ». D'un côté, une civilisation du Nord, « fille de l'Angleterre protestante », une société marchande, « le règne d'une bourgeoisie entreprenante, le gouvernement républicain, la liberté des gazettes, la diffusion de l'enseignement ». Cette civilisation-là a été admirée par un XVIIIe siècle américanophile, relayant l'anglophilie. En face, « le Français, latin et catholique, rural, aristocrate ou libéral, se découvre proche des civilisations du Midi ». Par contraste, l'opinion française redéfinit sa spécificité — en l'opposant au danger d'américanisation.

Sous le Second Empire, libéraux et républicains retrouvèrent, sous la férule de Bonaparte, du goût pour les mœurs publiques et les libertés américaines. La campagne abolitionniste, la guerre de Sécession, la victoire du Nord et la suppression de l'esclavage rendirent aux États-Unis la sympathie des libéraux français. Cependant, c'est la société américaine, telle qu'elle est ou telle qu'on l'imagine, qui offre le plus de commentaires contradictoires. La littérature s'en empare, et surtout le théâtre, qui va mettre sur pied quelques modèles d'Américains promis à braver le temps. Ces types nous sont bien connus grâce au travail de Simon Jeune, qui leur a consacré sa thèse portant sur les années 1861-1917 [1]. L'homme d'affaires *yankee* se taille sur les boulevards la part du lion. Hardi, énergique, « roi du cuivre ou du porc salé », cet âne débâté, la tête souvent mal timbrée, offre à rire par son absence de culture et de savoir-vivre : « Le Béotien ignore la politesse occidentale, manque de délicatesse et de goût, proclame son mépris des beaux-arts. Enfin son habitude de vouloir tout chiffrer en dollars, sa prédilection pour le tapage publicitaire », sa naïveté, son admiration de tout ce qui est outré, ostentatoire, criard, achèvent d'en faire un amuseur malgré lui.

Parmi les créations théâtrales, il faut signaler surtout celles de Labiche et de Sardou. En vingt ans, le premier produit et reproduit trois fois le même type, dont la première incarnation s'appelle William Track dans *Les Deux Merles blancs*. Simon Jeune le décrit ainsi : « Il est brutal, tyrannique, casse le mobilier dans des accès de jalousie, ainsi que potiches, statuettes, éventails — quitte à les remplacer aussitôt. Il a besoin de frapper : il lui faudrait quelque Nègre sous la main pour se soulager [...]. C'est un fantoche bruyant et bondissant. » L'Américain de vaudeville est lancé, il fera fortune. Mais on ne se contente pas de rire d'un grotesque. Le commentaire, au-delà de la farce, place la satire dans un combat de civilisation. Ainsi en janvier 1861, relatant le succès des *Femmes fortes* de Victorien Sardou, Paul de Saint-Victor écrit : « On ne saurait trop applaudir ce trait, lancé de loin, au monstre américain qui s'avance sur nous, crachant la vapeur. Son souffle grossier a déjà glacé nos esprits et terni nos mœurs. » Il s'agit donc de défendre les « bonnes vieilles traditions françaises » (S. Jeune).

Le *boom* industriel des États-Unis à la fin du XIXe siècle, la première place qu'ils prennent dans bon nombre de productions forcent l'admiration de beaucoup. Aussi le *Graindorge* de Taine [2] illustre-t-il bien le contrepoint toujours

---

1. Simon Jeune, *De F.T. Graindorge à A.O. Barnabooth : les types américains dans le roman et le théâtre français (1861-1917)*, Didier, 1963.
2. Hippolyte Taine, *Notes sur Paris. Vie et opinions de M. Frédéric-Thomas Graindorge*, Paris, 1867.

présent dans notre littérature. Toutefois, note Simon Jeune, même dans les œuvres teintées d'américanophilie, l'Américain « provoque le sourire ou excite le rire ». Ce sentiment de supériorité, qui se manifeste ainsi dans l'attitude des auteurs français et traduit la suffisance des préjugés en cours, va subir une sensible inflexion au XXᵉ siècle. De ce point de vue, comme en bien d'autres domaines, la Première Guerre mondiale est la cause d'une nouvelle étape.

L'intervention des forces américaines dans la Première Guerre mondiale, en 1917, le rôle décisif qu'elles y jouent et la part prise par le président Wilson dans le règlement de la paix vont imposer une nouvelle image des États-Unis : ceux-ci sont devenus, sans conteste, une puissance mondiale. Malgré la gratitude de la France envers son allié, la question des dettes de guerre empoisonna les bonnes relations entre les États. La France entendait lier la dette qu'elle avait contractée auprès du Trésor américain au versement des réparations venant d'Allemagne et que le traité de Versailles lui avait accordées : les Américains s'y refusaient énergiquement, d'autant qu'ils n'avaient pas ratifié ledit traité. Cahin-caha, on arriva à un système de remboursement triangulaire, jusqu'au jour où, la crise économique mettant fin aux réparations allemandes, les débiteurs européens des États-Unis cessèrent leur remboursement. C'était en 1932. L'Amérique, offusquée par cette Europe « malhonnête », y trouva un encouragement à renforcer son isolationnisme.

Pourtant, au cours des années de *prosperity*, le dynamisme de l'économie américaine, sa productivité, les méthodes de Taylor et de Ford fascinent bon nombre de Français soucieux de lancer leur pays dans la course au rendement. Témoin de cette admiration, le livre de Hyacinthe Dubreuil, *Standards*, publié en 1929, qui a pour sous-titre : « Comment un ouvrier français a vu le travail américain. » Dubreuil n'a pas été un voyageur comme les autres. Il a vraiment vécu de son propre travail — il est mécanicien —, allant d'usine en usine, tout au long d'une expérience de quinze mois, à l'issue de laquelle il dresse un bilan largement positif des méthodes de travail de l'industrie américaine. « L'organisation scientifique du travail, dit-il, c'est l'outil indispensable du véritable socialisme. » Mais, outre que cette « production de masse » inquiète le petit patronat français, l'industrialisme américain apparaît à certains observateurs comme un aboutissement de cette civilisation matérialiste déjà stigmatisée au siècle précédent. Derrière l'admiration, la vieille crainte de l'Amérique resurgit, d'abord sous la forme modérée d'études comme celle d'André Siegfried, puis, la crise économique surgissant, sous l'aspect de multiples attaques convergentes, dont le sens est la défense d'une civilisation française menacée de naufrage.

En 1927, Siegfried fait paraître une remarquable analyse des *États-Unis d'aujourd'hui* [1], dans laquelle il avertit ses contemporains que « le peuple américain est en train de créer une société complètement originale » ; il entre dans un « âge nouveau de l'humanité ». Qu'a-t-il fait ? Il a créé la société de consommation. Siegfried évidemment n'emploie pas cette expression qui lui est postérieure ; il dit : les Américains ont transposé le luxe « en consommation courante ». A cet effet, ils ont donné pour finalité à leur effort un but productif : on est en présence « d'une société de rendement, presque d'une théocratie de rendement ». Et d'admirer l'efficacité américaine et l'immensité des progrès matériels qui en découlent : chaque ouvrier a sa maison, sa baignoire, son auto... de quoi faire rêver un Français de ces années-là. Mais, nous dit Siegfried, attention : tout cela « se paie d'un prix presque tragique, celui de millions d'hommes réduits à l'automatisme dans le travail ». Le diagnostic est net : la standardisation de l'industrie aboutit à la standardisation de l'individu lui-même. Que d'aisance dans ce pays, mais que de conformité ! Et nous revoici à pied d'œuvre : manque d'art, manque de raffinement, manque d'esprit individuel ; la perte de l'artisanat, c'est la fin du produit unique. Née de l'individualisme, la société américaine est devenue une société de masse.

Le *krach* de Wall Street et la crise mondiale vont porter au paroxysme la critique des États-Unis. Le début des années trente voit se multiplier reportages et essais qui accablent la patrie de Ford et de Taylor d'où nous vient tout le mal. Le grand succès de librairie remporté par les *Scènes de la vie*

1. André Siegfried, *Les États-Unis d'aujourd'hui*, Colin, 1930.

future [1] de Georges Duhamel est significatif. Comme Siegfried, mais en des termes plus catégoriques et sans esprit de
nuance, Duhamel dénonce la nouvelle civilisation en train de
se créer outre-Atlantique et qui menace le continent européen.
Car, dans l'Amérique, c'est notre propre avenir que le futur
académicien veut préserver : « Qu'à cet instant du débat chacun de nous, Occidentaux, dénonce avec loyauté ce qu'il
dénonce d'américain dans sa maison, dans son vêtement, dans
son âme. »

Le pamphlet de Duhamel ne ménage rien : le cinéma
(« divertissement d'ilotes, passe-temps d'illettrés »), les disques (« musiques en boîtes de conserve »), l'ivrognerie triste
(chez nous, les poivrots sont joyeux), les trop belles jambes
des dames (« visiblement faites en série »), l'envahissement
de la publicité, l'omniprésence de l'automobile, le jazz (pas
de musique aux États-Unis, sauf celle des « Nègres monocor-
des »), les ascenseurs, l'horrible promiscuité de toutes les races
du monde (« tous les peuples coude à coude »), le goût excessif
du sport, la cuisine (« rien n'a l'air sain, naturel »), l'unifor-
mité des goûts (tirade inévitable sur les fromages français,
tous « bons, sains, forts, substantiels, amusants »)... Ce qui
amène notre voyageur à chanter par contraste les charmes
menacés de notre belle civilisation : « Disparaîtrez-vous un
jour, petits bistrots de chez nous, petites salles basses, chaudes, enfumées, où trois bougres, épaule contre épaule, autour
d'un infime guéridon de fer, bâfrent le bœuf bourguignon,
se racontent des histoires, et rigolent, tonnerre ! rigolent en
sifflant du piccolo ? »

En 1931, deux jeunes gens en colère, Robert Aron et
Arnaud Dandieu, prenant la mesure du danger encouru par
la civilisation française, dénoncent le *cancer américain* [2],
autrement dit « la suprématie de l'industrie et de la banque
sur la vie entière de l'époque ». On retrouve dans ce pamphlet, caractéristique du courant antiproductiviste, la même
opposition entre les « longues traditions sentimentales et loca-
les » qu'on défend « comme des êtres sains et réels » et ce que
représentent les États-Unis : « un organisme artificiel et mor-

1. Georges Duhamel, *Scènes de la vie future*, Mercure de France, 1930.
2. Robert Aron et Arnaud Dandieu, *Le Cancer américain*, Rieder,
1931.

bide ». Dans l'Américain nos deux auteurs voient un
« nomade », un « déraciné » « assujetti seulement à l'impératif barbare de la production et de la spéculation sans profit ». Barbare venant de l'Ouest (« là où passe l'Américain,
l'herbe ne repousse pas »), le *Yankee* a entrepris la colonisation et l'asservissement de l'Europe.

L'image de l'Amérique est désormais bien ancrée dans les
têtes. Dans cette France malthusienne qui explique la crise
par la surproduction, au temps même où la majorité des habitants manquent des moyens élémentaires de vie décente, le
gratte-ciel new-yorkais figure l'érection menaçante du modernisme face à la douceur médiévale de nos clochers. Tous les
poncifs cités plus haut font florès, depuis la « grande littérature » (celle d'un Bernanos ou d'un Céline) jusqu'à la bande
dessinée (*Tintin en Amérique* publié en 1931 en étant un des
meilleurs témoins), avec plus ou moins de talent, plus ou
moins de sagacité.

Les traductions de la littérature américaine alimentent ce
courant critique des années trente. C'est seulement en 1930
qu'est traduit en français le *Babitt* de Sinclair Lewis, prix
Nobel de la même année. Outre les œuvres de John Dos Pas-
sos, de William Faulkner, d'Erskine Caldwell qui peignent
la société américaine avec une crudité souvent impitoyable,
Paul Nizan, en 1933, fait paraître dans la collection
« Europe », chez Rieder, sa traduction de *L'Amérique tragi-*
que de Theodore Dreiser. Le romancier américain se livrait,
dans cet essai documenté, à un assaut contre le capitalisme
américain, la jungle du darwinisme social, la férocité des
trusts et l'écrasement de la majorité par une minorité sans
scrupule. En proie à la crise économique, la France n'attend
plus les solutions d'une Amérique qui l'avait éblouie au cours
des années de prospérité : c'est d'Italie, d'Allemagne ou
d'URSS que viennent les principales leçons de l'heure. Les
thèses du libéralisme américain sont taillées en brèche. Les
mots d'ordre à succès de la décennie — soit le « corporatisme », soit le « planisme » — sont tirés des modèles qui récusent celui des États-Unis, que la grande dépression réduit
à néant.

La présidence Roosevelt et son *New Deal* provoquent en
France un tremblement d'incompréhension. On pratiquait un

tel fétichisme de la monnaie que la politique keynésienne du nouveau président et la libre variation du dollar font scandale. Dans *Le Temps* du 6 juillet 1933, Edmond Giscard d'Estaing va jusqu'à assimiler la dévaluation du dollar à « la négation la plus audacieuse des valeurs spirituelles occidentales ». Et quand Roosevelt est réélu triomphalement en 1934, le Pr Gaston Jèze se croit fondé à affirmer dans *La Dépêche du Midi* : « L'expérience américaine est une faillite complète » (4 décembre 1934)[1]. Au demeurant, le caractère ténu des échanges et des relations diplomatiques entre les deux pays rendait l'Amérique encore bien lointaine aux Français.

Tout change avec la Seconde Guerre mondiale et les années qui suivent. Le régime de Vichy et la littérature collaborationniste développèrent une hostilité marquée aux États-Unis. Des libellistes reprirent notamment le thème de « l'Amérique juive » — c'est le titre d'un ouvrage de Pierre-Antoine Cousteau en 1941 —, qu'un Roger Lambelin avait déjà illustré au début des années vingt[2]. La part prise par les États-Unis dans la défaite des puissances de l'Axe, le déclin relatif du Royaume-Uni et de la France, le nouveau danger d'expansion soviétique : en quelques années, les Américains passent de l'isolationnisme à l'intervention tous azimuts. Sur les ruines de la grande alliance antifasciste, ils deviennent les champions du « monde libre » face à un empire stalinien qui repousse ses bornes « à deux étapes du Tour de France », selon l'expression du général de Gaulle.

Rien de plus logique que cet avènement de la république américaine au *leadership* occidental : la nature, la démographie, la capacité industrielle, tout y concourait. Mais cette nouveauté, brutalement imposée par la guerre, allait provoquer en France des résistances qui constituent les diverses formes de l'antiaméricanisme politique. Pour en faire le tour, je reprendrai la typologie qu'on doit à Jean-Baptiste Duro-

1. Voir Maurice Vaïsse, « Les aspects monétaires du *New Deal* vus en France », *Revue d'histoire moderne et contemporaine*, t. XVI, juill.-septembre 1969.
2. Roger Lambelin, *Le Règne d'Israël chez les Anglo-Saxons*, Grasset, 1921. Pendant la guerre : Pierre-Antoine Cousteau, *L'Amérique juive*, Éd. de France, 1942 ; H. Petit, *Rothschild, roi d'Israël, et les Américains*, Paris, 1941 ; H. Bordat, *Les États-Unis contre l'Europe*, Paris, 1943, etc.

selle[1]. Celui-ci en relève quatre cas, particulièrement nets : deux à gauche — celui du parti communiste et celui du courant neutraliste — et deux à droite — celui du gaullisme et celui du parti colonialiste.

La nouvelle hégémonie américaine provoque en effet une réaction d'hostilité française, à géométrie variable. Tout d'abord, cette hégémonie ramène la France aux puissances de deuxième rang : le nationalisme français s'y refuse ; à tout le moins, il veut en retarder et en limiter les effets. Ce fut le rôle historique du général de Gaulle que d'incarner cette résistance nationaliste à la suprématie américaine. Sans vouloir résumer l'histoire du gaullisme, on peut bien dire qu'une grande partie de l'énergie déployée par de Gaulle pour défendre ce qu'il appelait la Grandeur de la France, l'a été aux dépens du puissant allié d'outre-Atlantique. En bonne logique nationaliste, l'URSS lui paraissait moins dangereuse, dans la mesure où, au moins dans l'immédiat, la France n'était pas menacée de tomber dans sa dépendance. Inversement, presque tous les gestes d'affirmation nationale à l'Ouest impliquaient un défi à l'Amérique : replacer la France au rang des grandes puissances malgré Roosevelt, reconnaître la Chine populaire, se retirer de l'OTAN, construire une force nucléaire nationale, etc. Tout au long de sa vie, de Gaulle défendit une certaine idée de la France contre le patronage américain. Le Général, dont le nationalisme n'était pas celui de « la France seule », jouta à travers le monde en faveur du fait national contre les puissances impériales. N'ayant plus d'empire, ce fut contre les empires que le nationalisme français, par la voix du Général revenu, exalta les États-nations, de Mexico à Phnom Penh.

Ce que de Gaulle, dans sa passion « de sauvegarder notre personnalité nationale », exprimait en termes châtiés, nombre de ses fidèles le dirent avec moins de retenue : « Pour un pays comme la France, écrivait un journaliste, Philippe de Saint-Robert, en 1967, la seule politique positive consiste à abaisser la Maison-Blanche[2]... » Dans leur vision nationa-

---

1. Jean-Baptiste Duroselle, *La France et les États-Unis, des origines à nos jours*, Éd. du Seuil, 1976.
2. Philippe de Saint-Robert, *Le Jeu de la France*, Julliard, 1967, p. 173 et 182.

liste, l'URSS leur semblait une manière de puissance sans doute « hérétique » mais aussi un allié « objectif », tout comme Richelieu considérait les puissances protestantes dans sa lutte contre la très catholique Maison d'Autriche. Le même Saint-Robert ne craignait pas d'affirmer : « L'évolution de la Russie vers un pacifisme armé et organisé, qui s'apparente à l'exigence française d'indépendance nationale, semble [...] comme un effet des réussites plus notoires d'un régime qui a tout de même permis [...] la transformation progressive d'une société spartiate et isolée en société productrice, puis consommatrice, assumant avec maîtrise des responsabilités mondiales. » Après une telle prémisse il ne fallait pas s'étonner de la conclusion : « Il est possible que vienne le jour où le danger mondial sera chinois; mais il est certain qu'aujourd'hui il est américain. »

L'antiaméricanisme de la droite colonialiste a des points communs avec l'antiaméricanisme gaulliste, en ce sens qu'il est fondé, lui aussi, sur des convictions nationalistes. Mais, au lieu que de Gaulle a saisi le caractère inéluctable de la décolonisation et tenté de fonder sur cette nécessité les bases d'une nouvelle puissance nationale, la droite colonialiste s'en est tenue à la défense immédiate et *manu militari* d'une présence française outre-mer de plus en plus contestée. Deuxième cas de figure, donc : la décolonisation. Par idéologie « anticolonialiste », les États-Unis y sont favorables. De manière plus concrète, ils se préoccupent surtout de maintenir leur politique de *containment* face à l'URSS. Ils savent à quel point les mouvements d'indépendance nationale peuvent favoriser l'avancée communiste : le cas de la Chine n'est pas oublié. Là où ces mouvements nationalistes sont déjà investis par les forces communistes, comme en Indochine, les Américains peuvent prêter leur concours aux vieilles puissances coloniales. Ailleurs, là où le communisme compte encore pour peu, ils encouragent à l'indépendance. Sauf en cas d'affrontement direct Est-Ouest, ils considèrent les guerres de décolonisation comme autant de causes d'affaiblissement du camp occidental. Toute la stratégie américaine est commandée depuis les débuts de la Guerre froide par cette formidable partie engagée avec l'URSS.

Paradoxalement, la droite colonialiste s'acharne contre

la décolonisation au nom même de la défense occidentale contre le communisme. Mais, ce qu'elle ignore, c'est que les vieilles nations coloniales ne sont plus maîtresses de cette stratégie mondiale. Washington en décide. La guerre d'Algérie, et surtout l'affaire du canal de Suez, en 1956, ont été le moment privilégié de cet antiaméricanisme colonialiste. Le 2 juillet 1957, le sénateur John Fitzgerald Kennedy défendait l'idée selon laquelle la guerre d'Algérie « n'est plus un problème concernant les seuls Français » ; il critiquait l'administration républicaine d'Eisenhower d'être trop favorable à la France et l'engageait à rechercher une solution qui reconnût la personnalité indépendante de l'Algérie. Le futur président des États-Unis eut droit à la rancune tenace des partisans de l'Algérie française.

Par rapport à d'autres époques, le phénomène de l'antiaméricanisme a pris, au moment de la « Guerre froide », une ampleur nouvelle, en raison d'une conjoncture de guerre idéologique suraiguë. Cependant, on perçoit alors moins de nouveauté que de continuité dans le contenu même des attaques antiaméricaines.

L'antagonisme entre l'Est et l'Ouest mobilise bien des militants communistes, progressistes et autres intellectuels de gauche sur le front politique, mais l'argumentaire utilisé dans ce combat particulier se nourrit d'un stock de griefs antérieurement entassés contre ce qui constitue — ou constituerait — le fond de la civilisation américaine, dont les contours coïncident avec une anticulture, entendons : une anticulture française, une anti-France intrinsèque, un antihumanisme.

Avant de développer cette constatation, rappelons l'importance de la rupture de 1947. L'antiaméricanisme des communistes s'affirme avec vigueur lors du congrès du PCF, à Strasbourg, à la fin du mois de juin 1947. On en est au tout début de la Guerre froide. Les ministres communistes ont été écartés, le mois précédent, du gouvernement Ramadier. Dans son rapport-fleuve, Maurice Thorez stigmatise l'« expansionnisme américain », à grand renfort de citations de Lénine : « La toute-puissance du capital financier des monopoles, la recherche des débouchés pour l'écoulement des marchandises, l'exportation des capitaux, le développement du militarisme, ce sont bien là les caractéristiques de l'impérialisme, telles que les a définies Lénine. » Le mot est lâché. Toute l'interprétation de la politique internationale passera désormais à travers cette grille de la théorie léniniste de l'impérialisme.

Deux camps se font face. Deux mondes, deux univers s'affrontent. D'un côté, « un monde agressif et décadent pourri de contradictions » ; de l'autre, le bloc des vraies démocraties, sous la direction de l'URSS, « rempart de paix mondiale [1] ». Car, de ces deux blocs, l'un veut la paix, l'autre prépare la guerre.

Cette opposition brutale et sans nuance entre les deux blocs, entre les deux systèmes, nous la voyons reprise comme un leitmotiv par les journalistes, les intellectuels communistes et une bonne partie des « compagnons de route ». L'un d'eux, Claude Aveline, en donne la plus claire illustration dans *Les Lettres françaises* : « ... D'un côté, le capitalisme : un système, une société, une civilisation à base capitaliste. De l'autre, le socialisme : un système, une société à base socialiste. Cette alternative se concrétise chaque jour davantage, par deux blocs chaque jour un peu plus ouvertement ennemis. Aucune possibilité d'entente, les diplomates eux-mêmes ne songent plus guère à le prétendre. L'un des deux blocs doit disparaître. Le monde doit choisir. [...] Dans le combat des deux blocs, les écrivains 'engagés' auxquels je songe, et dont je fais partie, ont délibérément opté pour le socialisme. Nous le pensons une fatalité, et une fatalité désirable. Nous ne croyons pas à une amélioration possible du système capitaliste. Nous ne croyons pas que puisse miraculeusement devenir plus humaine et plus juste la société capitaliste. Nous sommes persuadés que la civilisation à base capitaliste a fait faillite, et une faillite frauduleuse, celle dont on ne peut plus se remettre, sinon en apparence, et par des tromperies à chaque fois plus cyniques ou plus fourbes. Et qui, pour finir, emportera ses artisans, parce qu'elle a déjà trop coûté, parce qu'elle ne cesse de coûter à ses victimes [2]. »

Pendant les années de guerre froide, le PCF formule le

1. Jean Baby, « L'impérialisme américain et la France », *Cahiers du communisme*, janvier 1948.
2. Claude Aveline, « L'engagement et le choix », *Les Lettres françaises*, 29 avril 1948.

slogan itératif de la lutte pour la paix, impliquant par définition la solidarité avec l'URSS et postulant l'antiaméricanisme. Les ressorts de celui-ci sont simples. La défense de l'URSS dans tous les domaines, et en particulier la défense de sa politique extérieure, est devenue la pierre de touche de l'« internationalisme prolétarien ». L'impératif qui s'impose aux partis communistes occidentaux est d'utiliser toutes les « libertés formelles » des démocraties libérales pour mener campagne contre tout ce qui menace les intérêts de l'URSS, confondus avec ceux de la paix mondiale. Les États-Unis et l'Alliance atlantique sont les premiers visés. Ainsi, la presse communiste nationale et régionale orchestre la protestation contre la présence des troupes américaines en France, suivant la création de l'OTAN. François Jarraud a étudié le cas des Américains à Châteauroux, de 1951 à 1967 [1]. « Dès 1952, écrit-il, *La Marseillaise* s'engage dans une violente campagne antiaméricaine avec un martelage quotidien et massif de quelques thèmes. » Précisons : l'Américain est un « individu amoral », « l'occupation aggrave les conditions matérielles d'existence », c'est un « danger pour la ville », c'est un « danger pour la route », etc. Désormais, les murs des cités françaises sont couverts d'un impératif *US, go home !* à la peinture. La France ne veut pas subir une nouvelle occupation.

Ce dernier thème avait du reste été lancé dans la presse communiste avant même la création de l'OTAN, puisque dès le 28 octobre 1948, Pierre Daix signait, dans *Les Lettres françaises*, un article intitulé : « France, pays occupé », à propos de l'invasion des salles de cinéma par les films américains, à la suite des accords Blum-Byrnes de 1945-1946 : « ... De même qu'au temps de l'Occupation des Français rendaient hommage à Leni Riefenstahl, aujourd'hui, avec le même flair et la même bassesse, *Le Film français* consacre un numéro spécial dithyrambique en hommage au vertueux Joseph M. Schenk, administrateur général de la production de cette 20th Century Fox. [...] C'est toujours de l'ouest que la nuit monte à l'assaut du monde. Mais cette nuit est sans étoiles, lourde de l'oppression d'un nouveau Moyen Age sans foi

---

1. François Jarraud, *Les Américains à Châteauroux 1951-1967*, chez l'auteur, Les Cassons-Arthon, 36330 Le Poinçonnet, 1981.

pour le soutenir, sans espérance d'outre-mort. Une nuit sans fissures, d'inquisition, de déchéances, d'obscurantisme, d'ultimes et totales dégradations. Une nuit qui trouve en elle sa propre fin. Cette nuit commence de nous envahir. Ce n'est là qu'une opération désespérée. La tentative vaine pour protéger de l'offensive victorieuse de la lumière les dernières tanières d'un passé révolu. Il s'agit de tenir, de résister dès aujourd'hui [1]. »

Sans se confondre avec les intellectuels communistes, les intellectuels neutralistes, qui s'expriment dans *Le Monde*, *L'Observateur* (devenu *France Observateur*), *Esprit, Les Temps modernes*, tiennent souvent sur les États-Unis des propos plus nuancés, mais dont le sens est généralement sévère. Au risque de simplifier abusivement le tableau, on peut rendre l'état d'esprit de cette intelligentsia, entre 1947 et 1956, par deux citations des *Mandarins* de Simone de Beauvoir. L'un des personnages principaux de ce roman, Henri, dit ainsi : « Je me doute bien que tout n'est pas parfait en URSS, c'est le contraire qui serait étonnant. Mais enfin ce sont eux qui sont sur la bonne voie. » A quoi fait écho cette réflexion d'Anne, l'héroïne : « Maintenant, l'Amérique, ça signifiait la bombe atomique, menaces de guerre, fascisme naissant [2]... »

L'Amérique des années cinquante prête le flanc aux plus vives critiques. Le délire maccarthyste, la « chasse aux sorcières » qu'il déclenche, la diplomatie du *big stick* de Foster Dulles, tout favorise l'accusation d'un État belliciste, aveuglé par son anticommunisme et entraîné dans l'impérialisme par ses trusts. Au moment du procès des Rosenberg, Jean-Paul Sartre déclare tout net : « Ne vous étonnez pas si nous crions d'un bout à l'autre de l'Europe : Attention, l'Amérique a la rage. Tranchons tous les liens qui nous rattachent à elle, sinon nous serons à notre tour mordus et enragés [3]. »

Cependant, comme nous le disions plus haut, le discours de l'antiaméricanisme n'est pas seulement politique ; il n'est pas homogène au discours de l'antisoviétisme qui, dans cette

1. Pierre Daix, « France, pays occupé », *Les Lettres françaises*, 28 octobre 1948.
2. Simone de Beauvoir, *Les Mandarins*, p. 254 et 515.
3. Cité par Raymond Aron, *L'Opium des intellectuels*, Gallimard, « Idées », 1948, p. 310.

même conjoncture de guerre froide, se donne, lui aussi, libre cours. En effet, celui-ci se maintient dans la sphère politique et idéologique : dans l'URSS, on critique les fondements marxistes-léninistes du système, la nouvelle autocratie stalinienne, le régime de la terreur... La culture russe n'est pas en cause. Seule la superstructure étatique est mise en question ; on peut la mettre au compte d'un accident de l'histoire. En revanche, dans le discours antiaméricain, c'est l'essence même des États-Unis, sa culture profonde, toute son histoire qui témoignent à charge.

Lors de son conflit avec Hubert Beuve-Méry au sein de l'équipe du *Monde*, René Courtin rendait compte de l'attitude neutraliste du directeur par des raisons morales : « Il n'est pas stalinien, et n'a pour le régime russe aucune sympathie. Mais il a une haine plus forte encore pour la civilisation américaine. Mieux vaudrait encore la Russie que les États-Unis. La Russie est odieuse mais elle n'est pas totalement méprisable. Elle est pauvre, elle a le sens de l'effort désintéressé, du travail anonyme et communautaire. Elle apporterait ainsi l'Épreuve [1]. » Le jugement de René Courtin est-il excessif ? En tout cas, il met en évidence, derrière un choix politique, les motifs d'une sensibilité antiaméricaine, qu'illustrent maints écrits antérieurs aussi bien que contemporains.

La France contre les robots.

Nous nous trouvons ici à la charnière des deux antiaméricanismes, le politique et le culturel. L'intellectuel français — communiste, progressiste, neutraliste — des années cinquante ne s'en prend pas seulement à la diplomatie du Département d'État et aux allures fascisantes de l'Amérique maccarthyste ; plus profondément, il refuse un modèle culturel, qu'il assimile à la culture de masse. Malgré son goût affiché du peuple, l'intellectuel est un clerc, dépositaire de la culture savante — celle qui est encore au pouvoir en France : le magistère des écrivains rive gauche, le prestige de l'École normale, l'usage social de l'agrégation, l'importance

---

1. Cité par Jean-Noël Jeanneney et Jacques Julliard, *Le Monde de Beuve-Méry ou le Métier d'Alceste*, Éd. du Seuil, 1979, p. 104.

de la « littérature engagée », l'audience des intellectuels, en général, dans la vie politique... autant de réalités françaises inconnues des États-Unis, lesquels n'offrent d'aucune façon un *statut* comparable à leurs écrivains, et à leurs professeurs. Surtout, les États-Unis développent depuis déjà les lendemains de la Première Guerre mondiale les traits caractéristiques d'une culture de masse, tels que nous les connaissons aujourd'hui, où la publicité, la plupart des émissions de radio (puis la télévision), la bande dessinée, le cinéma hollywoodien, récusent en force le pouvoir intellectuel.

La critique antiaméricaine — derrière l'aspect purement conjoncturel — s'affirme ainsi de plus en plus, et jusqu'à nos jours, comme une entreprise de « résistance » (voir, plus haut, Pierre Daix) à la colonisation de nos mœurs et de notre culture par le *big business*. Dans leurs campagnes politiques, les intellectuels communistes et leurs compagnons de route utilisent d'autant mieux les armes de la critique culturelle que les produits et sous-produits de la culture de masse américaine commencent à se multiplier, surtout après la réalisation du plan Marshall. Les accords Blum-Byrnes du 28 mai 1946 liquidaient les dettes de guerre françaises envers les États-Unis ; en retour, les Américains obtenaient de sérieuses entorses au protectionnisme. C'est ainsi que les films américains purent faire leur entrée massive dans les salles françaises. On connaît le reste : les fadeurs du *Reader's Digest*, le Coca-Cola, les *comics*, le *blue-jean*, etc. L'admirateur du socialisme soviétique n'y trouve que trop de preuves contre l'impérialisme *yankee* mais, dans sa diatribe, il ne manque pas d'alliés de tous bords : la colonisation de la France est en marche : Marx et Racine, même combat !

« Déjà », écrit Vladimir Pozner, « *à un ami américain* », « vos mythes déferlent sur la France. Je les retrouve, ces vieilles connaissances, sur nos écrans, dans les devantures de nos librairies, aux étalages des kiosques à journaux et jusque dans les discours officiels. Je le reconnais, cet outillage, qui a déjà servi et qu'on ne s'est même pas donné la peine de maquiller : les films, les *best-sellers*, les magazines, les *digests*, les histoires en dessins, les photos en couleurs des *pin-up girls*. Et vive la grande démocratie américaine ! Et vive le paradis américain en technicolor ! Avez-vous lu *Ambre* ? Avez-vous vu *Gilda* ? Saviez-vous que l'édition française du *Reader's Digest* tirait à un million d'exemplaires : n'attendez pas jusqu'à demain pour en acheter ! Ma chère, j'ai bu hier un Coca-Cola de derrière les fagots dont je ne vous dis que ça [1] ! »

Ainsi, vingt ans après l'éprouvant séjour de Duhamel dans la patrie de Rockefeller, un de ses confrères, Armand Salacrou, rapporte en 1948, d'un récent voyage aux États-Unis, des notations qui traduisent bien la permanence d'une répulsion transpolitique : « A New York, écrit-il, entrez, le premier jour, dans le premier bar rencontré : les barmen vous servent comme serraient les écrous les ouvriers de Charlot dans *Les Temps modernes*. [...] De jour en jour vous entrez dans la solitude organisée, et l'on sent ces êtres accablés par l'impossibilité d'en sortir. Par hasard, j'assistais à la mille huit centième représentation d'*Oklahoma*. [...] A l'entracte, je suggérai à l'ami qui m'accompagnait d'aller au bar du théâtre. (Et je pensais à la charmante bousculade du bar du Saint-Georges, au petit café du théâtre Montparnasse, où le patron raconte des blagues...) Mon ami et moi nous arrivons à l'extrémité d'une queue... L'un derrière l'autre, nous avançons lentement, et me voici enfin devant un robinet d'eau glacée ; au-dessus, un distributeur automatique de verres en carton, si j'ose dire. On dégrafe le gobelet. On boit vite. On jette l'ustensile mouillé qui, déjà, s'aplatit sous vos doigts dans un panier perfectionné, et le suivant de la file dégrafe déjà le gobelet qui, lui aussi, faisait la queue dans son distributeur automatique. Jamais je n'oublierai cette rencontre d'une file lente d'hommes muets et d'une file de gobelets en carton devant un robinet d'eau froide [2]... »

Scène capitale et hautement symbolique, qui révèle le fond de l'opposition entre une civilisation d'humains et une civilisation d'androïdes, entre la civilisation du bistrot (vin rouge et convivialité) et la civilisation du bar (eau potable, gobelets de carton et anonymat). Au temps de la prohibition, Duhamel avait dépeint l'alcoolisme triste et clandestin des

1. Vladimir Pozner, « Lettre à un ami américain », *Les Lettres françaises*, 29 avril 1948.
2. Armand Salacrou, « Le pays de la solitude », *Les Lettres françaises*, 25 novembre 1948.

Américains ; après la guerre, Salacrou ne voit plus que des buveurs d'eau mais, qu'à cela ne tienne, une même solitude hante ce peuple robotisé, aseptisé et conformiste, sur lequel le dieu dollar impose sa loi.

A cette prédominance de la série correspond la raréfaction des modèles culturels : la reproduction supplée à l'invention. Chiffres en main, Pierre Abraham nous démontre ainsi qu'en 1948 le nombre des titres de volumes publiés en France est supérieur à celui des titres publiés aux États-Unis : « Ça veut dire que les États-Unis sont un pays standardisé, rationalisé, admirablement lancé sur la voie de l'automatisme, et qui ne sent pas le besoin d'égarer le choix du public sur un nombre trop élevé de titres...

» Au fond, avec, par an, une bible, une arithmétique, un mémento de l'ingénieur, un précis de législation commerciale, cinq romans d'aviation pour les enfants, dix romans poivrés pour les dames et vingt ouvrages de propagande antisoviétique pour les mobilisables, ça devrait suffire à calmer tous les désirs de lecture, pas vrai ?

» Ça veut dire ensuite, que, nous autres, on en a marre d'avoir les oreilles rebattues de la supériorité *yankee*.

» Un État grand comme l'Europe, qui n'est pas capable de publier plus de la moitié des titres que nous sortons, nous, dans notre mouchoir de poche (percé, reprisé) entre Manche et Méditerranée ! Voilà ce qu'on voudrait nous offrir comme idéal, comme modèle et comme chef de file ? Allons donc [1] ! »

Dans les mêmes *Lettres françaises*, Henri Malherbe, prix Goncourt 1917, juge ainsi du roman américain : « Marchandise fabriquée en série par des industriels astucieux, avec le luxe mécanique qu'on apporte là-bas à la construction des automobiles [2]. »

La marchandise de série, la culture de série, les sentiments de série : en chaque domaine on reproduit à l'identique. Même les êtres humains paraissent sortir d'un même moule : le prototype de la *pin-up* a fini par modeler une espèce fémi-

1. Pierre Abraham, « Littérature américaine », *Les Lettres françaises*, 14 avril 1949.
2. Henri Malherbe, « Les Français n'achètent plus les romans américains », *Les Lettres françaises*, 24 mars 1949.

nine nouvelle, face à laquelle la presse communiste se sent
mobilisée : « Un combat dans lequel nous avons notre mot
à dire : *Pin-up girls* contre Filles de France. » *L'Avant-Garde*,
organe de la jeunesse communiste, met ainsi en garde ses lec-
trices contre « la glorification de la *pin-up* » — « la *pin-up*,
c'est-à-dire la femme à l'américaine, poupée peinturlurée dont
le but est l'amour, un riche mariage, beaucoup de plaisir sans
le moindre effort [1] ».

Or toutes ces considérations, tous ces raccourcis, tous ces
jugements à l'emporte-pièce, avec leurs outrances et leur part
de vérité, la littérature communiste les utilise à des fins partisanes mais ne les invente pas : ils existaient déjà, ils continuent
de prospérer sous les plumes les plus diverses, y compris les
moins suspectes de connivence avec le camp soviétique. Entre
mille exemples, je retiendrai celui de François Mauriac. Contrairement à Georges Bernanos, celui-ci n'est pas un héraut
de l'Ancienne France, un misonéiste forcené, non plus qu'un
adversaire politique des États-Unis. Il peut témoigner des idées
reçues sur l'Amérique dans l'*establishment* littéraire. Voici
son avis en 1959, mais son jugement paraît invariable, établi
de longue date et définitif : « Car enfin ma sympathie va au
chef d'un grand peuple que j'admire certes ; mais ce peuple,
par bien des aspects de son génie, m'est plus étranger qu'aucun
autre. Je ne l'ai jamais visité... A quoi bon ? Lui, il a fait beaucoup plus que nous visiter : il nous a transformés. Le rythme
de notre vie quotidienne est accordé au sien. Sa musique
orchestre nos journées par des millions de disques. Des milliers de films, sur tous les écrans de Paris et de la province,
nous imposent en toute matière son idée : un certain type de
femme stéréotypé, la star interchangeable que devient
n'importe quelle Brigitte ou Pascale des Batignolles, mais par-
dessus tout le culte, l'idolâtrie de la technique, de toutes techniques inventées par l'homme et auxquelles l'homme s'asservit, la folie de la vitesse, ce tournis qui affecte tous les moutons
de l'Occident, une trépidation à laquelle aucun de nous
n'échappe : une démesure en toutes choses, qui est la chose
au monde la moins conforme à notre génie [2]. »

1. *L'Avant-garde*, 25 févr.-2 mars 1948.
2. François Mauriac, *L'Express*, 29 août 1959, et *Nouveau Bloc-Notes
1958-1960*, p. 238.

Telle est bien l'inquiétude qu'expriment les élites françaises de tout bord politique : le génie français, l'essence française, la culture et la civilisation d'un vieux pays qui a rayonné sur le monde, sont menacés d'altération, voire de désagrégation, d'anéantissement par l'invasion (l'« occupation ») des standards américains. Les critiques de ces élites — politique mise à part — portent aussi bien sur les productions matérielles que sur les productions de l'esprit, sur les mœurs que sur les mentalités.

On peut se demander si cet antiaméricanisme n'est pas une attitude des élites — et des élites de formation littéraire en particulier. La moyenne des sondages effectués en France entre 1952 et 1957 montre en effet que l'image des États-Unis est nettement positive — y compris dans l'électorat communiste [1]. L'*American way of life* peut horrifier des intellectuels bourgeois ; il fascine plutôt une société qui aspire à l'amélioration de son niveau de vie et goûte aux premiers fruits de la croissance.

Outre les facteurs politiques, la réserve ou l'hostilité des élites intellectuelles envers le modèle américain ont eu deux séries de causes principales :

1° L'apparition d'une culture de masse qui remet en cause la position des intellectuels dans la société française.

2° Le courant résolument antimoderniste, anti-industriel, antitechniciste — tel que *La France contre les robots* d'un Georges Bernanos l'exprime au mieux.

Dans l'un et l'autre cas, la figure de l'Amérique prend un tour allégorique. Ceux qui se rendent aux États-Unis n'y vont apparemment que pour confirmer leurs préjugés ; la plupart, comme François Mauriac, se dispensent d'y aller voir puisque, d'ores et déjà, la culture française a subi sous l'influence américaine une transformation qui équivaut à une falsification. Dans tous les cas, l'Amérique s'offre moins comme une réalité de chair et de sang qu'à la façon d'un mythe répulsif : l'avenir de la civilisation française (de la Civilisation tout court, pour beaucoup) n'a de fondement que dans un *non* global à cette anticulture et à cet antihumanisme que les États-Unis symbolisent.

1. Voir Jean-Baptiste Duroselle, *op. cit.*

Dans les années soixante, l'antiaméricanisme était d'autant plus fort qu'il combinait l'anti-impérialisme de l'extrême gauche et de l'ultra-gauche, porté à son plus haut degré par la guerre du Viêt-nam, le nationalisme gaulliste qui se faisait missionnaire d'un continent à l'autre et les premières critiques de ce qui devenait une réalité en France et qu'on baptisa « société de consommation ». Cette vague est retombée dans les années soixante-dix. Plusieurs faits y ont contribué : les morts successives de De Gaulle et de Pompidou ; la fin de la guerre du Viêt-nam et le retrait des troupes américaines (1973-1975) ; l'élection du président Carter, l'effondrement de la légitimité soviétique sous l'effet Soljenitsyne (la traduction de *L'Archipel du Goulag*, premier tome, date de 1974)… D'autre part, nombre de Français sont frappés, parfois séduits, par le dynamisme et l'inventivité des mouvements contestataires *made in USA*. Pour certains, la Californie, lieu de toutes les expérimentations sociales, devient une nouvelle terre promise. Un seul exemple suffira à concrétiser cette évolution. A onze ans d'intervalle, *Esprit* publie deux numéros spéciaux consacrés aux États-Unis. En mars 1959, sous le titre général : « L'homme standard » — déjà suggestif —, on fait le procès de ce qui pourrait bien s'appeler un « totalitarisme tranquille ». Selon un des rédacteurs, « dans les États-Unis d'après guerre, sans camp d'internement, sans procès montés de toute pièce, sans terreur totalitaire, une nation entière s'est figée dans le conformisme » (Sidney Lens) [1]. En octobre 1970, la même revue présente un numéro sur les « États-Unis en révolution », où l'on découvre, entre autres, les bonnes feuilles du *Journal de Californie* d'Edgar Morin, un des premiers manifestes du révisionnisme « proaméricain » de l'intelligentsia. Les attardés regardent encore Pékin, alors même que les feux de la Révolution culturelle brillent en Extrême-Occident.

─────────

1. Voir « L'homme standard », *Esprit*, n° 271, mars 1959. Sidney Lens écrit notamment : « Un homme standard s'élabore lentement aux États-Unis, immunisé contre le radicalisme en dépit de ses besoins sociaux et dont l'horizon se borne aux réalités les plus proches. [...] Des centaines de milliers de jeunes gens deviennent des délinquants plutôt que des socialistes. Ils sont ceux que Robert Linder a appelés les 'rebelles sans cause'. »

Si les milieux intellectuels ont donc sensiblement évolué dans leurs représentations de l'Amérique, la face du monde changeant et les *charters* aidant, l'antiaméricanisme n'en reste pas moins une constante dans notre commerce idéologique. L'élection de Reagan et sa détermination proclamée face à l'URSS ont ranimé l'antiaméricanisme de guerre froide. La politique monétaire de la Maison-Blanche est un autre sujet de conflits entre la France et les États-Unis. Mais, surtout, la crainte de l'américanisation, au moment où le *blue-jean*, le *rock'n roll* et le *fast food* font des ravages, suscite de nouvelles répliques. Ce sont des gaullistes « de gauche », des socialistes et d'autres personnalités assez favorables à la nouvelle majorité qui lancent, en 1981, un comité pour la défense de « l'identité nationale ». C'est un autre gaulliste de gauche, Michel Jobert, ministre du Commerce extérieur, qui exprime avec la plus nette vigueur l'indignation française face à la politique monétaire du président Reagan. C'est enfin Jack Lang qui se fait le héraut de notre identité culturelle.

Cependant, l'antiaméricanisme le plus chimiquement pur est à chercher aujourd'hui dans les publications de la Nouvelle Droite. On y voit à quel point l'idéologie des « racines » et l'antiaméricanisme sont corrélatifs. Se définissant comme européenne, antichrétienne et antiégalitaire, la Nouvelle Droite fustige dans l'Amérique le cœur d'une « civilisation occidentale » sans âme, qui n'est pas celle de notre vieille Europe [1].

Dans la livraison de mars-avril 1982 d'*Éléments*, Alain de Benoist revient longuement sur les objectifs du courant qu'il anime. L'ennemi, c'est à ses yeux l'égalitarisme, qui engendre la décadence. Mais l'égalitarisme a pris aujourd'hui deux visages apparemment opposés : celui du libéralisme américain et celui du communisme soviétique. Or le b-a ba de la politique est de savoir désigner « l'ennemi principal ». Alain de Benoist nous prévient qu'il préférerait n'avoir pas à choi-

---

1. Cf. Alain de Benoist, *Éléments*, avr.-mai 1980 : « Le flambeau de la liberté américaine a trop longtemps ébloui le monde, livrant les peuples et les cultures à la plus profonde et la plus dangereuse des oppressions. Pour retrouver leur identité et leur indépendance, les nations soumises à l'hégémonie américaine devront en finir avec la civilisation occidentale et avec son égalitarisme raciste (*sic*) et niveleur. »

sir, qu'à ses yeux l'Europe doit s'affirmer contre les deux
empires. Toutefois, si l'on est réduit à prendre un parti coûte
que coûte, alors il ne faut pas barguigner : « Le choix doit
se porter sur le camp qui, dans la pratique, est objectivement
le moins favorable à l'universalisme, à l'égalitarisme et au
cosmopolitisme [...]. L'ennemi principal, pour nous, sera
donc le libéralisme bourgeois et l'Occident atlantico-américain,
dont la social-démocratie européenne n'est que l'un des plus
dangereux succédanés. » Contre la société qui a fait de l'individu une valeur fondamentale, l'idéologie de la Nouvelle
Droite opte pour celle qui lui préfère les « peuples et les
cultures ». Car si les dictatures « meurtrissent » les individus,
et « souvent dans des conditions abominables », elles ont
néanmoins l'avantage de ne pas tuer les peuples. Alors que
l'Ouest sombre dans le « communisme », « c'est à l'Est que
se maintiennent avec le plus de force — une force parfois
pathologique — des notions positives telles que la conception
polémologique de l'existence, le désir de conquête, le sens de
l'effort, la discipline, etc. ».

Benoist précise encore que, en tant qu'Européens, nous
sommes les adversaires naturels de la puissance des mers, de
la « thalassocratie américaine ». A tout prendre, s'il faut vraiment choisir — ce qu'à ses dieux de l'Olympe ne plaise —,
il se résignerait moins difficilement à l'idée de porter un jour
« la casquette de l'armée rouge » plutôt que d'avoir « à vivre
en mangeant des hamburgers du côté de Brooklyn ». On le
voit : on ne saurait plus confondre notre extrême droite avec
la « défense de l'Occident ». La redistribution des cartes idéologiques est décidément incessante.

L'Amérique n'a cessé, depuis deux siècles, d'investir notre
inconscient collectif. Les stéréotypes ont pénétré notre langage familier de manière ambivalente. D'un côté, les avatars
du modèle américain ont exalté les Français. D'abord, comme
terre de la simplicité, de l'égalité, comme paradigme du naturel ; ensuite comme laboratoire du monde industriel futur,
patrie de l'efficience et de la technologie de pointe, société
juvénile, capable de toutes les réadaptations, les États-Unis

n'ont cessé de fasciner le vieux pays « gallo-romain », engoncé dans ses hiérarchies de caste et ses pesanteurs historiques [1]. L'Amérique a toujours figuré l'espace où tout devenait possible, où le pauvre émigré avait des chances de se transformer en savant célèbre ou en riche *businessman*. Mais, simultanément, la société américaine a réalisé dans l'imaginaire français la concentration des menaces pesant sur l'identité nationale.

D'abord, les Français ont affirmé leur qualité supérieure par le rire et le mépris face à ce qui leur paraissait une sorte d'anticivilisation. La vulgarité, la conformité, la naïveté étaient les marques d'une société sans aristocratie, sans culture et sans finesse. « Pour avoir de l'élégance dans le goût, disait à ce propos Gustave de Beaumont — le compagnon de Tocqueville —, il en faut d'abord dans les mœurs. » Or les mœurs américaines donnaient prise à toutes les moqueries ; il restait en elles un fond de sauvagerie indécrottable. Puis, le formidable envol de l'industrie américaine aidant, l'anticivilisation d'outre-Atlantique devint le spectre de notre propre avenir. Dans l'Amérique, on détesta moins l'Amérique que l'effondrement de ce qui avait fait la civilisation française — une civilisation de paysans et de notables. Les valeurs françaises de mesure, d'équilibre, de bon goût et d'étalon-or, se voyaient menacées par la démesure, la fuite en avant et la civilisation de masse des *Yankees*. La gauche et la droite ont rivalisé dans l'anathème. L'une dénonçait la turpitude capitaliste, la ségrégation raciale, les logiques infernales de la technostructure, les horreurs du libéralisme sauvage. L'autre stigmatisait une société artificielle, sans traditions et sans histoire, le mélange cosmopolite des villes, l'ignorance des hiérarchies naturelles. Tous fondaient en imprécations

---

1. Les États-Unis et la civilisation américaine ont eu parfois, parmi leurs nombreux défenseurs de langue française, des avocats inattendus. Citons notamment le cas de Jacques Maritain, qui publia, entre autres, *Anti-moderne* (1922) et *Primauté du spirituel* (1936), ce qui, *a priori*, aurait dû le prédisposer contre le « technicisme », le « machinisme » ou le « matérialisme » américains. Or le philosophe chrétien, familier des États-Unis pour y avoir vécu et enseigné de longues années, a fait dans *Réflexions sur l'Amérique* (Fayard, 1958) une apologie des États-Unis, au nom de son propre système de valeurs.

contre le culte du nombre, le règne du dollar et l'inculture de masse.

Dans l'Amérique d'aujourd'hui, encore, chaque essayiste, chaque journaliste, chaque homme politique peut faire la provende de ses thèmes. Mais si elle devait représenter une seule idée ou une seule image, ce serait sans doute celle de la civilisation industrielle et urbaine, qui nous stimule et nous inquiète. Au-delà des disputes politiques, l'Amérique s'impose à nous comme la caricature d'une mutation douloureuse : la perte de la vieille civilisation agro-pastorale, dans laquelle la France séculaire avait plongé les principales racines de son identité. L'Amérique nous fait mal dans la mesure où — Duhamel, malgré la médiocrité de son pamphlet, avait trouvé le mot juste — elle ne donne pas à rêver sur notre passé mais force à la lucidité sur les scènes de notre vie future.

Au demeurant, le défi américain n'est pas une simple construction de l'esprit. Par leur puissance économique, militaire et politique, les États-Unis portent en eux la menace d'une uniformisation du monde occidental — et au-delà. L'anglais métamorphosé en américain risque de devenir la nouvelle *koiné* d'une civilisation « atlantique », modelée sur les façons de penser de l'Amérique du Nord. Déjà, maints scientifiques ont renoncé à leur langue maternelle et publient leurs travaux dans le nouveau latin technologique qu'est l'anglais. A ce défi, il est sans doute du devoir des États et des corps savants organisés de répondre de façon cohérente. Mais dans cette politique, le protectionnisme ne sera jamais qu'un adjuvant à manier avec précaution ; les démonstrations d'antiaméricanisme ne vaudront guère mieux que les éclats d'un dépit impuissant. L'important est de savoir si les Français, si les Européens auront, à l'heure où l'usage des satellites est en passe d'annuler les dernières fortifications frontalières, l'ambition et la ressource d'affirmer *positivement*, au moyen de leur propre génie, leur identité et leur particularité dans une civilisation techniquement commune. C'est un des enjeux de cette fin de siècle.

2

L'imaginaire nationaliste
et l'antisémitisme

A la fin du mois de janvier 1910, Paris patauge. La Seine en crue a submergé ses berges. Dans les quartiers riverains du fleuve, on doit bientôt emprunter des barques ou des radeaux de fortune. Édouard Drumont, publiciste devenu célèbre par vingt-cinq ans de campagne antisémite effrénée, doit fuir son appartement du VIIe arrondissement, après que l'eau eut imbibé ses tapis.

Qui a fait le coup ? Car, dans toute catastrophe, fût-elle « naturelle », il faut chercher la main coupable. Drumont s'y emploie, comme toujours. Point d'accident de chemin de fer, point d'émeute sanglante, point de calamité publique dont il n'ait traqué et trouvé le responsable. Pour dire vrai, ce Sherlock Holmes de boulevard ne varie pas dans ses conclusions. Immanquablement, il nous assène les preuves de la récidive : c'est le Juif, encore le Juif, toujours le Juif.

Il y faut parfois une bonne dose d'imagination. Le drôle en a toujours à revendre. Tout de même, l'inondation de Paris, où trouver les fils de David dans ce clapotis ? Élémentaire, mon cher Watson, nous dit Drumont. Si l'eau déborde, c'est qu'elle n'a pas été retenue en amont. Or en amont de Paris on a pratiqué des déboisements récents ; dans les sociétés qui s'en sont chargées, n'y avait-il pas des cousins des Rothschild ? Donc : « Les déboisements furieux opérés par les Juifs furent incontestablement la cause principale de l'inondation. »

Comme Léo Taxil, son contemporain, on pourrait imputer à l'aliénation mentale ce qu'il appelle la « juivomanie » de Drumont. N'était que celui-ci avait des centaines de milliers de lecteurs ; qu'il avait été élu député à Alger en 1898 ; qu'il ne comptait plus ses admirateurs et ses disciples. Paranoïaque ? Peu importe : il est lu, célébré, on le prend au sérieux. Un Pierre Boutang, qui n'est pas le plus négligeable de nos écrivains nationalistes, le tient pour un excellent écrivain. Voilà donc quelqu'un qui mérite attention. Son délire a été entraînant.

Ce qui suit, à propos des grandes eaux de Paris, mérite d'être cité car c'est un échantillon de la démarche paralogique qui est habituelle à Drumont et à ses amis :

« Les 'coupes à blanc d'étoc' des forêts de France, que l'on a signalées de toutes parts, ne furent pas autre chose qu'un nouveau 'signe de la fin' ajouté à tous les autres symptômes de décomposition que nous avons eu l'occasion d'observer depuis vingt ou trente ans. »

Décomposition, dégénérescence, décadence... La première grande vague d'antisémitisme moderne qu'inaugure *La France juive*, publiée par Drumont en 1886, se développe dans les craquements sinistres d'une société qui se lézarde. A tout le moins est-ce l'avis des antisémites, car la réalité est peu compatible avec leurs contes noirs et leur esprit de catastrophe. Il se trouve que, au moment même où tant de Français s'imaginent vivre « l'apogée » de la Civilisation ou une étape radieuse dans la « marche irréversible du Progrès », beaucoup d'autres éprouvent un sentiment profond d'anxiété, étourdis par cette fin de siècle électrique et républicaine. Le texte sur l'incendie du Bazar de la Charité — qu'il faut lire comme une sorte de fable vraie — évoque, à propos d'un fait divers, les frissons apocalyptiques qu'une partie de la société française se donnait à elle-même. L'antisémitisme a été une des « réponses » à la prétendue décadence dont la littérature conservatrice ou nationaliste a cru voir la France accablée.

Le même fait divers nous permet de saisir sur le vif un autre facteur de la diffusion dont a joui l'antisémitisme : les simplifications abusives de la « causalité diabolique ». Drumont, qui en a été l'un des vulgarisateurs les plus populaires, tient une place de choix dans cette étude. Son œuvre constitue, on n'ose pas dire la première synthèse de langue française — conglutination serait plus exact — de l'antisémitisme moderne, rassemblant l'héritage antijudaïque de la tradition chrétienne, l'anticapitalisme judéophobe des couches populaires et socialistes, enfin les thèses racistes de la nouvelle science anthropologique. Car Drumont saisit — et n'importe des condradictions ! — tout ce qui peut stimuler son obsession. Il en appelle à la religion tout en rompant des hallebardes avec les curés ; il fraternise avec les socialistes mais pour mieux lacérer leur drapeau rouge ; il se pique d'arguments et d'un vocabulaire scientifiques (« microbe », « analyse », « maladie ») mais, croyant au diable et à ses cornes, il sait décréter quand il le faut la « faillite de la Science ». Simpliste, Drumont ? Bien sûr. Mais un des tout premiers il a compris qu'en cette époque de journalisme triomphant, où l'opinion devient un enjeu, la propagande politique visant les « masses » ne procède pas par syllogismes mais par pétitions de principe, gros effets et sentimentalisme.

Dans le mouvement nationaliste, qui emplit de ses clameurs la fin du XIXᵉ siècle, le Juif trouve sa fonction. Il est, par effet de répulsion, le révélateur de l'identité nationale. Être français, nous dit-on alors, c'est, par excellence, n'être pas juif. Simultanément, comme on tente de le montrer dans un des chapitres qui suivent, deux mythes forces et antagoniques se structurent : celui de Jeanne d'Arc, l'héroïne positive, et celui de l'archétype juif, son négatif. A la même époque, au cours de l'affaire Dreyfus, au moment où le nationalisme se localise nettement à droite, l'antisémitisme va cesser de figurer officiellement dans les rangs de la gauche. L'histoire des relations entre la gauche et les Juifs, qui ne manque pas de rebondissements, fait l'objet d'un autre chapitre.

Au total, l'antisémitisme rampant, diffus, vulgaire, qui a affecté toutes les familles politiques françaises, ou autant vaut, a fini par se constituer en doctrine et à se localiser dans les milieux du nationalisme — le nationalisme clos, le « nationalisme des nationalistes », selon l'expression de Raoul Girardet. Le chapitre sur « Les affaires Dreyfus » vise à montrer le caractère reproductible du modèle. En 1989, dans une interview à *Présent*, Jean-Marie Le Pen parle encore de « l'internationale juive » : l'imprégnation de l'antisémitisme à l'extrême droite reste une réalité ; mieux : elle est un des éléments les plus sûrs de son identification.

1

Un avant-goût d'apocalypse :
l'incendie du
Bazar de la Charité

Le 4 mai 1897, vers quatre heures et demie, le petit Paul Morand, accompagné de sa grand-mère qui était venue le prendre comme chaque jour à la sortie de l'école, regagne son domicile rue Marignan. Passant par la rue Jean-Goujon, le futur écrivain est témoin d'un des faits « catastrophiques » les plus célèbres du siècle : l'incendie du Bazar de la Charité.

Cette institution avait été fondée en 1885 par des membres de la haute société catholique. Le président en était le baron de Mackau, le secrétaire le baron Robert Oppenheim, et le comité d'organisation était pareillement composé de représentants authentiques de l'aristocratie. Chaque année, au printemps, le Bazar rassemblait un certain nombre d'œuvres de charité (Petites Sœurs de l'Assomption, écoles libres de la paroisse Saint-Louis-en-l'Isle, cercles catholiques d'ouvriers, œuvres des enfants et des jeunes filles aveugles de Saint-Paul, etc.), lesquelles disposaient chacune d'un comptoir, où s'affairaient des dames patronnesses offrant à la générosité des visiteurs les objets variés que le comité avait réunis. Cette pieuse et philanthropique manifestation était aussi une des dates les plus importantes du calendrier mondain, « un des lieux de rendez-vous les plus élégants et les plus aristocratiques », dit *L'Éclair*, ajoutant : « Sous le couvert de la charité, bien des choses étaient permises qu'en toute autre occasion prohibait le code mondain. Moyennant une poignée de louis, la jeune et jolie baronne de Z... laissait ses adorateurs déposer sur sa joue un baiser. 'C'est

Édouard Drumont et Cie, Éd. du Seuil, coll. « XXᵉ Siècle », 1982.

pour mes pauvres', disait-elle en rougissant de bonheur [1]. »

Cette année-là, le Bazar s'était installé sur un terrain vague de la rue Jean-Goujon. Sur quatre-vingts mètres de long et vingt mètres de large, on avait reconstitué en bois une vieille rue de Paris, dans un décor moyenâgeux, chaque comptoir ayant son enseigne pittoresque, *L'Écu d'argent, Le Pélican blanc, Le Lion d'or*, etc. Dans un coin du bazar, une nouveauté dont on attendait un grand succès : un appareil de cinématographe. On accédait à la salle de projection par un tourniquet moyennant une pièce de cinquante centimes. Le tout était surmonté d'un vaste vélum, qui rendait en ces journées ensoleillées la chaleur encore plus étouffante.

On comprend que le lieu insolite et distingué, la concentration de tant de jolies femmes et finalement la catastrophe qui s'abat sur ce Moyen Age de carton-pâte aient inspiré à Paul Morand une de ses nouvelles — *Bazar de la Charité* — où l'on peut lire la description la plus saisissante du sinistre, au milieu de l'intrigue imaginaire du conte : « ... Clovis se retourna et vit une flamme se dresser sur l'estrade. Elle s'enrubanna autour du cinématographe qui, dans un grésillement instantané, se mit à fondre avec toutes ses pellicules. Les gestes qu'on pouvait faire pour se protéger ou pour fuir arrivaient trop tard, car l'incendie avait déjà lancé son coup de gueule au ciel, ses griffes à travers la foule.

» Le vélum tendu au-dessus du Bazar se gonfla d'air chaud comme une montgolfière, fit craquer ses cordages, tendit une vaste bannière mouchetée de jaune, puis de roux, enfin de noir, qui se perfora, avant de se déchirer. Les têtes levées, aveuglées par le Soleil, ne voyaient pas que le plafond de toile brûlait ; ce ne fut que lorsqu'il eut cédé au passage de l'appel d'air, qu'il fléchit sous son poids et se rabattit sur les assistants.

» Avant de comprendre qu'ils allaient être rôtis, avant de chercher une issue, ceux-ci reçurent l'averse de feu sur les

---

1. Ce chapitre a été écrit à partir principalement d'un volumineux dossier de presse, conservé aux Archives de la Préfecture de police (Ba/1313 et Ba/1314). Sur la littérature de l'époque, un ouvrage particulièrement suggestif est celui de Mario Praz, *La Chair, la Mort et le Diable dans la littérature du XIXᵉ siècle. Le romantisme noir*, Denoël, 1977.

épaules. Les ruchés et les festonnés, la paille des grands chapeaux, la mousseline des robes, le taffetas des volants et la
soie des ombrelles, les voilettes, les rubans et les plumes,
l'organdi et la percale, tous les tissus légers comme des
vapeurs qui habillaient les corps des femmes, heureuses de
s'abandonner à un précoce été, s'allumèrent comme des feux
de joie, flambèrent dans l'air tiède, imprégné de parfums
exquis et de lotions ambrées. »

Cet incendie mémorable ne vaut pas seulement pour son intérêt anecdotique et littéraire. Il s'offre à l'historien, ainsi que
d'autres faits divers exemplaires, comme un catalyseur : la
réaction qu'il provoque dans la société de l'époque révèle sur
celle-ci des réalités profondes brutalement mises à nu. Le journal — et spécialement le quotidien —, qui est alors à son apogée, régnant sans partage sur les médias, amplifie la « réaction »
jusqu'au moindre village. D'une rumeur les linotypes désormais font un vacarme ; le feu n'est plus circonscrit à un quartier de Paris, c'est tout le pays qui s'embrase. Le journal diffuse
les horreurs du charnier, relatant jour après jour les détails
les plus intimes et les plus épouvantables. L'effroi puis la commisération laissent bientôt place aux commentaires discor-
dants ; l'union sacrée devant la mort s'abolit, le conflit des
interprétations éclate au-dessus des tombes à peine refermées.
L'événement devient une nourriture idéologique ; les sauveteurs ont tiré les baronnes du feu au profit des doctrinaires.

Saveurs macabres.

L'incendie de la rue Jean-Goujon déclenche dans la presse
une effervescence qui va durer presque tout au long du mois
de mai, pendant que sur les lieux du sinistre, devenus lieux
de pèlerinage, des camelots vendent aux badauds des
complaintes fraîchement imprimées :

> *L'or affluait au milieu des sourires,*
> *De jolis doigts le faisant ruisseler,*
> *Quand tout à coup vibre un cri de délire :*
> *Dans le Bazar le feu vient d'éclater.*

Comme disait *L'Éclair*, en matière de poésie « la hâte est
mauvaise conseillère ».

Si l'incendie du Bazar provoque un tel flux de commentaires plus ou moins rimés, c'est certainement en raison de son ampleur et de sa brutalité. Toutefois, comme on le fera remarquer, les autres grands drames — ceux des mines par exemple — ne donnent pas lieu à tant d'émotion. C'est la qualité sociale des victimes, presque toutes issues de l'aristocratie ou de la haute bourgeoisie ; c'est aussi l'écrasante majorité de femmes parmi elles qui sont la cause du retentissement de ce fait divers : « La Mort a, cette fois encore, écrivait Drumont, choisi les têtes les plus charmantes et les plus nobles. Rien n'y manque, pas même une archiduchesse, la sœur de l'impératrice d'Autriche... » Le contraste violent entre les « toilettes pimpantes », les « visages rayonnants », les « êtres contents de vivre », et « l'effroyable catastrophe » devient un cliché sous la plume de tous les journalistes, avant de devenir un thème de réflexion politique et métaphysique.

La rencontre imprévue de la Beauté (une assemblée de femmes du monde, raffinées) et de la Mort (soudaine, hasardeuse) fascine d'autant plus qu'elle est un des grands thèmes du romantisme, tel que tout le XIXᵉ l'a illustré — mais un thème qui, dans les vingt dernières années de ce siècle, comme l'a analysé Mario Praz, se pare de toutes les obsessions du « décadentisme ». La peinture de Gustave Moreau, qui reprend en chacune de ses œuvres le thème de « la fatalité du Mal et de la Mort, incarnés dans la Beauté féminine », les eaux-fortes de Félicien Rops — pour qui le Mal est personnifié dans la femme —, la littérature de Huysmans, de Barbey, de Villiers de l'Isle-Adam, celle de Jean Lorrain, de Marcel Schwob, du jeune Barrès mélangent à l'envi « fleurs et supplices ». Barrès écrivait dans ses *Cahiers* : « Il y a dans ces imaginations de supplices je ne sais quelle sombre et étrange volupté que l'humanité savourera avec délice pendant des siècles. »

Cette fin de siècle est en effet sadique. Sa littérature et son art se complaisent dans les spectacles d'horreur, les scènes frénétiques, la description des perversions rares, le goût du sacrilège :

> *Le meurtre, le viol, le vol, le parricide*
> *Passent dans mon esprit comme un farouche éclair*

disait Maurice Rollinat, ce sous-Baudelaire, et René Vivien :

Je savoure le goût violent de la mort.

Or il est patent qu'entre les récits journalistiques sur l'incendie du Bazar et cette littérature « décadente » il existe des liens profonds. La complaisance avec laquelle les journaux de l'époque décrivent non seulement le drame mais surtout ses suites : le transfert des cadavres plus ou moins calcinés de la rue Jean-Goujon au Palais de l'Industrie où ils sont exposés pour être reconnus par les familles, la description minutieuse des dépouilles, le tri des objets trouvés, les scènes de lamentation, témoignent d'une évidente propension au sadisme. Ajoutons qu'en ce siècle où triomphe l'esprit objectif, scientifique, statistique, la curiosité malsaine du journaliste se masque d'une prétention à la froideur de la médecine légale — qui ne fait qu'ajouter à l'horreur grand-guignolesque de ses articles.

On lit ainsi dans *Le Soleil* du 6 mai la liste des ossements retrouvés : « 2 fragments de crâne, 2 fragments de côte, 1 fragment d'os long, 1 apophyse épineuse de vertèbre, 1 fragment de peau et 3 paquets de cheveux » ; le 12, *Liberté* annonce que « le total des objets divers que le tri a fait découvrir se monte à 427 », et, plus loin, précise que « ce matin, vingt-huit tombereaux à un cheval et trente et un à deux chevaux ont transporté quatre-vingt-dix mètres cubes de cendres, poussière et débris à la décharge publique, porte Brancion à Bagnolet ». Bilan quasi anodin en regard des descriptions horribles dont ce public est abreuvé dans les jours suivant le drame. Il y est question de jeunes filles et de femmes nues, au cou desquelles « on aperçoit des médaillons de piété » ; de cadavres « entièrement nus, sauf une bottine et un bracelet » ; d'abominables mutilations dont on peut à peine supporter la vue ; de corps décapités ; de crânes scalpés ; d'entrailles qui se répandent, maintenues par un reste de jupe ; de débris « incomplets : jambes, mains carbonisées, restes informes »… On a beau dire que « la tête tourne, que le cœur manque », on continue néanmoins la description lugubre, allant jusqu'au détail le plus affreux : « Une petite fille — quatre ou cinq ans à peine — montre dans sa nudité sa chair toute rose encore. » Ou bien : « Le peigne en écaille que Mlle Rosine Morado portait dans les cheveux a fondu sous l'action de la chaleur, et fait partie aujourd'hui du cuir chevelu de la malheureuse dont les souffrances sont épouvantables. »

Les scènes d'identification des corps sont narrées avec une précision à nos yeux insolite. On nous raconte comment les dentistes, appelés à la rescousse, examinent les mâchoires de leurs supposées patientes ; comment les chirurgiens cherchent les traces d'opérations les plus intimes ; comment les familles se disputent les dépouilles : « On se précipite sur les cadavres, on retourne d'une main fiévreuse des lambeaux d'étoffes, on examine des bijoux posés sur les morts [...]. Les mâchoires en étau se refusent à tout examen. Il faut recourir au scalpel. On fend les joues d'une large entaille. Les molaires apparaissent et avec elles les plombages révélateurs. » Outre l'inventaire, chaque jour affiné, des chevelures, des tibias et même des « kilogrammes d'intestins » retrouvés, on est surpris de l'étonnante minutie avec laquelle on répertorie les dessous féminins, grâce auxquels on finit par reconnaître les siens : boutons de jarretelle, lambeaux de cache-corset, morceaux de jupons — « en soie, à raies gris-bleu sur fond blanc [qui] indiquent une certaine richesse », jupon de dessous en soie noire, jupon dentelé et mille autres éléments du plus macabre fétichisme.

Le troisième jour qui suit l'incendie, six victimes restent anonymes. Sans scrupule, les journaux donnent alors « les renseignements les plus complets tels [qu'ils les ont] pris sous la dictée de M. le Dr Socquet ». Rien ne nous est épargné, comme en témoigne la fiche signalétique du « cadavre n° 5 » :

« Une femme mesurant 1,60 m environ, bien constituée, sur l'abdomen des vergetures anciennes et nacrées prouvant la maternité. Les jambes sont un peu velues. Cors sur les deuxième et quatrième orteils du pied droit. Portait des jarretières au-dessus du genou. Sur elle : un débris de pantalon festonné à jour avec six petits plis. Un lambeau de chemise avec large ourlet en fine toile. Deux jarretières élastiques sans boucles, dont la couture à l'une d'elles est faite de points grossiers au fil noir. Une bottine claquée à bout pointu, talon moyen, 22 centimètres de longueur de semelle. »

Toute cette presse morbide, nécrophile, fétichiste, qui se réclame de la science et de l'amour du genre humain pour mieux savourer le carnage, favorise, sans le savoir, l'assimilation de la Femme et de l'Enfer — comme tout le romantisme noir contemporain. «L'amour et la volupté, la douleur et l'amour s'appellent les unes les autres dans notre imagination», dit le Barrès de *Du sang, de la volupté et de la mort.*

Guerre des sexes.

L'attraction-répulsion du sexe opposé se traduit par l'ambivalence des attitudes en face des victimes. Après qu'on les a dénudées, qu'on a fouillé leurs entrailles et qu'on les a réduites à la plus funèbre des nomenclatures, voici qu'on se porte à leur secours. En quelques heures, la rumeur se propage que les hommes présents au moment de l'incendie, ne pensant qu'à leur propre fuite, ont tout mis en œuvre pour se tirer des flammes, n'hésitant pas à bousculer, piétiner, user de leur force pour se frayer le passage, au détriment des femmes livrées au feu.

Au 16 mai 1897, on fait les comptes. 121 personnes ont péri pendant ou des suites de l'incendie. Sur 116 identifiées, 110 étaient du sexe féminin et 6 seulement du sexe masculin. Cette disproportion encourage la rumeur selon laquelle les hommes présents se sont conduits comme des brutes.

«C'est maintenant un fait malheureusement avéré», écrit *La Libre Parole* du 16 mai 1897, «que dans la catastrophe du Bazar de la Charité, les hommes ont eu la plus déplorable attitude. Il n'est pas douteux que quelques-uns se sont, à coups de poing et à coups de canne, frayé un chemin à travers les groupes de femmes affolées». Les anecdotes, dès lors, vont bon train sur ce que *L'Intransigeant* appelle les «actes de férocité commis au Bazar de la Charité, par les francs-fileurs [1] du grand monde». *L'Éclair* trouve la formule : il s'agit d'«un Azincourt féminin». On récolte les témoignages : «Les femmes qui ont pu échapper aux flammes, revenues de leur stupeur, commencent à parler aujourd'hui ; elles

1. Le terme de «franc-fileur» est emprunté à l'histoire du siège de Paris (1870-1871) : il s'agissait alors de ceux, généralement riches, qui avaient pu fuir Paris avant le blocus imposé par les Prussiens. *L'Intransigeant* est le journal de Rochefort, ancien communard passé au socialisme national.

attestent la lâcheté des hommes et leur brutalité. » On s'avise
que « des chapeaux d'ecclésiastiques » ont été retrouvés sur
le lieu du sinistre, que leurs propriétaires n'ont eu garde de
venir réclamer ; on narre qu'un jeune homme, qui avait
conduit deux dames de ses amies au Bazar, s'est esquivé au
bon moment, puis, rendu à son cercle tranquillement, a
déclaré à voix haute : « En ce moment, les petites femmes
de Paris sont en train de griller » (*Gil Blas*) ; un valet de pied
raconte qu'une amie de sa maîtresse a eu l'épaule démise par
le coup de canne d'un monsieur, qu'un autre a mordu l'oreille
d'une jeune fille, que des malheureuses soignées à l'hôpital
ne cessent de pleurer dans leur délire : « Voici encore des hommes qui vont me piétiner… » Il n'est bientôt bruit que de la
pusillanimité des hommes présents, que de leur cynisme et
de leur férocité. Selon des rapports de police, inconnus des
journaux, « certains assurent que le duc d'Alençon s'est servi
de sa canne et même d'un stylet pour écarter ceux qui entra-
vaient sa fuite. Cela se répète et on croit devoir en faire part
sans autre affirmation ».

La légende des « Gardénias » s'impose. Plusieurs journaux
s'amusent et s'indignent de ces jeunes élégants, la fleur à la
boutonnière, qui ont manqué à tous leurs devoirs. On distribue dans la rue des placards pour brocarder le « royal-
fuyard », le « baron d'Escampette », « l'art et la manière de
se tirer des pieds sans se les faire griller », les « chevaliers de
La Frousse »…

Femmes, soyez des femmes.

Cette attitude de lâcheté dénoncée, quelques commentateurs tentent d'en chercher la cause dans « les transformations des mœurs ». Furetières, dans *Le Soleil*, regrette ainsi
que « le culte de la femme » s'affaiblisse — mais il en rend
responsables les femmes elles-mêmes : « Lors du premier
congrès féminin, je m'élevai avec force contre les velléités
révolutionnaires de quelques-unes des meneuses qui trouvaient insultante la politesse des hommes à l'égard des femmes. » Il y a désormais, dit-il, trop de familiarité entre les
jeunes gens et les jeunes filles : « La promenade en commun,
à cheval, à bicyclette, la promiscuité d'une existence de cama-

raderie » laissent prévoir pour demain une concurrence sur le marché de l'emploi, alors qu'il convient d'épargner à la femme « un travail contraire à sa nature ou qui peut contrarier sa mission providentielle : la maternité ».

Dans *Le Temps*, cependant, on note que la guerre des sexes risque de s'étendre à toute la société. Voici qu'à l'École des Beaux-Arts, où tout récemment on avait admis les femmes à certains cours, un violent charivari a été organisé contre le « deuxième sexe », nécessitant l'intervention de la police. Une bonne partie de la presse défend les étudiants : une femme architecte, a-t-on idée !

Que la femme reste femme, et les hommes resteront chevaleresques — telle est la morale de la fable. Mais qu'est-ce que rester « femme » ? Probablement, ressembler à ce portrait que l'on doit à M. de Kerohant dans *Le Soleil* : « Oui, dans toutes les classes de la société, la femme sait être héroïque parce qu'elle a du cœur. La tête est souvent légère — tête de linotte — mais le cœur est bon », et c'est le cœur qui inspire l'esprit de sacrifice, qui suggère les actes de dévouement et d'abnégation. Victor Hugo a écrit là-dessus un de ses plus beaux vers :

Quand tout se fait petit, femmes, vous restez grandes.

Le débat sur la valeur des femmes et la couardise des hommes tourne court cependant. Car les hommes dont il s'agit ne sont pas n'importe qui, ce sont des hommes de la « haute » comme on dit alors. C'est pourquoi quelques journaux s'emploient à démolir la rumeur. *Le Gaulois* entreprend une grande enquête auprès des rescapés — hommes et femmes — de l'incendie et établit le caractère mensonger, en tout cas exagéré, de la rumeur. Peut-être y a-t-il eu quelques mauvais gestes dus à la panique, ils ne furent qu'exceptionnels. La question devient alors sociale et politique, la guerre des sexes va laisser place à la lutte des classes :

« Eh bien ! écrit *Le National*, le sang de ces victimes crie et veut être vengé. Si les Parisiens tenaient entre leurs mains les distingués et sélects personnages qui n'ont pas seulement lâché les femmes à côté desquelles ils flirtaient une minute avant mais qui les ont abominablement sacrifiées pour s'échapper de la fournaise, si les Parisiens les tenaient, ils auraient vite fait de leur appliquer la loi de Lynch. » L'article s'intitule : « Les muscadins impunis. »

Comme les dames du Bazar survivantes reviennent sur leurs premières déclarations et affirment la parfaite dignité de la conduite des hommes présents, Henri Rochefort dans *L'Intransigeant* déclare : « Ces dames savent que les individus dont elles font leur société et qu'elles donnent quelquefois pour maris à leurs filles sont ce qu'on peut rêver de plus lâche, de plus abject et de plus méprisable ; mais elles continueront tout de même, dans l'intérêt de la religion et de l'aristocratie, à feindre de croire à leur honorabilité. »

Lutte des classes.

La « lâcheté des petits Messieurs », comme dit *La Patrie*, exprime moins les faiblesses du sexe masculin que le déclin, irréversible, des anciennes classes dirigeantes : à cette veulerie, la presse républicaine, en effet, se plaît à opposer la bravoure et la témérité des enfants du peuple dans la personne des généreux sauveteurs, ces fugitifs de la « une », vers qui les ferveurs populaires vont se porter quelques semaines durant.

Dans les jours qui suivirent le sinistre, la presse déjà s'était fait l'écho de quelques voix discordantes, contredisant cette belle unanimité dans la commisération dont les éditorialistes faisaient leur morceau de bravoure. « Deuil de riches ! » entend-on ici et là, devant les décombres calcinés. Dans un article retentissant, intitulé « Esprit de classe », Clemenceau dénonce la récupération que l'État et l'Église font de l'« affreux sinistre dans l'intérêt de l'esprit de classe ». Il déplore qu'on s'émeuve inégalement en face des victimes du coup de grisou et des victimes du Bazar, comme si pour celles-ci « il y [avait] un criminel contresens de la destinée alors que pour celles-là, il n'y [a] rien d'extraordinaire qui suscite plus de deux jours de plaintes banales et d'aumônes bruyantes ». Il termine par l'image antagonique des muscadins fuyards et des sauveteurs issus du peuple : « Voyez ces jeunes gens du grand monde qui frappent à coups de canne, à coups de botte les femmes affolées, pour s'esquiver lâchement du péril. Voyez ces domestiques sauveteurs. Voyez ces ouvriers, venus de hasard, qui exposent héroïquement leur vie, le plombier Piquet, qui sauve vingt créatures humaines et, tout brûlé, rentre à l'atelier sans rien dire. Méditez là-dessus, si vous pouvez, derniers représentants des castes dégénérées et gouvernants bourgeois de l'esprit de classe» (19 mai 1897).

Pendant plusieurs jours, les quotidiens républicains donnent à qui mieux mieux dans l'hagiographie populaire. On trace le portrait des sauveteurs : le plombier Piquet, reparti à son atelier après avoir arraché du feu vingt personnes, «sans s'apercevoir qu'il avait le visage balafré d'horribles brûlures» ; le cocher Eugène Georges, «le héros qui, au moins dix fois, probablement plus, pénétra dans le brasier de la rue Jean-Goujon» ; le cuisinier Gaumery de l'hôtel du Palais qui, après avoir descellé les barreaux d'une fenêtre donnant sur le terrain vague qui séparait l'hôtel des bâtiments du Bazar, fit passer des dizaines de femmes par cette issue inespérée ; le cocher Vast ; le palefrenier Trosch ; le vidangeur Dhuy…, c'est «la généreuse vaillance des enfants du peuple» que *Le Jour* entend célébrer, en organisant en leur honneur un «banquet des sauveteurs».

«Et c'était le peuple — le peuple anonyme — qui, dans la personne de ces vaillants de rencontre, révélait par l'héroïsme de quelques-uns des siens, passants obscurs, inconnus et ignorés qu'il est le dépositaire du principe d'action et de vie.»

Le 20 mai, le banquet des sauveteurs a donc lieu, dans la salle du Gymnase de la rue Huyghens. «Il a été, commente le chroniqueur du *Jour*, des plus brillants.» Musique, discours, toasts : le principe ne soulève aucune objection. Toutefois les interventions de quelques orateurs attirent les foudres de la presse de droite, qui s'en prend aux «malotrus de la libre pensée», aux «sales communards» qui ont pris la parole et ont essayé «d'insulter Dieu et les prêtres».

Le Soir, qui exprime l'avis des classes dirigeantes, fustige la campagne de presse qui, «sous prétexte de glorifier les petits, [couvre] de boue ceux qui n'ont pas eu la chance de naître plombiers ; il reste à souhaiter que les polémiques vaines et inconsidérées, déchaînées au sujet d'une catastrophe qui ne comportait pas de déductions politiques et sociales, soient définitivement closes. Les uns et les autres — peuple,

bourgeoisie et aristocratie — ont fait leur devoir : l'oligarchie du courage n'est pas plus tolérable que celle de la politique, et, pour augmenter la ration d'éloges qui revient aux
vidangeurs, on n'a pas le droit de prendre sur celle des fils
de croisés » (22 mai 1897).

Le conflit de classes cependant se donne encore libre cours
lors d'une séance à la Chambre, à la fin du mois de mai.
L'intervention d'Albert de Mun, député catholique, provoque l'hostilité de l'extrême gauche, qui lui rappelle son passé
de « versaillais » contre la Commune : « Vous avez insulté nos
cadavres », lui lance l'ancien communard Pascal Grousset.

« Le comte de Mun, 'ce pourvoyeur de mitrailleuses',
oublie trop facilement, commente *La Petite République*, que
ce sont les fils des communards qu'il a fait massacrer qui sont
seuls capables aujourd'hui de sauver du danger les femmes
et les filles de toute son aristocratique bande » (30 mai 1897).

L'Ange exterminateur.

Dans le débat qui suit l'incendie, le conflit des classes, pourtant manifeste, prend cependant moins d'acuité que le conflit
métaphysique. Ou plutôt, dans une large mesure, la lutte des
classes s'exprime à travers la question religieuse. A la veille
de l'affaire Dreyfus dont l'un des aboutissements sera la séparation des Églises et de l'État, la France est toujours profond-
dément divisée entre catholiques, qui se réclament généralement des valeurs de l'Ancien Régime, et libres penseurs,
qui sont le solide soutien du « parti républicain ». Depuis
1879, c'est-à-dire depuis que MacMahon a quitté la présidence, la République a été laïcisée progressivement, au grand
dam du « parti clérical ». C'est ce grand péché de la France,
« fille aînée de l'Église », qui se trouve stigmatisé par le RP
Ollivier, dominicain, lors de la cérémonie commémorative
de Notre-Dame, à laquelle assistent le président de la République, Félix Faure, et des membres du gouvernement Méline.

Le père Ollivier saisit l'occasion — trop belle en vérité —
pour réaffirmer la vocation catholique de la France. Si Dieu
a permis cet épouvantable incendie, c'est qu'Il a voulu avertir le peuple de ce pays. Il a voulu « donner une leçon terrible à l'orgueil de ce siècle, où l'homme parle sans cesse de

son triomphe contre Dieu ». Et notre dominicain, faisant allusion à la cause immédiate du sinistre, dû, pense-t-on, à l'éclatement d'une lampe de cinématographe, d'ironiser sur « les conquêtes de [la] science, si vaines quand elle n'est pas associée » à la science de Dieu. Le siècle scientiste est puni : « De la flamme qu'il prétend avoir arrachée de vos mains comme le Prométhée antique, vous avez fait l'instrument de vos représailles. »

En présence des représentants athées et francs-maçons de la IIIᵉ République, le dominicain impétueux dénonce la cause profonde du désastre : « La France a mérité ce châtiment pour un nouvel abandon de ses traditions. Au lieu de marcher à la tête de la civilisation chrétienne, elle a consenti à suivre en servante ou en esclave des doctrines aussi étrangères à son génie qu'à son baptême. » La France ayant pris le mauvais chemin de l'apostasie, « l'Ange exterminateur a passé ».

Ce thème du sacrifice des innocents pour régénérer la France pécheresse va inspirer d'inépuisables gloses ainsi que des œuvres de patronage, s'efforçant de mettre en alexandrins le sermon du père Ollivier. Citons, par exemple, *L'Incendie du Bazar de la Charité*, mystère en deux tableaux, du chanoine L.M. Dubois, publié par la Librairie salésienne, en 1899.

Dans ce morceau mirlitonesque, destiné aux « pensionnats à clientèle distinguée », le bon chanoine s'efforce de démontrer, à la *lueur* de l'incendie, que la France doit revenir, repentante, à la foi de ses pères. Après quelques dialogues évanescents, « l'Ange de l'expiation » donne la morale de l'histoire :

> *Ah maintenant de deuil que votre cœur s'emplisse;*
> *Recueillez tout le sang versé dans un calice.*
> *Le Seigneur a fauché sa divine moisson,*
> *Dans un monde incroyant, il a pris sa rançon.*

C'est aussi ce qu'exprimait *La Croix*, le journal des assomptionnistes, au lendemain de la catastrophe — une catastrophe si soudaine, si extraordinaire, qu'on ne pouvait « méconnaître un dessein providentiel ». Faisant allusion au sacrifice de Jeanne d'Arc, qu'on fête en mai, *La Croix* écrivait : « Il n'y a pas de rémission sans effusion de sang, et si la fondation de l'Église a été scellée par le sang de trois millions de martyrs choisis venant faire cortège au Crucifié, pourquoi le rétablissement d'une vie plus chrétienne en notre France ne serait-il pas annoncé par ce bûcher, où les lys de la pureté ont été mêlés aux roses de la charité ? » (7 mai 1897).

Cette interprétation catholique par le châtiment divin et le sacrifice nécessaire à la rechristianisation de la France, il va sans dire que la presse républicaine, radicale, socialiste, la rejette avec véhémence . Le sermon du père Ollivier, prononcé en présence des autorités les plus hautes de l'État, soulève des répliques vengeresses. C'est en octosyllabes que, lors du banquet des sauveteurs, un chansonnier exprime l'indignation laïque :

> *De quel limon sont donc pétris*
> *Les tonsurés au cœur de pierre*
> *Qui verraient flamber tout Paris*
> *Sans une larme à leur paupière ?*
>
> *Tribuns d'Église, ivres de fiel*
> *Et de rancune apostolique,*
> *Qui prennent à témoin le ciel*
> *Des crimes de la République ?*

L'extrême gauche ne se contente pas d'attaquer dans la presse « cet ignoble père Ollivier » (H. Rochefort), « ce prêtre prêchant dans la chaire du vagabond de Judée » (Clemenceau)... Là où la presse cléricale voit le signe d'une intervention divine, les républicains s'enchantent de cette preuve de l'inexistence de Dieu. La catastrophe ayant éclaté aussitôt après la bénédiction et le départ du nonce du pape dans un endroit catholique et voué à une œuvre de charité, il devient aisé de se livrer à des commentaires « sur la conduite illogique, inqualifiable *de ce Dieu-là*, conduite qui serait criminelle, si cet être mythique existait réellement » (*La Lanterne*, 6 mai 1897). D'où ce commentaire, qui s'impose, du *Radical* : « Le jour où, à toutes nos préoccupations de fantaisie, d'imagination et de foi ridicule, se sera substitué, nettement, pratiquement, l'esprit de science, de calcul, d'assurance et de prophylaxie, ce jour-là nous aurons dominé la nature et nous aurons rempli notre mission d'hommes »

(12 mai 1897). Quant au président de la Chambre, Henri Brisson, il récuse, lors de la séance du 18 mai, «la conception d'un dieu qui, non content d'avoir frappé notre pays il y a vingt-six ans, aurait encore pris une centaine de généreuses femmes en otage de nos crimes [applaudissements prolongés et répétés] et qui poursuivrait la France de sa colère jusqu'à ce qu'il l'ait forcée à rétablir chez elle l'unité d'obéissance [nouveaux et vifs applaudissements]».

Le conflit devient politique à propos de la présence du président de la République, le franc-maçon Félix Faure, à la cérémonie de Notre-Dame : «Quel beau spectacle, celui de ces athées, de ces francs-maçons en tartufferie de prières pour de nobles dames qui ne prononçaient pas leur nom sans se signer» (Clemenceau). Ce spectacle n'est pas davantage au goût de l'extrême droite. *L'Autorité*, le journal de Paul de Cassagnac, rappelle que la République «spolie les congrégations,... chasse l'Église et Dieu des écoles et des hôpitaux». Mais c'est surtout l'extrême gauche qui s'indigne de l'eau bénite que Félix Faure a reçue sans broncher. C'est à la Chambre que le gouvernement Méline devra se justifier devant les champions de la Laïque, qui lui rappellent que le père Ollivier, appartenant à l'ordre des dominicains — congrégation dissoute —, avait déjà provoqué le scandale, au temps de Mac-Mahon, en déclarant du haut de la chaire de Notre-Dame-de-Lorette : «Les républicains, c'est comme le fromage : plus il y en a, plus ça pue.»

«Un commencement de justice».

On doit noter cependant que, dans le camp catholique, quelques caractères indépendants affirment leur dissonance. Ainsi les allusions, dans la presse de province, au refus des classes dirigeantes catholiques de suivre loyalement les recommandations de Léon XIII en matière de politique sociale. Tout autre mais plus tonitruante est la réaction de Léon Bloy. Cet écrivain, pauvre jusqu'à la misère, visionnaire incantatoire, théologiquement intégriste, démolisseur de bourgeois, fulminant comme un prophète, vitupérateur d'un catholicisme tombé dans une sinistre médiocrité, ne pouvait «lire» dans le drame de la rue Jean-Goujon qu'une vérité inconnue de la hiérarchie catholique : il s'agit bien d'un châtiment — mais de celui dont Dieu punit la compromission scandaleuse de l'Église et de l'Argent :

« J'espère, mon cher André, ne pas vous scandaliser en vous disant qu'à la lecture des premières nouvelles de cet événement épouvantable, j'ai eu la sensation nette et délicieuse d'un poids immense dont on aurait délivré mon cœur. Le petit nombre des victimes, il est vrai, limitait ma joie.

» Enfin, me disais-je tout de même, enfin, ENFIN ! voilà donc un commencement de justice.

» Ce mot de 'Bazar' accolé à celui de CHARITÉ ! Le Nom terrible et brûlant de Dieu réduit à la condition de génitif de cet immonde vocable !!!

» Dans ce bazar donc, des enseignes empruntées à des caboulots, à des bordels, *A la truie qui file*, par exemple ; des prêtres, des religieuses circulant dans ce pincement aristocratique et y traînant de pauvres êtres innocents !

» Et le nonce du pape venant bénir tout ça ! »

Deux pages suivent, fulgurantes, à la gloire du Saint-Esprit vengeur :

« Tant que le nonce du pape n'avait pas donné sa bénédiction aux belles toilettes, les délicates et voluptueuses carcasses que couvraient ces belles toilettes ne pouvaient pas prendre la forme noire et horrible de leurs âmes. Jusqu'à ce moment, il n'y avait aucun danger.

» Mais la bénédiction, la Bénédiction, indiciblement sacrilège de celui qui représentait le vicaire de Jésus-Christ et par conséquent Jésus-Christ lui-même, a été où elle va toujours, c'est-à-dire au FEU, qui est l'habitacle rugissant et vagabond de l'Esprit-Saint.

» Alors, immédiatement, le FEU a été déchaîné, et TOUT EST RENTRÉ DANS L'ORDRE. »

Fin de siècle.

La fin du siècle étant marquée dans nos esprits par l'affaire Dreyfus, nous avons peut-être trop tendance à imaginer la psychologie de cette société 1900 plus rationnelle qu'elle n'était : entre ceux qui s'affirment pour la justice avant tout et ceux qui avant tout combattent pour l'ordre et la nation, on imagine l'opposition de deux thèses rationnellement défendables. De fait, entre la gauche dreyfusarde et cette droite antidreyfusarde dont Maurras devait déduire, positivement, son système monarchiste, les arguments échangés, malgré les passions, en appellent souvent à la raison.

Néanmoins, le triomphe de la raison, en dépit des « progrès de la science », des conquêtes de l'instruction publique et de la laïcisation progressive de l'État, est loin d'être évident. On peut mentionner au moins deux phénomènes qui témoignent alors de la résistance profonde à cette raison conquérante : l'essor des sciences occultes, de la magie noire, du satanisme, et, deuxièmement — mais ceci étant psychologiquement lié à cela — le développement extraordinaire de l'antisémitisme depuis les années 1880.

Les journaux les plus sérieux répandent le bruit que l'incendie du Bazar de la Charité avait été prévu, notamment par Mlle Couédon, célèbre voyante, un an plus tôt, dans les salons de Mme de Maille. Devant un large auditoire, elle aurait déclaré, après avoir invoqué « l'Ange Gabriel » :

> *Près des Champs-Élysées,*
> *Je vois un endroit pas élevé*
> *Qui n'est pas pour la piété*
> *Mais qui en est approché*
> *Dans un but de charité*
> *Qui n'est pas la vérité...*
> *Je vois le feu s'élever*
> *Et les gens hurler...*
> *Des chairs grillées,*
> *Des corps calcinés.*
> *J'en vois comme par pelletées.*

Les personnes qui l'écoutaient devraient être épargnées. De fait, rapporte *Le Gaulois* (15 mai 1897), « aucun des invités de cette soirée, tous plus ou moins assidus des ventes de charité, ne périt ou même ne fut blessé dans l'affreuse catastrophe du 4 mai dernier ».

Autre histoire de pressentiment. Toute la presse se fait l'écho d'« un singulier phénomène ». Le matin du désastre, la sœur Marie-Madeleine, de l'orphelinat des Jeunes Aveugles, avait affirmé à ses amies : « Vous ne me reverrez plus ;

on me rapportera brûlée vive. » La religieuse devait effectivement mourir dans l'incendie l'après-midi.

Cette fin de siècle se montre curieuse des sciences occultes
et de tous les phénomènes métapsychiques. Les romans de
quatre sous comme la littérature de l'élite, aussi bien que les
journaux, racontent à foison des affaires d'envoûtement, de
messes noires, de meurtres rituels. C'est dans ce contexte
qu'un Drumont a écrit ses propos antisémitiques les plus
délirants.

L'antisémitisme n'avait aucune raison apparente de se
manifester dans cet épisode. Les responsabilités de l'incendie n'étaient juives d'aucune façon. Même, l'hôtel Rothschild
étant contigu au terrain du Bazar, ce fut dans les écuries du
célèbre baron juif que maintes femmes purent être recueillies et sauvées. Pourtant, sachant l'obsession antisémitique
de cette fin de siècle, je m'attendais, en dépouillant ce dossier de presse, à une de ses manifestations aussi intempestives qu'habituelles. Elle eut lieu, en effet, là où je ne l'attendais
plus. Pour compenser les pertes dues à l'incendie, *Le Figaro*
avait pris l'initiative d'organiser une souscription. Ce fut un
succès dès le premier jour. Mais voici qu'un donateur
anonyme adresse d'un coup près d'un million de francs, afin
de porter au crédit du Bazar de la Charité le produit exact
de la vente de l'année précédente. Après quelques jours
d'incertitude, *Le Figaro* croit pouvoir révéler que le don
exceptionnel proviendrait de la baronne Hirsh — c'est-à-dire
d'une Juive. Celle-ci dément aussitôt. Tollé ! Le 19 mai, Paul
de Cassagnac signe, dans *L'Autorité*, un article intitulé
« Trop, trop de Juifs ». Les Juifs, dit-il, ne sont pas plus généreux que les chrétiens : ils sont tout simplement plus riches.
Mais puisqu'on sait que cet argent est d'origine chrétienne,
alors l'attitude du *Figaro* est odieuse, d'avoir voulu « exalter les Juifs et ravaler le mérite des catholiques ». *La Libre
Parole* de Drumont, moniteur français de l'antisémitisme, en
bonne règle, ne pouvait gâcher pareille aubaine. Lorsque est
rendue publique la provenance du don fameux —
Mme Lebaudy, une catholique —, *La Libre Parole* exalte la
charité ostentatoire de la haute juiverie, transformant en
almanach du Golgotha les colonnes du *Figaro* » et de déchirer à pleines dents « cette cynique ploutocratie de l'or... »

(«Les deux charités», *La Libre Parole*, 19 mai 1897).

L'antisémitisme qui, dans les mois qui vont suivre, va déferler et trouver dans la condamnation du capitaine Dreyfus la preuve judiciaire de ses fantasmes, exprime à sa manière pathologique l'angoisse profonde d'une société qui tremble sur ses assises. La doctrine de Drumont, soutenue par les ligues, une presse puissante et le dessus du panier souvent des classes dirigeantes, permet à la petite-bourgeoisie française de se rassurer en face des transformations qui affectent la vieille civilisation rurale. L'antisémitisme apparaît alors comme une réaction à la peur éprouvée devant la modernité. L'industrialisation, l'urbanisation, et, allant de pair, la laïcisation de la société française, la vague d'anarchisme, les progrès du mouvement ouvrier, ont provoqué, en de nombreuses couches de la société, une inquiétude profonde et durable. De ce point de vue, l'œuvre de Drumont — avec toutes ses hallucinations, ses obsessions, ses phobies — est révélatrice, dans la mesure même où elle a eu une audience extraordinaire.

Le XIXᵉ siècle s'achève dans un climat de trouble et d'incertitude — comme en fait foi la vogue du décadentisme en littérature, cette littérature profuse en catastrophes et imprégnée de l'idée du déclin : «Se dissimuler l'état de décadence où nous sommes arrivés serait le comble de l'insenséisme. Religion, mœurs, justice, tout décade... La société se désagrège sous l'action corrosive d'une civilisation déliquescente», écrivait déjà *Le Décadent*, en 1886.

L'incendie du Bazar de la Charité a été interprété comme un signe annonciateur. De quoi ? Là-dessus les avis divergent. Mais, contre une petite minorité d'esprits forts qui expliquent le sinistre par le hasard et le hasard par le calcul des probabilités, la plupart des contemporains refusent les raisons des instituteurs. Des lois secrètes régissent ce monde. Les catholiques rappellent leur *credo*, tout en interprétant diversement, on l'a vu, ce *signe* divin. Mais, catholiques ou non, les Français ont l'impression de vivre sous la menace du Destin. Le catholique Bloy clame alors : «Attendez-vous..., préparez-vous à bien d'autres catastrophes auprès desquelles celle du Bazar infâme semblera bénigne. La fin du siècle est proche et je sais que le monde est menacé comme jamais il ne le fut. »

Un observateur moins prophétique, Henry Céard, écrit en ce même mois de mai 1897 : « Dans un aveuglement d'autruche nous refusons de nous persuader que, à toutes les heures, [la vie] nous menace, et ce jour où j'écris est plein de périls et de crainte. » Sous la menace de ce *demain* qui fait peur, chacun se rassure à sa manière, au nom de la science, au nom des pratiques occultes, au nom de la foi, au nom de chimères diverses... Et la politique même, bien souvent, n'est qu'un lieu parmi d'autres où l'homme d'Occident contemporain transfère, en la travestissant, son obsession de la Mort.

L'histoire de l'angoisse, immense sujet pour l'historien.

2

L'éternelle décadence

Le discours de la décadence est revenu dans l'air du temps. Le mot, martelé par le chef du Front national à chacune de ses exhibitions, a acquis un nouveau certificat de validité grâce à l'ouvrage érudit de Julien Freund qui lui a été récemment consacré[1]. Nous sommes entrés dans une nouvelle phase, peut-être une ère longue et douloureuse d'abaissement, voire de course aux abîmes. La France se décompose. L'identité nationale devient floue. Il n'y a plus d'idéal, plus de colonies, plus d'orthographe. La corruption s'étend. La criminalité s'accroît. Le pourrissement de la jeunesse par la drogue et l'irréligion accélère la fin des temps. La société est entrée dans un état d'anomie avancée, ce qui se traduit en termes plus robustes : « Tout fout le camp ! »

Vieille chanson, que les Français entendent depuis la Révolution : deux cents ans de « décadence » ininterrompue, malgré quelques faux-semblants, telle est bien une des convictions les mieux ancrées de la famille réactionnaire, et qui se diffuse de façon cyclique, spécialement dans les moments de récession économique, d'incertitudes politiques, ou de troubles sociaux. Refrain vieux comme le monde, entonné déjà par les Grecs et les Romains, et qui reprend faveur dans l'opinion comme une vieille terreur enfouie remontant à la surface des civilisations. En France, Barrès s'en était fait le chantre à la fin du siècle dernier ; Drieu La Rochelle, son disciple avoué, avait repris l'antienne dans les années 1930 ; Pétain et ses évêques en avaient fait le principe de la « Grande

---

1. Julien Freund, *La Décadence*, Sirey, 1984. Cet ouvrage savant parcourt trois millénaires de « décadence » dans les textes. En conclusion, l'auteur décide que, cette fois, nous (l'Europe occidentale) y sommes.

Lignes, n° 4, octobre 1988.

Culbute » de 1940 ; le disquaire de la Trinité-sur-Mer, qui connaît les chansons à succès, a entonné à son tour la rengaine sur les estrades : comme dans les cas précédents le diagnostic de la décadence ne laisse de choix qu'entre la Restauration et l'Apocalypse.

La décadence n'est pas un concept scientifique, c'est une notion incertaine mais aux riches connotations. A les inventorier, on saisit mieux le contenu et la fonction idéologique d'un terme du langage courant, qu'on emploie à l'occasion sans prendre garde. Sans prétendre aller jusqu'au bout de l'exercice, voici quelques corrélations avec le thème de la décadence qui sont autant de constantes :

1. La haine du présent.
Dans son *Dictionnaire des idées reçues*, Flaubert avait déjà observé la tendance. On lit à l'article « Époque » (*la nôtre*) : « Tonner contre elle. — Se plaindre de ce qu'elle n'est pas poétique. — L'appeler époque de transition, de décadence. » La pensée décadentielle, dans une démarche dantesque, s'applique à cataloguer tous les signes vivants (même s'ils sont contradictoires) de la Chute. Un mal à vivre *hic et nunc* est à la base de tout. Il y a cent ans, Édouard Drumont lançait sa plainte : « Jamais la France n'a été dans une situation plus critique [1]. » L'intolérable dans le présent est qu'il est ouvert à tous les possibles ; il est dangereux comme un carrefour sans feux ni police.

2. La nostalgie d'un âge d'or.
Le présent est odieux en ce qu'il est une étape de la dégradation d'un modèle d'origine valorisé comme un temps béni, un paradis perdu sous les coups de la modernité. La représentation de l'Histoire est variable selon les auteurs : tel pleure le temps des cathédrales, tel autre la belle ordonnance du Grand Siècle, voire l'ordre napoléonien… L'important est de comprendre que l'harmonie ancienne entre les hommes et la nature, entre les hommes et le divin, entre les hommes

1. Édouard Drumont, *La France juive*, Librairie Victor Palmé, rééd. 1890, préface, p. xxxv.

entre eux, a été brisée. « Je songe sans cesse, dit l'un des personnages du *Gilles* de Drieu, à la valeur d'or, à la valeur primitive, avant toute altération[1]. »

3. L'éloge de l'immobilité.

« Qu'est-ce que j'aime dans le passé ? demande Barrès. Sa tristesse, son silence et surtout sa fixité. Ce qui bouge me gêne[2]. » La décadence n'est souvent qu'un synonyme de « changement ». Maurras fait la guerre au romantisme, cette esthétique de l'instable, et prône le classicisme en norme absolue : ordre, mesure, symétrie, discipline, alignement[3]... Pour Platon, déjà, l'âge d'or était celui de l'État parfait, c'est-à-dire définitivement immobile. Le changement, c'est le mal. L'enracinement, c'est le bien. « Moi, déclare François Brigneau, j'aime la France et une certaine France, une France agricole, familiale, artisanale ; je n'aime pas la France des villes[4]. » D'où résulte la foisonnante exploitation de la métaphore sylvestre dans la littérature décadentielle : l'arbre comme figure de la durée sur place, de l'authenticité, du généalogique ; l'arbre comme symbole du génie sédentaire opposé aux maléfices du nomadisme à la juive (hêtre ou ne pas hêtre : « Ce que dit ce hêtre sera toujours redit, sous une forme ou sous une autre, toujours[5] »).

4. L'anti-individualisme.

Pour la plupart des penseurs de la décadence, ce qui a été perdu est un monde organique, avec une *tête*, des hiérarchies acceptées, des hommes solidaires les uns des autres par nécessité (et non par choix comme l'entend le *Contrat social*). De ce point de vue, le libéralisme est, pour beaucoup, plus haïssable que le socialisme, car il provoque la désagrégation de l'État et la ruine de la société, sur lesquelles les révolutions

1. Pierre Drieu La Rochelle, *Gilles*, rééd. Le Livre de Poche, p. 204.
2. Maurice Barrès, *Mes Cahiers*, XI, cité par André Gide, *Journal I*, Gallimard, « La Pléiade », 1951, p. 1064.
3. Colette Capitan-Peter, *Charles Maurras et l'Idéologie d'Action française*, Éd. du Seuil, 1972. Notamment p. 107-108.
4. Cité par André Harris et Alain de Sédouy, *Qui n'est pas de droite ?*, Éd. du Seuil, 1978, p. 90-91.
5. Pierre Drieu La Rochelle, *op. cit.*, p. 341.

collectivistes s'installent. Bonald, un des maîtres à penser de la contre-révolution, avait voulu remettre une bonne fois l'individu à sa place : « L'homme n'existe que pour la société et la société ne le forme que pour elle [1]. »

5. L'apologie des sociétés élitaires.

La décadence provient de l'affaiblissement ou de la fin des anciennes élites. « La France telle que l'a faite le suffrage universel, écrivait Renan, est devenue profondément matérialiste ; les nobles soucis de la France d'autrefois, le patriotisme, l'enthousiasme du beau, l'amour de la gloire, ont disparu avec les classes nobles qui représentaient l'âme de la France. Le jugement et le gouvernement des choses ont été transportés à la masse ; or la masse est lourde, grossière, dominée par la vue la plus superficielle de l'intérêt [2]. » Pour Julius Evola, un des théoriciens les plus systématiques de la décadence, l'histoire universelle est sous la loi de régression des castes : après la caste des prêtres, celle des guerriers, et celle des bourgeois, nous en sommes à la prise du pouvoir par les classes serviles. Moins spéculatif, François Brigneau déclare simplement : « J'ai une sorte d'horreur pour la plèbe [3]. » Règne de la plèbe, règne de l'assistance généralisée, règne de la paresse !

6. La nostalgie du sacré.

Les penseurs de la décadence ne sont pas nécessairement chrétiens. Certains d'entre eux dénoncent dans le christianisme une doctrine dissolvante (voir par exemple les interprétations antichrétiennes de la « chute » de l'Empire romain), mais la perte du sacré, la fin des tabous, la déspiritualisation de l'homme et de la société, sont dénoncées comme autant de fléaux. Le matérialisme s'est emparé des esprits. C'est que, nous dit Bonald, « la religion est la raison de toute société ». Et Louis Veuillot : « Ô décadence d'un peuple sans Dieu ! Décadence sans remède et sans espérance [4]. » Quant

1. Louis de Bonald, *Théorie du pouvoir politique et religieux*, rééd. « 10/18 », 1966, p. 21.
2. Ernest Renan, *La Réforme morale et intellectuelle de la France*, rééd. « 10/18 », 1967, p. 46.
3. François Brigneau, *in* André Harris et Alain de Sédouy, *op. cit.*, p. 80.
4. Louis Veuillot, *L'Univers*, 13 avril et 17 mai 1871.

à Péguy : «Cette affreuse pénurie du sacré, écrit-il, est sans aucun doute la marque profonde du monde moderne[1].»

7. La peur de la dégradation génétique et l'effondrement démographique.

La pensée décadentielle est nourrie d'anxiété devant l'altération du groupe, de la race, de la collectivité nationale, par la multiplication des individus décrétés inférieurs. Les Gobineau et les Vacher de Lapouge ont formulé ces phobies du XIXe siècle face aux croisements interraciaux, d'où devaient résulter les pires abominations physiques et morales. Maurice Bardèche, pour sa part, impute à «la liberté anarchique des démocraties» d'avoir ouvert la société «de toutes parts à toutes les inondations, à tous les miasmes, à tous les vents fétides, sans digue contre la décadence...». Il nous dépeint l'homme occidental comme un pauvre diable abandonné sans défense dans une steppe : «Les monstres font leur nid dans cette steppe, les rats, les crapauds, les serpents la transforment en cloaque. Ce pullulement a le droit de croître, comme toutes autres orties et chiendents. La liberté, c'est l'importation de n'importe quoi. Toute la pouillerie dont les autres peuples veulent se débarrasser, elle a aussi le droit de s'installer sur la steppe sans détour, d'y parler haut, d'y faire la loi et aussi de mêler à notre sang des rêves négroïdes, des relents de sorcellerie, des cauchemars de cannibales [...] : l'apparition d'une race adultère dans une nation est le véritable génocide moderne et les démocraties le favorisent systématiquement[2].» La crainte aujourd'hui de la «submersion arabe» s'accompagne de l'appréhension d'un dépeuplement européen par «collapsus démographique». Jean Cau : «On a l'impression que la matrice occidentale est sèche, ses ovaires ratatinés et son ventre infécond[3].»

1. Charles Péguy, *Lettres et Entretiens*, L'Artisan du Livre, 1927, p. 196.
2. Maurice Bardèche, *Qu'est-ce que le fascisme ?*, Les Sept Couleurs, 1960, p. 184.
3. Jean Cau, «Réflexion sur la décadence», *in* Jean-Pierre Apparu, *La Droite aujourd'hui*, Albin Michel, p. 142.

8. La censure des mœurs.

Presque toute la littérature décadentielle flétrit la licence sexuelle (voir le cliché sur « les Romains de la Décadence »). Celle-ci du reste contribue à la dégradation génétique. Hier, la syphilis (« Tout n'est que syphilis », songe le héros d'*A rebours* [1], et Drieu : « Il y a une puissance de syphilis dans la France [2] ») ; aujourd'hui, le SIDA... les mauvaises mœurs entraînent la putréfaction et la mort. Une seule solution, écrit l'organe d'extrême droite *Présent* : la fidélité conjugale. Renan, de même, faisait l'éloge des « peuples chastes » et jugeait que les Français faisaient trop l'amour [3]. Un Jean Jaélic, dans *La Droite, cette inconnue*, en arrive à cette conclusion clinique : « On pourrait presque définir la république par le rejet d'une discipline sexuelle profonde [4] » (apophtègme sans doute dédié à Louis XIV !). Une mention particulière doit être réservée à l'homosexualité, dont la visibilité, réelle ou imaginaire, est à coup sûr un signe de décadence. En 1955, Jean-Marie Le Pen rassemblait dans une seule formule deux preuves accablantes : « La France est gouvernée par des pédérastes : Sartre, Camus, Mauriac [5]. » L'écrivain, l'intellectuel, voire le simple diplômé, sont en effet des catégories maléfiques.

9. L'anti-intellectualisme.

« La France est atteinte, déclare Pierre Poujade au milieu des années cinquante, d'une surproduction de gens à diplômes, polytechniciens, économistes, philosophes et autres rêveurs qui ont perdu tout contact avec le monde réel [6]. » Le prophète de la décadence valorise l'instinct, l'habitude, les préjugés, les réflexes conditionnés par des générations d'humains qui ont vécu sur la même terre, au détriment de

1. Voir Patrick Lasowski, *Syphilis. Essai sur la littérature française du XIXᵉ siècle*, Gallimard, 1982.
2. Pierre Drieu La Rochelle, *op. cit.*, p. 343.
3. Ernest Renan, *op. cit.*, p. 91.
4. Jean Jaélic, *La Droite, cette inconnue*, les Sept Couleurs, 1963, p. 61.
5. Cité dans Stanley Hoffmann *et al.*, *Le Mouvement Poujade*, Cahiers de la Fondation nationale des sciences politiques, Colin, 1956, p. 184.
6. Cité dans *L'Express*, 18 mars 1955.

la raison raisonnante, de la raison prétentieuse et égarée par les maîtres d'école et les intellectuels. « L'intelligence, dit Barrès, quelle petite chose à la surface de nous-mêmes[1] ! » A la même époque, un Gustave Le Bon émettait cette plainte : « L'école forme aujourd'hui des mécontents et des anarchistes et prépare pour les peuples latins les heures de décadence[2]. »

Actualisation lepéniste : « Je suis sûr que nous accordons à l'université, à l'école, une importance excessive […]. La culture n'est pas un but exclusif, c'est la vie qui est un but[3]. »

Ces neuf corrélations ne sont pas exhaustives ; on les retrouve, peu ou prou, sous la plume des penseurs et des vulgarisateurs de la décadence. Elles forment le corpus de l'antimodernisme et de l'antidémocratisme. Diverses interprétations, non exclusives l'une de l'autre, peuvent être avancées :

— L'explication de type marxiste par la lutte des classes. Dans cette perspective, le discours de la décadence est le discours des vaincus. Il s'agit d'une inversion des signes : ce qui est progrès pour le peuple, les masses, les anciens esclaves, est décadence pour les aristocraties et leur clientèle. Ainsi, la fin de la société esclavagiste est vécue comme une décadence du point de vue des maîtres. De même, pour les petits commerçants et artisans, la mise en place des grands magasins, des grandes surfaces, a pour effet, non seulement de les ruiner, mais de faire triompher la médiocrité de série. Il va de soi que, pour l'aristocratie foncière vaincue en 1830, la France bourgeoise dont l'histoire commence vraiment sous Louis-Philippe annonce la fin.

— Une explication conjoncturaliste insiste sur la variation d'intensité observable dans les discours de la décadence. Perceptibles en temps de troubles, inaudibles dans les années

1. Maurice Barrès, *Les Déracinés*, Fasquelle, 1897, p. 318.
2. Gustave Le Bon, *Psychologie des foules*, rééd. PUF, « Quadrige », 1933, p. 57.
3. Jean-Marie Le Pen, cité par Jean-Pierre Apparu, *op. cit.*, p. 181.

de prospérité ! Quand la crise se fait verbe, elle parle le décadent. Il est remarquable qu'au moment où la France achevait de perdre son empire colonial, au début des années soixante, on entendait surtout parler de progrès, de croissance, de « grandeur » : ce n'était pas de simples alibis pour le général de Gaulle ; le *boom* économique, la restauration du pouvoir étatique, la détente internationale, la conquête de l'Espace... tout cela favorisait en librairie plutôt Teilhard de Chardin que Maurice Barrès...

— En ouvrant un peu plus grand l'angle du viseur historique, on peut aussi mettre en avant la grande mutation que Karl Popper a appelée la fin de la société close. Le passage plus ou moins brutal de la société tribale, rurale, patriarcale, à la société urbaine, industrielle et libérale, a provoqué des peurs en chaîne, qui peuvent se résumer dans la principale : « la peur de la liberté [1] ». L'indétermination du devenir historique comme de l'avenir individuel s'est substitué au déterminisme de la société close, à la reproduction générationnelle des us et coutumes, à la foi du charbonnier. Vivre, ce n'est plus répéter, mais risquer. La solitude, l'angoisse, la fatigue en sont souvent le prix élevé à payer. Jadis, chacun était à sa place.

— Une interprétation plus anthropologique assimilerait le discours de la décadence à celui de l'homme devant la mort. L'homme vieillissant a tendance à surestimer les jours heureux de son enfance. Il y a toujours, comme dit Cioran, un inconvénient d'être né ; mais cela s'aggrave en prenant de l'âge. Le travail sélectif de la mémoire tend à éponger le négatif des premières années. La nostalgie d'un monde protégé agit comme un dérailleur intellectuel : on passe de sa propre vie à l'histoire de la société ; rares sont les vieillards qui, vivant le déclin de leurs forces, ne s'imaginent pas vivre la décadence de leur pays. Mircea Eliade : « Il est significatif de constater une certaine continuité du comportement humain à l'égard du Temps à travers les âges et dans de multiples cultures... » — pour se guérir de l'œuvre du Temps, il faut

---

1. Karl Popper, *La Société ouverte et ses ennemis*, Éd. du Seuil, 1979, (2 vol.) ; Erich Fromm, *La Peur de la Liberté*, Buchet-Chastel, 1963.

«revenir en arrière» et rejoindre le «commencement du Monde[1]».

Quoi qu'il en soit de cette étiologie, le discours de la décadence n'est jamais innocent. Il est assorti à des comportements individuels et collectifs. Il peut justifier le mépris du monde, un fatalisme qui conduit à la non-participation, au repli mystique : c'est le cas d'un René Guénon (*La Crise du monde moderne*, 1927). Il peut favoriser une attitude esthétique : les «décadents» se posent en essence rare, en espèce résiduelle de l'Age d'or, à qui, loin des masses, toutes les originalités sont permises. Mais tout le monde n'est pas Huysmans, et l'on peut, faute de créer Des Esseintes, se contenter de vitupérer la télévision, le football ou le rock and roll. Mais il est des usages autrement pernicieux de la décadence : ce mot est fort en définitive de tous les appels au Pouvoir monocéphale. Puisqu'il y a «décadence», il faut en finir avec ses causes supposées, qui deviennent des causes répétées, assurées, vérifiées : les étrangers, les Arabes, les Juifs, le laxisme généralisé, et, de proche en proche, les libertés politiques, aux fins de préparer la «révolution conservatrice», le retour aux «valeurs» et le culte du Chef providentiel.

Chaque mois, l'abbé Georges de Nantes adresse à ses fidèles le message du traditionalisme, *La Contre-Réforme catholique*. On y lisait, dans le numéro 241, du mois de mars 1988 :

«Maintenant je vous dis : aurez-vous le courage de prier pour que, dans la 'débâcle' prochaine, un nouveau Philippe Pétain nous soit donné, *'divine surprise'*! capable, sachant ce qui l'attendra après ! de 'faire don de sa personne à la France, pour en atténuer le malheur' ? Car je suis persuadé que, dans son incommensurable amour pour nous, le bon Dieu nous refera passer par les mêmes châtiments qu'en 1940-1944, pour nous contraindre cette fois, peuple menteur et assassin, à nous repentir et à revenir vraiment à Lui, au lieu de condamner, à mort ou à la prison à vie, nos sauveurs ! »

CQFD.

1. Mircea Eliade, *Aspects du Mythe*, Gallimard, «Idées», 1963, p. 106.

3

La causalité diabolique

Il y a toujours une explication aux malheurs des hommes. Du moins, leur faut-il toujours une explication. Faute de l'avoir découverte, ils l'inventent. Le complot, le travail occulte de conjurés, la conspiration, on finit toujours par en trouver trace dans les causes des défaites, des épidémies ou des décadences.

« La théorie de la conspiration, écrit Karl Popper, est la vue suivant laquelle tout ce qui se produit dans la société, y compris les choses qu'en règle générale les gens n'aiment pas, telles que la guerre, le chômage, la misère, la pénurie, sont les résultats directs des desseins de certains individus ou groupes puissants. » L'inspecteur qui mène l'enquête se demande à qui le crime profite : l'explication policière de l'histoire ne procède pas autrement. Une fois le complot démasqué, l'ennemi désigné, la lumière faite, l'anxiété s'apaise et les énergies se mobilisent. La *causalité diabolique* — c'est le titre d'un ouvrage de Léon Poliakov[1] — fait comprendre « l'origine des persécutions » — c'est son sous-titre.

Ces conspirations, il en est de multiples, soit occasionnelles, soit durables. Ainsi, cherchant à comprendre — mais sans effort excessif — les causes du soulèvement parisien dans la Commune de 1871, un certain nombre de publicistes ont « révélé » cette cause unique, cette cause première dont tout le mal est issu : l'activité de l'Association internationale des travailleurs. L'Internationale, créée en 1864, aurait compté selon certains plusieurs centaines de milliers de membres —

---

1. Léon Poliakov, *La Causalité diabolique. Essai sur l'origine des persécutions*, Calmann-Lévy, 1980.

des chiffres sans aucun rapport avec une réalité très modeste [1], une activité surestimée, en somme du délire. Mais un délire qui n'est pas gratuit : outre qu'il dispense de réfléchir sur les causes profondes du mouvement communaliste, les manquements du gouvernement de la défense nationale et les erreurs de l'Assemblée conservatrice de Versailles, il justifie la répression et l'interdiction en France de l'Internationale ouvrière.

L'histoire a ainsi connu toute une variété de « démons » et de « boucs émissaires », parmi lesquels on sera peut-être surpris de compter les jésuites. L'idée se répandit, en effet, au début du XVIIᵉ siècle, que la célèbre Compagnie de Jésus avait pour but, ni plus ni moins, d'assurer sa « domination universelle ». A l'origine de ce secret bientôt trahi, il y avait eu un faux, fabriqué en 1613 par un ancien novice polonais qui avait été congédié — faux qui devait connaître plus de 300 éditions sous le nom de *Monita secreta societatis Jesu*. Les Jésuites furent bannis de France, sous Louis XV, en 1762. Au XIXᵉ siècle, Edgar Quinet, Eugène Sue et Jules Michelet plus que tous les autres reprirent et développèrent les thèmes de la jésuitophobie : les révérends pères étaient accusés notamment d'avoir voulu « naturaliser parmi nous le génie antifrançais de l'Espagne autrichienne dont le jésuitisme est le véritable esprit [2] ».

Les francs-maçons, à leur tour, ont eu leur heure de gloire. Leurs rites « souterrains » et leur anticatholicisme invitaient les fidèles de Rome, et notamment... les jésuites, à dénoncer leurs machinations. Un Drumont, par exemple, expliquait que la franc-maçonnerie était « toute dévouée à l'Allemagne », ce qui lui permettait d'expliquer la « trahison » de Jules Ferry :

« La franc-maçonnerie dit à Ferry :

» — Pour se relever, la France a besoin de l'union de tous ses fils. Tu vas provoquer dans ce pays une effroyable guerre religieuse à laquelle personne ne songe.

» Et Ferry répondit :

---

1. *La Première Internationale*, ouvrage collectif publié par le CNRS, 1968.
2. Léon Poliakov, *op. cit.*, p. 66.

» — J'obéirai [1]. »

La franc-maçonnerie avait partie liée avec le diable car elle reprenait le flambeau des Lumières contre le dogme catholique. « Depuis la tentation, nous explique Eugen Weber, Satan a toujours symbolisé le pouvoir, l'idée qu'on pouvait dominer le monde et soi-même par la pensée, la raison, la spéculation, l'invention, la volonté, indépendamment de Dieu, de sa volonté, de son autorité. Incapables d'imaginer le savoir comme une acquisition personnelle, les hommes du Moyen Age, souvent encouragés par l'Église, l'attribuaient à l'intervention diabolique. Comme le Dr Faustus, Roger Bacon et le pape Sylvestre II étaient censés avoir signé un pacte avec le diable et c'est à celui-ci que le pape Grégoire XVI attribuait l'invention de la machine à vapeur [2]. »

La plus grande conspiration de l'histoire, celle qui se déployait à l'échelle mondiale, reste cependant le fantastique complot juif, tel qu'on l'imagina au XIXe siècle, jusqu'au moment où Hitler s'avisa de « l'extirper radicalement [3] ». Au concours des imaginations, on peut attribuer au moins un bel accessit à Urbain Gohier, qui expliquait dans *La Terreur juive* :

« Quoique dispersés sur la surface de la terre, les douze millions de Juifs composent la seule nation homogène et la plus résolument nationaliste. Leur dispersion n'empêche pas, dans le monde moderne, une étroite communauté d'intérêts, une extraordinaire discipline pour la conquête de la domination universelle. Des mots d'ordre lancés par les chefs de la nation juive en quelque partie du monde qu'ils se trouvent est transmis, entendu, obéi sur-le-champ dans tous les pays ; et des forces innombrables, obscures, irrésistibles, préparent aussitôt l'effet souhaité, le triomphe ou la ruine d'un gouvernement, d'une institution, d'une entreprise ou d'un homme. »

On sut un peu plus tard que les mystères de cette formidable organisation avaient été percés par la découverte très opportune de ces « *Protocoles des Sages de Sion* », inventés

1. Édouard Drumont, *Les Héros et les Pitres*, p. 192.
2. Eugen Weber, *Satan franç-maçon*, Julliard, « Archives », 1964.
3. Cité par Eberhard Jäckel, *Hitler idéologue*, Calmann-Lévy, 1973.

en fait par la police tsariste, et dont Norman Cohn nous a conté naguère la ténébreuse histoire [1].

Grâce au marxisme, on pouvait espérer que le matérialisme historique en finirait avec cette interprétation policière de l'histoire. Pas du tout ! Poliakov nous assure que Marx, dans ses articles « alimentaires » du *New York Daily Tribune*, écrits pendant la guerre de Crimée, « dénonçait, en qualité de principaux fauteurs de maux qui accablaient le vieux continent, les Juifs et les Jésuites ». Plus profondément, celui qui, derrière les causes généralement avancées, révèle les autres, les vraies, celles qui trahissent « l'intérêt de classe, cause première *de facto*, agissant à la façon d'une main dans l'ombre — ce qui est le principe cardinal de toute démonologie » (*La Causalité diabolique*, p. 235). Pour Poliakov toujours, Marx a diabolisé la bourgeoisie et du même coup entretenu, sous des formes nouvelles, la vieille « causalité diabolique ». Cela donne, en version française de 1936, le mythe des « deux cents familles ».

Aujourd'hui la conspiration se porte toujours bien. Qu'un coup d'État ait lieu en Afrique ou en Amérique du Sud, on y dénonce aussitôt pour cause suffisante la main de la CIA ou celle du KGB. « L'impérialisme américain » enveloppe le globe de ses tentacules, et les films d'espionnage nous ont habitués à nous méfier de l'omniprésence de l'agent soviétique. Mais les États ne se privent pas du procédé : Moscou a dénoncé ainsi, en 1981, les tractations étrangères en Pologne. Comment était-il possible en effet d'imaginer que les ouvriers polonais pussent se dresser tout seuls contre leur gouvernement socialiste ? Jadis, les conservateurs allemands expliquaient la défaite de leur Empire par le « coup de poignard dans le dos » infligé à leur armée par les sociaux-démocrates. On n'en finirait pas d'énumérer les prétendues machinations qui expliqueraient le plus simplement du monde le crépuscule de l'Occident, les contradictions du tiers monde, et les échecs des régimes socialistes.

Les totalitarismes sont fondés sur des idées simples. Le XXe siècle en regorge. Des hommes, des femmes, des enfants, par

---

1. Norman Cohn, *Histoire d'un mythe. La « conspiration » juive et les « Protocoles des Sages de Sion »*, Gallimard, 1967.

millions, en ont fait et en font les frais. C'est qu'il n'est pas facile d'admettre la complexité de l'histoire, la multicausalité de tout phénomène social ou politique, et l'universelle relativité.

Les nationalistes français ont compris, avant bien d'autres, la demande publique de *simplification* : une action ne peut être fondée sur une analyse trop subtile ou trop nuancée du contexte vivant ; elle devient mobilisatrice, au contraire, si elle s'appuie sur une causalité univoque et un système de représentation mythologique qui permettent de faire l'économie d'une approche rationnelle. Sans doute, n'importe quelle action politique implique-t-elle ce présupposé de base. Le choix d'une politique raisonnable exige lui-même peu ou prou théâtralisation, traduction symbolique, justification qui ne s'adresse pas seulement à l'intelligence. En France, l'école nationaliste — c'est sa modernité — a su, à la fin du XIXe siècle, capter l'attention par des procédés devenus par la suite banals. Mieux que sa rivale socialiste, elle a souvent réussi, au début de l'ère « des masses », à donner le *pourquoi* imaginaire des malheurs du monde. L'hétérogénéité du réel décourage les passions politiques ; il sera dit que « tout s'explique », « tout est simple », « tout s'éclaire », pourvu qu'on perce la croûte de mensonge des politiciens-profiteurs et de leurs hommes à gages. Les nationalistes ont prétendu procéder à la levée du rideau et à la chute des masques. Dans leur ardeur à démystifier, ils sont devenus des mystificateurs.

4

Édouard Drumont
et « La France juive »

L'antisémitisme moderne s'est développé en Europe dans le dernier tiers du XIXᵉ siècle. L'Allemagne et l'Autriche donnèrent d'abord le ton. A la suite du krach boursier qui, de Vienne, en 1873, s'étend à l'Allemagne, un certain nombre de patronymes juifs se trouvant en cause dans la débâcle, une première campagne est lancée, dans laquelle le pasteur Adolf Stöcker va prendre un rôle prépondérant. Des esprits moins communs soutiennent l'antisémitisme de leurs travaux érudits : Treitschke, Konstantin Franz, Paul de Lagarde... Le plus acharné des auteurs, Eugène Dühring, systématise les griefs faits aux Juifs dans un ouvrage paru en 1880 : *La Question juive, question de race, de mœurs et de culture*[1].

Un peu plus tard, au cours des années 1880, les Français vont connaître à leur tour, chez eux, une première grande vague d'antisémitisme. Comme en Autriche et en Allemagne, un événement financier semble avoir été le signal de départ, en l'occurrence le krach de l'Union générale, banque catholique, tombée prétendument victime de la banque « juive[2] ». D'autre part, à la suite de l'encyclique *Humanum genus*, d'avril 1884, condamnant la franc-maçonnerie, le quotidien catholique *La Croix* confond de plus en plus nettement dans ses attaques Juifs et francs-maçons. En 1885, les Juifs sont presque complètement oubliés. En revanche, en 1886, le journal des assomptionnistes publie un long feuilleton de l'amiral Gicquel des Touches, ancien ministre du duc de Broglie,

---

1. Voir Pierre Sorlin, *L'Antisémitisme allemand*, Flammarion, 1969.
2. Jeannine Verdès-Leroux, *Scandale financier et Antisémitisme catholique. Le krach de l'Union générale*, Éd. du Centurion, 1969.

Édouard Drumont et Cⁱᵉ, Éd. du Seuil, coll. « XXᵉ Siècle », 1982.

sur ce qu'il va être convenu d'appeler « l'invasion juive ». Est-ce une coïncidence ? La même année, quelques semaines plus tôt, un publiciste sans renom — Édouard Drumont — avait fait éditer à compte d'auteur un gros pamphlet qui, après avoir dormi quelque temps dans des caisses, va obtenir un étonnant succès de librairie : *La France juive*.

L'ouvrage de Drumont est publié sous la forme de deux volumes d'un total de 1 200 pages, à la mi-avril 1886, chez Marpon et Flammarion. L'auteur est un journaliste quasi inconnu de 44 ans, qui a néanmoins déjà publié quelques livres, dont un sur Paris. Il collabore au *Monde*, quotidien catholique de faible tirage, après avoir écrit dans divers journaux dès le Second Empire, sans avoir éveillé l'attention sur son compte.

Son nouveau livre paraît d'abord dans une indifférence générale. *La France juive* n'était pas le premier essai consacré à la question juive en France, mais les précédents les plus notables avaient été des échecs. Cependant, l'ouvrage de Drumont va s'affirmer bientôt comme le premier *best-seller* de l'antisémitisme en France.

Cette réussite s'étend principalement sur les deux premières années de vente : 1886 et 1887. Dans le catalogue de la Bibliothèque nationale, on note pour 1887 une 145e édition. L'affaire Dreyfus, une dizaine d'années plus tard, contribuera à relancer le titre, puisqu'en 1914 on atteint la 200e édition. Évidemment, il serait utile de savoir ce que représente le tirage d'une édition. Malheureusement pour notre curiosité, aucune règle ne préside en la matière. Cependant, de nombreuses éditions de départ encouragent certainement l'éditeur à ne pas fixer trop bas le nombre des volumes commandés à l'imprimeur. Une fourchette de 1 000 à 5 000 paraît plausible. Dans l'hypothèse la plus basse, voilà un ouvrage qui atteindrait environ 150 000 exemplaires en une année : chiffre considérable, si l'on pense que la première édition a été faite à charge d'auteur, et à une époque où les succès de librairie sont sensiblement plus faibles qu'aujourd'hui. Ce n'est pas tout. En 1887, paraît une *France juive* illustrée. A cette occasion, l'éditeur fait apposer des affiches qui représentent Drumont en chevalier partant à l'assaut de ces nouveaux Sarrasins, hommes de banque et de bourse. Surtout, en 1888, est publiée une version populaire chez Victor Palmé, en un seul volume. En 1890, cette édition en est à sa dixième réimpression. Victor Palmé dirigeait la Société générale de librairie catholique, 76, rue des Saints-Pères à Paris ; il avait aussi deux filiales ou deux correspondants à Bruxelles (la Société belge de librairie) et à Genève — qui assuraient la diffusion de *La France juive* dans les pays francophones voisins.

Qu'en est-il des éditions postérieures à 1914 ? Drumont est mort en 1917, et l'atmosphère d'union sacrée a atténué alors la passion antisémitique en France (c'est l'époque où Barrès, qui avait fait la théorie des « déracinés », vante les israélites parmi les authentiques « familles spirituelles » qui composent la France), à tout le moins jusqu'aux années trente. A ce moment, les thèses de Drumont sont reprises à l'envi dans la presse et la littérature d'une extrême droite en plein renouveau. C'est en 1941 qu'on note une ultime édition du livre ; à ce moment-là, la pensée de Drumont est quasiment au pouvoir ; on lui consacre des expositions ; on reparle de sa vie et de ses combats. Enfin, après la Seconde Guerre mondiale, Jean-Jacques Pauvert, affranchi de tous les tabous, fait paraître, en 1966, des extraits de *La France juive*, dans une anthologie drumontesque présentée et commentée par Emmanuel Beau de Loménie : *Édouard Drumont ou l'Anticapitalisme national*. Le maître d'œuvre minimise l'intérêt de *La France juive*, où Drumont défend une « thèse trop unilatérale », pour mieux exalter la suite. Or, dans *La Fin d'un monde*, prétendu chef-d'œuvre de Drumont, on peut lire un bon résumé de son constant délire : « La force des Juifs est de ne plus procéder comme autrefois, par des méfaits isolés ; ils ont fondé un système où tout se tient, qui embrasse le pays tout entier, qui est muni de tous les organes nécessaires pour fonctionner, ils ont fortifié les points sur lesquels on pourrait les prendre, ils ont modifié sans bruit les lois qui les gênaient ou obtenu des arrêts qui paralysent l'action de ces lois, ils ont soumis la presse au capital, de façon qu'elle soit dans l'impossibilité de parler. » En somme, le plus clair mérite de Beau de Loménie est d'avoir diffusé l'euphémisme d'« anticapitalisme national », qui permet de faire de l'antisémitisme en douceur. Ce qui prouve, en tout cas, la continuité d'une influence, au moins dans une certaine famille politique.

Pareil succès du livre le plus connu de Drumont est-il expli-
cable de manière rationnelle ? On peut, du moins, tenter de
recenser des facteurs circonstanciels et des facteurs plus lointains et profonds.

Le lancement du livre a largement bénéficié de la nouvelle
situation de la presse. La loi de 1881, les améliorations techniques, l'abondance des journaux, les progrès de la lecture,
autant de conditions nouvelles qui ont servi l'ouvrage de Drumont. Ainsi, c'est un article du *Figaro*, paru le 19 avril 1886,
qui suscite une première curiosité. Son auteur, Francis
Magnard, était du reste assez critique, évoquant la « crédu-
lité enfantine » et les obsessions de Drumont, mais il accordait au fond à *La France juive* des circonstances atténuantes :
il avait été provoqué par un régime républicain employé à
persécuter les milieux catholiques. Le père de Pascal, dans
La Croix, trois jours plus tôt, avait déjà publié un compte
rendu dithyrambique, moyennant quelques réserves parallèles. Une grande partie de la presse suit, jusqu'à la *Revue
socialiste*, qui fait paraître, en décembre 1886, sous la plume
de Benoît Malon, un article, certes critique, mais dont la longueur authentifie l'importance de l'ouvrage — article intitulé « La question juive ».

L'intérêt de la presse a été soutenu, d'autre part, par les
divers incidents consécutifs à la publication du livre, et en
premier lieu par le duel qui oppose Drumont à Arthur Meyer.
Celui-ci, Juif assimilé et converti, directeur du *Gaulois*, moniteur quotidien de la bonne société, avait provoqué Drumont
à régler sur le terrain une querelle suscitée par les accusations
d'un auteur manquant aux nuances les plus élémentaires. Or
ce duel entre deux hommes de presse tourne de façon insolite : par deux fois, et contrairement à toutes les règles, Meyer,
au corps à corps avec Drumont, écarte de la main gauche
l'épée de son adversaire, et finalement lui transperce la cuisse.
Un procès s'ensuit, à l'issue duquel Arthur Meyer est condamné à deux cents francs d'amende. Cette tragi-comédie pro-
jette tous les feux sur Drumont, cet inconnu de la veille, et
sur son livre vengeur.

La presse, d'une manière générale, loin de tuer le livre et
la librairie, va en servir l'industrie et le commerce, comme
le prouve la diffusion en feuilleton quotidien des grands

romans de l'époque. C'est parce qu'il existe désormais une presse libre, nombreuse, concurrente, que *La France juive* a pu, comme tant d'autres ouvrages, prendre son envol.

Il s'agit là cependant d'une cause accessoire. Le succès obtenu par l'ouvrage de Drumont a des raisons plus profondes. A ce propos, on peut distinguer ce qui appartient aux deux extrémités de la chaîne : l'émetteur du message et le récepteur. Drumont, que ses disciples prennent pour un écrivain indiscutable, a la plume vive, le sens des formules choc, et l'art d'accréditer comme autant d'informations sérieuses des ragots, des approximations, des généralisations, au nom desquels il se pose en historien et en analyste des sociétés. Que dit-il de plus que ses prédécesseurs ? Rien de très neuf, mais il a collecté toutes les formes d'antisémitisme ; il a su unifier, dans une perspective historique — tour à tour sociale, religieuse, politique... — les trois sources principales des passions antijuives : 1. l'antijudaïsme chrétien ; 2. l'anticapitalisme populaire ; 3. le racisme moderne.

L'antijudaïsme chrétien.

On doit au livre de Pierre Pierrard, *Juifs et Catholiques français*[1], d'avoir éclairé les sources de Drumont : « Drumont, écrit-il, contribua largement au scandale de l'assimilation du catholicisme à l'antisémitisme. » Pierrard commence son étude à la Révolution française, mais on sait depuis longtemps que les « racines chrétiennes de l'antisémitisme » remontent à l'antijudaïsme de certains Pères de l'Église[2]. L'élément nouveau, pendant et après la période révolutionnaire, c'est, aux yeux de nombreux auteurs catholiques et contre-révolutionnaires, la responsabilité supposée des Juifs dans la chute de l'Ancien Régime. La Révolution qui avait émancipé les Juifs ne pouvait avoir été que l'œuvre des Juifs : tel est le sophisme qui triomphe dans une série d'ouvrages, dont la leçon est ainsi résumée par Drumont : « Le seul auquel la Révolution ait profité est le Juif. Tout vient du Juif. Tout revient au Juif. »

1. Pierre Pierrard, *Juifs et Catholiques français*, Fayard, 1970.
2. Voir Jules Isaac, *Genèse de l'antisémitisme*, Calmann-Lévy, 1956.

Cette histoire « occultiste », qui vise à l'explication de tous les phénomènes sociaux et politiques par le complot juif, a commencé avec l'abbé Augustin de Barruel, pour lequel 1789 avait été l'aboutissement « de la conspiration des sociétés secrètes ». Auteur de cette thèse qui est l'argument de son *Mémoire pour servir à l'histoire du jacobinisme*, Barruel reçut en 1806 la lettre d'un certain Simonini, lequel désignait les vrais coupables, derrière les francs-maçons et les illuminés fauteurs de révolution : les Juifs. Que les sociétés antichrétiennes fussent organisées et entretenues par ceux qui, du fait de leur religion, étaient tenus en respect par la société chrétienne, était une hypothèse défendable. Mais Simonini allait plus loin : il révélait que les Juifs « se promettaient, dans moins d'un siècle, d'être les maîtres du monde ». Les élucubrations de ce soi-disant capitaine piémontais n'eurent pas d'effet immédiat ; mais sa lettre fut publiée à Paris en 1878, puis reproduite dans de nombreux ouvrages antisémitiques [1].

Toutefois, sans atteindre les hauteurs de cette divagation, qu'on doit ranger parmi les sources de ces *Protocoles des Sages de Sion*, faux historique dont un Maurras autant qu'un Hitler ont tiré profit, de nombreux auteurs hostiles à la Révolution, tel Bonald, mêlèrent l'antijudaïsme « chrétien » à leur antilibéralisme. Il semble que, sous le Second Empire, cette littérature est féconde : Pierre Pierrard énumère une liste de romans pieux aux titres suggestifs et évoque ces *Mémoires d'un ange gardien* (1862), dont l'audience fut durable, où l'on voit un petit garçon « horrifié par la cruauté des Juifs, bourreaux de Jésus » ; il cite aussi des ouvrages plus « sérieux », surtout celui de Gougenot des Mousseaux, paru sous le titre : *Le Juif, le Judaïsme et la Judaïsation des peuples chrétiens* — passé d'abord inaperçu, appelé à devenir par la suite, selon le mot de Norman Cohn, « la Bible de l'antisémitisme moderne ». Pour cet auteur imaginatif, la Cabale préconisait l'adoration de Satan, et les Juifs cabalistes ne visaient rien de moins que le règne de l'Antéchrist. Dans la lutte qui opposait alors l'Église et la franc-maçonnerie, l'ouvrage de Gougenot des Mousseaux donnait des armes simultanément

---

1. Voir Norman Cohn, *Histoire d'un mythe, La « conspiration juive » et les « Protocoles des Sages de Sion »*, Gallimard, 1967.

contre les Juifs et les maçons — confusion désormais classique : Pie IX félicita l'auteur. A une époque où la chrétienté médiévale paraissait en voie de désagrégation, où le pouvoir temporel des papes allait être bientôt réduit à sa plus simple expression territoriale, où les idées nouvelles remettaient en question la dogmatique romaine, de nombreux auteurs catholiques furent tentés de dénoncer à l'origine de ces multiples dangers autant de conspirations, où la franc-maçonnerie machinait ses desseins en compagnie des Juifs. A titre d'exemple, la « question romaine » suscita la fable selon laquelle le complot contre la papauté était mené par un certain « Piccolo Tigre », Juif franc-maçon ; Mgr Gaston de Ségur, fils de la célèbre comtesse, en fit un livre, *Les Francs-maçons* (1867), qui compta 36 éditions en cinq ans.

La guerre de 1870-1871, la prise de Rome par les patriotes italiens, la Commune, l'avènement de la IIIe République, alimentèrent en nouveaux prétextes la littérature antijuive. Tandis que la *Civiltà cattolica* des jésuites romains accumulait « sur la tête des *Hébreux* tous les crimes de la terre », en France les lois scolaires du franc-maçon Ferry accréditèrent le dogme du « complot judéo-maçonnique ». Dans le foisonnement des publications cléricales qui reprenaient et illustraient ce thème, on peut retenir la naissance, en 1884, de *La Franc-maçonnerie démasquée*, revue catholique mensuelle qui dura jusqu'en 1924 ; l'un de ses rédacteurs écrivait, en 1885, soit un an avant le livre de Drumont, mais un an après l'encyclique *Humanum genus* : « Le Juif est l'homme de la loge, parce que la loge est essentiellement pour lui le moyen de parvenir. » On saisit la double équation : République = franc-maçonnerie = juiverie. De son côté, *La Croix*, devenue quotidien en 1883, entreprenait dès l'année suivante une ardente campagne contre les loges et, insensiblement, comme l'écrit Pierre Sorlin, son historien, « elle en vient à associer le Juif et le maçon [1] ».

La judéophobie médiévale se trouvait donc ravivée près d'un siècle après la Révolution française. Le Juif, émancipé par la loi révolutionnaire, était désormais considéré par les antisémites chrétiens comme l'inspirateur occulte de 1789,

1. Pierre Sorlin, *« La Croix » et les Juifs*, Grasset, 1967.

l'animateur de la franc-maçonnerie, l'instigateur des lois laïques, le persécuteur des congréganistes, le promoteur de l'anticléricalisme, l'ennemi acharné de la religion et de la civilisation chrétiennes. Il est, selon le mot de Gougenot des Mousseaux, « l'ingénieur en chef des révolutions ».

Cet antisémitisme « religieux » se frottait déjà de nationalisme chez quelques auteurs, prompts à assimiler France et chrétienté. Un Louis Veuillot est représentatif de ces catholiques-et-Français-toujours, qui écrit, par exemple, en novembre 1870, dans *L'Univers* : « Moi, chrétien catholique de France, vieux en France comme les chênes et enraciné comme eux, je suis constitué, déconstitué, reconstitué, gouverné, régi, taillé par des vagabonds d'esprit et de mœurs. Renégats ou étrangers, ils n'ont ni ma foi, ni ma prière, ni mes souvenirs, ni mes attentes. Je suis sujet de l'hérétique, du Juif, de l'athée et d'un composé de toutes ces espèces qui n'est pas loin de ressembler à la brute [1]. »

Ces quelques exemples suffisent à montrer qu'un public catholique pouvait être, à la veille de *La France juive*, en état de réceptivité. « Partout, dira Drumont, vous retrouvez le Juif essayant de détruire directement ou indirectement notre religion. Le divorce est d'institution juive, le Juif Naquet fait passer le divorce dans nos lois. Nos belles cérémonies funèbres irritent les Juifs, c'est un ingénieur du nom de Salomon qui se met à la tête d'une société pour la crémation qu'il voudrait rendre obligatoire. C'est un Juif, Camille Sée, qui organise les lycées de jeunes filles, de façon à exclure tout enseignement religieux [2]... »

Drumont, cependant, proteste à plusieurs reprises de son respect pour les autres religions, y compris le judaïsme, déclarant son intention de ne pas attaquer les Juifs sur ce terrain. Pourtant, le vieil antijudaïsme médiéval l'inspire toujours, sauf à le moderniser :

« [Les Juifs], dit-il, haïssent le Christ en 1886 comme ils le haïssaient du temps de Tibère Auguste, ils le couvrent des mêmes outrages. Fouetter le Crucifix le Vendredi saint, profaner les hosties, souiller les saintes images : telle est la grande

1. Cité par Pierre Perrard, *op. cit.*
2. *La France juive, op. cit*, t. 2, p. 443.

joie du Juif au Moyen Age, telle est sa grande joie aujourd'hui. Jadis il s'attaquait au corps des enfants ; aujourd'hui c'est à leur âme qu'il en veut avec l'enseignement athée ; il saignait jadis, maintenant il empoisonne : lequel vaut mieux ? » (Palmé, p. 418).

Pour Drumont, catholique non conformiste, se posant en défenseur des valeurs chrétiennes, le lien est établi entre les meurtres rituels, dont les Juifs sont accusés depuis le Moyen Age, et le vote des lois laïques : « Ce qu'on adore dans le ghetto, ce n'est pas le dieu de Moïse ; c'est l'affreux Moloch phénicien, auquel il faut, comme victimes humaines, des enfants et des vierges. »

L'antisémitisme « économique ».

Le thème de l'anticapitalisme, quant à lui, est central dans la vision de Drumont. La « France honnête et laborieuse » est tombée, en quelques étapes depuis la Révolution de 1789, sous l'oppression juive. De l'état d'usuriers, où ils étaient confinés dans le ghetto, les Juifs, par l'émancipation, ont assuré leur mainmise sur tout l'appareil financier du pays — comme l'atteste l'épisode récent du krach de l'Union générale, ou, de façon continue, la colossale fortune acquise par les Rothschild.

Le nom de Rothschild évoque encore aujourd'hui les séquelles d'un antisémitisme populaire, expression parfois naïve d'une lutte de classe qu'on ne savait pas mieux exprimer. De nombreux auteurs qui se réclament de la Révolution ou qui comptent parmi les pionniers du socialisme en France ont souvent confondu dans leur réprobation Juifs et capitalistes, et opposé le peuple producteur à la « finance juive » : un Michelet, un Fourier, un Proudhon ont, parmi d'autres, nourri de leurs diatribes l'antisémitisme moderne. Mais, par un glissement sémantique, le terme « juif » est souvent pris chez eux comme un synonyme d'« usurier », sans référence explicite à l'origine raciale ou religieuse de ceux qu'ils condamnent. Néanmoins, il en va parfois différemment. Si Proudhon, par exemple, définit le Juif comme *l'anti-producteur*, de sorte que l'on pourrait en déduire que tout intermédiaire, quelle que soit son origine, est « Juif », il se laisse aller à pétitionner, entre autres mesures souhaitables, l'abolition des synagogues [1]. Toutefois, aucun de ces auteurs n'a traité de la question à fond. C'est Toussenel, avec ses *Juifs rois de l'époque*, publié en 1845, qui fut la « source de gauche » de Drumont, lequel a pu en parler comme d'« un chef-d'œuvre impérissable ».

A vrai dire, l'ouvrage de Toussenel est plein de la même équivoque observée chez son maître Fourier et chez les autres socialistes antijuifs. D'une part, il fait l'assimilation complète et réciproque du Juif et du financier, au point de condamner sous le vocable de « Juifs » les spéculateurs protestants et catholiques ; d'autre part, il lui arrive de préciser que les Juifs dont il parle sont bien issus du peuple de la Bible. Ainsi, dans l'introduction de son livre fameux, Toussenel affirme : « J'appelle, comme le peuple, de ce nom méprisé de Juif, tout trafiquant d'espèces, tout parasite improductif, vivant de la substance et du travail d'autrui. Juif, usurier, trafiquant sont pour moi synonymes. » Inconséquent, il précise toutefois un peu plus loin que le Juif est inséparable de la Bible. Or : « Je ne sais pas les grandes choses, dit-il, qu'a faites le peuple juif, n'ayant jamais lu son histoire que dans un livre où il n'est parlé que d'adultère et d'inceste, de boucheries et de guerres sauvages ; où tout nom qu'on révère est souillé d'infamie ; où toute grande fortune débute invariablement par la fraude et par la trahison ; où les rois, qu'on nomme saints, font assassiner les maris pour leur voler leurs femmes ; où les femmes qu'on nomme saintes entrent dans le lit des généraux ennemis pour leur trancher la tête... » Et plus loin : « Je n'appelle pas peuple de Dieu le peuple qui met impitoyablement à mort tous les prophètes inspirés de l'Esprit saint, qui crucifie le Rédempteur des hommes, et l'insulte sur la croix... »

Nous voilà donc renseignés ; les Juifs, pour Toussenel, ne sont donc pas n'importe quels usuriers, mais bel et bien ceux que l'ancienne liturgie catholique du Vendredi saint nommait les *perfidi*, et qu'on appelait depuis des siècles « déicides ». Eh bien non. Ce serait trop clair ! Toussenel ajoute en effet :

1. Voir Léon Poliakov, *Histoire de l'antisémitisme*, Calmann-Lévy, t. 3, 1968.

« Qui dit juif, dit protestant, sachez-le. » D'où il résulte que l'Anglais, le Hollandais ou le Genevois sont tous pareillement « juifs », et que le livre de Toussenel, violente polémique contre la ploutocratie triomphante sous la monarchie de Juillet, n'était pas exactement d'un antisémite. Comme le fait remarquer Léon Poliakov : « Nombreux sont les chapitres des *Juifs rois de l'époque* dans lesquels il n'est pas question des Juifs du tout. En réalité, le véritable propos de Toussenel était de dénoncer le règne de l'argent... » Il n'empêche que, par ses ambiguïtés, par certaines de ses formules (« Force au pouvoir ! Mort au parasitisme ! Guerre aux Juifs ! Voilà la devise de la révolution nouvelle »), Toussenel devint l'un des pères nourriciers des antisémites, à telle enseigne que Drumont définira sa « seule ambition » : se montrer digne de ce prestigieux « prophète ».

Dans ce courant, nous pouvons négliger les appréciations méprisantes de Marx sur les Juifs : encore largement méconnu en France à la sortie du livre de Drumont, il ne peut l'avoir influencé. Mais ce rappel pour mémoire d'un « antisémitisme juif » (Poliakov) nous donne la mesure de l'extension des sentiments antijuifs d'un bout à l'autre de la famille socialiste. Le développement du capitalisme financier ne pouvait que renforcer cette tendance : à la misère ouvrière, il fut aisé d'opposer — en oubliant la masse du peuple juif — la richesse qualifiée de honteuse du Juif Rothschild. Le thème est infiniment renouvelé et illustré de mille détails, de sorte que par un effet de sélection (ne parler que de la finance juive, ou à la rigueur « enjuivée ») et par un effet d'accumulation, les antisémites inculquent à leurs lecteurs la conviction que tout l'appareil bancaire est aux mains des Juifs — et qui plus est du « Juif de Francfort », du Juif allemand. Le Juif a permis et complété l'œuvre de Bismarck.

Racisme et occultisme.

On doit tenir compte d'un dernier élément qui grossit encore la confluence de l'antijudaïsme chrétien et de l'antisémitisme « économique » : je veux parler de la faveur dont ont joui dans la seconde partie du XIXe siècle les thèses racistes, à fondement prétendument scientifique, et dont Drumont a usé comme d'un ingrédient supplémentaire pour l'enrichissement de sa synthèse.

Prêt à saisir tout ce qui lui tombe sous la main pour discréditer la communauté juive, il ne manque pas de reprendre à son compte les théories qui ont opposé alors, sur le plan biologique autant qu'historique, les « aryens » aux « sémites ». Dans *La France juive*, sans toujours donner ses sources, il évoque au moins trois auteurs : Taine, Gellion-Danglar (*Les Sémites et le Sémitisme*, 1882), et Renan surtout, dont l'*Histoire générale et Système comparé des langues sémitiques* l'a visiblement influencé. Ces auteurs et d'autres qu'il ne cite pas l'ont amené à considérer la dualité aryen/sémite comme une des clés majeures de l'histoire universelle. Il fait sienne l'idée de Renan selon laquelle « la race sémitique, comparée à la race indo-européenne, représente éternellement une combinaison inférieure de la nature humaine [1] ». D'où s'ensuit ce combat de l'Ange et de la Bête qui résume l'histoire de l'humanité :

« Dès les premiers jours de l'histoire, nous voyons l'aryen en lutte avec le sémite [2]. »

« Ce fut une guerre de races : aryens contre sémites, que cette guerre de Troie ; guerre de races encore : l'invasion de l'Espagne et du Midi de la France par les Sarrasins ; la revanche héroïque des croisades dont l'effort superbe dura trois siècles [3]. »

« De quoi se compose une vraie révolution ? Elle a toujours pour base une question de race [4]. »

On devine qu'au moment de l'affaire Dreyfus la culpabilité de celui-ci tombait sous le sens. On la déduisait de « sa race », comme dit Barrès ; Drumont était du même avis : « C'est une question de race et tous les raisonnements métaphysiques n'y feront rien [5]. »

Autour de ces deux pôles ethniques, dont les origines se perdent dans la nuit des temps, se sont fixés sous forme de

---

1. Ernest Renan, *Histoire générale et système comparé des langues sémitiques*, 1855.
2. *La France juive, op. cit.*, t. 1, p. 7.
3. « Guerre de races », *La Libre Parole*, 7 décembre 1898.
4. *Ibid.*, 27 septembre 1900.
5. *Ibid.*, 2 novembre 1897.

stéréotypes des caractères millénaires, « observables » encore dans nos sociétés, et dont l'antagonisme se perpétue. Pour tout dire, l'aryen est l'homme de l'idéal, du dépassement, de la transcendance ; le sémite est l'homme de la réalité, du positif, de la matière. Le premier a pour milieu naturel la forêt ; le refuge du second est le désert.

Entre l'homme de la forêt et « l'homme de proie des sables d'Arabie », entre « le fils du ciel, sans cesse préoccupé d'aspirations supérieures » et l'éternel errant seulement soucieux de « la vie présente », il n'est rien de commun : « Le sémite est mercantile, cupide, intrigant, subtil, rusé ; l'aryen est enthousiaste, héroïque, chevaleresque, désintéressé, franc, confiant jusqu'à la naïveté [1]. »

La physionomie des Juifs n'en est que mieux repérable, tandis que leur physiologie présente des caractères propres :

« Les principaux signes auxquels on peut reconnaître le Juif restent donc : ce fameux nez recourbé, les yeux clignotants, les dents serrées, les oreilles saillantes, les ongles carrés, le pied plat, les genoux ronds, la cheville extraordinairement en dehors, la main moelleuse et fondante de l'hypocrite et du traître ; ils ont assez souvent un bras plus court que l'autre [2] » ; « il sent mauvais [3] » ; « il est sujet à toutes les maladies qui indiquent la corruption du sang [4] » ; mais, « par un phénomène que l'on a constaté cent fois au Moyen Age et qui s'est affirmé de nouveau au moment du choléra, le Juif paraît jouir vis-à-vis des épidémies d'une immunité particulière, il semble qu'il y ait en lui une sorte de peste permanente qui le garantit de la peste ordinaire [5] ».

On pourrait continuer longtemps cette anthologie burlesque ; bornons-nous pour en finir au principal, qui explique tout scientifiquement : « Ces gens n'ont vraiment pas le cerveau conformé comme nous ; leur évolution est différente de la nôtre, et tout ce qui vient d'eux est exceptionnel et bizarre [6]. »

1. *La France juive, op. cit.*, t. 1, p. 9.
2. *Ibid.*, p. 34.
3. *Ibid.*, p. 104.
4. *Ibid.*, p. 103.
5. *Ibid.*, p. 104.
6. Édouard Drumont, *De l'or, de la boue, du sang*, 1896.

Toutefois, si le racisme de cette seconde moitié du XIXe siècle se prévaut de la science — l'anthropologie, la biologie,
la linguistique... —, l'œuvre de Drumont qui en diffuse les
« découvertes » trempe aussi (mais est-ce bien contradictoi-
rement ?) dans le climat fin de siècle où d'autres sciences,
occultes celles-là, connaissent un regain d'éclat. « Entre 1885
et 1890, écrit Victor-Émile Michelet, un initié, deux mouvements d'esprit, proches par les tendances sinon par leurs
points d'appui, s'élancèrent pour bousculer les délétères
croyances alors à la mode, soit le matérialisme scientifique,
et son succédané, le naturalisme littéraire. Ces deux mouvements parallèles [étaient] le symbolisme et l'occultisme [1]. »
C'est en 1884 qu'était publié *Le Vice suprême*, premier roman
du Sâr Péladan, qui fit sensation : « Il éclatait comme une
bombe, nous dit Victor-Émile Michelet, au-dessus de la maré-
cageuse littérature naturaliste d'alors, et répandit au-dehors
les vapeurs exaltantes du monde occulte. » Comme le disait
Papus, pseudonyme du Dr Encausse, dans son *Occultisme
contemporain*, datant de 1887 : « La science ne repose sur
aucun fondement véritable... » Une autre science doit être
retrouvée : la science du caché, réservée aux initiés. Au rationalisme qui est au pouvoir, il convient d'opposer une
connaissance supérieure des choses ; à la physique, une métaphysique ; à la chimie, l'alchimie ; à la négation de Dieu,
l'affirmation des correspondances entre l'homme et l'univers.
Ce retour en force de l'occultisme est accompagné d'une ferveur publique pour tout ce qui a trait au spiritisme, au satanisme, à toutes ces pratiques étranges et sulfureuses, dont
le roman de Huysmans, *Là-bas*, a superbement illustré la
vogue.

Or Drumont, à ce sujet, garde une attitude ambiguë. D'un
côté, il réprouve cette « sorcellerie », œuvre des cabalistes,
des talmudistes, des Juifs par excellence qui, depuis des siècles, perpétuent « d'abominables mystères » dans leurs ghettos. D'un autre côté, il résiste mal à la fascination. S'il lui
arrive de faire tourner les tables, c'est — nous dit-il — seulement « par hasard [2] ». En revanche, il déclare nettement :

---

1. V.-É. Michelet, *Les Compagnons de la hiérophanie*, 1937, p. 31.
2. Édouard Drumont, *La Dernière Bataille*, 1890, p. 512.

« J'avoue croire, dans une certaine mesure bien entendu, à cette chiromancie, que Dumas appelait 'la grammaire des sociétés à venir' ; j'y crois non comme à la bonne aventure, mais comme à une science [1]. » Mais surtout il croit aux maléfices diaboliques : « Remarquez qu'il y a cent ans à peine que le Démon est affranchi de toute surveillance et déjà les suicides ont décuplé, les maisons de fous sont pleines, on ne parle que de la 'grande névrose'. Tous les Jotums scandinaves, tous les Cabires de l'Afrique, tous les thaumaturges, tous les faiseurs de philtre, tous les trouble-cervelles de la Rome impériale ou d'Alexandrie sont déchaînés sur Paris [2]. » Or Drumont est lui-même un initiateur, un révélateur, celui qui, derrière la science sociale officielle, décrypte le Mal juif. « La vérité est que nous sommes enveloppés de mystère, que nous vivons dans le mystère [3] », dit-il ; du moins lui, Drumont, peut-il percer celui de notre décadence. Il sait. Il a trouvé l'explication. Il connaît le Secret.

Ce goût du secret, du caché, du souterrain — dont tout son antisémitisme est nourri —, Drumont le cultive aussi par la lecture des romans populaires. « J'ai toujours eu un faible, je ne le cache pas, pour ces individualités exceptionnellement organisées qui nous transportent dans un monde d'idées différentes de celui dans lequel nous vivons, qui parfois soulèvent le voile de l'avenir sur des horizons inattendus [4]. » Et il dit de manière plus explicite : « Figurez-vous ce que penseront nos fils en constatant que les aventures imaginaires de Rocambole ne sont rien à côté de ce que nous avons vu se passer réellement depuis que les Juifs sont les maîtres chez nous [5]. »

Drumont, à son insu, situait le niveau de sa littérature : dans cette catégorie du rocambolesque où Ponson du Terrail avait gagné son opulente notoriété. Ses livres ressortissent tous par quelque côté au roman-feuilleton, où les Juifs invariablement malfaisants tiennent les rôles de méchants, dont l'âme populaire dans les chaumières exige le châtiment.

1. Lettre à Jules Mery, citée par Byrnes, *Antisemitism in Modern France*, New Brunswick, Rutgers University Press, 1950.
2. *La Dernière Bataille, op. cit.*, p. 513.
3. *Ibid.*, p. 517.
4. *La Libre Parole*, 10 mai 1894.
5. *Ibid.*, 4 mai 1893, cité par Stéphane Khémis, *Les Juifs selon Édouard Drumont*, Université de Paris-VIII, 1972 (mémoire de maîtrise).

Ainsi, *La France juive* associe-t-elle les formes anciennes et modernes de l'antisémitisme, le religieux et le profane, la science et la sagesse des nations, le rationnel et l'irrationnel : elle en fait un *tout* qui a réponse à *tout*. C'est une idée simple par sa nature univoque, étayée par une profusion d'illustrations présentées comme autant de preuves.

Sociologie de la réception ou l'antisémitisme comme doctrine.

Toutes ces influences éparses, voire contradictoires, prouvent que le terrain de l'antisémitisme comme doctrine politique était préparé ; les années qui précèdent *La France juive* devaient créer les conditions de sa naissance. D'un côté, le triomphe idéologique et politique des républicains renforce le public catholique dans sa conviction qu'il existe une alliance perverse entre Juifs, francs-maçons et républicains ; simultanément, le krach de la catholique Union générale, dont on rend la banque juive responsable, va échauffer l'antisémitisme « économique », dont la flamme pouvait être entretenue par les débuts d'une longue période de crise et de chômage... N'y avait-il pas là l'occasion de rassembler le peuple catholique et le peuple ouvrier sous une même bannière ? Ce que l'on voit s'ébaucher sous le boulangisme, cette esquisse de réconciliation, contre la République opportuniste, entre classes populaires et conservateurs catholiques, il appartenait à Drumont d'en fixer dans ses ouvrages le principe directeur pour l'avenir : c'était l'antisémitisme.

C'est Drumont qui, par la fonte de tous les éléments antijudaïques, judéophobes et antisémitiques, exprimés avant lui, a su élever le mythe juif à la hauteur d'une idéologie et d'une méthode politique. Son œuvre est « un carrefour dans l'histoire de l'antisémitisme, le point d'aboutissement de deux courants, le catholique et le socialiste » (Pierrard). De fait, sur des positions fondamentalement réactionnaires, débordant de sympathies monarchistes, Drumont tenta, sans doute avec plus de naïve sincérité que de machiavélisme, d'ébranler le régime républicain avec la complicité des troupes révolutionnaires socialistes. Cette alliance contre nature qu'il espérait avait alors apparemment quelque chance de réus-

D'une pierre deux coups : Drumont
propose de régler conjointement
la question juive et la question sociale.

« Sur qui pèse le plus durement le régime actuel ? Sur l'ouvrier révolutionnaire et sur le conservateur chrétien. L'un est atteint dans ses intérêts vitaux ; l'autre est blessé dans ses croyances les plus chères.
Pour l'ouvrier, la Révolution sociale est une nécessité absolue... Je suis convaincu, pour ma part, qu'ils ne réussiront pas ; ils mettront très facilement la main sur Paris, mais ils ne pourront se saisir de la France...
Ce but, que poursuivent les ouvriers, et qu'ils n'ont pas tort de poursuivre à leur point de vue, ne pourrait-il pas être atteint pacifiquement ? Pourquoi un prince chrétien, un chef aux conceptions fermes et larges qui, au lieu de voir les questions des lieux communs, les regarderait en face, ne confisquerait-il pas les biens des Juifs ? » (*La France juive, op. cit.*, t. 1, p. 517 *sq.*)
Drumont fixe à cinq milliards le montant de ce capital juif à confisquer. Se présentant aux élections municipales de Paris en 1890, dans le quartier du Gros-Caillou, dans le VIIe arrondissement, il déclare dans sa profession de foi : « Avec cinq milliards, demain, nous nous chargeons de résoudre la question sociale, sans secousse, sans violence. »
La majorité des votants resta sceptique. Pour se venger de son échec, Drumont rédigea incontinent son *Testament d'un antisémite*, où il dit : « Les conservateurs n'ont pas eu le courage de s'unir à nous pour essayer de reconstituer la société française sur les bases de la justice ; ils ont préféré associer leur cause à celle de la Juiverie moribonde ; ils s'effondreront avec elle. »
L'idée, pourtant, comme on sait, avait de l'avenir.

site : l'antisémitisme devait justement la sceller. Drumont, de livre en livre, manifesta un sentimentalisme social, un « vague socialisme » de plus en plus accentué, sans abandonner pour autant son antisémitisme. Ainsi, après la fusillade qui avait eu lieu à Fourmies, lors de la manifestation du 1er mai 1891, il publia un ouvrage fracassant qui, pour ne pas infirmer la tradition de cette historiographie contre-révolutionnaire selon laquelle tout événement est le fruit d'une conspiration, porte le titre significatif : *Le Secret de Fourmies*. Quel est donc ce « secret » de Fourmies ? C'est, révèle Drumont, que le préfet et les sous-préfets du département du Nord, que les responsables donc de la fusillade du 1er mai sont... vous l'aviez deviné ? des Juifs.

Tout aussi remarquable est la vision de la Commune de Paris qu'a peu à peu élaborée Drumont. Hostile à la révolution parisienne au long des 72 jours de son existence, il se montre au fil de son œuvre de plus en plus « compréhensif » à l'égard des communards. Cette sympathie tardive a pour but d'utiliser le souvenir de la Commune, les couches populaires qui y sont attachées, contre la mauvaise République, celle qui, grâce aux francs-maçons, aux Juifs, aux opportunistes, s'est imposée contre le sceptre de la République sociale autant que contre le sceptre de la monarchie restaurée. « A la prochaine Commune, écrit-il, comptez sur nous, m'ont dit les officiers traînés dans la boue par les journaux juifs pour avoir été à la messe. Nous ne toucherons plus à nos ouvriers, et, quand ils auront les mains noires de poudre, nous ne nous en apercevrons pas. Nous savons maintenant sur qui frapper et quels sont les vrais fauteurs des guerres civiles » (*La France juive devant l'opinion*). On voit la fécondité d'une pareille entente cordiale entre l'armée française et le peuple révolutionnaire. L'ennemi à abattre leur est désormais commun : c'est la République juive, capitaliste et anticatholique. Dans *La fin d'un monde*, il s'emploie à glorifier l'honnêteté des ouvriers communards ; s'il y a eu « férocité » dans les rangs de la Commune, elle est toute d'origine bourgeoise : « L'école des Frères, où la plupart des ouvriers avaient été élevés, produisit moins d'instigateurs de tueries que l'Université. » On saisit le dessein d'une affirmation aussi piquante : le rêve de l'unité des catholiques et des ouvriers contre la

République libre penseuse, juive et bourgeoise. Immanquablement, le lecteur a le droit de connaître le « secret » de la Commune. Pourquoi tant de Français se sont-ils battus contre tant de Français ? Encore une fois, on l'avait deviné, c'est en raison du double jeu des banquiers juifs : « A Versailles, ils affichaient des sentiments d'indignation ; à Paris, ils subventionnaient l'insurrection afin de satisfaire leur haine contre les prêtres et, en même temps, de compliquer la situation politique pour se faire payer plus cher leur concours financier. »

On pourrait prendre d'autres exemples : comment Drumont parle de Jules Guesde, quelle sympathie il témoigne aux blanquistes, comment il va jusqu'à encenser le *Molochisme juif* de Tridon, dont la thèse anticatholique est aux antipodes de la sienne, justifier les attentats anarchistes... Telle est l'astucieuse nouveauté : ameuter contre l'œuvre de la Révolution française (personnalisée par le Juif) les forces populaires qui s'en réclament encore.

Dans cette entreprise, Drumont n'a pas toujours été compris des siens. Les conservateurs pressentis se sont bien vite effarouchés du caractère social que prenait son antisémitisme : son anticapitalisme juif risquait d'atteindre au rebond les bastions du capitalisme catholique. Ils surent finalement trouver leur compte à l'épouvantail sémitique, lors de l'affaire Dreyfus, tout en se riant des rêveries socialisantes de Drumont. « Ces milieux-là, en effet », dit M. Beau de Loménie des milieux d'affaires, « n'avaient eu que fort peu de goût pour l'antisémitisme de réformes économiques et sociales du Drumont des débuts, qui risquait de menacer dangereusement leurs privilèges. Mais ils étaient prêts maintenant à accueillir le nouvel antisémitisme orienté vers la lutte contre le sémitisme antimilitariste, anticlérical et marxisant. »

Que de nombreux conservateurs fussent séduits par « une thèse qui tendait à accuser de tous nos maux les Juifs seuls » n'est pour étonner qu'un naïf comme Drumont, ou comme son biographe. Telle est bien au contraire la véritable fonction politique de l'antisémitisme : dès lors qu'on désigne aux yeux des foules indigentes, aux petits commerçants et aux artisans victimes de l'évolution économique, aux ouvriers exploités et aux paysans contraints à l'exode rural, les Juifs responsables de tous leurs maux, on offre une arme inesti-

Un problème résolu : le secret de Fourmies.

Énoncé : Le 1er mai 1891, Fourmies, petite ville textile du Nord, est le théâtre d'un affrontement sanglant entre l'armée et les ouvriers grévistes. Bilan : dix morts et des dizaines de blessés. Parmi les victimes, la ville pleure un enfant de douze ans. Ce drame douloureux a nécessairement une raison cachée puisque, à Fourmies, tout le monde est gentil. « Une population de tisseurs et de fileurs [...] douce comme les moutons dont elle peigne et travaille la laine » : « des rapports très cordiaux entre ouvriers et patrons » ; « un humble curé » à « l'âme héroïque », un « bon pasteur » veillant sur son troupeau, bref une petite ville de la chrétienté française, où l'on se chamaille bien de temps en temps, mais sans gravité. Comment expliquer que nos braves soldats aient pu tirer dans ce bon peuple ?

Solution : Des socialistes ont parlé de la responsabilité du maire, un négociant en laines, qui, poussé par les industriels — ses clients —, a fait appel à la troupe. Non ! Drumont a saisi tout de suite d'où venait le drame. Le 4 mai, il adresse ce télégramme au député Albert de Mun : « Le sous-préfet juif Isaac, fils d'un naturalisé de Crémieux, a fait essayer le Lebel sur des ouvriers français. Ceux qui vous aiment toujours espèrent que c'est vous qui prononcerez les paroles vengeresses pour flétrir l'assassin. Le préfet Vel-Durand est juif aussi, ils sont tous juifs là-dedans » (AN F7 12527, tél. intercepté). Son siège étant fait, Drumont n'a plus qu'à partir faire... son enquête. Il en publie les résultats dans son livre, *Le Secret de Fourmies*, en 1892. C'est bien une histoire juive. « Peut-être Isaac a-t-il voulu simplement célébrer à sa façon le centenaire de l'émancipation des Juifs en 1791 que certains journaux toute honte bue ont eu l'aplomb de rappeler comme une date glorieuse ? »

Conclusion morale et politique : « Le Juif, qui est devenu notre maître en faisant battre les Français entre eux, verra un jour tous les Français se réconcilier sur sa peau. » **CQFD.**

mable à la conservation sociale qui, forte de son contrôle sur la presse, va orchestrer le développement du mythe à son propre usage. Les conflits de classes s'envolent : il ne reste plus qu'une minorité de profiteurs juifs écrasant l'immense majorité de leurs victimes aryennes et catholiques.

Mais si l'antisémitisme est, comme le disait Bebel, « le socialisme des imbéciles », il pouvait se révéler à l'occasion une excellente formule politique capable, de manière affective et irrationnelle, de concilier les contraires, de rapprocher les extrêmes opposés et de fanatiser les masses en vue de la conquête du pouvoir. Pour inconséquent qu'il fût, on peut tenir l'antisémitisme de Drumont comme la sincère tentative d'un bourgeois révolté par les effets sociaux de l'essor capitaliste pour rassembler le petit peuple et l'ancienne France contre le monde moderne[1]. Idéologiquement, on sait que cette entreprise ne fut pas sans lendemain : de Maurice Barrès à Drieu La Rochelle, les thèmes de la décadence unis à ceux du misonéisme eurent l'antisémitisme comme dénominateur commun. Mais, surtout, au-delà des sensibilités littéraires, Drumont avait mis au jour une méthode d'action. En établissant l'antisémitisme comme système d'explication universelle, il faisait du Juif le pôle négatif des mouvements nationalistes : c'est par rapport au Juif, c'est contre le Juif, que le nationaliste va définir son identité française ou allemande, fier qu'il sera d'appartenir à une communauté et de connaître clairement l'adversaire qui en menace l'unité et la vie. Comme le dit Maurras : « Tout paraît impossible, ou affreusement difficile, sans cette providence de l'antisémitisme. Par elle, tout s'arrange, s'aplanit et se simplifie. Si l'on n'était antisémite par volonté patriotique, on le devien-

1. Sur la « sincérité » de Drumont, sur sa personnalité, on se reportera à l'article de Jean Bastaire, « Drumont et l'antisémitisme » (*Esprit*, mars 1964). Bastaire y a voulu « faire le point » sur le cas Drumont, se tenir « à égale distance de la louange et de l'invective ». Mon propos ici ne vise pas à la « compréhension » de l'homme Drumont, non à ses intentions profondes, mais à la place qu'il occupe dans l'histoire politique, non à ses intentions profondes (la « dénonciation implacable du règne de l'argent » selon Bastaire) mais aux effets de son œuvre. L'article de Jean Bastaire fournira donc au lecteur un utile contrepoint à cette chronique. Comme l'auteur le dit fort bien, chez Drumont l'on trouve conjointement « une indignation sincère » et « une analyse exécrable ».

drait par simple sentiment de l'opportunité[1]. » C'est par le truchement de ce mythe protéiforme, l'antisémitisme, que l'on peut rêver, en effet, d'unir les forces populaires anticapitalistes aux capitalistes eux-mêmes ; les catholiques aux athées ; les petits commerçants aux actionnaires de monopoles ; les ouvriers aux patrons… S'il est abusif de faire de Drumont un prénazi, il n'est pas exagéré de dire, en revanche, que son expérience et ses idées ont été une des sources françaises du national-socialisme.

De la théorie à la pratique.

Le philosophe et historien allemand Ernst Nolte, dans son étude sur le fascisme, a placé Drumont, aux côtés de La Tour du Pin et de Barrès[2], sous la bannière du «conservatisme radical», qui apparaît comme une des préfigurations de la démarche fasciste : «Dans les conditions politiques de la République, le conservatisme radical tend […] à capter la force qui pousse le mouvement ouvrier en combattant lui-même avec énergie le monde bourgeois et en substituant, à l'image détestable du capitaliste, l'image détestable du Juif. Étant donné sa tendance, le conservatisme radical doit chercher à soulever les masses populaires, et il est antisémite. C'est précisément son radicalisme qui le rend plus moderne que les autres formes de conservatisme[3]. » Or, si Drumont, promoteur du mythe, n'a pas été homme d'action, il n'a pas manqué de disciples prêts à mettre en pratique les plus dynamiques de ses idées, notamment le singulier marquis de Morès, que son biographe américain, Robert F. Byrnes, a désigné comme le « premier national-socialiste[4] ».

1. *L'Action française*, 28 mars 1911. Cité par Colette Capitan-Peter, *Charles Maurras et l'Idéologie d'Action française*, Éd. du Seuil, 1972.
2. Sur Maurice Barrès, voir Zeev Sternhell, *Maurice Barrès et le Nationalisme français 1884-1902*, Colin, Fondation nationale des sciences politiques, 1972. On y lit ceci, entre autres : « Dans l'antisémitisme moderne Barrès découvre le moyen d'intégration par excellence du prolétariat dans la communauté nationale. »
3. Ernst Nolte, *Le Fascisme dans son époque*, t. 1, *L'Action française*, Julliard, 1970.
4. Robert F. Byrnes, « Morès, The First National Socialist », article paru dans *The Review of Politics*, 1950. Cet article est en fait un des chapitres du livre de R. F. Byrnes, *Antisemitism in Modern France, op. cit.*

Ce fringant cavalier, saint-cyrien démissionnaire, gendre d'un richissime Yankee, prompt à dilapider une bonne partie de la fortune de ses beaux-parents en multiples projets successifs (ranch dans le Dakota du Nord, coopérative à New York, chemin de fer au Tonkin), bagarreur éternel, infatigable batteur de fer, chasseur de tigre au Népal, découvre en 1888 dans *La France juive* l'explication de tous ses déboires : la main du Juif y a trempé. Au moment du boulangisme déclinant, il bat la campagne politique avec la même audace et la même imprévoyance qu'il avait manifestées dans l'élevage et le commerce des bovins. Du moins a-t-il une idée, celle de la fusion nécessaire entre le nationalisme et le socialisme, entre l'« ouvrier révolutionnaire » et le « conservateur chrétien ». Impatient, impétueux, Morès clame son avidité d'action : « La vie n'a de valeur que par l'action », et — ce que Drumont n'avait jamais conçu — ce marquis dévoyé qui s'était jadis acoquiné dans le Middle West avec les vagabonds et les voleurs de bétail décide de fonder, à l'indignation de sa respectable famille, une étonnante association, « Morès et ses amis », qu'on peut considérer comme une sorte de modèle, sur le mode mineur, des futures sections d'assaut : on trouve sous les ordres du preux chevalier, revêtus d'une chemise rouge de cow-boy et couverts d'un large sombrero, une bande hétéroclite d'antisémites, d'anarchistes, d'anciens boulangistes, de chômeurs, d'hommes sans foi ni loi, auxquels s'adjoint le renfort de bouchers de La Villette séduits par le Mousquetaire depuis qu'il a fustigé une firme juive coupable d'avoir vendu de la viande avariée à l'armée... Avec sa troupe, il organise des coups de main qui visent à effrayer les financiers de la Bourse ; bat la grosse caisse dans les campagnes électorales ; claironne qu'« au temps de la Commune on a tué 35 000 hommes [et qu'] il suffira, cette fois, que l'on tue 200 ou 300 usuriers », serre publiquement Louise Michel sur son cœur ; en appelle à l'armée pour lui demander de se ranger du côté des ouvriers en chômage ; écope de trois mois de prison ferme pour ses provocations ; dès sa remise en liberté apporte son suffrage aux grévistes ; lâche ses troupes contre les manifestations juives ; rédige des programmes de félicité universelle en pillant Louis Blanc et Proudhon, tout en jurant fidèle respect à « la religion, la patrie, la famille et la propriété » ;

dénonce bientôt au nom du « socialisme » les socialistes français, tous vendus à l'Allemagne, à l'Angleterre ou à la juiverie ; déclare bien haut que la nouvelle société aura pour base la paysannerie, la classe ouvrière et l'armée ; rêve d'une alliance avec les Arabes pour contrecarrer l'expansion anglaise ; bref, en tous lieux et à toute occasion, se déchaîne, jusqu'à ce qu'il commette l'erreur de s'en prendre à Clemenceau, accusé par lui d'être un « espion anglais » — ce qui déclenche, *primo*, une contre-attaque foudroyante du leader radical incriminant ce champion de l'antisémitisme d'être le débiteur de Juifs notoires ; *secundo*, une brouille avec Drumont ; *tertio*, son départ pour l'Algérie, à la fin de l'année 1893. Là, il tente d'intéresser des bailleurs de fonds à ses rêves de conquête, n'y parvient pas, monte alors étourdiment une expédition suicidaire vers le Sud, où il trouve la mort au cours d'un combat avec les Touaregs.

Lors de ses obsèques, le 19 juillet 1896, Drumont réconcilié prononce l'oraison funèbre, dans laquelle il dit notamment : « Il voulait que tous les enfants de cette Patrie redevenue grande fussent heureux, qu'ils aient le droit à la vie, qu'ils ne fussent pas condamnés à nourrir de leur travail une poignée d'exploiteurs, de parasites et de mercantis. Voilà pourquoi il a combattu la juiverie. [...] Il a rêvé comme Boulanger de rendre à lui-même le pays, qui se noie dans la boue parlementaire, de substituer l'activité saine de la vie à ce régime qui exhale une odeur de corruption et de décomposition et sous lequel la France étouffe [1]. »

On voit, d'après le résumé de cette vie de Morès, que ce qu'on a pris l'habitude d'appeler le « proto-fascisme », l'Allemagne n'en a pas été le théâtre exclusif. Nolte, à ce propos, s'il a tort de négliger quelque peu les racines proprement allemandes du national-socialisme, a raison en revanche de faire grief à Shirer *(Le IIIe Reich)* de « considérer l'Allemagne isolément » et « le national-socialisme comme l'inévitable résultat de toute l'histoire de l'Allemagne [2] ». Norman Cohn, de son côté, nous montre que, à l'époque où un Morès achevait ses prouesses en France, dans la Russie de Nicolas II on voyait

1. Édouard Drumont, *Les Héros et les Pitres*, 1900.
2. Ernst Nolte, *op. cit.*.

à l'œuvre les membres de ces Centuries noires, qui ne manquaient pas d'avenir non plus : tout aussi attachés que les disciples de Drumont au trône et à l'autel, ces « aventuriers politiques lancés dans l'agitation antisémite et le terrorisme [...] faisaient un large appel à la démagogie extrémiste [...], se servaient de criminels de droit commun pour perpétrer [dépassant en cela Morès] des assassinats et pour provoquer des pogromes[1]... ».

Une nouvelle droite est bien née à la fin du XIXe siècle, parallèlement à l'essor de l'industrie et du mouvement ouvrier, une extrême droite restée attachée aux thèmes réactionnaires fondamentaux, mais qui a tenté d'emprunter quelques-uns des mots d'ordre ou des caractères du socialisme montant, en les assimilant à l'antisémitisme, ce lieu géométrique introuvable des aspirations contradictoires et des classes antagonistes. La personnalité d'un Morès indique aussi l'importance du rôle que peuvent jouer certains individus déclassés, d'une vitalité aussi effrénée que leur démagogie, habiles à se servir du mythe[2]. Marx disait, à propos de Napoléon III, « le neveu », que les événements et les personnages historiques surviennent pour ainsi dire deux fois, « la première fois comme tragédie, la seconde fois comme farce ».

---

1. Norman Cohn, *op. cit.*
2. Qu'on songe encore à cet autre aristocrate en dérogeance qu'était Henri Rochefort, matamore de l'opposition à la fin du Second Empire, qui fut successivement communard, boulangiste, antisémite et antidreyfusard, et qui, lors de sa mort, en 1913, eut le talent posthume de réunir autour de sa dépouille les représentants de l'extrême gauche and de l'extrême droite. Un livre a été consacré à cet autre marquis : *Le Prince des polémistes : Henri Rochefort*, par Roger L. Williams, Trévise, 1971. Hélas ! malgré les références à des sources sérieuses, c'est une étude bien plate qui ne nous apprend rien de vraiment neuf sur ce personnage qui fut plus souvent « pitre » que « héros ». Son antisémitisme, seulement évoqué, ne prête à aucun essai d'interprétation. De plus, l'auteur paraît bien peu familiarisé avec l'histoire du socialisme en France, voyant des « marxistes » partout, aussi bien en la personne de Lissagaray, ce qui est erroné, qu'en celle de Benoît Malon, ce qui est grotesque ; sur la Commune, il use d'un ton qu'on croyait banni de l'historiographie universitaire (ex. : les élus de la Commune sont « une bande [*sic*] de *vieux* [*sic*] révolutionnaires et de journalistes de gauche »), commet des erreurs flagrantes (faisant vivre par exemple le Comité central de la garde nationale plusieurs mois avant sa naissance, ne sachant pas orthographier le nom de Chaudey qu'il écrit à plusieurs reprises Chaundey...) ; sur la

De Morès à Hitler, l'évolution fut inverse : la farce a précédé la tragédie [1].

L'antisémitisme moderne est un phénomène complexe, dont les nombreuses causes, religieuses, économiques, sociales, psychologiques, sont difficiles à hiérarchiser. Notre propos était seulement, ici, de montrer une des fonctions politiques du mythe juif, qui apparaît comme le principe fédérateur de forces diverses, voire contradictoires, mises au service de la contre-révolution. Drumont, Morès et leurs successeurs n'ont cependant pas réussi dans leur dessein. La fin du XIXe siècle semblait pourtant devoir favoriser l'entreprise : les milieux socialistes et les classes populaires étaient loin d'être débarrassés de leur antisémitisme « économique », comme l'attestent, par exemple, les écrits d'un Lafargue [2] ou les exemplaires de *La Revue socialiste* des années 1885-1890 ; le parti monarchiste divisé et vaincu ne savait plus à quel saint se vouer ; de plus, à partir de 1882, la crise économique qui atteint la France provoque une longue période de difficultés sociales... Arme universelle, l'antisémitisme visait la République (juive par origine et par nature), la défense du catholicisme (attaqué par la franc-maçonnerie juive), la défense du peuple contre le capitalisme (usuriers juifs, Banque juive). Mais l'affaire Dreyfus paraît, en France, décisive :

_____

période suivante, il continue de plus belle : il confond la *Société* des droits de l'homme avec la *Ligue* du même nom, cite, à propos du boulangisme, maintes œuvres mineures, mais ignore la thèse de Jacques Néré qui est capitale ; fait de Barrès un adhérent de l'Action française, etc. Quant à la traduction, elle n'est ni plus ni moins scandaleuse. Le traducteur, ignorant catégoriquement les textes originaux en français, transpose de l'anglais des formules très célèbres, d'où résulte parfois la franche gaieté du lecteur. Tout le monde connaît, par exemple, le mot de Gaston Crémieux lancé à l'Assemblée de Bordeaux : « ruraux ! » ; tout le monde connaît l'Assemblée des « ruraux », sauf notre traducteur, lequel, d'une application zélée, nous donne du « péquenots », et répète le mot — avec guillemets s'il vous plaît, comme s'il n'inventait rien ! Le plus fort est qu'il cite la source française avec exactitude (Maurice Reclus) et qu'il ne s'est même pas donné la peine d'y aller voir.

1. Farce encore, mais point négligeable, que l'histoire de cet autre antisémite de foire qui s'appelle Jules Guérin. Voir plus loin, quatrième partie.

2. Voir Claude Willard, *Les Guesdistes* (Éditions sociales, 1966), qui montre les ambiguïtés des rapports qu'ont entretenus les guesdistes avec l'antisémitisme.

tandis que l'antisémitisme achève de se fixer à droite, le mouvement socialiste semble nettoyé de ses dernières séquelles antijuives. L'Action française ne fut jamais, malgré qu'elle en eût, un mouvement populaire ; dans les années 1936-1944, c'est Drieu La Rochelle et Doriot qui paraissent avoir repris la leçon de Drumont, mais sans plus de succès que leur maître. Le régime républicain, qui s'était imposé et consolidé par un combat continu avec les forces contre-révolutionnaires, semble avoir sécrété des contrepoisons efficaces. Mais il convient d'observer que, si le mouvement ouvrier et socialiste international a su dénoncer les pièges de l'antisémitisme dans les rangs de la classe ouvrière, les autres fractions des couches populaires ne furent pas aussi bien immunisées. Sans véritables organisations de classe, sans idéologie propre, les « classes moyennes », menacées par l'évolution économique et la concentation capitaliste — petits patrons, petits commerçants, rentiers ruinés par l'effondrement des monnaies, etc. —, purent trouver dans l'antisémitisme cette nostalgie d'un âge d'or détruit par l'« invasion juive ».

L'antisémitisme n'est pas mort en France. Certes, les effets de la décolonisation, et particulièrement la guerre d'Algérie, le conflit israélo-arabe ont brouillé les cartes : l'extrême droite française, dans son ensemble, découvrant que les Juifs, à l'occasion, peuvent être aussi de bons défenseurs de « l'Occident », a mis en veilleuse sa passion antisémitique. Mais si l'extrême droite prend désormais ses précautions avec les Juifs, le lecteur attentif de ses feuilles hebdomadaires sait bien que ce « philosémitisme » est tout d'opportunité et que le vieux mythe est toujours prêt à renaître de ses cendres chaudes — comme l'attestent quelques « petites phrases », calembours et autres formules d'un Jean-Marie Le Pen, devenu depuis 1984 un chef populaire, captant une forte minorité du corps électoral (voir première partie : « Le retour du national-populisme »). Par ailleurs, on a vu le conflit du Proche-Orient redonner vie à un certain antisémitisme de gauche dont n'est pas toujours exempt l'« antisionisme [1] ». De l'existence et de l'évolution d'un État israélien, l'antisémi-

---

1. Voir plus loin, « La gauche et les Juifs ».

tisme de droite lui aussi peut tirer de nouveaux prétextes.

L'antisémitisme n'est pas seulement une monstruosité morale et intellectuelle ; instrument des politiques réactionnaires, il est, par-dessus les notions de droite et de gauche, en résumant tous les racismes, la négation de la société pluraliste, l'exaltation morbide du moi national, et finalement un des levains de la barbarie totalitaire [1].

1. Parmi les récents ouvrages sur l'antisémitisme parus en France depuis cet article, signalons Yves Chevalier, *L'Anti-Sémitisme*, préface de François Bourricaud, Éd. du Cerf, 1988.

5

Jeanne d'Arc et les Juifs

Jeanne d'Arc n'a pas quitté l'histoire sur le bûcher de Rouen. Comme quelques-unes des grandes figures de notre passé national, elle survit au long des siècles non seulement grâce aux poètes et aux historiens mais encore, et peut-être surtout, parce que le sujet historique qu'elle était est devenu symbolique, un enjeu dans la guerre partisane que se livrent les idéologues français, tout particulièrement depuis la fin du XIXᵉ siècle.

Le titre de ce chapitre peut surprendre : qu'y a-t-il de commun à l'histoire de Jeanne et à l'histoire des Juifs français ? Tout simplement la place de choix, le tout premier rôle, que nos antisémites ont réservé par prédilection à la « Bonne Lorraine ». Celle-ci, vouée au culte patriotique par les républicains modérés, désireux d'utiliser l'image de Jeanne comme un instrument de consensus dans un pays profondément divisé, a été captée finalement — au moins en partie — par cette lignée de journalistes et d'écrivains qui se sont employés à diffuser le mythe du Juif en France ou plus tard à y naturaliser les délires nazis. Jeanne et les Juifs ? Disons plutôt : Jeanne contre les Juifs.

L'exaltation de Jeanne d'Arc comme héroïne nationale est d'abord plutôt de gauche comme en témoigne l'œuvre de Michelet. La défaite de 1871 consommée et l'échec confirmé des tentatives de restauration monarchique, c'est un député républicain, Joseph Fabre, qui, en 1884, défend l'idée d'une fête nationale consacrée à Jeanne. Fabre, devenu sénateur, récidive dix ans plus tard devant l'assemblée du Luxembourg,

Édouard Drumont et Cⁱᵉ, Éd. du Seuil, coll. « XXᵉ Siècle », 1982.

qui approuve son projet. La conjoncture est particulière : les républicains modérés viennent de gagner les législatives de 1893 mais l'extrême gauche devient inquiétante. Plus encore que les émotions provoquées par les attentats anarchistes, l'arrivée massive d'une cinquantaine d'élus socialistes au Palais-Bourbon donne à penser. Or voici que, menacés par leur gauche, les modérés peuvent espérer un renfort décisif sur leur droite grâce à l'attitude politique du pape Léon XIII, qui a préconisé aux catholiques français leur « ralliement » au régime républicain. Dès lors, la fête nationale en l'honneur de Jeanne d'Arc, dont Fabre s'est fait l'inusable propagandiste, apparaît comme un de ces ferments de l'unité nationale, dont les extrémistes de gauche et de droite doivent faire les frais. Le président du Conseil, Charles Dupuy, soutient le projet de Fabre à la Chambre, le 8 juin 1894 : « Il n'y aura, dit-il, qu'une chose nous dominant tous : le patriotisme sous le nom de Jeanne d'Arc. » La fête nationale du 14 juillet répugnant encore aux catholiques, en raison de son estampille révolutionnaire, une fête nationale, complémentaire, offerte à Jeanne d'Arc, pouvait sceller, dans l'univers affectif des symboles, la réconciliation des centres (gauche et droit) dans la République des honnêtes gens. Jeanne la chrétienne ayant eu le bon goût d'être condamnée par un homme d'Église, elle pouvait plaire également aux cléricaux et aux anticléricaux, chacun y reconnaîtrait la sienne. Les Juifs ne manqueraient pas à cette unanimité : ne comparaient-ils pas Jeanne à Déborah, à la reine Esther ou à Judith ? Voilà ce qu'on avait entendu, en 1890, à la synagogue de Nancy, lors d'une cérémonie en l'honneur de Jeanne d'Arc, dont une statue avait été offerte à la municipalité par un certain Osiris. Alphonse de Rothschild fit un présent semblable, deux ans plus tard, au musée de Cluny [1].

Las ! le zèle clérical, aiguillonné par l'extrême droite, le disputa en tapage au zèle anticlérical, excité par l'extrême gauche, de sorte que l'estimable projet centriste de fraternisation derrière l'étendard de la Pucelle échoua sous les feux croisés de la loge et de la chapelle. « Est-ce que l'on va continuer

---

1. Voir Michael R. Marrus, *Les Juifs de France à l'époque de l'affaire Dreyfus*, Calmann-Lévy, « Diaspora », 1972, p. 142-143.

de se battre autour de la statue de Jeanne d'Arc, à coups de couronnes et d'emblèmes ? », demandait l'éditorialiste du *Jour* (1er juin 1894). De fait, celle que l'Église venait de déclarer Vénérable (décision de la Sacrée-Congrégation des Rites de janvier 1894) n'était plus pour la gauche qu'un agent idéologique au service des prêtres et des réactionnaires [1].

L'anniversaire de la mort de Jeanne d'Arc n'ayant pas été voté par les deux assemblées comme fête nationale, la droite cléricale et nationaliste s'en empare. Chaque mois de mai devient une occasion d'affrontement entre nationalistes et républicains libres penseurs. Très vite, les manifestants d'extrême droite qui se pressent devant la statue de l'héroïne, place des Pyramides, associent dans leur enthousiasme la ferveur pour Jeanne d'Arc et la haine des Juifs. Les antisémites parisiens ont ainsi trouvé un lieu saisonnier de pèlerinage. La presse et les rapports de police relatent les échauffourées annuelles. Le slogan « Mort aux Juifs ! » se confond avec les « Vive Jeanne d'Arc ! » ; les manifestants de droite ne se contentent pas de le scander : munis de timbres de caoutchouc, ils l'impriment sur les murs, y compris « sur les parois des chalets de nécessité » (*L'Événement*, 19 mai 1896).

L'affaire Dreyfus achève de structurer le nationalisme français autour du mythe « Juif ». Les cérémonies de mai 1898 en faveur de Jeanne portent au plus haut point la complémentarité des deux cris : « Vive Jeanne d'Arc ! », « A bas les Juifs ! » A Alger, Édouard Drumont est élu député le 8 mai. Le lendemain *La Croix* d'Alger écrit : « Le 8 mai, fête de Jeanne d'Arc, la libératrice de la France, le soleil s'est levé radieux dans un ciel d'azur, nos âmes ont tressailli d'un noble enthousiasme, comme au matin d'une bataille où l'on va défendre, contre la souillure étrangère et cosmopolite, les trois couleurs de notre drapeau. Etc. » (signé « Le Croisé »). Par un processus d'identification, les antidreyfusards font de la haute figure de Jeanne un archétype du nationalisme français, l'antipode de Dreyfus. La libératrice du territoire et le traître juif s'apparient désormais comme deux pièces antagoniques d'un même système.

1. Sur tout cet épisode, voir Rosemonde Sanson, « La fête de Jeanne d'Arc en 1894. Controverse et célébration », *Revue d'histoire moderne et contemporaine*, XX, juill.-septembre 1973.

L'affaire Thalamas, en 1904, offre un nouvel exemple de fusion entre les deux mythes — celui, positif, de Jeanne et celui, négatif, du Juif. Les suites de l'affaire Dreyfus ont conduit au pouvoir Émile Combes. La droite nationaliste se déchaîne contre le général André, le ministre des « fiches ». Au mois de mai, les fêtes de Jeanne d'Arc ont donné lieu à de nouveaux incidents. Laurent Tailhade, dans *L'Action*, a traité Jeanne d'Arc d'« idiote ». Le détournement de l'héroïne par les nationalistes a provoqué en effet les injures des anticléricaux contre la « Pucelle clérico-militaire », contre la « Mascotte militaire », contre « l'idole clérico-laïque dangereuse à toute pensée libre » (*L'Action*, 23 avril 1904). La localisation du symbole à droite et à l'extrême droite explique l'affaire Thalamas qui éclate en novembre. Mince affaire, à l'origine, d'un professeur de seconde du lycée Condorcet, pris à partie par ses élèves pour avoir douté du caractère sacré de la vierge lorraine. Mais l'incident est savamment exploité par les nationalistes jusqu'à faire l'objet d'une discussion à la Chambre des députés, le 1er décembre 1904. Occasion de quelques échanges colorés entre la gauche et la droite, au cours desquels Jaurès, notamment, est accusé de proférer « des paroles d'Anglais ».

Nationalistes et antisémites ont trouvé une noble cause à défendre contre un régime qui a livré « le pays aux Juifs et aux francs-maçons » (*La Libre Parole*, 25 novembre 1904). Le 29 novembre, Drumont, y allant de ses objurgations courantes, déclare : « Ils sont toute une bande dans les établissements d'enseignement, dans les sociétés savantes, dans les revues, dans les académies, tous Juifs, protestants, francs-maçons, qui se sont fait, mutuellement, la courte échelle et qui ont réussi à faire croire qu'ils avaient régénéré, transformé, rénové la Littérature, l'Histoire et la Science. »

Les jours suivants, *La Libre Parole* brode sur la liaison complice du régime en place avec les francs-maçons et les Juifs. La relation : Thalamas = franc-maçon = Anglais = Juif, inspire, par exemple, un article de Gaston Méry, « De Cauchon à Thalamas » (2 décembre 1904). Le 5 décembre, lors d'un meeting, François Coppée est applaudi avec frénésie et salué par le cri : « A bas les Juifs ! » Le journal de Drumont fait ce commentaire : « C'est comme un signal, toute la salle

répète ce cri, véritable signe de ralliement. » Sur ces entre-
faites, on apprend la mort de Gabriel Syveton, celui qui avait
osé gifler le général André, le ministre de Combes. Lors de
ses funérailles, les nationalistes entonnent : « Vive Jeanne
d'Arc ! » et « A bas Thalamas ! » Enfin, le 15 décembre, a
lieu la grande réunion que tiennent, salle des Horticulteurs,
les différents chefs du nationalisme français « contre les insul-
teurs de Jeanne d'Arc ». Plus que Thalamas, c'est Dreyfus
qui est traîné au banc d'infamie. Un message de Drumont
lu à la tribune soulève, à propos de Jeanne d'Arc, les cris
rituels : « Vive Drumont ! A bas les Juifs ! »

Cette association entre la religion de Jeanne et l'antisémitisme ne prend pas fin avec la Grande Guerre et l'Union
sacrée. La victoire du Front populaire et la fin des années
trente vont mêler de nouveau ces cris d'amour et de haine
dans les publications et dans les rangs d'un nationalisme français, attiré de plus en plus par l'exemple fasciste. De Dreyfus, on était passé à Blum. Que le chef du Front populaire
fût juif, il n'en fallait pas plus pour que l'extrême droite y
vît la source des malheurs nationaux. Tout est prétexte, par
exemple, à *Je suis partout*, pour faire un mauvais parti au
leader socialiste. Le 15 mai 1937, Jean-Jacques Brousson doit
y reconnaître que « M. Léon Blum n'a pas osé supprimer la
fête nationale de Jeanne d'Arc » — ce qui ne l'empêche pas
d'affirmer : « Visiblement la sainte de la patrie n'est pas en
odeur chez les fanatiques de la Pasionaria. Une vierge qui
croit à Dieu et à la patrie ! Ah ! s'il y avait eu une manifestation en faveur de cette Judith qui se glissa dans la tente
d'Holopherne, et lui trancha gentiment le col ! Mais une
héroïne qui offre la paix avant la bataille... »

Comme le constatait avec jubilation Rebatet, dans le même
journal, le 1er avril 1938 : « L'antisémitisme renaît en France
avec une singulière vigueur. » Il appartint au régime de Vichy
de le rendre légal. Le culte rendu à Jeanne d'Arc fut simultanément des rites ordinaires du régime pétainiste. Jamais
peut-être notre sainte nationale ne fut si bien traitée qu'au
temps où les Juifs étaient persécutés au nom de la loi. Car
par un paradoxe singulier, le régime de « la Grande Culbute »,
comme l'appelait Bernanos, s'ingénia à faire de l'épopée de
Jeanne l'allégorie de sa légitimité. L'imposture s'achevait en

point d'orgue : le symbole de la Résistance était l'objet du plus inique des détournements par le régime de la Capitulation : « Si les moyens diffèrent, avec Pétain comme avec Jeanne, le combat reste identique [1]. »

Ceux qui, abusant du nom de Jeanne d'Arc, avaient décrété le statut des Juifs mettaient un point final à cette singulière entreprise de récupération. La France libre et la Résistance intérieure trouvèrent des raisons plus fondées d'exproprier les antisémites de la Bergère héroïque.

L'Anti-Juive.

En un demi-siècle, cette Jeanne d'Arc des nationalistes antisémites s'est donc imposée dans leurs écrits comme un mythe d'identification, opposable au mythe juif de répulsion. Les qualités, les attributs et les emblèmes de Jeanne sont, en effet, exactement inverses de ceux que l'antisémite réserve aux Juifs. Jeanne incarne la francité, la quintessence de la civilisation française, son point de sublimation, là où le Juif, quels que soient ses avatars historiques — Dreyfus ou Blum —, cristallise les éléments de rejet sous la figure inquiétante de l'Autre, de l'Étranger introduit dans le cercle de famille dont il va s'acharner à la destruction. Il suffit d'indiquer sous la forme d'un bref échantillonnage quelques correspondances entre les deux mythes pour prendre la mesure de leur complémentarité.

LE MYTHE JEANNE D'ARC	LE MYTHE JUIF
1. La Terre, les racines	**1. L'Errance, la ville**
• *La paysanne*	• *Le nomade*
« C'est une *terrienne*, fille de laboureurs... Elle est élevée en paysanne, en bonne paysanne de France, vigoureuse,	« Ils [les Juifs] sont spéculateurs, usuriers, brocanteurs, syndics de faillite, ergoteurs, politiques [2]... »

1. Brochure anonyme, *Jeanne d'Arc, sa mission, son exemple*, Paris, 1942.
2. J.-J. Brousson, « Rétablissez l'Édit de Nantes en faveur des chrétiens », *Je suis partout*, 20 novembre 1937.

de sens solide et d'humeur gaie [1]. »

« C'est une race de nomades et de bédouins [2]. »

● *Le travail, l'effort*

● *La spéculation, le capitalisme*

« Non. Jeanne n'appartient pas aux capitalistes internationaux.

» Jeanne appartient au nationalisme français dans ce qu'il a de plus réaliste, de plus profond et de plus attaché à la terre. Au petit peuple des villages, à ses fêtes, à ses fées, à ses travaux [...].

» Jeanne n'appartient pas à l'argent, aux idéologues, aux faux défenseurs d'une civilisation pourrie, puisqu'elle appartient à la jeunesse éternelle et à la vivacité créatrice [3]. »

« Jeanne était une fille du vrai peuple travailleur [4]. »

« Les immenses fortunes juives ne sont le fruit d'aucun labeur effectif, d'aucune production [5]. »

« C'est lui [le Juif] qui a donné à la féodalité internationale du capitalisme sa forme la plus inhumaine et la plus tentaculaire [6]. »

● *La vie saine et naturelle*

● *Un monde morbide*

« Elle fut amenée à partager les simples et fortes émotions de cette vie des champs. [...]

» Un milieu populaire sain à l'âme et au corps [7]. »

« Ils [les Juifs] se plaisent dans les détritus et les lamentations, comme Job sur son fumier [8]. »

---

1. H. de Sarrau, *La Leçon de Jeanne d'Arc*, 1941.
2. Drumont, *La France juive, op. cit.*, t. 2, p. 16.
3. Robert Brasillach, « Devant l'avenir », *Je suis partout*, 12 mai 1941.
4. Georges Valois, *Le Fascisme*, 1927, p. 82.
5. Drumont, *La France juive, op. cit.*, t. 1, p. 2.
6. Lucien Rebatet, « Le fait juif », *Je suis partout*, 14 janvier 1944.
7. J.-J. Brousson, art. cité.
8. Abbé J. Ygouf, *Panégyrique de Jeanne d'Arc*, 21 mai 1905.

« Elle a aimé les choses naturelles d'une passion qu'on ne retrouvera pas, jusqu'à Jean-Jacques [1]. »

« Il [le Juif] est sujet à toutes les maladies qui indiquent la corruption du sang [2]. »

• *Le peuple*

• *Les intellectuels*

« C'était une enfant du peuple [3]. »

« Si comme elle le déclarait..., elle ne savait 'ni A ni B', elle était par contre animée de cette foi ardente, de cette foi agissante qui soulève les montagnes [4]. »

« La plus frivole des Juives vous jette à la figure la Bourse et la Sorbonne [5]. »

---

2. La Patrie

2. L'Anti-France

• *L'unité nationale*

« Suivant la forte expression du maréchal, Jeanne d'Arc est [...] l'héroïne de l'unité nationale [6]. »

• *L'agent de la décomposition*

« Le Juif, qui est l'être anti-social par excellence, ne peut être qu'un dissolvant ; il a recommencé son éternel rôle de destructeur ; il a mis le feu à la nouvelle Patrie qu'on lui avait faite, comme il avait mis le feu à Jérusalem [7]. »

1. J.-J. Brousson, « La fête nationale de Jeanne d'Arc, de Voltaire à Léon Blum », *Je suis partout*, 15 mai 1937.

2. Édouard Drumont, *La France juive, op. cit.*, t. 1, p. 104.

3. Abbé J. Ygouf, art. cité.

4. H. de Sarrau, art. cité.

5. Pierre Drieu La Rochelle, *Gilles*, Le Livre de poche, 1962.

6. H. de Sarrau, art. cité.

7. Édouard Drumont, *La Libre Parole*, 7 mars 1893, et préface à Octave Tauxier, *De l'inaptitude des Français à concevoir la question juive*, Paris, 1900.

« Tout Juif est de nécessité un traître pour le pays où il a dressé sa tente de nomade [1]. » « Israël trahit forcément comme le bœuf rumine et comme l'éléphant a une trompe [2]. »

* *La servante de la royauté*

(Par définition.)

* *Le profiteur de la Révolution*

« Le Juif a confisqué la Révolution à son profit, il en a été le seul bénéficiaire [3]. »

* *Contre les Anglais*

« On comprend que les partisans d'un Juif qui rêvait de livrer la France à l'étranger [Dreyfus] aient gardé rancune à la jeune et touchante créature qui nous a délivrés du joug de l'Angleterre [4]. »

* *Juifs-Anglais*

« Vous savez de quel nom nous appelons l'Ennemi qui a remplacé chez nous l'Anglais envahisseur du XVe siècle et qui essaie de nous asservir par la puissance corruptrice de l'or, comme l'Angleterre voulait nous asservir par la force brutale du fer. Cet Ennemi s'appelle pour nous le Juif et le franc-maçon [5]. » « Les Anglais plus encore peut-être qu'au XVe siècle veulent la destruction de la

1. Jules Soury, *Campagne nationaliste 1899-1901*, cité par *L'Action française*, 1er janvier 1904.
2. Léon Daudet, *L'Action française*, 6 mars 1908.
3. Édouard Drumont, préface citée.
4. Henri Rochefort, « La non-pucelle d'Orléans », *L'Intransigeant*, 27 novembre 1904.
5. Édouard Drumont, lettre citée par *L'Action française*, 15 décembre 1904.

France en tant que nation unie, grande et libre [1]. »

3. La Spiritualité	3. Le Matérialisme
• *La Sainte catholique*	• *Le déicide*
« La figure de Jeanne d'Arc apparaît comme un point noir dans l'azur immaculé du matérialisme triomphant [2]. »	« Le Juif fit mourir le Rédempteur et depuis le jour où ce forfait fut consommé, le peuple déicide, sur qui pèse la malédiction du ciel, est dispersé sur la terre, odieux à tous, maudit de tous [3]... »
• *Le surnaturel*	• *L'utilitarisme*
« Le cauchemar du rationalisme et de la libre pensée [4]. »	« Le sémite est mercantile [...] ne voyant guère rien au-delà de la vie présente [5]. »
• *La virginité*	• *La prostitution*
« Messieurs, avez-vous observé ceci : que de toutes les héroïnes qui ont paru sous l'Ancien Testament, aucune n'était vierge. Déborah était la femme de Lapidoth... Judith était veuve. Esther avait remplacé Vasthi auprès d'Assuérus... » Quelle supériorité dans Jeanne d'Arc !	« Ce sont les Juives qui fournissent le plus fort contingent à la prostitution des grandes capitales [6]. »

1. Dorsay, « Toute la France derrière Pétain contre l'Anglais », *Je suis partout*, 13 mai 1944.
2. Édouard Schuré, *L'Ame celtique et le Génie de la France*, 1921.
3. P. Bellet, « L'invasion juive », *Revue du monde catholique*, t. IX, 1er janvier 1887.
4. Jean-Baptiste Ayroles, *M. Thalamas contre Jeanne d'Arc*, 1905 (à propos du procès de réhabilitation).
5. Édouard Drumont, *La France juive, op. cit.*, t. 1, p. 9.
6. *Ibid.*, p. 90.

» Elle est vierge, et cette fois l'amour de la patrie n'est plus contraint de se faire aider des artifices d'un amour inférieur [1]. »

4. La race supérieure

« Le premier jet du sang gaulois [2]. »

« On supplie les Français de ne pas faire du plus haut symbole de leur race une bien-pensante héroïne de patronage [3]. »

« C'est une Celte que Jeanne d'Arc, qui sauva la Patrie [4]. »

« Elle a su communiquer son ardeur guerrière aux meilleurs soldats de son époque [5]. »

4. La race inférieure

« Je suis le premier à reconnaître que la race sémitique, comparée à la race indo-européenne, représente une combinaison inférieure de la nature humaine [6]. »

« Ce n'est que depuis quelques années que l'on s'aperçoit que le Juif est un être très particulier, organisé d'une façon distincte de la nôtre, fonctionnant tout à fait en dehors de notre fonctionnement à nous, ayant des aptitudes, des conceptions, un cerveau qui le différencient absolument de nous [7]... »

« ... Sans aucun courage militaire [8]. »

1. Abbé J. Lémann, *Jeanne d'Arc et les Héroïnes juives*, 1873.
2. Agathon, « Béatification de Jeanne d'Arc », *La Revue*, 15 avril 1894.
3. Robert Brasillach, « Pour une méditation sur la raison de Jeanne d'Arc », *Je suis partout*, 13 mai 1938.
4. Édouard Drumont, *La France juive, op. cit.*, t. 1, p. 427.
5. Henri Rochefort, art. cité.
6. Ernest Renan, *Histoire générale et Système comparé des langues sémitiques*, 4e éd., p. 4, repris par Jules Soury et Maurice Barrès, voir Zeev Sternhell, *Maurice Barrès et le Nationalisme français, op. cit.*
7. Édouard Drumont, *La Libre Parole*, 2 août 1893.
8. Lucien Rebatet, art. cité.

« Encore Jeanne seule a-t-elle ce clair génie inimitable, qui est celui de sa race, la beauté naïve [1]... »

« Après des siècles, les Juifs portent sur leur figure les stigmates de l'infamie de leur sang [2]... »

Cet antagonisme *essentiel* entre Jeanne d'Arc et les Juifs devait inspirer une hypothèse audacieuse qui ne manque pas de lien logique avec ce qui précède. Un harangueur de droite, M. de Kerohant, la formula en 1894, au moment où les républicains modérés, nous l'avons vu, tentaient de faire de Jeanne un symbole réconciliateur. Il s'agit de l'évêque Cauchon. De l'encombrante mémoire de l'évêque Cauchon. Vous ne voyez pas ? Bon sang ! mais c'est, bien sûr ! Il aurait été... Juif [3] !

1. Robert Brasillach, art. cité.
2. Raoul Bergot, *L'Algérie telle qu'elle est*, 1890, cité par Jeannine Verdès-Leroux, *op. cit.*.
3. Agathon, art. cité.

6

Les affaires Dreyfus

Au cours de l'année 1961-1962 (j'étais dans mon premier poste, au lycée de Montpellier), je découvris la persévérance de l'antidreyfusisme dans certaines familles françaises. Ayant consacré, en classe terminale, une leçon à l'affaire Dreyfus, j'eus la surprise d'entendre un élève contester l'innocence du capitaine juif avec une assurance indémontable. Avait-il des arguments ? Non, mais il *savait*. Il savait de son père, qui le tenait de son grand-père, que Dreyfus était un espion à la solde de l'Allemagne — quoi qu'on ait pu dire et écrire là-dessus depuis 1898. Un article de foi en granit. Un bien inaliénable du patrimoine culturel de la famille : ça ne se discutait pas. Vingt ans plus tard, André Figueras publiait *Ce canaille de D...reyfus*, où il écrivait : « Toutes les vérités ne sont pas bonnes à taire. Et notamment celle-ci, que Dreyfus ne fut point innocent [1]. » Il faut en prendre son parti : pour une petite minorité de Français, la réhabilitation de Dreyfus reste un scandale, le fruit d'un complot, la preuve mémorable d'une décadence, dont la France est affligée depuis l'avènement de la démocratie. Inversement, les derniers gardiens de la République ne manquent pas, au cœur du combat, de se référer à l'illustre Affaire : « Émile Zola avait eu bien des ennemis », déclare François Mitterrand, le 10 octobre 1976, lors d'une cérémonie à Médan : « Qui étaient-ils ? Et qui étaient les ennemis de Dreyfus ? Regardez-les : ils ne sont pas difficiles à voir, ils sont encore là, les ennemis de Dreyfus, les ennemis de Zola. Ils ont une certaine forme d'éternité,

---

1. André Figueras, *Ce canaille de D...reyfus*, Publications André Figueras, 1982, p. 19.

leurs fils en esprit et leurs filles en esprit. La société de cette
époque a su se reproduire jusqu'à nous [1]... »

Qu'il n'y ait pas d'équivoque : l'affaire Dreyfus est unique. Dans sa complexité, elle n'est guère transposable à des
époques ultérieures. Toutefois — et les propos mêmes de
François Mitterrand aussi bien que l'ouvrage d'André Figueras en témoignent —, l'Affaire a produit un phénomène de
rémanence jusqu'à nos jours. Son cycle d'hystérésis n'est pas
encore achevé, à peu près aucune des familles politiques française n'y échappe. Pourtant, ce ne sont pas ces effets tardifs
qu'on se propose ici d'inventorier. C'est un autre phénomène
de résonance. Il nous semble qu'au long du XXe siècle on peut
observer, sinon des reproductions de l'affaire Dreyfus, à tout
le moins une série de correspondances avec elle, dans la
mesure où l'Affaire a été un événement révélateur-catalyseur,
dont l'intensité dramatique a mis à nu un nouveau type
d'affrontement dans la société française. Autrement dit, nous
nous proposons de chercher si, malgré son caractère unique,
il n'y a pas une homologie entre l'affaire Dreyfus et certains
événements postérieurs — homologie imparfaite dans le
détail, mais peut-être soutenable sur le fond. A cet effet, il
nous faut d'abord préciser le principe du nouveau type de
conflit révélé par la crise dreyfusienne, avant d'en examiner
les analogies dans la durée.

Les conflits antérieurs majeurs.

Les divers conflits qui déchirent (et structurent) la société
contemporaine ne sont jamais simples. Tout conflit global
est un enchevêtrement de conflits particuliers : tout conflit
social de quelque importance est multipolaire. L'affaire Dreyfus peut se prêter à des interprétations diverses. C'est, dans
l'entrelacs de ses réalités confondues, la contradiction principale qu'il nous faut définir. Quelle est-elle, comparée aux
autres conflits ?

1. François Mitterrand, « Politique et littérature », *Les Cahiers naturalistes*, Société littéraire des amis d'Émile Zola, 51, 1977, cité par Marc
Knobel, *La Réhabilitation du capitaine Dreyfus, 1898-1945*, Université
de Paris, I, 1983 (mémoire de maîtrise).

Au risque de simplifier la richesse des relations sociales, admettons que deux types de conflit global ont opposé les Français durant le XIXᵉ siècle : la lutte autour de l'Ancien Régime, héritée de 1789 ; la lutte des classes héritée de la révolution industrielle. Ces deux modèles, l'historien ne les observe jamais dans leur pureté paradigmatique. La polarité bourgeoisie/prolétariat (si rare à l'état pur) et la polarité Révolution/Restauration rivalisent au cœur de tous les affrontements sociaux, produisant des cas de figure contradictoires, soit que les deux polarités s'additionnent, soit qu'elles se contrarient.

La lutte des classes a été livrée en France de la manière la plus visible au cours de trois épisodes dramatiques, qui furent, selon le mot de Benoît Malon, les trois défaites du prolétariat [1] : la révolte des canuts lyonnais, en 1831 ; les journées de Juin, en 1848 ; enfin la Commune de Paris, en 1871. Dans ce dernier cas, la conscience de classe des communards est sujette à caution : les plus fervents et les plus prolétaires d'entre eux se sont le plus souvent battus pour la République et contre la réaction, après qu'ils se furent enrôlés pour la patrie et contre l'envahisseur. Mais il suffit pour s'assurer de la nature de classe du conflit d'examiner la composition sociale des combattants : les victimes de la Semaine sanglante appartiennent bien, dans leur majorité, aux différents corps du travail manuel [2]. Cependant, la Commune de Paris, loin d'annoncer un redoublement des guerres de classes en France, en clôt plutôt le cycle. Le face à face bourgeoisie/prolétariat ne se présentera plus que de manière larvée ou partielle — dans le cas des grèves, notamment. Certes, l'ambition du syndicalisme d'action directe fut bien de préserver, par le truchement du mythe de la grève générale, le corps à corps des producteurs et des patrons, mais en vain. L'antagonisme des « deux classes fondamentales » n'apparaîtra plus, à partir de la IIIᵉ République, que dilué dans les conflits locaux ou intégré dans le deuxième conflit

---

1. Benoît Malon, *La Troisième Défaite du prolétariat français*, Neuchâtel, G. Guillaume fils, 1871.
2. Voir le *Rapport d'ensemble*, de M. le général Appert, sur les opérations de la justice militaire relatives à l'insurrection de 1871, Assemblée nationale, 1874.

type qui oppose la droite et la gauche. La dernière tentative d'affrontement global, sur la base de la lutte des classes, avorte à la fin du mois de mai 1920, avec l'échec des vagues de grèves lancées par la CGT, à partir de la grève générale des cheminots. Par la suite, aussi bien dans la victoire du Front populaire en 1936 que dans celle de la gauche en 1981, il serait erroné de négliger la dimension de classe ; il serait aussi mal venu de la privilégier : la scène n'est plus réservée à deux seuls acteurs.

Le deuxième conflit global type hérité du XIXe siècle est l'opposition de la droite et de la gauche, opposition idéologique qui ne regroupe que partiellement l'opposition sociale bourgeoisie/classe ouvrière, ne serait-ce qu'en raison de l'importance des classes moyennes qui se sont toujours partagées entre les deux pôles politiques, sans parler du caractère irréductible du politique au social. Cet affrontement a été objectivé par la question du régime ; il est droit issu de la Révolution et des incertitudes constitutionnelles qui en découlent tout au long du siècle dernier ; il prend la forme d'un antagonisme entre ce que François Goguel a appelé les forces du mouvement et celles de l'ordre établi. Les premières ont fini par se reconnaître dans le Parti républicain, au sens large du mot, tandis que les secondes restaient fidèles, à des degrés divers, à l'idée monarchique et à l'esprit de restauration. Mieux que d'autres événements, la crise du 16 mai 1877 provoque la cristallisation de cette opposition : la campagne électorale, qui succède à la dissolution de la Chambre, met aux prises deux « partis » nettement tranchés, l'un conduit par Léon Gambetta et l'autre par Albert de Broglie. Pour la deuxième fois, depuis le vote des lois constitutionnelles de 1875, le suffrage universel se prononce en faveur d'une majorité républicaine. La république a perdu ses connotations révolutionnaire et guerrière ; l'ensemble des groupes de gauche en incarne la légitimité. A cette gauche, confondue avec le Parti républicain fait face une droite nostalgique, monarchiste (au sens large) et cléricale — la hiérarchie catholique ayant hasardé son autorité dans cette campagne au profit des conservateurs.

Dès lors, malgré ses divisions multiples et ses désaccords durables, une tradition de gauche s'affirme en France pour longtemps. Elle se donne pour mission la défense du régime ; pour moyen, le principe d'une union, aux heures du danger, comme impératif catégorique. La « défense républicaine », la « délégation » des gauches, le « bloc des gauches », le « pas d'ennemi à gauche »…, autant de méthodes ou de mots d'ordre qui structurent un comportement « de gauche », que renforcent une mémoire, une sensibilité, une idéologie, à même de rassembler, quand il le faut, les éléments disparates du « Parti » républicain. La droite aura plus de peine à se constituer en force unifiée, les échecs successifs de la restauration monarchique conduisant ses artisans à chercher un autre principe d'identification. Peu à peu renforcée par les transfuges d'une gauche, elle-même conquise progressivement par les courants collectivistes, la droite aura tendance à s'affirmer surtout par opposition à la gauche : elle regroupera par vagues successives les familles d'esprit qui ne se reconnaissent pas dans l'idéologie républicaine, anticléricale et socialiste. En ce sens, la ligne de partage entre la gauche et la droite évolue sensiblement : à partir de 1938, quand les radicaux rompent avec le Front populaire pour une alliance avec la droite, on peut observer un changement décisif ; la gauche ne sera plus jamais ce qu'elle était — quand bien même les résidus du radicalisme offriront à la gauche victorieuse de 1981 cette souche de tradition républicaine, faute de laquelle elle n'eût été qu'une gauche « marxiste ».

Le conflit dreyfusien.

L'affaire Dreyfus n'entre pas dans le moule de ces deux conflits types. Sans doute le conflit droite-gauche, à partir de la formation du gouvernement Waldeck-Rousseau en 1899, occupe-t-il le devant de la scène politique pour plusieurs années, mais il a été plutôt une conséquence politique de l'Affaire, et non son fondement. De même, le modèle de la lutte des classes ne prévaut guère en l'occurrence, même s'il convient de lui faire sa part : les hésitations socialistes à renforcer le camp dreyfusiste laissent l'Affaire se situer hors de l'affrontement classe contre classe. Une analyse approfondie des acteurs en présence interdit néanmoins d'évacuer toute considération de classe : ainsi la sociologie des intellectuels dreyfusards n'épouse-t-elle pas les mêmes contours que celle des écrivains nationalistes [1]. Il n'en reste pas moins que la ligne de partage de l'affaire Dreyfus se situe sur un autre terrain.

Un premier élément nous avertit de la nouveauté : la participation massive de ceux qui, désormais, vont s'appeler les intellectuels, dans une affaire publique [2]. La classe politique n'y a été mêlée qu'à son corps défendant, tirée, harcelée, sommée de prendre en compte une affaire que, dans leur immense majorité, les parlementaires désiraient confiner au périmètre judiciaire. L'affaire Dreyfus a d'abord été une cause morale : la défense d'un homme injustement condamné. En raison de la résistance qu'opposaient à la révision du procès les officiers et les hommes d'État concernés, cette cause morale est devenue un conflit d'idées, mettant aux prises deux systèmes de valeurs, dont il importe de rappeler les contenus.

En s'opposant aux tentatives des révisionnistes, les anti-dreyfusards ont véritablement donné corps au nationalisme, qui ne coïncide donc ni avec le camp de la droite ni avec une classe sociale. Du point de vue sociologique comme du point de vue politique, nous voyons qu'il s'agit d'une nouvelle droite : les listes de souscription du Monument Henry [3] et les études sur la composition des Ligues [4] font nettement apparaître que bon nombre de nationalistes ont pu être républicains, voire communards [5]. Cette nouvelle droite n'est pas unifiée, elle peut prendre les divers visages que Zeev Stern-

1. Voir Christophe Charle, « La lutte des classes en littérature… », in *Les Écrivains et l'Affaire Dreyfus*, Actes du colloque organisé par l'université d'Orléans et le Centre Péguy, les 29-30-31 octobre 1981, textes réunis par Géraldi Leroy, PUF, 1983. Et surtout, du même auteur, « Champ littéraire et champ du pouvoir : les écrivains et l'affaire Dreyfus », *Annales ESC*, mars-avril 1977.

2. Voir notre article « Les intellectuels dans le siècle », *Vintième Siècle. Revue d'histoire*, n° 2, avril 1984.

3. Pierre Quillard, *Le Monument Henry*, 1899, et Raoul Girardet, *Le Nationalisme français*, in *Anthologie 1871-1914*, Éd. du Seuil, « Points Histoire », 1984.

4. Voir notamment Zeev Sternhell, *La Droite révolutionnaire*, Éd. du Seuil, 1978, rééd. « Points Histoire », 1983.

5. « Dérive » déjà signalée dans notre *Édouard Drumont et Cie. Antisémitisme et fascisme en France*, Éd. du Seuil, 1982, et dans « La Commune 1871-1971 », *Esprit*, décembre 1971.

hell a montrés sous cette autre appellation de « droite révolutionnaire » : ligueurs, antisémites, syndicalistes jaunes, etc. Elle a ses répondants dans le journalisme et la littérature : Drumont, Rochefort, Barrès, bientôt Maurras... La capitale représente l'espace privilégié de ses déploiements, non seulement par les manifestations de rue mais aussi par l'évolution électorale. Déjà l'élection de Boulanger contre le radical Jacques, en janvier 1889, marquait l'évolution ; en 1900, les élections municipales révèlent que Paris a basculé dans le nationalisme. Cette nouvelle droite a une double origine : elle descend bien de la droite conservatrice, ex-monarchiste, mais elle comprend aussi un élément populaire dont les racines sont souvent de gauche ; si les lecteurs de *La Libre Parole* sont peut-être en majorité « cléricaux » (ce qui n'est pas certain), les lecteurs de *L'Intransigeant* de Rochefort en tout cas ne sont pas des habitués de la messe dominicale.

Ce nationalisme, tel qu'il se structure à la fin du XIX⁰ siècle, est, on l'a souvent dit, un nationalisme d'exclusive. Il se définit d'abord par ses phobies : le parlementarisme, l'espionnage allemand, l'étranger, le Juif. Une mention spéciale doit être faite à l'antisémitisme, qui en a été le ciment le plus solide, la dénonciation de « l'invasion juive » réussissant à mobiliser « bourgeois et prolétaires », « cléricaux et athées », « républicains et monarchistes ». L'affaire Dreyfus n'a pris toute sa dimension dramatique et symbolique, du début à la fin, qu'en raison de l'identité juive de l'accusé. L'antisémitisme a été utilisé par tous les nationalistes comme un panlogisme, un système d'explication universelle qui trouve son principe dans le repérage d'une causalité exogène. Barrès et Maurras, plus systématiquement, ont ainsi conçu la représentation d'une entité française, enracinée dans une histoire, dans un peuple, dans une religion — entité frappée de décadence et menacée d'entropie par le travail des étrangers. Maurras en fera la théorie des quatre états confédérés : les protestants et les francs-maçons, étrangers à la religion des Français ; les métèques et les Juifs, étrangers tout court et traîtres en puissance.

Une notation de Barrès nous suggère ce que fut le cœur du débat entre nationalistes et intellectuels dreyfusards : « Parler de la Justice quand un homme condamne un autre homme! Contentons-nous de parler de préservation sociale [1]. » Qu'est-ce qu'un homme, en effet, un simple individu, au regard de la cohésion sociale — c'est-à-dire au regard de la totalité? De là résulte l'idée selon laquelle, même si Dreyfus était innocent, on devait néanmoins se garder de le réhabiliter : son sort est trop infime, comparé aux risques que font courir à l'armée et au pays les partisans de sa cause. Les défenseurs du commandant Henry soutiennent une conception holistique de la société, irréductible aux particuliers : c'est un tout à sauver, par tous les moyens, par le faux au besoin, quand la « préservation sociale » l'impose.

Un nationalisme obsidional s'affirme, à la fin du XIXᵉ siècle, dans un secteur de l'opinion, pour reprendre en charge la cohésion sociale menacée par la modernité. Celle-ci, à travers ses deux attributs démocratique et industriel, compromet la coutume, au profit de la liberté individuelle; autant l'une est cohésive, autant l'autre est dissolvante. Aux yeux des nationalistes, l'Allemagne est l'ennemi, mais l'ennemi opportun. C'est la présence de sa puissance agressive aux frontières qui ménage l'occasion de la réforme intellectuelle et morale. Se ressaisir, c'est retrouver la tradition, contre tous les facteurs d'altération de la cohésion nationale. Ce nationalisme ne s'arrête donc pas à l'esprit de revanche; il est, bien plus encore, tourné vers l'intérieur, vers le passé, vers ses sources plus que vers ses embouchures. C'est le régime démocratique et libéral — la « République juive et maçonne » — qui est d'abord visé. Mais, sous le projet politique, c'est une réaction spirituelle face à la décadence qu'on observe : la défense des intérêts français est entendue comme celle d'une civilisation achevée, mise en danger par la mobilité nouvelle des choses et des êtres.

Le nationalisme a trouvé son ennemi direct dans le camp de l'anti-France. A l'intérieur, une vaste conjuration qui lie tous ceux qui soutiennent le régime en place. Mais l'affaire Dreyfus met en évidence l'adversaire privilégié des nationalistes : les intellectuels. Qu'on ne se méprenne pas sur le mot. Il y eut évidemment des intellectuels dans les deux camps. Mais les académiciens, les écrivains de renom qui se retrou-

---

1. Maurice Barrès, *Mes cahiers*, t. I, *1896-1898*, Plon, 1929, p. 263.

vent dans la Ligue de la patrie française ne se veulent pas
des « intellectuels » ; le mot, employé au début par dérision,
s'appliquait à ceux qui se coupaient du corps organique de
la France, qui perdaient leur instinct de Français, en exerçant leur raison raisonnante au mépris des intérêts nationaux.
Les intellectuels de droite n'étaient que les porte-parole de
la race française, la voix d'une France éternelle, dont ils refusaient de s'isoler ; les vrais intellectuels, eux, s'étaient retran-
chés de la société et prétendaient gouverner l'esprit public sur
les choses de l'État, au nom de l'intelligence.

Deux systèmes de valeurs.

En fait, les intellectuels dreyfusards défendent leur propre interprétation de la cohésion sociale. Ce qui la mine, à
leurs yeux, c'est l'injustice, faite aux individus ; c'est une raison d'État aveugle. Pour eux, la cohésion sociale ne peut être
produite que par un acte d'adhésion volontaire. La société
ne transcende les individus que dans la mesure où ceux-ci sont
des citoyens, c'est-à-dire des hommes libres.

Au moment du procès Zola, alors que les responsables politiques ne sont pas encore entrés dans la bataille, un double
système de valeurs s'oppose, terme à terme :

Dreyfusisme	*Antidreyfusisme*
Vérité	Autorité
Justice	Ordre
Raison	Instinct/Lois naturelles
Universalisme	Nationalisme exclusif (antisémitisme, xénophobie)
Droits de l'homme (individualisme)	Préservation sociale (holisme)

C'est dans cette dernière dualité (individualisme/holisme)
que nous saisissons sans doute le plus vif du conflit idéolo-

gique. D'un côté, ceux qui placent au-dessus de tout la sauvegarde des Droits de l'homme — de l'homme-individu, et non de l'homme-espèce; de l'autre, ceux qui privilégient le ciment social contre les intérêts individuels. Deux morales s'affrontent bien; mais aussi deux systèmes politiques. La morale des Droits de l'homme induit un régime démocratique; la morale de la société organique, un système favorisant l'unité, l'ordre et la hiérarchie : soit un régime autoritaire, soit — conclusion que Maurras déduit de son nationalisme — un régime monarchique; en tout cas un régime univoque, qui maintienne la cohésion de l'ensemble, sur laquelle s'acharnent toutes les influences mortifères des temps nouveaux.

Deux institutions capitalisent les espoirs des antidreyfusistes : l'Église et l'Armée. Organisées selon les principes d'unité et de hiérarchie, elles contribuent, par nature, à consolider le tissu social. Dans ces deux corps, les dreyfusistes sont tentés de voir, au contraire, les résidus d'une préhistoire — celle de la raison humaine — dont il faut s'accommoder mais sans oublier d'en limiter les prérogatives. L'anticléricalisme et l'antimilitarisme (à des degrés divers) cohabitent logiquement dans le dreyfusisme — tout comme le gros des troupes catholiques (voir le rôle des *Croix* dans l'Affaire) et l'ensemble de la hiérarchie militaire ont versé dans l'antidreyfusisme.

L'issue politique de cette opposition, on le sait, prendra de nouveau l'aspect d'une dualité gauche-droite. Aussi le conflit idéologique originel de l'Affaire se trouve-t-il enveloppé dans les termes d'un conflit ancien. Tout est consommé, ou presque, avec les élections de 1902 et la formation du Bloc des gauches. Reste que l'antagonisme idéologique, qui a fait de l'affaire Dreyfus un moment de cristallisation d'un conflit de valeurs, jusque-là imprécis, va se trouver réactivé tout au long du XXe siècle.

L'antidreyfusisme avait été hétéroclite, quant à ses troupes, à ses orateurs et à ses organes de presse. Or, dans les années qui suivent l'Affaire, une famille politique va s'efforcer de monopoliser l'héritage nationaliste et sa représentativité : l'Action française, née de l'Affaire, va porter l'antidreyfusisme à son point le plus haut d'exaltation et de rigueur théorique [1]. Vestale du nationalisme, l'Action française s'emploiera jusqu'au bout à défendre sa vulgate de l'Affaire comme un mythe d'origine : le mouvement maurrassien est né, a surgi, comme un ange exterminateur, au moment même où la France était menacée de décomposition, sous l'action conjuguée des Juifs, des francs-maçons, des intellectuels et des étrangers. Jusqu'au bout, niant toutes les preuves et les argumentations contraires à sa théorie, l'AF est restée dépositaire de la version « nationale » du drame : la culpabilité des Juifs, réhabilitée par le complot de l'anti-France. Ce monopole qu'elle vise, l'Action française n'en disposera cependant jamais puisque bien des nationalistes resteront sourds aux déductions monarchistes de Charles Maurras ; jusqu'à la Grande Guerre, *La Libre Parole* et *L'Intransigeant* demeurent influents. On le voit en 1908, lorsque Grégori — celui qui avait tiré à coups de revolver sur Alfred Dreyfus lors du transfert des cendres de Zola au Panthéon — se trouve acquitté en cour d'assises. Mais, dans la longue durée, *L'Action française* demeure l'organe de l'antidreyfusisme, dont elle est née, avec une constance incomparable. Dans les années qui suivent la réhabilitation de Dreyfus, loin de rendre les armes, elle multiplie les manifestations symboliques : remise, le 29 juin 1907, à la salle Wagram, d'une médaille d'or au général Mercier ; meeting, le 4 octobre 1908, à Nîmes, contre l'inauguration du monument érigé à la mémoire de Bernard-Lazare ; permanence dans le quotidien *L'Action française*, créé en 1908, d'attaques contre le « traître », ce qui vaut au journal quelques condamnations ; conférences sur le thème : « Les leçons de l'affaire Dreyfus », tout au long des années 1920 ; chahut, en février 1931, de la pièce adaptée de l'allemand par Jacques Richepin, sur *L'Affaire Dreyfus*, chahut qui aboutit à une suspension prolongée de la représentation... Cinquante ans plus tard, un disciple de Maurras, André Figueras, peut encore écrire : « L'affaire Dreyfus a été le catalyseur qui a organisé, doté d'une doctrine et d'une méthode, l'anti-France [2]... »

1. Voir entre autres, Jacques Paugam, *L'Age d'or du maurrassisme*, Denoël, 1971 ; Eugen Weber, *L'Action française*, Stock, 1962 ; Colette Capitan-Peter, *Charles Maurras et l'Idéologie d'Action française, op. cit.*
2. *Op. cit.*, p. 200.

Cependant, la continuité de la référence à Dreyfus n'a qu'un intérêt symbolique. C'est le double système des valeurs, que son procès a mis au jour, qui assure la qualité paradigmatique du conflit de 1898. Un conflit qui s'apaise dans et par la Grande Guerre : l'Union sacrée ressoudait apparemment la communauté française ; dreyfusards et antidreyfusards, antimilitaristes et militaristes, Juifs et antisémites ne formaient plus qu'une seule nation devant le danger extérieur. La guerre pouvait passer pour une revanche de l'antidreyfusisme, en ce qu'elle imposait l'ordre, en ce qu'elle restaurait les valeurs militaires, de discipline et de hiérarchie. Mais les anciens dreyfusards pouvaient se prévaloir de faire la guerre du droit et d'achever l'œuvre de la Révolution française en abattant les anciens régimes de l'Europe centrale. En tout cas, les justifications de part et d'autre aboutissaient à un esprit de défense nationale, où le conflit dreyfusien n'avait plus cours. C'est après la guerre, au cours des années 1920, que les nationalistes repartirent à l'assaut du « parti dreyfusien », responsable du carnage de 1914-1918 par l'affaiblissement qu'il avait provoqué dans le système de défense nationale [1]. Il faut cependant dépasser l'après-guerre si l'on veut observer la reproduction *mutatis mutandis* d'un conflit de type dreyfusien. Trois avatars en sont visibles : la crise politique ouverte par le 6 février 1934 ; la Révolution nationale du maréchal Pétain ; la guerre d'Algérie. Dans ces trois moments de luttes françaises intestines, on se retrouve en présence d'un conflit de valeurs qui prédomine sur les conflits de classes et de partis.

Les années trente.

La crise multidimensionnelle des années trente semble, de prime abord, plutôt combiner les deux conflits « classiques ». La victoire de la gauche unie dans le Rassemblement populaire en mai 1936, de même que la vague des grèves de juin, font coïncider les intérêts de la gauche et du prolétariat, partant ceux de la droite et du patronat. Mais la coïncidence est fugitive, elle dure l'espace des négociations de Matignon et du vote des lois sociales qui s'ensuit — vote émis, au demeu-

---

1. Voir Marc Knobel, *op. cit.*, p. 232 *sq.*

rant, par de nombreux élus de droite. En fait, le conflit de classes a été compliqué, une fois de plus, par l'importance des classes moyennes, rendant décidément éphémère la dualité prolétariat-bourgeoisie, et privant la gauche d'une véritable base de classe. L'union du Front populaire avait été due à une alliance politique, contre le danger renaissant des ligues : « l'antifascisme » actualisait l'ancienne défense républicaine. Mais les divergences d'intérêts économiques et les divergences politiques (politique extérieure notamment) ruinent assez vite le schéma gauche contre droite.

Plus durable nous apparaît, entre 1934 et 1939, le conflit idéologique ressuscité, qui oppose les nationalistes et les intellectuels. Assurément, aucune autre affaire comparable à l'affaire Dreyfus ne focalise la controverse : c'est à l'état diffus qu'il faut la saisir. Au fond, tout se passe comme si toutes les conditions étaient réunies d'une autre affaire Dreyfus — sauf le procès et « l'erreur » judiciaire.

Le nationalisme des ligues, encouragé par les écrivains plus ou moins proches de l'Action française, les épigones de Drumont, les admirateurs des régimes forts qui se sont établis en Italie et en Allemagne, reprend voix et vigueur contre un régime parlementaire décadent, contre les immigrés qui prennent le travail des Français, contre les Juifs et les intellectuels qui sapent les fondements de l'unité nationale. Face aux ligues, les intellectuels, de nouveau mobilisés, regroupés dans un comité de vigilance, dénoncent le fascisme et soutiennent les premiers pas du Rassemblement populaire.

« [La France], écrit Jean Renaud, doit se battre contre les ennemis de l'intérieur qui s'appellent : l'instituteur syndiqué, le financier véreux, le communiste, le cartelliste et le politicien... L'union, la liaison se fait entre eux par les Loges, souveraines animatrices des trahisons et incontestables dispensatrices des prébendes. Rien ne résiste à l'assaut criminel de toutes ces forces de désunion, elles-mêmes soumises aux puissances occultes de l'internationale juive [1]. »

L'ennemi extérieur, plus encore qu'en 1898, se révèle moins menaçant que l'ennemi intérieur. « L'anti-France » est dans les murs. De là résulte finalement le néo-pacifisme de la droite

1. Jean Renaud, *La Solidarité française attaque...*, Les Œuvres françaises, 1936.

nationaliste : la France, face à l'Allemagne, ne peut rien tant qu'elle n'aura pas rétabli l'autorité dans l'État et dans la nation. Face à Hitler, le nationalisme français prend le parti d'un défaitisme réactionnaire : « Une guerre pour la justice et le droit, pour instaurer la République dans une Allemagne intacte, pour assurer la prospérité des Juifs, pour fabriquer une Tchécoslovaquie mythologique, pour laisser dans leurs sinécures les misérables vieillards de la démocratie française ? Autant abdiquer tout de suite et faire l'économie de deux ou trois millions de jeunes cadavres [1]. »

Tout au long des années trente, les chantres de la décadence reprennent les vieux couplets barrésiens du temps de l'Affaire. De plus, à y regarder de près, on peut retrouver chez eux, à défaut d'un procès en bonne et due forme, les termes d'un procès et le choix d'une victime émissaire qui prend une nouvelle fois les traits du Juif — en l'occurrence Léon Blum. De ce point de vue, il n'est pas arbitraire de noter que l'espèce de tentative de lynchage, dont Léon Blum est victime, le 13 février 1936, boulevard Saint-Germain, figure bien une mise à mort, un châtiment, qui rapproche Blum de Dreyfus. On voit bien la différence de situation entre l'un et l'autre. Mais, outre que Léon Blum a été un dreyfusard notoire, les différences s'aplanissent aux yeux des nationalistes : une fois encore c'est par un Juif que la France est « trahie ». Cet homme-là « n'est pas de chez nous », avait déjà déclaré Georges Suarez, dans *Gringoire* (19 avril 1929). Henri Béraud, dans le même journal, expliquait encore, près de dix ans plus tard, la non-appartenance de Léon Blum à la patrie française, à la glèbe de la France paysanne :

« J'en ai, Blum, j'ai de la terre qui me vient de mes vieux et j'en ai que j'ai payée de mes économies. Si Dieu le permet, j'en achèterai encore et tant que j'en pourrai acheter. Je sais le prix d'un arpent de vigne, la valeur d'un hectare de blé. Et jamais, mon pauvre Blum, ni moi ni mes parents ne rougiront de ces biens pour lesquels, de père en fils, nous nous sommes battus... de cette terre que ni toi ni les tiens n'avez su cultiver ni défendre [2]. »

1. Pierre-Antoine Cousteau, *Je suis partout*, 7 avril 1939.
2. Henri Béraud, « Le pauvre homme », *Gringoire*, 12 octobre 1938.

La tradition terrienne, incompréhensible par le « talmu-disme » nomade : la littérature antiblumiste, antisémite, des années qui précèdent la Seconde Guerre mondiale en dit long sur la pérennité de la mythologie nationaliste du temps de Dreyfus. Après une année de gouvernement Blum, l'expli-cation de toutes les difficultés françaises redevient lumineuse : « Le Juif Blum a tout fait pour que la guerre soit, et dans les conditions les plus dures pour la France : avec le mini-mum d'or et le minimum d'alliés, sa politique nous ayant aliéné l'Italie qui fut notre alliée dans la dernière guerre et qui est maintenant du côté de l'Allemagne[1]. »

Face à cette nouvelle vague de nationalisme, antisémite, xénophobe[2], antiparlementaire, le sursaut du Comité de vigilance des intellectuels antifascistes, tout comme le Front populaire, ne se prolonge pas. Trop de contradictions sont à l'œuvre dans leurs rangs. Pourtant jamais, depuis l'affaire Dreyfus, on n'avait assisté à pareille reviviscence du combat d'idées. La France était affaiblie par les effets durables de la Grande Guerre, la crise économique, les ratés du système politique, le déclin démographique : de nouveau, on entonne l'antienne de la décadence, l'hymne à « la France seule » ; on dénonce la trahison par les Juifs et les francs-maçons. De nou-veau, les intellectuels donnent de la voix et de la signature, contre la réapparition de l'ancien adversaire qu'ils flétrissent sous le nom de « fascisme ». Néanmoins, le camp des intel-lectuels révèle des divisions : la querelle des pacifistes et des antipacifistes embrouille ses résolutions antifascistes. Tout de même, entre les grands journaux de la presse nationaliste (*L'Action française, Gringoire, Je suis partout...*) et les orga-nes des intellectuels (*Vigilance, Vendredi...*), la guerre des idées a repris. Le nom d'Alfred Dreyfus s'y trouve mêlé, qui meurt en juillet 1935. A cette occasion, Charles Maurras retient « la coïncidence » : « Alfred Dreyfus expire au cent quarante sixième anniversaire de la prise de la Bastille... Les conséquences de l'affaire Dreyfus ne furent pas seulement

1. Laurent Viguier, *Les Juifs à travers Léon Blum*, Éd. Baudinière, 1938, p. 122.
2. Sur les courants xénophobes dans la France des années trente, voir la thèse de Ralph Schor, *L'Opinion française et les Étrangers en France, 1919-1939*, Marseille, Université d'Aix-Marseille, I, 1980 (5 vol.).

antimodérées, antipropriétaires, antihéréditaires, anticatholiques, elles furent aussi et surtout antipatriotes et antimilitaristes [1]. » Le 14 juillet de la même année, se tenaient au stade Buffalo les assises pour la paix et la liberté. Victor Basch, président de la Ligue des droits de l'homme, rappelle les combats de la Ligue pour Dreyfus :

« Dans l'instant même, écrit Jean Guéhenno, on enterrait (et cela ferait croire que certains hommes ont vraiment leur destin qui règle comme il faut les péripéties de leur vie et jusqu'à la minute de leur mort pour que leur existence ait toute sa valeur) au cimetière Montmartre le colonel, le 'capitaine' Dreyfus. Alors, soudain, d'elle-même et d'un seul mouvement, toute la foule qui peuplait l'immense amphithéâtre se leva, et, dans un silence qui saisissait le cœur, chacun pensa à ce mort... Il n'est pas un de nous qui, à la limite des larmes, n'ait senti qu'il se faisait dans ce moment, d'une génération à l'autre, comme une transmission, une tradition de justice [2]. »

Les antidreyfusards au pouvoir.

Le régime nouveau, créé sur le désastre militaire de mai-juin 1940, s'inspire d'emblée du fonds traditionaliste et nationaliste. Les mesures d'exclusion prises contre les francs-maçons, contre les Juifs, la suppression des écoles normales d'instituteurs, l'exhortation au retour à la terre, la politique « du badigeon », comme on appelle les décisions de l'État français dirigées contre le souvenir même de la République parlementaire, les rues Jaurès ou Zola qu'on rebaptise du nom de Pétain, autant d'éléments tantôt législatifs, tantôt symboliques d'une revanche — un esprit de revanche plus que jamais retourné vers l'intérieur. La quintessence de la France, la tradition terrienne et artisanale, monarchiste et catholique, n'en finit pas d'être exaltée contre tous les poisons de la décadence, qui ont failli l'altérer. Quand l'État français expulse les Juifs de l'armée, *La France au travail* émet

---

1. *L'Action française*, 14 juillet 1935.
2. Jean Guéhenno, *Entre le passé et l'avenir*, Grasset, 1979, p. 275.

ce commentaire : « Nous n'aurons plus d'affaire Dreyfus [1]. »
Robert Valléry-Radot explique, de son côté : « La Révolution nationale est avant tout l'insurrection des richesses réelles créées par le travail contre la richesse fictive à la juive [2]... »
Dans ce contexte, nul autre que Léon Blum ne pouvait être l'accusé principal du procès de Riom, qui s'ouvre en février 1942. Procès raté mais hautement symbolique dans l'esprit de ses organisateurs. *L'Action française* du 28 janvier 1942 dénonce « tous les vices juifs, intellectuels et moraux de Blum », et propose « d'élever un bûcher pour y brûler la déclaration des Droits de l'homme et les œuvres de Rousseau, Kant et Blum [3] ». La presse parisienne redouble de violence : « Daladier était politiquement et moralement lâche... », écrit Stéphane Lauzanne dans *Le Matin* (11 février 1942). « Ce taureau n'était qu'une vache domestiquée par l'Angleterre et renue en bride par les Juifs... Léon Blum était le préparateur conscient et satanique de la défaite, l'homme qui a inoculé le virus de la paresse dans le sang d'un peuple [4]. »

Une nouvelle fois, l'antisémitisme assure la continuité des comportements : on réimprime *La France juive* de Drumont, que Robert Brasillach loue comme « le précurseur génial du national-socialisme français [5] » ; on organise des conférences, des cérémonies, des expositions, ce qui prépare d'autant mieux les conditions psychologiques de la collaboration aux rafles et aux déportations des Juifs. « Nous n'en sommes plus au discours de salon, mais au pogrom [6]. »

Par une singulière aberration, le nationalisme né de l'antidreyfusisme en venait à une politique de collaboration avec « l'ennemi héréditaire » occupant le territoire national. Maurras soutient ainsi la soumission aux exigences du Gauleiter Sauckel [7] ; c'est qu'à ses yeux la victoire de l'Allemagne était

---

1. Cité par Pascal Ory, *Les Collaborateurs, 1940-1945*, Éd. du Seuil, « Points Histoire », 1980, p. 158.
2. Robert Valléry-Radot, *Sources d'une doctrine nationale, de Joseph de Maistre à Charles Péguy*, Sequana, 1942.
3. Cité par Henri Michel, *Le Procès de Riom*, Albin Michel, 1979, p. 316-317.
4. *Ibid.*, p. 324.
5. Cité par Pascal Ory, *op. cit.*, p. 164.
6. *Au pilori*, 21 février 1941, cité par Pascal Ory, *ibid.*, p. 158.
7. Voir Eugen Weber, *L'Action française, op. cit.*, p. 513.

préférable aux «illusions funestes» : «Si les Anglo-Américains devaient gagner, cela signifierait le retour des francs-maçons, des Juifs et de tout le personnel politique éliminé en 1940 [1]. » Un ancien responsable des Camelots du roi, Joseph Darnand, devient, en 1943, chef d'une Milice acharnée contre le «bolchevisme» et la Résistance.

La Résistance et la France libre, qui flétrissent l'État français et les multiples visages de la Collaboration, n'ont pas d'unité, ni politique ni sociale. Notons cependant qu'elles ont d'abord existé, elles aussi, en dehors des partis politiques, nées d'actes individuels. De plus, malgré la diversité des thèmes avancés, on peut retrouver, dans maints textes, la défense et l'illustration des valeurs dreyfusistes. Car le combat de la Résistance n'est pas seulement patriotique ; il se décrit lui-même comme un combat moral :

« Se demander si l'on est républicain, écrit un philosophe résistant anonyme, c'est… se demander si les notions de droit et de justice ont un sens, ou bien, pour décider entre des intuitions politiques qui se contredisent et peuvent se donner également comme certaines, s'il y a d'autre méthode de choix que la violence et la guerre ; ou plus simplement encore, c'est se demander s'il y a une moralité en matière politique. Non, répondent expressément Maurras et ses séides. Oui, maintiennent ceux qui se disent expressément républicains [2]. »

On peut encore lire dans *Libération*, de septembre 1943, cette conclusion d'un article intitulé « Au-delà de la nation » : « Nous le répétons, la plus grande victoire de la France ne sera pas la victoire des armées mais celle des idées. Fasse Dieu que nous apportions au monde, comme nous l'avons fait en 89 pour les Droits de l'homme, le nouvel évangile du Droit des peuples [3]. »

Pourtant, l'idéologie de la Résistance, pour être en partie dans le droit-fil de l'idéologie dreyfusarde (universalisme, Droits de l'homme, etc.), a été singulièrement nourrie d'une source qui avait peu alimenté le dreyfusisme : celle du courant chrétien démocrate. De sorte que l'Église a été divisée

1. *Ibid.*
2. *De la Résistance à la Révolution, Anthologie de la presse clandestine française*, Neuchâtel, Éd. de la Baconnière, 1945, p. 82-83.
3. *Ibid.*, p. 219.

par l'événement, on ne l'a pas trouvée d'un bloc : tandis que les membres les plus nombreux de la hiérarchie donnaient leur bénédiction à la Révolution nationale, les jeunes gens issus des mouvements de jeunesse catholique et maints écrivains chrétiens furent des premiers résistants. L'Armée, autre institution privilégiée des anciens antidreyfusards, n'échappait pas au partage — même si c'était de façon inégale : le tête-à-tête du Général et du Maréchal symbolisait mieux que tout cette division. Il en résulte que l'anticléricalisme et l'antimilitarisme cessent d'occuper dans la Résistance les places qu'ils avaient dans le modèle dreyfusard. Simultanément, le nationalisme d'en face est singulièrement modifié par l'esprit fasciste et les tentations national-socialistes : l'heure de la « France seule » était passée pour les cadets de l'antidreyfusisme, et Darnand aussi bien que les journalistes de *Je suis partout* prenaient Maurras pour un professeur intempestif. Il n'empêche, le noyau de la Révolution nationale et le noyau de la Résistance contenaient respectivement quelques-unes des idées forces qui avaient animé la lutte des antidreyfusards et des dreyfusards. Ce n'est pas au hasard que Charles Maurras lance, à l'issue de son procès, en janvier 1945, quand il apprend sa condamnation à la détention à vie et à la dégradation nationale, son mot de la fin : « C'est la revanche de Dreyfus ! »

L'armée de nouveau en question.

L'effondrement de l'État français entraîné par la défaite de l'Allemagne hitlérienne aboutit à la ruine de la lignée antidreyfusarde. Le procès de Nuremberg — si l'on veut marquer cette étape par une référence symbolique — met un terme à soixante années d'antisémitisme ; les fondateurs de la IVe République réconcilient les traditions laïque et chrétienne. Apparemment, l'entrée du monde dans l'ère atomique paraît exorciser la France de ses vieux démons. Pourtant, sous cette IVe République, on va assister à un renouvellement du conflit dreyfusien — sur un nouveau terrain : celui de la décolonisation. Plus particulièrement dans les dernières années du régime, de 1954 à 1958. Les acteurs principaux, sur la scène métropolitaine, en sont moins les professionnels de la politique — dont la plupart ne se résolvent pas à imaginer la décolonisation nécessaire — que les membres de deux camps opposés et hétérogènes qui se livrent bataille dans tous les organes d'opinion, quand ce n'est pas dans la rue : d'une part, les défenseurs de l'Algérie française et de l'armée ; d'autre part, les intellectuels réunis dans la défense des Droits de l'homme. A partir du 6 février 1956, date du voyage malheureux du président du Conseil, Guy Mollet, à Alger, la politique de répression coloniale défendue par le leader socialiste va recevoir l'approbation et de l'écrasante majorité du Parti socialiste et de l'écrasante majorité du Parlement. L'opposition à la guerre d'Algérie est réservée, hors du Parlement, aux intellectuels qui font entendre leurs protestations, soit dans les journaux (« Libres opinions » du *Monde, L'Express, France-Observateur, Témoignage chrétien*, « les quatre grands de la contre-propagande française », selon le mot de Jacques Soustelle), soit dans les revues (*Esprit* et *Les Temps modernes* principalement), soit dans des organes créés spécialement aux fins de cette lutte contre la politique coloniale et ses méthodes (*Témoignages et documents, Vérité-liberté*). Le débat sur la torture, exercée par des membres de l'armée en Algérie, va reproduire un cas de figure typiquement « dreyfusien ».

Dès janvier 1955, des articles de Claude Bourdet et de François Mauriac dénonçaient des cas de torture en Algérie. En novembre de la même année, l'engagement spécifique des intellectuels prenait la forme d'un Comité d'action des intellectuels contre la poursuite de la guerre en Afrique du Nord. Le 5 avril 1956, Henri Marrou, professeur à la Sorbonne, ancien compagnon d'Emmanuel Mounier, publiait dans une tribune du *Monde* un article, « France ma patrie », qui lui valait cinq jours plus tard une perquisition à son domicile. A cette occasion, M. Bourgès-Maunoury, ministre de la Défense nationale, raille les « chers professeurs » — expression appelée à faire fortune. La dénonciation de la torture se renforce au cours de l'année 1957 de tous les témoignages des rappelés du contingent. En février, c'est la publication par *Les Cahiers de « Témoignage chrétien »*, du dossier Jean Muller ; en mars, c'est la brochure *Les rappelés témoignent...* En ce même mois, un écrivain catholique, d'opinion modé-

rée, Pierre-Henri Simon, publie son « J'accuse » sous la forme
d'un pamphlet, publié aux Éditions du Seuil, sous le titre :
Contre la torture. On voit ce qui était changé depuis Zola puisque en l'occurrence il s'agissait d'un chrétien [1]. Au demeurant, ce chrétien se disait lui-même « nourrisson de l'Université
et de l'École normale », et sa démarche se donnait pour un acte
moral en faveur de la justice et de la vérité. L'épigraphe choisi
imprimait au livre sa dimension universaliste ; Pierre-Henri
Simon l'avait empruntée à Montesquieu : « Si j'avais su quelque chose utile à ma famille et qui ne l'eût pas été à ma patrie,
j'aurais cherché à l'oublier ; si j'avais su quelque chose utile
à ma patrie et qui eût été préjudiciable au genre humain, je
l'aurais rejeté comme un crime. »

Les actes et écrits des intellectuels contre la torture et la
répression en Algérie vont se multiplier. Il n'est pas utile ici
d'en faire la liste [2]. Soulignons seulement qu'en aucune autre
période, depuis la Résistance, on n'avait vu tant de noms des
Lettres et de l'Université s'engager dans un combat public ;
jamais, depuis l'affaire Dreyfus, on n'avait vu les intellectuels constituer à ce point un groupe de pression politique,
un « parti », comme on disait dans les dernières années du
XIXe siècle. Contrairement à ce qui se passe en 1899, ces intellectuels ne sont pas relayés par la gauche politique ; mieux
(pire) : c'est la gauche socialiste qui couvre systématiquement
le scandale de la torture ; c'est elle qui, au gouvernement,
alliée au reste de la gauche non communiste, place l'armée
au-dessus de tout soupçon [3]. Guy Mollet avait remplacé

1. En un sens, vu l'importance des chrétiens dans le combat contre
la torture et pour la paix en Algérie, l'anticléricalisme changea de camp.
Par exemple, en mars 1958, lors d'un congrès des radicaux dissidents
(antimendésistes), Vincent Badie proteste contre « les agents de l'imposture et de la mystification, tels ces docteurs en foi religieuse, toujours
prêts, sous le couvert des Écritures, à donner tort à la France. » De son
côté, André Marie fustigeait les lecteurs de « ces feuilles qui se vendent
sous certains portails gothiques ». Un autre encore dénonçait le « travail de désagrégation qui mine les milieux catholiques et protestants ».
En revanche, la dénonciation de l'*intelligentsia*, « dont la naïveté égale
la culture » restait dans la tradition antidreyfusarde.

2. Voir Pierre Vidal-Naquet, *La Torture dans la République*, Maspero, « Petite collection Maspero », 1983 (rééd.).

3. Christian Pineau, ministre des Affaires étrangères, déclare à l'ONU
à propos du scandale de la torture : « Ce sont des inventions de *France-
Observateur* » (février 1957).

Jean Jaurès. Toutefois, il faut signaler qu'un homme politique, le radical Pierre Mendès France, va attirer sur sa tête la haine vengeresse des partisans de l'Algérie française. Mendès France a beau avoir signé les accords de Genève, achevant la première guerre d'Indochine, avec l'appui quasi unanime du Parlement, il n'en sera pas moins considéré comme un « bradeur »; il a beau, au moment où éclate le conflit algérien, en novembre 1954, déclarer sa conviction selon laquelle l'Algérie doit rester française... rien n'y fera : poujadistes, officiers supérieurs, ultras de tous les groupuscules feront de lui le « traître ». Sa démission du gouvernement Mollet, le 23 mai 1956, ne fait que confirmer aux yeux de ses détracteurs sa vocation à la « trahison ». De sorte que, si le conflit algérien paraît expurgé de tout antisémitisme — ne serait-ce qu'en raison de l'alliance franco-israélienne contre Nasser, lors de l'expédition de Suez —, il faut noter néanmoins, en particulier dans la presse poujadiste et les feuilles d'extrême droite telles que *Rivarol*, les signes évidents de la vieille passion, quand bien même ceux-ci doivent s'en tenir à une discrétion légale.

A titre d'illustration, évoquons une manifestation entre des centaines d'autres : celle qui est organisée par divers mouvements « ultras » contre l'enlèvement du capitaine Moureau, dans le Sud marocain, par des bandes insoumises. Manifestation qui se déroule, le samedi 30 mars 1957, à l'Arc de Triomphe et sur les Champs-Élysées. Vociférations, renversement et incendie d'une voiture, cris répétés : « Al-gérie-française ». Les vitrines de *L'Express* sont brisées à coups de pavés. On brandit des panneaux qui portent des inscriptions hostiles à Mendès France et à Mauriac. « Un parachutiste en uniforme, juché sur les épaules de ses camarades, prononce une brève harangue, voulant dénoncer un régime de pourriture servi par des lâches. » Des chaises, prises à une terrasse de café, sont jetées sur les gardiens de la paix, tandis que les manifestants répètent : « Fusillez Ben Bella ! », « Au pouvoir l'armée ! » et « Mendès France au poteau ! » [1].

---

1. Voir *Le Monde*, 2 avril 1957. Quant à l'hostilité parlementaire à Pierre Mendès France, on pourra se reporter au débat sur la loi-cadre, défendue par M. Bourgès-Maunoury, à la fin de novembre 1957.

L'*Observer*, cité par *Le Monde*, décrivait ainsi la situation morale, en ce début d'avril 1957 : « Nombre de Français estiment que face à la rébellion et au terrorisme algériens des méthodes impitoyables sont justifiées. Mais ceux que leur conscience pousse maintenant à protester représentent cette partie de la France qui a fait la partie de ceux qui aiment la liberté humaine et respectent la dignité de l'homme. »

En face, dans le camp de l'Algérie française, on retrouve, avec toutes ses nuances — et les variations dans les formes —, les divers thèmes de l'antidreyfusisme : le caractère tabou de l'armée (« Le devoir, déclare le président René Coty, à Verdun, le 17 juin 1956, est simple et clair. A ceux qui ne sont pas astreints à la discipline militaire, il commande à tout le moins ce minimum de discipline civique qui leur interdit tout acte, même tout propos susceptibles de jeter le trouble dans l'âme des enfants de la patrie que la République appelle aux armes... »), le mépris des intellectuels (« exhibitionnistes du cœur et de l'esprit »), l'exaltation d'un nationalisme obsidional (où l'on voit s'opérer la réactivation du culte de Jeanne d'Arc), la phobie du complot étranger [1], l'antiparlementarisme sous toutes ses formes, etc. Sans doute n'était-il pas aisé de fondre dans un même nationalisme celui qui était issu de l'extrême droite et de Vichy et celui qui revendiquait la mémoire de la Résistance. Mais de nouvelles synthèses s'élaboraient dans cette conjoncture, où l'ancien président du CNR, Georges Bidault, était l'allié de l'ancien maréchaliste Jean-Louis Tixier-Vignancour. Lors d'un meeting, tenu le 11 février 1958, par les députés parachutistes Le Pen et Demarquet et le Front national des combattants, outre qu'on y fait huer le nom de « Mendès », on entend unir, par Demarquet, dans un même hommage : « Les combattants de Verdun et ceux de la lutte anticommuniste (c'est-à-dire de la

---

1. Lors d'une suspension de séance au cours du débat du 15 avril 1958 à l'Assemblée, on entendait ainsi à la buvette : « Les Français ne sont pas conscients, ce qu'il faut, c'est les avertir. D'abord les journaux, chaque jour, devraient porter de gros titres pour faire comprendre aux lecteurs les intérêts nationaux. Vous savez, je crois à la publicité, moi : à force de lire que la Tunisie, que les États-Unis, que l'Angleterre nous trahissent, les Français le croiront bien — et alors, ça changerait » (témoignage de l'auteur, présent).

LVF). » Les cartes du nationalisme étaient redistribuées, les mémoires historiques ne devaient plus interdire un front commun, face aux nouveaux symptômes de la décadence. Un ciment de substitution pouvait remplacer le vieil antisémitisme, jadis si utile à rassembler : l'anticommunisme en tenait lieu. Le retrait de l'appui du PCF à Guy Mollet à partir de l'automne 1956, les événements mêmes de l'année 1956 (le XXe Congrès du PCUS, l'écrasement de la révolution hongroise) favorisaient l'isolement des communistes et rendaient d'autant plus aisé l'anticommunisme instrumental. « Abandonner » l'Algérie, ce n'était pas seulement renoncer à la grandeur impériale, laisser sans défense près d'un million de pieds-noirs, c'était aussi, pour beaucoup d'officiers et de leaders politiques, abandonner la Méditerranée et l'Afrique « aux Soviets ».

A cette idée de la décadence, les intellectuels répliquaient, au nom même du patriotisme : « Il faudrait surtout qu'on cesse d'associer les mots de décadence ou d'abandon à l'émancipation des peuples colonisés. Comment ne pas voir au contraire que celle-ci consacre en un sens la réussite même de la mission que nous nous étions donnée, et constitue sa justification [1]. » Qu'il s'agisse de l'honneur de l'armée ou de la grandeur de la patrie, on trouve, à soixante ans de distance, des arguments analogues. Une fois encore, la morale des Droits de l'homme s'opposait à la morale de la société organique ; aux premiers, qui défendaient le respect et l'émancipation des colonisés, faisaient face tous ceux qui exaltaient la défense, au prix de tous les « faux patriotiques », de l'Algérie, terre française, et de l'armée, détentrice des valeurs nationales. Toutefois, le scénario de l'affaire Dreyfus fut en 1958 inversé. Ce sont les néo-nationalistes qui l'emportent, grâce aux appuis qu'ils trouvent dans la population française d'Algérie, dans l'armée, et grâce au recours au général de Gaulle. Cette fois, le mécanisme de « défense républicaine » est grippé, en raison des divisions de la gauche et des responsabilités mêmes qu'avait prises la majorité des socialistes dans le renouveau du nationalisme. On sait que, par

---

1. Henri Marrou, dans l'ouvrage collectif *La Question algérienne*, Minuit, 1958, p. 28.

un paradoxe historique, il appartint au nationaliste Charles de Gaulle d'anéantir, au bout de quatre ans, les effets du néo-nationalisme colonial. Ce fut donc le général de Gaulle qui dut prendre le rôle de Waldeck-Rousseau, au prix d'un régime parlementaire dont personne, apparemment, ne voulait plus.

Après inventaire.

De ce qui précède, on tirera quelques conclusions :

1. On ne saurait minimiser l'unicité de l'affaire Dreyfus. Si nous avons cru pouvoir observer quelques reproductions de son conflit central — celles-ci n'ont jamais eu ni le même scénario (affaire judiciaire + crise morale + crise politique + victoire du bloc des gauches et réhabilitation), ni le même contenu (variations, entre autres, du rôle de l'armée, de l'Église et de l'antisémitisme). Dans aucune de ces reproductions, on ne retrouve la simplicité du conflit moral. Même dans le cas de la guerre d'Algérie, les contempteurs des méthodes de répression ne défendent pas un innocent : le FLN use, lui aussi, de méthodes violentes, y compris envers les Algériens — méthodes dont l'atrocité donne argument à la violence contre-terroriste. On voit, enfin, dans le schéma récapitulatif qui suit, que s'il est légitime, aux yeux de l'historien, de constater des *remakes* de l'Affaire, ce n'est que de façon très imparfaite. Peut-être serait-ce en d'autres pays qu'il faudrait chercher une analogie plus serrée : nous pensons ainsi à l'affaire Sacco-Vanzetti, ou aux procès staliniens (voir tableau). Le cas numéro 2 de ce schéma ne présente que des éléments diffus d'une autre affaire Dreyfus; le cas numéro 3, comme le précédent, englobe une nouvelle surrection dans un conflit beaucoup plus vaste; c'est sans doute dans le cas numéro 4 qu'on retrouve plus nettement les éléments d'un cas de figure proche de la crise dreyfusienne, mais en changeant ce qui doit être changé.

2. Malgré ces disparités, nous avons cru devoir porter le conflit dreyfusien à la hauteur d'un paradigme historique, dont la référence n'a cessé de fonctionner jusqu'à nos

Situations	Les intellectuels	Les nationalistes	La victime émissaire
Affaire Dreyfus	« Manifeste » des intellectuels janvier 1898	Ligue des patriotes Ligue antisémitique Ligue de la patrie française Naissance de l'Action française *La Libre Parole* *L'Intransigeant* *La Croix*...	Alfred Dreyfus
Crise des années trente (1934-1939)	Comité de vigilance des intellectuels antifascistes	L'Action française Ligues Groupuscules fascisants Grands hebdomadaires : *Gringoire,* *Je suis partout*...	Léon Blum (13 février 1936)

		Au pouvoir dans l'État français	
Révolution nationale et Résistance	Pas d'organisation centrale avant le Comité national des écrivains (CNE)		Léon Blum (principal accusé du procès de Riom)
Guerre d'Algérie	Comité d'action des intellectuels contre la poursuite de la guerre en Afrique du Nord Comité de Résistance spirituelle Manifeste des 121 (septembre 1960) *Les Temps modernes* *Esprit*	Néo-nationalisme regroupant le nationalisme de tradition antidreyfusiste (AF, catholiques intégristes...) et le nationalisme «républicain» (anciens de la Résistance, membres de gauche et anticléricaux du «parti colonial») Poujadistes....	Pierre Mendès France

jours [1]. Ce conflit, nous l'avons localisé dans l'opposition des intellectuels et des nationalistes — nouveaux substantifs contemporains.

3. Nous n'avons pas insisté sur la sociologie de ce nationalisme qui prend forme à la fin du siècle dernier, mais nous pouvons y trouver une constante : l'importance des couches sociales menacées par les mutations économiques ; le caractère « petit Blanc », observable dans la clientèle des ligues — et qu'on retrouve aussi bien au cours des années trente, sous Vichy, et au sein du poujadisme, caractère qui est aussi, par définition, celui des victimes les plus nombreuses de la décolonisation en Algérie. Ce centre de gravité socio-économique est en harmonie avec une idéologie défensive, qui s'exprime à travers un certain nombre de phobies et de fantasmes récurrents ou renouvelés (antisémitisme, xénophobie, appel à l'homme providentiel, etc.). De ce point de vue, la crise dreyfusienne et ses avatars sont l'expression d'une lutte entre les tenants d'une société ancienne, menacée, et les tenants d'une modernité à visages successifs.

4. Le contenu du conflit permanence/modernité nous a paru opposer principalement une vision individualiste de la société à une vision holiste. Pour les dreyfusards, un homme seul vaut un poids d'humanité inaliénable à la communauté. De ce point de vue, nous ne pouvons plus, depuis les procès staliniens, localiser la tradition dreyfusiste toute à gauche : la morale communiste, à propos de ces procès, a développé une vision de la société plus totalitaire que celle du nationalisme d'extrême droite. Inversement, une partie de la mouvance dreyfusarde a pour filiation une droite libérale qui peut se reconnaître dans l'évolution, notamment, de l'Alliance démocratique. D'autre part, nous avons vu, à l'occasion du conflit algérien, un large secteur de la gauche alimenter ou couvrir le néo-nationalisme.

---

1. Au lendemain des élections européennes du 17 juin 1984, on pouvait lire dans *Le Matin* un reportage sur le succès de la liste Le Pen et la façon dont les vainqueurs fêtaient l'événement au « siège du Front national ». Une personne, évoquant un des concurrents de Jean-Marie Le Pen, Olivier Stirn, remarque : « Vous savez que c'est l'arrière petit-fils de Dreyfus ! » (Jean Darriulat).

5. Dans les successives « affaires Dreyfus » que nous avons cru pouvoir repérer, on retrouve, de matière plus ou moins affirmée, la présence d'une victime émissaire, selon l'expression de René Girard, dont on remarque l'identité juive : Dreyfus, Blum, Blum de nouveau, Mendès France. L'antisémitisme, moins vivace depuis 1945, interdit de séjour, n'en continue pas moins à fournir, de manière larvée, la victime expiatoire contre laquelle le nationalisme entend ressouder les rangs de la nation [1]. A cet égard, l'observateur des temps que nous vivons ne manquera pas d'évoquer le cas de Simone Veil, et la littérature infamante qui tente de la discréditer depuis la loi de 1975 sur « l'interruption volontaire de grossesse ». Littérature qui en dit long sur la permanence d'un courant qu'on croyait à jamais tari « depuis Auschwitz ». De façon symétrique, comment ne pas mentionner le harcèlement du garde des Sceaux, Robert Badinter, par l'extrême droite, depuis 1981 ?

Si l'affaire Dreyfus [2] peut représenter un nouveau conflit type de la société française, il nous a semblé que c'était, d'abord, en raison de l'émergence qu'elle provoque et de l'opposition qu'elle cristallise de deux forces nouvelles et hétérogènes. L'une, une nouvelle cléricature, l'autre, une nouvelle droite, qui prend au cours de cette même affaire le nom de nationalisme. Les intellectuels s'instaurent, collectivement, comme les gardiens de la philosophie sociale issue des Lumières ; les Droits de l'homme s'imposent comme la charte de leur universalisme. En face de ces nouveaux clercs, accusés d'être en rupture de communauté, le nationalisme exprime une volonté de sauvegarde sociale et de réaction politique, sur un diagnostic de décadence.

---

1. Voir René Girard, *La Violence et le Sacré*, et particulièrement le chapitre 3, « Œdipe et la victime émissaire », Grasset, 1972.
2. On ne saurait terminer sans rendre hommage au dernier essai de synthèse — réussi — sur l'affaire Dreyfus : Jean-Denis Bredin, *L'Affaire*, Julliard, 1983. Plus récemment, après la publication de cet article : Pierre Birnbaum, *Un mythe politique : « La République juive », de Léon Blum à Pierre Mendès France*, Fayard 1988.

7

La gauche
et les Juifs

La Dépêche de Toulouse est un journal républicain, un quotidien de gauche. En 1895, Jaurès y donne des articles toutes les semaines. Au mois de décembre précédent, l'ex-capitaine Dreyfus a été condamné à la déportation, pour fait d'espionnage. Ce n'est pas encore une affaire ; ce n'est pas encore « l'Affaire » ! A la date du 13 mars, le regard est attiré par la déclaration d'un député radical-socialiste de la Dordogne, Raymond Gendre, qui s'exprime sur « les Juifs ». Tiens donc ! les députés de la gauche sont ainsi tenus de donner leur « avis » sur les Juifs, en ce temps-là ? Mais l'étonnement redouble quand on lit sous la signature de l'honorable parlementaire : « J'estime que la juiverie politique et financière qui nous ronge est la plus grande plaie sociale du jour. » Qui est ce Gendre-là ? Le *Dictionnaire des parlementaires* signale que Gendre a bien été élu à Sarlat contre un candidat conservateur ; il se réclame de « l'idéal républicain ». Précisément, dans sa lutte « pour une République honnête, économe et populaire », il dénonce la collusion au pouvoir de l'opportunisme (le centre gauche) et de « la juiverie ». Quel est le commentaire de *La Dépêche* ? Aucun. Pas un mot d'objection.

Le rejet de l'antisémitisme par les hommes de gauche n'a donc pas toujours été une évidence, un impératif catégorique. Les préjugés « de race » n'ont pas seulement été le monopole de la droite ou de l'extrême droite. Mais on ne peut s'en tenir à cette constatation générale qui ramènerait l'antisémitisme au parterre des lieux communs. Il s'agit de savoir plus

Édouard Drumont et Cie, Éd. du Seuil, coll. « XXe Siècle », 1982.

précisément quels ont été, depuis 1789 — c'est-à-dire depuis
que la gauche existe —, les rapports de celle-ci avec la communauté juive en France. C'est en prenant la mesure de cette
longue durée qu'on y verra peut-être plus clair.

Si l'on utilise d'abord une grosse lunette pour balayer pres-
tement quelque deux siècles d'histoire française, trois reliefs
successifs émergent comme autant de moments de solidarité
entre la gauche et les Juifs : la Révolution, l'affaire Dreyfus
et la lutte antihitlérienne. Au cours de ces trois « crises » de
nature différente, la gauche, en affirmant et en développant
ses idéaux, a été amenée à trancher dans ce qu'il a été tôt
convenu d'appeler la « question juive ». Toutefois, si l'on troque les jumelles contre une loupe d'historien, on doit vite
convenir que cette bonne intelligence entre la gauche et les
Juifs, proclamée trois fois avec éclat, est loin d'épuiser le problème. La réalité n'a pas toujours été aussi lumineuse que
les grands principes. Les grands principes eux-mêmes n'ont
pas été sans effets pervers.

L'ère nouvelle de la Liberté.

Au début de cette histoire donc, un monument glorieux :
l'émancipation des Juifs par l'Assemblée constituante, le 28
septembre 1791. Dès les premières semaines de l'Assemblée,
en 1789, l'abbé Grégoire, un des membres les plus en vue de
la gauche, attire l'attention de ses collègues sur la question.
Dans sa *Motion en faveur des Juifs*, il affirme : « Les Juifs
sont membres de cette famille universelle, qui doit établir la
fraternité entre les peuples ; et sur eux comme sur vous la
Révolution étend son voile majestueux. Enfants du même
père, dérobez tout prétexte à la haine de vos frères, qui seront
un jour réunis dans le même bercail ; ouvrez-leur des asiles
où ils puissent tranquillement reposer leurs têtes et sécher leurs
larmes ; et qu'enfin le Juif, accordant au Chrétien un retour
de tendresse, embrasse en moi son Concitoyen et son Ami. »

Ces paroles généreuses n'étaient pas du goût de tous les
députés. A côté d'un Mirabeau, d'un Clermont-Tonnerre,
d'un Robespierre, qui mêlèrent leurs voix à celle de l'abbé
Grégoire, la droite réussit à retarder l'événement. L'abbé
Maury, tout en se proclamant hostile à toute « oppression »,

dénia aux Juifs la qualité de Français, et partant de citoyens.
C'était aussi l'idée du député alsacien Reubell, qui fut l'adversaire le plus acharné de l'émancipation. Depuis le début de
la Révolution, l'Alsace, où résidaient la majeure partie des
Juifs français, était le théâtre de véritables pogromes à l'occasion du mouvement agraire. Reubell introduisait dans la discussion une contestation qui n'était pas celle d'un homme
de droite — mais d'un futur Montagnard. Il n'y eut donc
point d'unanimité de gauche en faveur des Juifs. Toutefois,
le décret de 1791 scellait l'alliance de la Révolution et du
judaïsme [1]. Il «libérait, écrivit plus tard Bernard Lazare,
tous ces parias d'une séculaire servitude; il rompait tous les
liens dont les lois les avaient chargés; il les arrachait aux ghettos de toute sorte où ils étaient emprisonnés; de bétail qu'ils
étaient, il en faisait des hommes [2]».

Aux 50 000 Juifs français émancipés par la Révolution
allaient être ajoutés les centaines de milliers d'autres Juifs
européens, émancipés par les armées de la République et de
l'Empire. En Hollande, en Italie, en Allemagne... Henri
Heine a raconté comment les armées de Napoléon sont entrées
dans les villes d'Europe sous les acclamations des Juifs. «La
France», avait dit Samuel Lévy, dans une lettre à l'Assemblée constituante, «la France [...] est notre Palestine, ses
montagnes sont notre Sion, ses fleuves notre Jourdain... La
liberté n'a qu'une langue, et tous les hommes savent son
alphabet. La nation la plus asservie priera pour elle qui a délié
les chaînes des esclaves. La France est le refuge des
opprimés.»

Ces noces sublimes de la Révolution et de la Liberté, la
gauche en a gardé la gravure émouvante dans son album de
famille. D'autant plus qu'après cette vague émancipatrice les
Juifs devaient subir de rudes retours de bâton. D'abord, en
France même, quand Napoléon prit en 1806 des mesures res-
trictives concernant les Juifs. Puis, dans la plupart des pays

---

1. Il s'agit de l'émancipation des Juifs d'Alsace et de Lorraine, représentant à eux seuls les neuf dixièmes des Juifs de France; les autres
— Juifs de Bordeaux, de Bayonne, du Comtat — avaient été faits
citoyens français dès 1789.
2. Bernard Lazare, *L'Antisémitisme, son histoire et ses causes*, 1894,
p. 195.

d'Europe repris en main après 1815 par la contre-Révolution, une législation antijuive fut rétablie. Ce fut la gloire d'une autre révolution française, celle de 1848, que de donner le signal d'une nouvelle libération, dont profitèrent notamment les Juifs d'Allemagne et d'Autriche. A la fin du XIXe siècle, seules la Roumanie et la Russie maintenaient dans leurs frontières un antijudaïsme légal.

Le mouvement contre-révolutionnaire avait dénoncé très tôt cette « collusion » des Juifs et de la Révolution. En 1806, Bonald écrivait : « Les Juifs ne peuvent pas être et ne deviendront jamais, quelques efforts qu'ils fassent, des citoyens d'un pays chrétien, tant qu'ils ne seront pas devenus chrétiens eux-mêmes. » L'antisémitisme d'extrême droite en viendra à dénoncer dans les Juifs, émancipés par la Révolution, la raison secrète de la Révolution même [1]. A sa manière, il consolidait les liens entre la gauche et les Juifs.

Rothschild brouille les cartes.

La Révolution avait donc été émancipatrice, point de doute là-dessus. Cependant, par ses proclamations universalistes et le culte de la Raison qui l'illustra quelque temps, elle pouvait faire renaître une « question juive » — celle d'un particularisme rebelle à l'assimilation et, de surcroît, d'un particularisme religieux contraire à la nouvelle religion nationale. Au moment de la fête de la Fédération, les députés des provinces rivalisèrent de professions de foi unitaires. Il n'y avait plus ni « Bretons » ni « Auvergnats » ni « Provençaux », mais des Français d'une même nation. L'année suivante, Clermont-Tonnerre, lors des débats de l'Assemblée sur la citoyenneté active, avait clairement affirmé : « Aux Juifs, en tant que *nation*, il faut tout refuser ; mais aux Juifs, en tant qu'*hommes*, il faut tout accorder [...] ; il ne peut y avoir de nation dans la nation. » On voit qu'en poussant un peu loin ce précepte, en soi légitime, on pouvait s'acheminer vers l'alternative suivante : ou les Juifs perdent leurs particularités — ils s'assimilent complètement (renoncent au sabbat, à l'alimentation *cawchère*, etc.) —, et dès lors ils sont pleine-

---

1. Voir Pierre Pierrard, *Juifs et Catholiques français, op. cit.*

ment français car ils ont cessé d'être juifs ; ou bien ils gardent leurs coutumes et leurs lois, et dès lors ils doivent être « expulsés ». Tandis que la droite (l'abbé Maury notamment) disait : respectons les convictions religieuses des Juifs mais n'en faisons pas des citoyens, la gauche, elle, pouvait, en offrant la citoyenneté aux Juifs, leur interdire à terme ce qu'on n'appelait pas encore le droit à la différence.

Cette tendance hyper-assimilatrice prit un tour terroriste en 1793. L'athéisme militant des sans-culottes ne livra pas seulement combat à l'Église catholique. La Convention dut résister aux mandements des sections populaires qui réclamaient qu'on interdît la circoncision, la célébration du sabbat, et l'on vit dans certaines villes des marchands juifs tenus par la pression populaire d'ouvrir leurs magasins le samedi.

Un antijudaïsme de « gauche », à fondement antireligieux, venait ainsi compléter le séculaire antijudaïsme catholique. Déjà Voltaire, dans son zèle à « écraser l'Infâme », s'en était pris maintes fois à la Bible et aux Juifs. Dans son *Dictionnaire philosophique*, il avait écrit à l'article « Juifs » : « ... vous ne trouverez en eux qu'un peuple ignorant et barbare, qui joint depuis longtemps la plus sordide avarice à la plus détestable superstition... » C'est le caractère irréductible de la religion juive qui perpétuait le Juif dans les nations, en empêchant son assimilation. Diderot l'avait dit clairement : « La religion des Juifs et celle des peuples chez lesquels ils habitent ne leur permettent pas de s'incorporer avec eux ; ils doivent faire une nation à part [1]. »

Les tendances les plus irréligieuses de gauche continuèrent au XIXe siècle à stigmatiser la religion juive, coupable notamment d'avoir enfanté le christianisme. A la fin du Second Empire, les étudiants révolutionnaires militant dans les rangs blanquistes et se désignant comme « hébertistes » furent des plus acharnés contre Dieu en général, et contre les Juifs en particulier. C'est à ce milieu révolutionnaire qu'appartenait Gustave Tridon, dont le livre posthume publié en 1884, *Du molochisme juif*, lui valut, malgré son antithéisme, l'éloge d'Édouard Drumont. Il s'agissait d'une déclaration de guerre

---

1. Pour Voltaire, Diderot, les Encyclopédistes, voir Léon Poliakov, *Histoire de l'antisémitisme, op. cit.*, t. 3.

au monothéisme judéo-chrétien, auquel Tridon opposait l'antique Hellénie païenne et la science moderne.

Toutefois, cet antisémitisme antireligieux (visant le « sémitisme et son produit immédiat, le christianisme [1] ») a occupé moins d'esprits « progressistes » qu'une autre forme d'hostilité aux Juifs, d'origine plus ancienne mais renforcée par les progrès mêmes des Juifs dans les sociétés modernes une fois acquise leur émancipation. Le régime de la monarchie de Juillet fut le moment d'une ascension sociale de bon nombre de familles juives, entre lesquelles celle des Rothschild prit une dimension quasi mythologique.

Louis-Philippe fut un des monarques les plus favorables à la communauté juive. Le 1er février 1831, la Chambre des pairs confirmait à une large majorité un projet de loi de la Chambre des députés, plaçant la religion juive au rang des autres confessions émargeant au budget des Cultes. Comme dit Bernard Lazare : « C'était l'écroulement définitif de l'État chrétien [2]… » De manière plus sensible à l'opinion, des noms juifs apparaissaient désormais aux premiers rangs. On en vit à la Chambre (Crémieux, notamment, élu en 1842), à la scène (Rachel), à l'affiche des concerts (Meyerbeer), et surtout dans les affaires financières, dans la banque, à la Bourse. James de Rothschild, le plus jeune de la célèbre famille francfortoise, y avait acquis une position de puissance indiscutable. La fortune colossale que les Rothschild accumule ne se fait pas discrète. Les journaux sont bientôt pleins de leurs splendeurs. En 1836, Henri Heine dépeint d'une phrase l'hôtel des Rothschild de la rue Saint-Florentin : « C'est le Versailles de la souveraineté absolue de l'argent [3]. » Ce luxe ostentatoire favorise un antisémitisme populaire qui, de Rothschild, passe aisément à l'ensemble des Juifs, tous plus ou moins « Rothschild ». De sorte que la haute finance, dont l'ascension est remarquable sous la monarchie de Juillet, devient bientôt un synonyme de « finance juive » malgré les noms bien chrétiens de Casimir Perier, Laffitte ou Schneider.

1. Albert Regnard, *Aryens et Sémites*, 1890. Cet ouvrage avait d'abord été publié dans sept livraisons de *La Revue socialiste*, de juin 1887 à octobre 1889.
2. Bernard Lazare, *op. cit.*
3. Voir Jean Bouvier, *Les Rothschild*, Fayard, 1967.

Aussi dans les années 1840, un antisémitisme « socialiste » va enrichir l'antisémitisme de gauche. Ce ne fut pas le fait des saint-simoniens, prophètes de l'industrialisme ; de nombreux Juifs furent même de ce « nouveau christianisme ». Mais les autres écoles y donnèrent de la voix ou de la plume, peu ou prou. En 1844, Marx, dans *La Question juive*, avait écrit, entre autres : « L'argent est le dieu jaloux d'Israël, devant qui nul autre dieu ne doit subsister. » Mais nul n'était besoin de Marx. Les disciples de Fourier trouvèrent dans l'œuvre de leur maître défunt quelques formules encourageantes, que l'un d'eux, Alphonse Toussenel, développa dans un livre publié en 1845, *Les Juifs rois de l'époque*. Ouvrage fort confus au demeurant, faisant du terme « Juif » la notion la plus élastique, mais bourrée de formules à ravir Drumont, qui voyait en ce livre un « chef-d'œuvre impérissable ». « Les Juifs, y lisait-on, sont une nation dans la nation, quoi qu'ils fassent et qu'ils disent, et ils y seront la nation conquérante et dominatrice avant peu. » Sans doute Toussenel entendait-il par « Juif » « tout trafiquant d'espèces » et visait-il avant tout la « féodalité financière », mais ses attaques contre la Bible et le fait d'assumer la confusion langagière généralisée de « Juif » et d'« usurier » le classent bien parmi les antisémites ; les citations qu'il fait de Fourier indiquent la filiation et la continuité du phénomène. Des contemporains de Toussenel, eux aussi adversaires du capitalisme, l'illustrèrent. A l'antisémitisme du jeune Marx, en Allemagne, faisait écho celui qui allait devenir son rival et adversaire en France, Joseph Proudhon. Dans ses *Carnets* posthumes, publiés voilà une vingtaine d'années, on tombe sur des sentences qui ressemblent à des appels au pogrome.

Ainsi, devant l'élévation sociale des Juifs émancipés, dont certains occupent des positions de tout premier rang, et quand bien même il ne s'agit que de quelques-uns, une hostilité nouvelle s'exprime. A côté d'un antijudaïsme contre-révolutionnaire, dont on suit la trace continue sous la monarchie de Juillet et le Second Empire, des voix se font entendre dans ce que l'on peut appeler, au sens large, la famille révolutionnaire et socialiste. Un discours antijudaïque s'y donne libre cours, sur deux registres, bien souvent confondus : hostilité à la religion juive, hostilité à la haute finance

— entendons la Banque juive, la partie étant ici prise pour le tout. D'autre part, relayant la Révolution qui les avait émancipés, des régimes politiques fort peu de gauche, ceux de Louis-Philippe et de Napoléon III, se montrent favorables aux Israélites. La solidarité entre la gauche et les Juifs y perd sa nécessité première ; il faut attendre l'affaire Dreyfus pour la revoir s'affirmer dans l'éclat d'un drame national.

L'effet Drumont.

Jusqu'aux années 1880, il n'y a pas véritablement de « question juive » en France. Les dix premières années de la IIIe République sont tout occupées par le conflit central entre monarchistes et républicains. Bon nombre de Juifs français, quatre-vingt-dix ans après leur émancipation, ont quitté la religion de leurs aïeux. Ils sont en voie de s'assimiler complètement à la nation française. Alfred Naquet — qui avait épousé une catholique — pouvait ainsi dire dans un discours à la Chambre, en mai 1895 : « Pendant plus de trente ans, je n'ai fréquenté à peu près que des non-Juifs. » Cette intégration totale de la communauté juive avait été théorisée par les Juifs eux-mêmes sous le nom de « franco-judaïsme ». Certains auteurs, comme Théodore Reinach, allaient jusqu'à imaginer l'extinction du judaïsme par l'assimilation complète : « Que l'émancipation, l'égalité pénètrent partout, non seulement dans les lois, mais dans les mœurs et dans les idées, le sentiment juif perdra de plus en plus de son âpreté, et finira sans doute par s'éteindre complètement [1]. » Cette tendance à l'assimilation a cependant été arrêtée par deux faits concomitants : les mouvements d'immigration des Juifs venus de l'Est et le développement en France d'un antisémitisme de combat.

Plusieurs facteurs, au début des années 1880, ont contribué à nourrir un courant antisémite. Ainsi, après l'attentat perpétré contre Alexandre II, la Russie connaît une période de violente répression, au cours de laquelle les pogromes se trouvent légalisés par des mesures antijuives officielles. Des milliers de Juifs russes gagnent alors l'Occident, et notam-

---

1. Cité par Michael R. Marrus, *op. cit.*, p. 137.

ment la France. L'année suivante, un millier de Galiciens, fuyant l'Autriche-Hongrie à la suite de persécutions, trouvent refuge à Paris. De 1881 à 1939, la composition de la communauté juive française va, en plusieurs vagues successives, se trouver bouleversée. Ces immigrés d'Europe orientale exercèrent, selon l'expression de Pierre Vidal-Naquet, une « constante pression antiassimilationniste [1] ».

Ce phénomène ne fait que s'amorcer au début des années 1880. D'autres facteurs, plus décisifs, ont joué. Premièrement, le triomphe définitif des républicains sur leurs adversaires monarchistes et cléricaux. En 1883, on voit paraître un hebdomadaire au nom sans vergogne : *L'Anti-Sémitique*, portant en épigraphe une formule aussi claire que son titre : « Le Juif, voilà l'ennemi !!! » Journal sans audience considérable, qui cesse de paraître dès 1884, mais qui exprime déjà une bonne partie des thèmes que développera Drumont, avec un succès retentissant, dans sa *France juive* en 1886. Transformé en principe d'explication universelle, le Juif est accusé par Drumont d'avoir détruit l'ancienne chrétienté, mis en place la République franc-maçonne, affamé le prolétariat et dirigé de manière occulte les destinées de la France. Le signal de départ du mouvement antisémite est véritablement donné. Vont suivre la création de la Ligue antisémitique de Jules Guérin, le lancement de *La Libre Parole*, quotidien auquel fait écho *La Croix* des assomptionnistes.

Devant cet antisémitisme d'extrême droite, que fait la gauche ? Quand on lit la presse de gauche de cette époque, et notamment les journaux socialistes des années 1890, on est frappé par le peu d'intérêt qu'il suscite. Pis : un certain nombre de personnalités, socialistes ou radicales, peuvent avancer des opinions antijuives sans susciter apparement aucune indignation. Car il s'agit bien d'« opinion » : on peut être ou ne pas être antisémite ; cela ne semble pas tirer à conséquence.

Nous avons vu plus haut comment un député radical pouvait faire des déclarations antijuives dans *La Dépêche* de Toulouse sans s'attirer les foudres. Mais les socialistes ? Leurs positions théoriques sont en principe contraires à l'antisémitisme. Ainsi, l'hebdomadaire guesdiste *Le Socialiste* expli-

---

1. Pierre Vidal-Naquet, préface à Marrus, *op. cit.*

que à ses lecteurs, le 26 juillet 1892 : «Il s'agit de sauver l'exploitation capitaliste en amusant les travailleurs avec les 'youtres', comme on dit, devenus des boucs émissaires... Quel répit pour la société actuelle si, au lieu de se poursuivre entre possédés et possédants pour l'expropriation de ces derniers, la lutte pouvait être déplacée, limitée entre 'sans prépuce' et 'avec prépuce'!»

Le vocabulaire de cette mise au point laisse déjà subodorer une certaine complaisance pour un antisémitisme vulgaire. De fait, les journalistes socialistes reprennent sans problème de conscience les injures populaires et les brocards éculés sur les Juifs. Le mot de «Juif» lui-même, comme l'attestent les dictionnaires du temps, est entendu généralement comme une insulte. C'est pourquoi certains dreyfusards, un peu plus tard, préconiseront de rayer «le vocable 'Juif'» du langage, et de ne garder le terme d'«Israélite» que pour évoquer le culte et la religion [1]. En termes clairs, on ne prend pas de gants pour parler des Juifs, même si tous les socialistes n'usent pas du terme de «youpins» que l'on note régulièrement dans le journal anarchiste d'Émile Pouget, *Le Père Peinard*.

Avec habileté, Drumont et ses disciples font de leur mieux pour flatter socialistes et syndicalistes sur le dos des Juifs. Face au capitalisme (forcément juif pour Drumont!), même combat! Cette espèce de complicité est notable lors de certaines réunions publiques, y compris celles des marxistes du Parti ouvrier [2]. Elle est même redoutée par certains observateurs, tel Anatole Leroy-Beaulieu.

Le 27 février 1897, Leroy-Beaulieu, catholique, républicain libéral, donne une conférence à l'Institut catholique de Paris sur le thème de l'antisémitisme. Devant un auditoire largement noyauté par des militants antisémites qui l'interrompent tout au long, il démontre l'inconsistance intellectuelle de l'antisémitisme. Mais l'un de ses arguments est notable du point de vue qui nous occupe. Ce défenseur de la société libérale dénonce dans l'antisémitisme son anticapitalisme, son «socialisme ingénu». Et plus loin : «Une sorte

1. Voir J. Psichari, à l'assemblée générale de la Ligue française pour la défense des droits de l'homme et du citoyen, 4 juin 1898.
2. Voir Claude Willard, *Les Guesdites*, Éditions sociales, 1965, notamment ch. XXI, p. 410 *sq.*

de socialisme *sui generis*, socialisme de droit, si vous voulez, socialisme déguisé sous de vagues formules chrétiennes » *mais* « travaillant, qu'il le veuille ou non, au profit de l'autre socialisme, du socialisme athée, du socialisme révolutionnaire [1] ».

Certains socialistes ont perçu cette convergence comme profitable à leur projet politique. Ces foules populaires que Drumont entraînait derrière lui, au nom du « socialisme ingénu », on pourrait peut-être les suivre jusqu'à un certain point, profiter de leur dynamique, les amener ensuite au « vrai » socialisme. De là résultent d'étonnantes rencontres. Naquet, dans le débat à la Chambre de 1895 évoqué plus haut, avait ainsi attiré l'attention de ses collègues sur ce qu'il appelait « la politique de la *trouée* » de certains socialistes pensant : « Quand les antisémites auront ouvert la brèche, nous y passerons. » Or la sténographie du débat note des « marques d'assentiment sur divers bancs à l'extrême gauche », et le député socialiste Rouanet de dire clairement, lui qui n'est pourtant pas antisémite : « C'est pour cela que j'approuve la campagne de M. Drumont. »

Édouard Drumont, au moins jusqu'à l'affaire Dreyfus, ne jouit donc pas d'une trop mauvaise réputation parmi les socialistes. L'année même de la publication de *La France juive*, Benoît Malon lui avait consacré dans sa *Revue socialiste* un important compte rendu. Malon, faisant la part des « injustices » contenues dans *La France juive*, n'en déclarait pas moins que « ce livre mérite [...] d'être discuté ». Et, tout en faisant observer que le capitalisme « tout entier » et pas seulement le capitalisme juif était coupable, Malon se laissait aller à des commentaires sur la « haute juiverie » et sur la « noble race aryenne » qui étaient des signes du temps.

En 1890, Albert Regnard, collaborateur de la même *Revue socialiste*, publiait un ouvrage intitulé *Aryens et Sémites*. S'inscrivant dans la même perspective que le blanquiste Tridon, dont il se réclamait explicitement, il renouvelait l'anti-monothéisme de gauche, le mêlant à des considérations

---

1. Anatole Leroy-Beaulieu, *L'Antisémitisme*, 1897, p. 61. D'Anatole Leroy-Beaulieu a été réédité chez Calmann-Lévy, en 1983, son remarquable ouvrage datant de 1893, *Israël chez les nations* (préface de René Rémond, notes de Roger Errera).

« scientifiques » désormais répandues sur les idées raciales. Or cet homme d'extrême gauche reconnaissait à Drumont un « immense mérite » et lui savait gré — nonobstant ses erreurs — d'avoir réaffirmé une « éclatante vérité ». Laquelle ? L'infamie du capitalisme ? Certes, mais mieux encore : « La réalité et l'excellence de la race aryenne, de cette famille unique à laquelle l'humanité doit les merveilles du siècle de Périclès, la Renaissance et la Révolution — les trois grandes époques de l'histoire du monde — et qui seule est en mesure de préparer et d'accomplir l'achèvement suprême de la rénovation sociale. »

Voilà ce qu'un socialiste pouvait imprimer quelques années avant l'affaire Dreyfus, sans convaincre peut-être la majorité de ses camarades mais sans soulever davantage la protestation.

Sur les « races », on devisait, on ergotait, on se livrait à des classements. Les Juifs eux-mêmes admettaient comme les autres cette distinction entre une « race sémite » et une « race aryenne ». Répétons-le : avant Hitler, rares sont ceux qui voient dans l'antisémitisme une doctrine de mort. Pour bien des gens de gauche, les antisémites étaient des imbéciles ; ils n'étaient pas des bourreaux en puissance.

Et Jaurès ?

Dans cette confusion il est important d'observer le comportement de Jaurès. Lui est un intellectuel, qui ne se laisse pas dominer par les passions et sait faire les distinctions doctrinales qui s'imposent. Or lui, le « pur », le « clairvoyant », plus attaché que d'autres aux principes immortels de la Révolution et de la République, converti au socialisme depuis 1892, année au cours de laquelle il devient un des ténors de l'extrême gauche à la Chambre, il faut bien convenir que sa vigilance antiraciste n'est pas évidente. Il est même « quelque peu effleuré, nous dit Madeleine Rebérioux, par le courant antisémite populaire où il lui était arrivé de déceler 'un véritable esprit révolutionnaire' [1] ».

1. Art. « Jaurès », in *Dictionnaire biographique du mouvement ouvrier français 1871-1914*, t. XIII.

Certes, à plusieurs reprises, Jaurès se défend d'être anti-sémite. « Je n'ai pas de préjugé contre les Juifs », écrit-il en 1889. Mais, au moment de l'affaire du Panama, dont se sai-sit Drumont pour en faire une affaire « juive », on le voit plus attentif aux thèses de l'antisémitisme. Ses rapports avec Drumont, jusqu'à l'affaire Dreyfus, sont de bonne compa-gnie, Drumont ne tarissant pas d'éloges sur ce socialiste de terroir. Mêmes relations cordiales avec le marquis de Rochefort, ancien communard, ancien boulangiste, qui trempe de plus en plus dans le nationalisme, l'antisémitisme, avant de devenir un des champions de l'antidreyfusisme.

En avril 1895, Jaurès va passer quelques courtes vacances en Algérie. Il y découvre l'existence d'un antisémitisme viru-lent. Loin de le réprouver, il va en rendre raison dans *La Dépêche* de Toulouse. Dans deux articles, publiés les 1er et 8 mai 1895, il explique que « sous la forme un peu étroite de l'antisémitisme se propage en Algérie un véritable esprit révolutionnaire ». Et Jaurès de reprendre à son compte les arguments du lobby antisémite contre « la puissance juive ». Que la majorité des Juifs d'Algérie, émancipés par le décret Crémieux de 1870, appartiennent aux couches pauvres de la société n'est pas connu de Jaurès : il n'a vu que « l'usure juive » qui réconcilie contre elle « l'Européen » et « l'Arabe ».

Résumons-nous. Jusqu'en 1898, l'antisémitisme n'est perçu par l'ensemble de la gauche — et particulièrement par les socialistes — ni comme un opprobre ni comme une menace sérieuse. Lors du Congrès international socialiste de Bruxel-les, en 1891, un délégué juif américain avait demandé la condamnation ferme de l'antisémitisme. Le Congrès, ne jugeant pas « nécessaire » la discussion, se contenta d'une motion, où l'on flétrit *également* « les excitations antisémiti-ques *et philosémitiques* » — ce dernier adjectif ayant été rajouté au texte initial à la demande de deux délégués fran-çais, Regnard et Argyriadès.

Dans les années qui suivent, rien ne vient frapper d'inter-dit l'antisémitisme dans les rangs de la gauche. Les plaisan-teries sur les Juifs sont monnaie courante dans tous les secteurs politiques. Le mouvement antisémitique, dont les socialistes se démarquent sur le plan théorique, apparaît à beaucoup d'entre eux néanmoins comme riche de virtualités révolutionnaires. Socialistes et antisémites se rencontrent en certaines réunions et en certaines batailles électorales face à un adversaire commun : la République opportuniste, la République affairiste, la République du Panama, dans laquelle on stigmatise la présence « juive ». Allant plus loin, certains socialistes n'hésitent pas à reprendre à leur compte les théories racistes sur la supériorité des « aryens » sur les « sémites ». A des degrés divers, comme on le voit, l'antisémitisme a eu droit de cité au sein de la gauche.

La « révolution dreyfusienne ».

Point de rupture dans cette histoire des relations entre la gauche et les Juifs, l'affaire Dreyfus va avoir pour effet de couper net aux relations semi-complices entre la gauche et les antisémites. Au demeurant, cette coupure nous paraît plus évidente par le recul dont nous disposons ; à l'heure des choix, on a longtemps tergiversé. Du reste, ce ne fut pas un homme politique qui le premier se dressa avec éclat contre la guerre nouvelle que l'on faisait aux Juifs. L'initiative en revint à Émile Zola, avant même qu'il fût convaincu de l'innocence de Dreyfus par Bernard Lazare. Le 16 mai 1896, *Le Figaro* publie son article, « Pour les Juifs », où Zola exprime sa « surprise » et son « dégoût croissant » devant la campagne qui se développe contre les Juifs ; il dénonce le « fanatisme » et en appelle à l'« universelle fraternité ».

C'est le même Zola, soutenu par Clemenceau, qui, en lançant son « J'accuse » dans *L'Aurore*, le 13 janvier 1898, deux jours après l'acquittement d'Esterhazy par le Conseil de guerre, déclenche ce qu'on appellera la « révolution dreyfusienne ». La gauche est loin d'être unanime. A côté d'un Clemenceau, entré dans la bataille depuis le mois d'octobre 1897, et qui jusqu'en décembre 1899 va accumuler article sur article en faveur de la révision ; qui trouve le titre simple mais génial donné à la lettre de Zola : « J'accuse » ; qui fait de la cause dreyfusienne une ultime bataille de la Révolution française ; à côté de lui, la tendance est plutôt de ne pas remettre en cause la chose jugée et de préserver l'Armée de tout soupçon. Le 19 janvier, après que les poursuites ont été lancées contre Zola, un manifeste est publié par 32 députés socialistes qui se déclarent au-dessus de la mêlée.

Les élections législatives doivent avoir lieu au mois de mai 1898. Or les socialistes parlementaires sont sensibles à la pénétration des mots d'ordre nationalistes et antisémites dans les couches populaires. La popularité d'un Rochefort est significative à cet égard. Lui, l'ancien communard, l'ancien évadé de la Nouvelle-Calédonie, le « marquis rouge », est resté une des « idoles » du peuple parisien, quoiqu'il soit devenu nationaliste (le mot vient d'être inventé) et antisémite.

C'est moins du côté du Parlement qu'on trouve le premier foyer de résistance au nationalisme et les premiers bataillons dreyfusards, que dans les tendances antiparlementaires du mouvement ouvrier : dans le groupe allemaniste et dans les colonnes de son journal *Le Parti ouvrier*, et chez les anarchistes qui entourent Sébastien Faure et *Le Libertaire*. Dès la fin de l'année 1897, ils ont fait leur choix et bravent Rochefort sans complexe. Le 17 janvier, Jules Guérin ayant organisé une réunion antisémite au Tivoli-Vauxhall, les anarchistes de Faure et les allemanistes prennent d'assaut l'estrade et dispersent la réunion.

Ces groupes antiparlementaires avaient perçu avant les députés socialistes le péril antisémite. Tout ce mois de janvier résonne, après l'article de Zola, des manifestations antijuives. Dans toutes les grandes villes, on brise les devantures de magasins juifs, on assiège les synagogues, on porte la main sur des particuliers. De Rennes à Grenoble, de Lille à Marseille, les mêmes slogans retentissent : « Mort aux juifs ! Mort à Zola ! Mort à Dreyfus ! » Le comble est atteint en Algérie où, à partir du 18 janvier, la chasse aux Juifs est lancée à Alger. Quatre jours durant, une foule excitée par Max Régis, suggérant « d'arroser de sang juif l'arbre de la liberté », se déchaîne contre les boutiques juives, fracturées, dévastées, pillées, tandis que bientôt Constantine et Oran suivent l'exemple.

Jaurès, dès lors, ne voit plus dans l'antisémitisme cet « esprit révolutionnaire » un peu fruste qu'il avait cru discerner trois ans plus tôt en Algérie. Au cours de ce mois de janvier, il entre dans la bataille dreyfusienne. Le procès d'Esterhazy auquel il a assisté, le cri accusateur de Zola, l'influence de quelques amis comme Lucien Herr et de

jeunes normaliens comme Charles Péguy, et, brochant sur
le tout, cette violence antisémite de la rue concourent à le
lancer dans le combat, après des mois d'hésitations[1].

L'article de Zola a agi comme un détonateur. Son courage
a donné du courage. Une pétition circule en faveur de la révision du procès Dreyfus. Véritable acte de naissance d'une gauche intellectuelle, elle rassemble plusieurs milliers de
signatures. Quelque chose a changé dans la vie de la plupart
des signataires. «L'affaire Dreyfus, écrira Julien Benda, m'a
fait passer de l'intellectualisme à l'action intellectuelle, de la
pensée fière et lointaine à celle qui descend dans la rue[2].»

C'est au moment du procès Zola, entre le 7 et le 25 février
1898, qu'est fondée la Ligue des droits de l'homme, sur l'initiative du sénateur Trarieux. Le 4 juin, au cours de sa première assemblée générale à l'hôtel des Sociétés savantes,
Trarieux en trace le programme : «Défendre contre des
menaces sourdes de contre-révolution les principes fondamentaux de la *Déclaration des droits de l'homme*, sur lesquels
repose depuis cent ans l'égalité de la patrie.» Entre la Révolution et l'affaire Dreyfus, la continuité était de nouveau proclamée.

Cependant, il est notable que bien des hommes de gauche
renâclent au dreyfusisme, même après les élections de mai
1898, qui ont permis à 26 nationalistes et antisémites, Drumont en tête, élu par Alger, d'entrer à la Chambre. Dans le
camp socialiste, les guesdistes vont garder tout au long de
l'Affaire un quant-à-soi qu'ils justifient par la lutte de classe.
Le 9 juillet 1899, Paul Lafargue se gausse encore dans *Le
Socialiste* des «dreyfusards bourgeois qui nous ont tant embê-
tés avec leur Justice imprescriptible». Toutefois, en leur
congrès de septembre 1898, les guesdistes ont affirmé le caractère *réactionnaire* de l'antisémitisme — «misérable contre-
façon» et «piège à travailleurs» que «Bebel a pu justement
appeler *le socialisme des imbéciles*».

---

1. Sur les hésitations de Jaurès, voir notamment Madeleine Rebérioux,
«Zola, Jaurès et France : trois intellectuels devant l'Affaire», *Cahiers
naturalistes*, n° 54, 1980. Et aussi Erik Cahm, «Le mouvement socialiste face au nationalisme au temps de l'affaire Dreyfus», *Bulletin de
la Société d'études jaurésiennes*, n° 79, oct.-décembre 1980.
2. Julien Benda, *La Jeunesse d'un clerc*, Paris, Gallimard, 1968,
p. 120.

Qu'elle est longue à aboutir, cette « Vérité » qui s'est mise « en marche » ! L'antisémitisme, progressivement, se fixe à l'extrême droite. Entre l'anticlérical Rochefort et les assomptionnistes de *La Croix*, entre Drumont et Déroulède, quel plus efficace dénominateur commun pourrait-on imaginer en dehors de l'antisémitisme ? C'est l'appel à la guerre contre les Juifs, si apte à entretenir les passions populaires, qui soude leur nationalisme autant que la défense sacrée de l'Armée. Il ne fait plus de doute que l'antisémitisme est bien une arme de la « réaction ». Oui, mais… Tout en combattant la démagogie nationaliste, maints socialistes éprouvent encore bien de la peine à se débarrasser de leurs présomptions contre les Juifs. Encore une fois, Jaurès est un bon révélateur. Lui, qui est entré avec tout le poids de son influence, avec tous les dons de son esprit et les feux de son éloquence dans cette mêlée, où il s'agit de défendre un homme et un principe, on le surprend encore, en juin 1898, à déclarer dans un discours au Tivoli : « Nous savons bien que la race juive, concentrée, passionnée, subtile, toujours dévorée par une sorte de fièvre, par la fièvre du gain quand ce n'est pas par la fièvre du prophétisme, nous savons bien qu'elle manie avec une particulière habileté le mécanisme capitaliste, mécanisme de rapine, de mensonge, de corruption et d'extorsion. Mais nous disons, nous : Ce n'est pas la race qu'il faut briser ; c'est le mécanisme dont elle se sert, et dont se servent comme elle les exploiteurs chrétiens [1]. »

Tout de même, en 1899, il semble bien que les jeux soient faits. Le peuple républicain, appelé à plusieurs reprises à descendre dans la rue pour défendre le régime, s'oppose désormais aux ligueurs de Guérin et aux imprécations de Rochefort. Péguy a raconté la grande manifestation du 11 novembre 1899, pour le « Triomphe de la République ». Il dit bien comment « l'acclamation au nom de Dreyfus, l'acclamation publique, violente, provocante » fut « la plus grande nouveauté de la journée, la plus grande rupture, la plus grande effraction de sceaux de ce siècle [2] ». Ce « *Vive*

1. *La Petite République*, 9 juin 1898.
2. Charles Péguy, « Le 'Triomphe de la République' », in *Œuvres en prose, 1898-1908*, Gallimard, « Bibliothèque de la Pléiade », p. 103-122.

Dreyfus ! » poussé par le peuple parisien, soumis depuis une dizaine d'années à la propagande de haine des antisémites, marquait effectivement une étape : la gauche se nettoyait des préjugés racistes.

Et pourtant, car jamais rien en histoire n'est totalement consommé, les attaques contre les Juifs n'y auront pas complètement disparu entre la fin de l'Affaire et 1914. Les suites politiques de la grande bataille autour de Dreyfus amenèrent la victoire du Bloc des gauches et du combisme. Le socialisme, derrière Jaurès, parut aux yeux de l'extrême gauche s'abîmer dans les délices parlementaires. C'était une nouvelle trahison de la lutte des classes ! En 1906, l'arrêt de la Cour de cassation réhabilitant Dreyfus provoque un article de Robert Louzon dans *Le Mouvement socialiste* : « La faillite du dreyfusisme ou le triomphe du parti juif », où l'on apprend « qu'il existe un parti dont le judaïsme, grâce à sa puissance d'argent, à son activité commerciale et intellectuelle, est le chef »...

On connaît le dérapage de Georges Sorel, ancien dreyfusard, collaborateur à la même revue, où il avait publié en 1906 ses *Réflexions sur la violence* à la gloire de la CGT. Son antiparlementarisme et le déclin du syndicalisme révolutionnaire le poussèrent vers 1910 dans les bras tendus des théoriciens de l'Action française. S'il n'y reste que l'espace de quelques années, du moins son évolution indique-t-elle la fragilité d'une certaine extrême gauche aux tentations renouvelées de l'antisémitisme. S'il en fallait un autre exemple, moins célèbre, on pourrait évoquer celui d'Émile Pataud. Un rude gaillard, secrétaire du Syndicat des électriciens, qui avait subitement plongé dans la nuit noire la ville de Paris en mars 1907, par une grève surprise. Attiré lui aussi par les militants de l'Action française, on le voit en 1911 devenir l'orateur principal d'un meeting antisémite ; son Syndicat des électriciens refuse de l'exclure en dépit des protestations. Ce n'est qu'en 1913 que la CGT peut le rejeter, à la suite d'une agression qu'il a lancée avec des amis sur des rédacteurs de *La Bataille syndicaliste*. Un chiendent d'antisémitisme restait donc accroché aux organisations syndicales.

En gros, cependant, l'affaire Dreyfus avait purgé la gauche de cet antisémitisme plus ou moins ordinaire qu'on avait pu y observer au début des années 1890. Sans doute l'affaire Dreyfus n'a-t-elle pas opposé face à face antisémites et philosémites. L'enjeu de la bataille était plus complexe, à la fois moral et politique. Sur le plan moral, les dreyfusards avaient défendu les causes universelles de la Justice et de la Vérité contre la cause particulière de la Raison d'État. Sur ce terrain, tous les dreyfusards n'étaient pas de gauche, même s'ils étaient plus nombreux du côté des libres penseurs que du côté des catholiques. Sur le plan politique, il s'était agi de préserver les institutions républicaines, les libertés démocratiques, contre un mouvement nationaliste décidé à jouer son va-tout. Mais sur ces deux plans la question juive interférait. La condamnation unique de Dreyfus et l'acquittement d'Esterhazy n'étaient pas indépendants du fait que le premier fût juif. Quant au nationalisme, dont les fièvres et les audaces ont fait trembler le régime, il avait privilégié l'antisémitisme comme l'un de ses thèmes fédérateurs et mobilisateurs. A cette droite extrême qui hurlait contre les Juifs, la gauche répondit bientôt en faisant la guerre aux « curés ». Émile Combes en fut le général en chef; la séparation des Églises et de l'État, l'aboutissement. Jamais, depuis la crise du 16 mai 1877, on n'avait vu un tel corps à corps entre la gauche et la droite. Du même coup, les centristes et autres catholiques dreyfusards ou démocrates-chrétiens se trouvaient coincés : l'anti-antisémitisme s'imposant d'autant mieux à gauche.

Dans le légendaire de la gauche, la victoire dreyfusiste occupe une place de choix. Les funérailles d'Émile Zola, en octobre 1902, y figurent comme des nobles scènes du théâtre républicain. Anatole France, libre penseur et dreyfusard, prononça au cimetière Montmartre l'oraison funèbre du grand écrivain. Après avoir rappelé ce que Jules Guesde avait désigné comme « le plus grand acte révolutionnaire de ce siècle » — il parlait du « J'accuse » —, Anatole France finit par ce cri de fierté : « Il n'y a qu'un pays au monde dans lequel ces grandes choses pouvaient s'accomplir. Qu'il est admirable, le génie de notre patrie ! »

L'accusé Blum.

Une troisième séquence de notre histoire contemporaine a noué entre 1933 et 1945 des liens plus étroits entre la gauche et la communauté juive : la lutte commune qui les engagea contre le nazisme.

C'est au cours de cette période que la France a connu un second déchaînement d'antisémitisme. La Grande Guerre, la « solidarité des tranchées », la prospérité retrouvée n'avaient pu abolir tous les préjugés antisémites dans les années vingt. A tout le moins ne faisaient-ils pas le fond des éditoriaux ordinaires ; ils ne présidaient même pas à la formation du premier fascisme français — ce Faisceau, dont le fondateur Georges Valois avait pourtant donné sa voix avant 1914 aux thèses antijuives. Rabi y voyait un « antisémitisme de bonne compagnie » par rapport à celui qui sévit dans les années trente [1].

Cette recrudescence de racisme s'inscrit dans un contexte général de xénophobie, suscitée par la crise économique [2]. En décembre 1931, un député peut déclarer à la Chambre : « Nous ne souffrons pas d'une crise de chômage national mais d'une crise d'invasion étrangère. » Cette explication simpliste exprime une idée largement reçue. *L'Humanité* ne reconnaît-elle pas les ravages qu'elle fait jusque dans les rangs communistes [3] ? L'extrême droite entonne tous les couplets de la chanson que Drumont a mise au goût du jour : « La France aux Français ! » Toutefois, cette hostilité clamée contre l'étranger a l'occasion de monter de plusieurs tons, après l'avènement de Hitler au pouvoir en 1933. Par dizaines de milliers, des proscrits gagnent la France. Les Juifs, victimes désignées du nouveau régime, en représentent le plus fort contingent. Une entraide française est organisée ; des personnalités de tous milieux et de toutes convictions offrent leur soutien. On doit à Camille Chautemps, ministre de l'Intérieur, l'affirmation solennelle et rassurante d'avril 1933, selon

1. Wladimir Rabi, *Anatomie du judaïsme français*, Éd. de minuit, 1962.
2. Voir Ralph Schor, *L'Opinion française et les Étrangers en France, 1919-1939*, Nice, 1980 (thèse multigraphiée pour le doctorat ès lettres, 6 vol.).
3. *Ibid.*

laquelle la France resterait « fidèle à [s]es traditions généreuses d'hospitalité ». Ce qui n'empêche point le gouvernement français de mettre en garde les départements sur l'« extrême circonspection » avec laquelle on doit laisser introduire en France « des isréalites chassés d'Allemagne [1] ».

Cette prudence officielle dans l'accueil à réserver aux premières victimes du nazisme est déjà peu flatteuse pour le centre gauche au pouvoir. Mais que dire du flot de haine raciale dont la presse d'extrême droite, fort prospère en ces années-là, fait déborder ses colonnes ? On voit même reparaître le titre du journal de Jules Guérin : *L'Anti-Juif* ; cette fois, son directeur s'appelle Louis Darquier de Pellepoix. Quant à *La Libre Parole* de feu Drumont, elle reprend vie sous la responsabilité d'Henri Coston. D'une manière générale, au moins jusqu'au décret-loi du 20 mars 1939 qui interdit en France toute propagande raciste, ce fut un concours d'antisémitisme dans les grands journaux dits nationaux, tels que *L'Ami du Peuple, L'Action française, Je suis partout* et *Gringoire*, dont l'écho était démultiplié par une séquelle de publications plus obscures et plus acharnées.

La victoire électorale du Front populaire et bientôt la guerre civile en Espagne sont l'occasion de nouvelles véhémences. Pour la première fois, un fils d'Israël, Léon Blum, devient président du Conseil — ce qui est dénoncé à la Chambre même, par Xavier Vallat, comme une honte infligée à ce vieux pays « gallo-romain ». L'extrême droite transfère toute sa haine sur Blum. Jean-Pierre Maxence la résume d'une phrase : « M. Léon Blum par toutes ses fibres représente l'étranger. » Discours, articles, caricatures, livres mêmes s'accumulent contre le « Juif Blum ». En 1938, paraît encore aux Éditions Baudinière l'ouvrage d'un certain Laurent Viguier, *Les Juifs à travers Léon Blum*, dont le sous-titre précise : *Leur incapacité historique de diriger un État*. En substance, ce pamphlet expose le « diagnostic » énoncé dès la première page : « Le mal vient du Juif. » Ce n'est là qu'un exemple de cette rhétorique de la violence, de ce pogrome qui n'était encore que de papier.

En tout cas, le Front populaire se trouvait accusé par les

1. *Ibid.*, p. 102.

plus virulents de ses adversaires non seulement de faire cause commune avec les « Juifs » mais d'être l'expression politique de ceux-ci, la nouvelle étape dans leur conquête du pouvoir universel. Quelle que fût sa timidité (notamment dans sa politique d'immigration [1]), le Front populaire représentait en France le pôle politique de la résistance au nazisme et s'affirmait comme la sauvegarde des communautés juives menacées. Cependant, au crépuscule du Front populaire, en mai 1938, les radicaux au pouvoir n'hésitèrent pas à promulguer des décrets-lois visant l'immigration, ce qui amena socialistes et communistes à additionner leurs protestations contre « ces textes draconiens ».

La « *solution finale* » et ses lendemains.

Après une première période d'incertitude [2], la Seconde Guerre mondiale prit l'aspect d'un affrontement planétaire entre les « démocraties » et les « fascismes ». L'alliance précieuse de l'Armée rouge valait bien aux yeux des alliés occidentaux cette approximation. Le procès de Nuremberg en 1945 confirma solennellement la victoire du Bien sur le Mal. La lutte contre le nazisme et la cause juive s'étaient confondues ; elles étaient inséparables ; elles étaient également sacrées. Le Juif était l'antipode du nazi. Qui avait lutté contre celui-ci avait lutté pour celui-là. Les « collabos », ceux qui avaient pris le parti du bourreau, monopolisaient alors officiellement l'antisémitisme. Le régime de Vichy, qui se défendait d'être pronazi, n'en était pas moins le régime du Statut

1. Ralph Schor note ainsi que, contrairement à l'accusation lancée par la droite, le Front populaire dans les années 1936-1937 n'a pas augmenté sensiblement le nombre des naturalisations.
2. La résistance communiste avant l'entrée en guerre de l'URSS est un sujet de controverse mille fois abordé. Il faut rappeler ici simplement les attaques communistes de cette période contre Léon Blum, en particulier l'article signé Maurice Thorez, publié dans le journal suédois de langue allemande *Die Welt* en 1940, dont le caractère antisémite a été plusieurs fois relevé. Voir Annie Kriegel, *Le Pain et les Roses*, « 10/18 », p. 391 *sq.* Sur l'attitude générale du PCF pendant la guerre face à la question juive, voir du même auteur, « Résistants communistes et Juifs persécutés », in *H/Histoire*, n° 3, novembre 1979, et encore d'Annie Kriegel, « Vérité historique et mensonges politiques », *Commentaire*, n° 12, hiver 1980-1981.

des Juifs et de la Milice. La France résistante — dans sa réalité et dans son mythe — portait l'étendard de l'antiracisme. Certes, toute la droite n'avait pas été collaboratrice — de Gaulle en était la preuve vivante —, ni toute la gauche résistante. Mais ce sont les communistes et les socialistes qui cueillent les fruits politiques de l'après-guerre et de l'après-Vichy.

Le parti communiste, devenu le plus fort des partis de gauche, ne ménage pas ses déclarations d'amitié à l'égard des survivants d'Auschwitz et des autres camps de la mort. Tout comme la diplomatie soviétique, les communistes français apportent leur soutien à l'État d'Israël qui naît dans la douleur. Les Juifs français sont nombreux dans « le parti des fusillés ». En mai 1948, Florimond Bonte s'écriait devant une foule rassemblée au Vélodrome d'Hiver : « Au nouvel État juif, surgi au milieu des plus pénibles souffrances de l'enfantement et au cœur des combats héroïques des meilleurs fils d'Israël, j'apporte ici le chaleureux salut de bienvenue du parti communiste français, toujours solidaire des combattants de la liberté, de la démocratie et de l'indépendance. » Ce fut sans doute l'apogée de la solidarité entre la gauche et les Juifs.

Plus encore qu'après l'affaire Dreyfus, l'antisémitisme était condamné par la gauche. L'horreur des charniers nazis paraissait devoir refouler à tout jamais la haine du Juif dans tous les secteurs de l'opinion. Mais la gauche, revendiquant l'héritage de la Résistance, se trouvait des raisons supplémentaires pour aimer et protéger les rescapés de ce qu'on appellera l'Holocauste.

Les ambiguïtés de l'antisionisme.

Il faut en convenir : cette idylle de l'après-guerre a passé. Si aujourd'hui l'ensemble des organisations de gauche restent intransigeantes sur les principes, on doit constater qu'entre un certain nombre d'entre elles et les Juifs un contentieux s'est créé.

La crise a été entamée dès 1949. Staline lance alors en URSS la première d'une série de campagnes dont les Juifs vont faire principalement les frais. On assiste d'abord à une dénonciation du « cosmopolitisme » — grossier camouflage des nouvelles purges auxquelles sont exposés les Soviétiques « d'origine juive ».

Cet « anticosmopolitisme » est relayé assez vite par l'« antisionisme », autre manière d'éclaircir les rangs des communistes d'URSS et les démocraties populaires et de tenir en sujétion les communautés juives, en les privant notamment de leurs moyens d'expression propres. Le procès Slansky, à Prague, en 1952, est l'acte le plus connu de ce nouvel assaut. Entre autres indignités, l'épouse d'un accusé — Lise London — réclame au tribunal le châtiment « le plus rigoureux [1] » pour son conjoint ; un fils, la mort pour son père, devenu son « pire ennemi [2] ».

Quelles sont alors les réactions de la presse de gauche ? *L'Humanité*, dépourvue de toute curiosité journalistique quant aux ressorts de ce procès truqué, souscrit sans rechigner aux explications officielles : « C'est contre leur pays et son régime de démocratie populaire que de prétendus nationalistes juifs — des sionistes — qui sont purement et simplement des espions, se sont mis au service des États-Unis où sévit l'antisémitisme » (25 novembre 1952). Le ton est donné. Le thème du complot, repris de la presse soviétique, fleurit de nouveau. Mais si des observateurs ont le mauvais goût de suspecter de l'antisémitisme dans ce procès d'un prétendu « sionisme » où une majorité de communistes juifs sont mis en cause, le Parti communiste retourne incontinent l'accusation : les antisémites, ce sont les autres !

Est-ce l'avis du reste de la gauche ? De fait, écrit François Honti, dans un article du *Monde* : « L'antisionisme n'est pas l'antisémitisme. » Tout de même, nous dit-il, « le président [du tribunal] n'a [...] pas manqué une occasion pour faire ressortir comme une tare, ou du moins comme une circonstance aggravante, cette origine israélite en même temps qu'il qualifiait le sionisme de 'pire ennemi de la démocratie populaire' » (29 novembre 1952). La distinction entre antisionisme et antisémitisme n'est pas dans les faits aussi évi-

---

1. *L'Humanité*, 29 novembre 1952, et Artur London, *L'Aveu*, Gallimard, 1969.
2. Voir la lettre de Thomas Frejka au tribunal, *Le Monde*, 27 novembre 1952.

dente que l'affirment les communistes. Peu de jours après, *Le Monde* revient sur la question. Dans un article beaucoup plus fouillé que le précédent, Georges Penchenier démontre que les régimes communistes, « sous couvert d'antisionisme » font « bel et bien de l'antisémitisme » (3 décembre 1952). Les mêmes avis contradictoires se retrouvent dans les colonnes de *L'Observateur*, hebdomadaire de la gauche intellectuelle et neutraliste. Tandis que Claude Bourdet dénonce « l'excitation systématique de la passion antisémite » à l'occasion du procès de Prague, Gilles Martinet rédige un contrepoint rassurant : « L'antisionisme ne doit pas être confondu avec l'antisémitisme. »

L'année suivante éclate à Moscou l'affaire du « complot des blouses blanches ». Des médecins, juifs en majorité, comptant parmi les autorités médicales de l'URSS, auraient été stipendiés par les services israéliens et américains pour attenter à la vie des dirigeants soviétiques. La mort de Jdanov leur serait due. Le scénario est rocambolesque mais la nature antisémitique des attaques staliniennes n'échappe à personne, communistes mis à part. *L'Humanité* publie glorieusement, le 27 janvier 1953, une déclaration de dix sommités médicales françaises (au rang desquelles quelques communistes juifs) selon laquelle « la mise hors d'état de nuire, en URSS, du groupe de criminels a rendu un très grand service à la cause de la paix ». Une nouvelle fois, le PCF entérine les aberrations staliniennes sans l'ombre apparente d'un doute. L'antisémitisme est impossible en URSS, parce que *impensable* : « Les criailleries sur le châtiment mérité de quelques criminels sionistes attachés aux services d'espionnage américains ne peuvent faire oublier que, dans notre pays, les principaux pourvoyeurs des charniers hitlériens sont en liberté et se préparent à reprendre du service lorsque ce n'est déjà fait. » Ainsi conclut François Billoux, dans *L'Humanité* du 18 février 1953.

Alexander Werth, journaliste progressiste britannique, qui a vécu plusieurs années en URSS, écrit de son côté dans *L'Observateur* : « Que les autorités soviétiques soupçonnent gravement les Juifs, notamment ceux qui se proclament Juifs avant tout, c'est l'évidence même. La suppression du seul journal yiddish de Moscou, le *Einheit*, la liquidation de la maison d'édition juive, du 'Comité juif antifasciste' et du théâtre juif en sont la preuve » (29 janvier 1953).

Seul donc le parti communiste, jusque-là, semble donner prise au soupçon, par les silences et les justifications dont il gratifie l'antisémitisme stalinien. La suite des événements devait faire sortir le PCF de son isolement.

La fin des années cinquante et les années soixante sont marquées par les phases successives et accélérées de la décolonisation. En France, la guerre d'Algérie met la gauche au pied du mur. Le gouvernement socialiste de Guy Mollet assume la responsabilité de la répression des « rebelles algériens ». Pour atteindre leur principal soutien extérieur, le colonel Nasser, il lance à l'automne 1956, en accord avec les conservateurs britanniques, l'expédition de Suez. Cet épisode militaire et diplomatique est condamné par l'ensemble de l'opinion internationale, Américains et Soviétiques en tête. Du moins, le gouvernement isréalien, impliqué dans cette affaire douteuse, se trouve-t-il complice du gouvernement Mollet. Socialistes français et Isréaliens resteront toujours en bons termes, pour le meilleur et pour le pire.

Cette guerre de 1956 est lourde de conséquences sur les relations entre Israël et le reste de la gauche. L'idée qu'on avait de l'État hébreu s'est brusquement modifiée. Le couple que formaient la gauche et le Juif en est troublé.

A côté des communistes, qui condamnent l'expédition et le comportement du gouvernement Ben Gourion, une nouvelle gauche, surtout intellectuelle, définie par ses positions anticolonialistes, découvre l'État juif avec d'autres yeux. Il n'est plus la terre d'asile promise aux victimes des persécutions et aux rescapés des camps mais un allié du colonialisme. Comme l'a écrit François Furet : « L'Israélien vainqueur [prend] dans la configuration nouvelle la place qu'occupait le ploutocrate juif dans l'imaginaire de droite ou de gauche au XIXᵉ siècle [1]. » C'est un dilemme difficile à éviter pour les Juifs de la Diaspora : ou ils restent solidaires d'Israël, mais en assumant *volens nolens* cette figure du « colonialiste juif » ; ou ils refusent de se laisser confondre

---

1. François Furet, « Entre Israël et la gauche française : trente ans de malentendus », *Le Nouvel Observateur*, n° 705, 16 mai 1978.

avec l'Israélien conquérant, mais c'est au prix des liens de communauté qui les rattachent aux autres Juifs.

Moins de neuf ans plus tard, la guerre des Six-Jours achève la métamorphose. Le thème de l'impérialisme, succédant à l'anticolonialisme, unifie les militants et les intellectuels d'une gauche dont la guerre du Viêt-nam a du reste aggravé l'anti-américanisme. Israël est désigné comme le complice — « objectif » dans le meilleur des cas — de l'impérialisme américain. La cause palestinienne a relayé la cause algérienne. L'antisionisme prend en France une ampleur sans précédent.

De l'antisionisme à l'antisémitisme, il n'y a pas de pente fatale — l'expression d'*antisionisme* se référant à des attitudes politiques fort diverses [1]. Mais à partir de la fin des années soixante, l'hostilité déclarée à Israël est soupçonnée à plusieurs reprises d'être un « néo-antisémitisme [2] ».

Pour les maos de *La Cause du Peuple*, il faut dénoncer « le complot impérialiste et sioniste » (février 1969). Pour ceux de *L'Humanité nouvelle*, « le sionisme [est] le fer de lance de l'impérialisme au Moyen-Orient » (25 mai 1967). Pour ceux de *L'Humanité rouge*, « le sionisme, c'est le fascisme » (4 janvier 1973). Pour les trotskistes de *Rouge*, « la nature fondamentale du projet sioniste [est] expansionniste, raciste, colonialiste » (24 août 1973). Cette presse gauchiste, tout en refusant « la confusion entre antisionisme et antisémitisme », dénie à l'État d'Israël le droit d'exister : « C'est l'existence même de l'État d'Israël qui est la source du conflit qui ravage le Proche-Orient. Et derrière Israël, c'est avant tout l'aigle américain qui est responsable. C'est l'impérialisme américain qui arme ce gendarme de ses intérêts économiques dans la région, qui soutient cette enclave créée de toutes pièces, qui est prêt à nourrir Israël jusqu'à la dernière goutte de pétrole arabe » (*Rouge*, 12 octobre 1973).

1. On ne saurait confondre l'antisionisme des membres de la Diaspora qui refusent de reconnaître en Israël la centralité du monde Juif, l'antisionisme religieux des ultra-orthodoxes, l'antisionisme des communistes qui ne remet pas en cause officiellement le droit d'Israël à l'existence, l'antisionisme de l'OLP qui se fixe pour objectif la disparition de l'État juif, etc.

2. Voir notamment Jacques Givet, *La Gauche contre Israël*, Pauvert, 1968, ou Léon Poliakov, *De l'antisémitisme à l'antisionisme*, Calmann-Lévy, 1969.

De *L'Humanité* à *L'Humanité nouvelle*, de *Rouge* à *L'Humanité rouge*, une évidence en forme d'équation s'impose : Israël = impérialisme américain. Le dilemme auquel les Juifs de la Diaspora se trouvent confrontés se resserre. S'ils ne s'affichent pas clairement en faveur de la cause palestinienne, ne risquent-ils pas d'être mis au banc des accusés par la gauche anti-impérialiste ? Ceux qui, sans accepter les yeux fermés les choix politiques d'Israël, veulent néanmoins défendre son droit à l'existence contestée ne risquent-ils pas d'être suspects *ipso facto* ?

Le glissement de l'antisionisme déclaré à l'antisémitisme de fait — notamment au moment de la guerre du Kippour en 1973 — est moins repérable en France que dans d'autres pays [1]. Toutefois, on peut être troublé par l'analogie des *structures* entre le complot sioniste/impérialiste, dénoncé aussi bien par le Parti communiste français que par de nombreux groupes gauchistes, et le vieux complot juif universel. Simple coïncidence ? Pour Alain Finkielkraut, « l'antisémitisme change parfois de nom, mais jamais d'intrigue [2] ».

Quoi qu'il en soit, il est désormais fini, le temps où la

---

1. Voir en particulier la théorie et la pratique du terrorisme allemand, in Alain Geismar, *L'Engrenage terroriste*, Fayard, 1981, Hans-Joachim Klein, *La Mort mercenaire*, Éd. du Seuil, 1980.

En ce qui concerne la France, l'observateur soucieux d'exactitude devrait s'interdire tout amalgame entre les différents courants gauchistes des années soixante-dix. Un de mes lecteurs de *L'Histoire*, lorsque ce chapitre parut d'abord sous forme d'article, me reprocha de ne pas avoir suffisamment nuancé mon propos — et particulièrement de n'avoir pas distingué nettement *L'Humanité rouge*, des « maoïstes orthodoxes », qui « revendiquaient hautement l'héritage du 'génial Staline' sans omettre les plus petites purges », de l'organe de la Ligue communiste, *Rouge*, où l'« on trouve au contraire l'exaltation du passé révolutionnaire juif, du ghetto de Varsovie, etc. ». J'en donne bien volontiers acte à mon correspondant. Il n'était pas question pour moi, dans un article embrassant près de deux siècles d'histoire, d'entrer dans la sociologie des groupes et sous-groupes politiques. C'est aussi la raison pour laquelle je n'ai pas voulu évoquer l'affaire Faurisson — ce négateur des chambres à gaz soutenu par des sympathisants de la Vieille Taupe, communistes libertaires ou « anarcho-marxistes », qui mérite à elle seule une étude approfondie (voir notamment à ce sujet Pierre Vidal-Naquet, « Un Eichmann de papier », *Esprit*, septembre 1980). J'ai simplement voulu mentionner comment l'antisionisme pouvait être facteur de néo-antisémitisme, précisant que de l'un à l'autre il n'y avait pas de nécessité.

2. Alain Finkielkraut, *Le Juif imaginaire*, Éd. du Seuil, 1980.

gauche unanime et les Juifs chantaient à l'unisson. Les luttes anti-impérialistes prévalant, à cause d'Israël et le torchon
brûle chez les militants. L'antisionisme, dans ses diverses
variantes, a heurté de front les anciennes solidarités.

La barbe de Marx et des Prophètes.

Pouvons-nous tirer quelques conclusions?
1. Si l'on veut bien accepter l'idée — discutable — selon
laquelle la vie politique en France est principalement organisée autour de ces pôles qu'on appelle la droite et la gauche, on doit tenir pour établie la tradition philosémite de
celle-ci : la Révolution émancipatrice, l'affaire Dreyfus et la
Résistance ont rythmé l'histoire d'une alliance aux couleurs
républicaines. La communauté juive française en a bien conscience s'il faut en juger par un sondage de l'IFOP publié par
Le Point du 30 janvier 1978. Celui-ci faisait apparaître que
56 % des Juifs «pratiquants» votaient à gauche. Remarquons cependant la très nette préférence de cet électorat pour
le parti socialiste. Cela ne saurait étonner, vu l'attitude du
parti communiste et de l'URSS face aux problèmes du
Proche-Orient. Il n'existe pas pour autant de «vote juif».
Une forte minorité donne ses voix à la droite. Outre que les
Juifs ne se déterminent pas seulement en tant que Juifs, qu'ils
appartiennent à des classes sociales différentes et ont des idées
et des intérêts variés comme les autres Français, il convient
d'observer que, depuis la monarchie de Juillet, un courant
de la droite modérée a entretenu un philosémitisme durable.
Représentatif surtout d'une certaine bourgeoisie libérale,
d'abord orléaniste puis républicaine, il s'est trouvé souvent
pris entre les feux croisés de la gauche et de l'extrême droite.
Une minorité de catholiques, républicains libéraux notamment, ont été de cette famille traditionnellement à l'abri des
préjugés antisémites [1]. Il n'y a donc jamais eu de coïncidence
exacte entre la gauche et l'anti-antisémitisme.
2° La vigilance face à l'antisémitisme n'a pas été indéfectible à gauche. Les préjugés antijuifs, avoués jusqu'à l'affaire
Dreyfus, plus discrets par la suite et interdits après Hitler,

1. Voir ainsi Jean-Marie Mayeur, «Les catholiques dreyfusards»,
Revue historique, CCLX1/2.

n'en ont pas moins été toujours décelables [1]. D'autre part, il est patent que, jusques et y compris lors de la Seconde Guerre mondiale, l'antisémitisme a rarement été pris pour ce qu'il était, c'est-à-dire un danger *en soi*. Voici des exemples, entre autres, de cette carence répétée de l'analyse.

En 1942, au moment des grandes rafles, la résistance communiste répand un tract : « A bas l'antisémitisme ! » On y proclame la solidarité du peuple français avec les Juifs, « nos frères » : « Ripostez aux mesures barbares et sadiques des boches et vichyssois en manifestant en toute circonstance votre sympathie et votre solidarité aux Juifs persécutés et en entourant leurs enfants d'une chaude affection. » Compassion et action. C'est impeccable. Mais de quelle manière le tract communiste apprécie-t-il les raisons de cet antisémitisme ? En fait, les thèses racistes de Hitler sont réduites au rang de simples procédés : « De même qu'en Allemagne les campagnes antisémites ont eu pour objet de masquer au peuple allemand ses véritables ennemis : les ploutocrates et leurs chiens de garde nazis, de même les hitlériens voudraient déchaîner la haine du Juif pour faire disparaître la haine du boche [2]. » Déjà, le 11 novembre 1938, au lendemain de la « Nuit de cristal », *L'Humanité* avait expliqué à ses lecteurs les raisons cousues de fil brun du déchaînement raciste : « M. Hitler avait besoin d'un prétexte [l'assassinat du nazi von Rath par un Juif à Paris] pour faire retomber sur les Juifs les fautes et les erreurs de son régime. » *Mein Kampf* n'a jamais été considéré, du point de vue communiste, que comme l'idéologie fumeuse des « chiens de garde » du grand capital allemand.

Si l'on prend en compte cette longue histoire, on peut considérer que le marxisme, dont une bonne partie de la gauche se réclame, a sous-estimé le problème du racisme en vulgarisant la primauté de l'économique sur le culturel et en ramenant l'histoire à une seule de ses intrigues, celle de la

1. Voir ainsi le sondage de l'IFOP publié par *Le Nouvel Adam*, n° 5, 1966. On y observe des préjugés antisémites encore tenaces dans l'opinion de gauche.
2. Ce tract est publié *in extenso* dans le recueil sur *La Presse antiraciste sous l'occupation hitlérienne 1940-1944*, Centre de documentation de l'UJRE, 1950.

lutte des classes. De même que les guesdistes reléguaient l'antisémitisme au rang des accessoires idéologiques de la réaction
capitaliste, de même le Comité de vigilance antifasciste a interprété le nazisme comme une variante germanique du fascisme,
lequel n'était qu'un produit du grand capital « aux abois ».
Dans cette vision « matérialiste » de l'histoire, où banquiers
et P.-D.G complotent nos destins, les cultures, les religions
et les mentalités font figure de comparses, transitoires super-
structures et décors idéologiques promis à l'évaporation, sous
la chaleur rayonnante du socialisme vainqueur.

Cette représentation simplifiée de la tragédie humaine,
L'Humanité en exprimait clairement les conséquences sur la
question juive, au moment de la guerre des Six-Jours : « La
discrimination raciale, l'antisémitisme sont le fait de la réaction, des classes sociales exploiteuses — et non pas le fait de
tel ou tel *peuple* en tant que tel [...]. Les massacres d'Auschwitz, de Buchenwald, etc., furent le fait du *fascisme*, c'est-
à-dire de la forme la plus bestiale du capitalisme. La solidarité des victimes du racisme est donc et doit être la solidarité
contre le fascisme, contre les couches sociales qu'il représente.
Et elle passe par la solidarité de tous les adversaires du fascisme, et plus généralement du capitalisme qui en est 'le ventre toujours fécond', que ces adversaires soient Juifs ou non »
(le 20 juin 1967).

En d'autres termes, à l'issue de ce raisonnement en forme
de sorite : antisémitisme = fascisme = réaction = capitalisme,
on voit que l'antisémitisme est finalement assimilable au capitalisme ; que lutter contre celui-ci, c'est lutter contre celui-
là. En suivant ce raisonnement, il appert que : a) l'URSS,
puissance socialiste, ne peut être en aucun cas taxée d'antisémitisme, ou ce serait une contradiction dans les termes ;
b) que l'anticapitalisme peut dispenser de l'anti-antisémitisme
puisque celui-ci est contenu dans celui-là ; c) que la plupart
des Juifs étant, au nom d'une double fidélité à leur pays et
à Israël, dans le camp de l'impérialisme, donc du capitalisme,
ce sont eux les véritables antisémites.

La vérité est que les Juifs ont été persécutés depuis deux
millénaires non pas en tant que capitalistes ou prolétaires mais
en tant que Juifs. Il s'ensuit que le raisonnement marxiste-
léniniste est à bout de souffle face aux mesures antijuives

quand elles sont prises par des États « socialistes » et « impérialistes ». Nous sommes alors devant une situation dont l'*impensabilité* dispense de toute conjecture. Il n'y a plus qu'à donner au chat sa langue de bois.

Étiemble écrivait ceci, en 1957, qui devrait donner à réfléchir : « Si je cherche aujourd'hui la cause première des vices les plus graves de notre société, je trouve que l'esprit de classe lui-même commet moins de meurtres sans doute, en tout cas moins d'abjections que le préjugé de race. » Tant que la gauche, marxiste-marxisante, pratiquera la réduction de l'histoire à son plus simple antagonisme : bourgeoisie/prolétariat, impérialisme/anti-impérialisme, sionisme/antisionisme, il est à craindre qu'entre elle et les Juifs le malaise ne persiste. Le fait juif, dans sa tragique complexité, est absolument irréductible à l'un ou l'autre terme de cette triple alternative. Comme d'autres faits, celui-ci est têtu, pour parler comme Lénine.

Conclusion
de la deuxième partie

L'antisémitisme est un fait social total, irréductible à toute interprétation unicausale. Ses origines et les causes de son développement sont multiples ; il n'a pas été question ici d'en faire l'inventaire. A travers quelques cas français, il m'a paru important d'insister sur deux sortes — inégales — d'antisémitisme : celui qui exprime la nostalgie d'une *société close*, selon le concept de Popper, et celui qui se réclame de l'universel socialiste.

C'est dans la famille contre-révolutionnaire, traditionaliste, catholique que le premier s'est exprimé le plus naturellement et le plus continûment. Pour simplifier les choses, on pourrait distinguer trois étapes dans la construction idéologique de la contre-révolution ; on verra qu'à chacune d'elles, le Juif, dans son mythe, unifie les objets de la réaction.

1° La révolution politique de 1789-1793 a suscité contre elle et ses prolongements lointains une littérature qui a progressivement fait des Juifs, bénéficiaires de l'émancipation de 91, les véritables destructeurs de l'Ancien Régime. L'osmose entre les Juifs et les francs-maçons explique, aux yeux des antisémites, la suite de l'histoire républicaine : la laïcisation de la société, la séparation de l'Église et de l'État, la destruction de la famille (c'est le Juif Naquet qui fait voter le rétablissement du divorce en 1884), l'expulsion des congrégations, etc. Le « complot judéo-maçonnique » s'est appliqué avec acharnement à la destruction de la chrétienté.

2° La révolution industrielle ne s'est pas faite en France

Édouard Drumont et Cie, Éd. du Seuil, coll. « XXᵉ Siècle », 1982.

avec la brutalité qui la caractérisa en Angleterre. Toutefois, les transformations économiques, à la fois bancaires, commerciales et industrielles, qui ont marqué la période d'expansion que fut le Second Empire, ont heurté les esprits mieux disposés au train antique des choses qu'à l'accélération des changements. La guerre civile dont Paris est le théâtre sanglant à l'issue de la défaite de 1871 cause un premier effroi : les « classes dangereuses » cernent les « honnêtes gens ». Dans son rapport à l'Assemblée nationale sur l'insurrection du 18 mars, le parlementaire Martial Delpit, exprimant « la grande et honnête opinion conservatrice », a dit carrément, à propos des ouvriers révolutionnaires : « Nous sommes en présence d'une nouvelle invasion de barbares. » A cause des travaux démentiels lancés par Napoléon III, Paris les a attirés : « Grâce aux chemins de fer, à la facilité des communications et à leur bon marché, Paris est devenu le rendez-vous de tous ceux qui cherchent fortune, une *Californie intérieure...* » Paris est devenu Babylone, un pandémonium de vices, de crimes et d'incrédulité, aboutissement des plus inquiétantes immigrations. Drumont consacre l'un de ses premiers livres à son *Vieux Paris*, désormais dominé par les cosmopolites et où « bientôt, nous autres, les natifs, ne serons plus que des étrangers ». Le Juif préside nécessairement, pour l'antisémite, à la révolution urbanistique. Lui, le sans-racines, l'éternel nomade, c'est dans la Ville qu'il prospère. Il est encore ici, par le truchement de la Banque et de la Bourse qu'il contrôle, le bénéficiaire opulent du changement. Les crises économiques portent les fureurs antisémitiques à leur plus grande violence : dans les dégâts du progrès, on désigne l'éternel Juif. L'idéologie contre-révolutionnaire, entée sur le rêve d'une ancienne France, dont l'harmonie repose sur un combiné des vertus rustiques et des vertus chrétiennes, oppose les valeurs terriennes de nos ancêtres aux fausses valeurs du monde moderne. Le Juif s'impose dans cette vision bucolique comme l'anti-Paysan ; celui dont la fortune repose sur le déracinement des peuples et sur la frénésie du Progrès.

3° La révolution socialiste et communiste achève la cristallisation du mythe juif. Il n'est pas seulement l'homme du Capital ; il est aussi le Subversif révolutionnaire. Non seulement il détruit la société par le haut (banquiers, hommes d'affaires, politiciens francs-maçons…) mais il en sape les fondements. Rothschild et Marx, un seul combat : la démolition de la société occidentale. La révolution bolchevique de 1917 apparaît comme un des derniers avatars du « complot juif » pour les antisémites. Le thème du « judéo-marxisme », du « judéo-bolchevisme », sera usé jusqu'à la corde dans la presse d'extrême droite au cours des années trente, quand bien même Staline avait entrepris la liquidation des communistes juifs.

Ces trois éléments d'antisémitisme se sont relayés ou additionnés. Ils furent l'expression fantasmatique de milieux en proie, économiquement et culturellement, à des menaces, tantôt précises : la République laïque, le développement industriel, l'essor du grand commerce, la montée du mouvement ouvrier ; tantôt obscures : la crainte d'un avenir incertain, privé des bornes rassurantes dont les siècles passés ont balisé la société — une famille, une Église, une corporation, une hiérarchie. Plus profondément, l'antisémitisme a exprimé l'effroi de certaines couches sociales ou de certains milieux culturels devant le changement, l'accélération des mouvements sociaux, la mobilité géographique, « la fin d'un monde », comme dit Drumont, conçu comme celui d'un temps quasiment immobile. Toute l'œuvre d'un Drumont est sous-tendue par le sentiment douloureux de ce que Durkheim a appelé l'« anomie » — cette régulière décomposition des sociétés traditionnelles. « Tant que le lis éblouissant eut ses racines dans la forte terre des traditions et des croyances, il s'éleva majestueux et poétique sous le ciel ; aujourd'hui le sol est aride et le lis, déjà flétri sous les exhalaisons impures des envahisseurs, se penche, prend les teintes jaunâtres de ce qui va mourir [1]. »

Ce goût de mort et d'entropie, ce qui reste d'extrême droite en France ne l'a pas perdu, sauf à occuper son esprit des images riantes du bon vieux temps : « Moi, disait François Brigneau, éditorialiste de *Minute*, en 1978, j'aime la France et une certaine France, une France agricole, familiale, artisanale ; je n'aime pas la France des villes […], je suis plus près du pays des fileuses, des lavandières, des ateliers d'autrefois ;

---

1. Édouard Drumont, *La Fin d'un monde, op. cit.*, p. 530.

on travaillait peut-être douze heures par jour, mais on chantait dans les ateliers ; on ne chante plus. J'ai horreur des villes, j'ai horreur des cités ouvrières, j'ai horreur du mécanisme, c'est vrai [1]. »

Dès lors, l'antisémitisme aurait dû se fixer politiquement à droite, à l'extrême droite réactionnaire, antilibérale. Or l'antisémitisme a sévi aussi à gauche, particulièrement jusqu'à l'affaire Dreyfus. Sans doute faut-il remarquer d'emblée que, dans cette société de la fin du XIXᵉ siècle (et aujourd'hui donc ?), il n'y a pas de cohérence interne dans la droite et dans la gauche — deux catégories trop réductrices pour rendre raison de la complexité des mentalités. De plus, les partis politiques n'en sont qu'à leur état embryonnaire. La crise boulangiste, entre autres, montre la confusion idéologique qui peut se mêler à la vie politique. Bien des sentiments partagés par les catholiques l'étaient aussi par des électeurs de gauche. La « causalité diabolique » ne manquait pas d'être utilisée par ceux-là mêmes qui ne croyaient pas au Diable. Drumont a été populaire dans l'électorat de gauche comme dans l'électorat de droite, à tout le moins jusqu'en 1898.

Outre les assimilations que l'on fait couramment entre les Juifs et les banquiers depuis la monarchie de Juillet, d'autres raisons ont pu nourrir dans certaines zones de la gauche l'hostilité aux Juifs. Le fait que ceux-ci, par leur tradition religieuse et juridique, renforcée par leur situation minoritaire, aient été constamment respectueux de l'État les a certainement rendus suspects, surtout dans les courants libertaires et anarchistes. Les bonnes relations qu'entretiennent les élites sociales de la communauté juive avec la monarchie de Juillet et avec le Second Empire ont assurément nourri ici et là de l'animosité antijuive.

Reste une autre raison, plus durable celle-là : la contradiction, au moins apparente, existant entre le projet universaliste issu des Lumières, repris par l'idéal républicain et socialiste, et la spécificité juive ; entre l'idéal laïc et le fondement religieux de cette communauté. Un moment, la gauche et bon nombre de Juifs français ont bien cru régler le pro-

---

1. Cité par André Harris et Alain de Sédouy, *Qui n'est pas de droite ?*, Éd. du Seuil, 1978, p. 90.

blème par l'assimilation. Mais elle impliquait, de la part des
Juifs, le sacrifice de leur identité, l'infidélité à leurs ancêtres
et à leur foi. Là gisait la source d'un malentendu qui n'a
jamais pu être réellement dépassé. L'universalisme républicain socialiste rencontrait le même écueil que l'universalisme
chrétien (le catholicisme) : l'irréductibilité de la conscience
juive.

Deux ethnocentrismes inverses (« culturocentrismes » serait
peut-être mieux dire) ont concouru à créer ou à envenimer
l'antisémitisme : un ethno-culturocentrisme singulariste ou
différentialiste et un ethno-culturocentrisme universaliste.

Le premier est le fait des contre-révolutionnaires. Ceux-
ci, comme le dit bien Joseph de Maistre, ne croient pas à
l'Homme (« Il n'y a point d'*homme* dans le monde. J'ai vu
dans ma vie des Français, des Italiens, des Russes... ; mais
quant à l'homme, je déclare ne l'avoir rencontré de ma vie ;
s'il existe c'est bien à mon insu. ») ; ils croient aux groupes
humains particuliers — aux singularités nationales et religieuses. Pour ceux-là, le Juif existe ; il a ses attributs, ses traditions, sa culture propre. Certains diront : sa race. Dans ce
courant, l'antisémitisme nourrit une aversion pour le monde
moderne et défend une harmonie sociale perdue, dont la
figure mythologique du Juif émancipé est le « dissolvant » per-
pétuel ; l'Autre, le non-pareil, l'ennemi acharné de la Norme,
l'instigateur de la mobilité, l'errant, le destructeur. Ethnocentrisme exclusif : le Juif est voué au ghetto ou à l'exil.

Le second est le fait d'hommes de gauche. Son ethnocentrisme universaliste veut étendre à tous les peuples les bienfaits des Lumières à la française. Au nom de la Raison ou
de la société sans classes, il tend à la négation du fait juif.
La communauté juive, dans cette perspective progressiste, est
appelée à se dissoudre dans la fraternité humaine comme les
vieilles croyances et les superstitions sont destinées à s'éteindre. Ethnocentrisme inclusif, cette fois : le Juif est voué à
l'assimilation ou au mépris [1].

Bien des Juifs, on le sait, ont choisi la voie de l'assimilation. Allant plus loin, de nombreux intellectuels juifs ont

---

1. Depuis la première édition de ce texte, Pierre-André Taguieff a
analysé de remarquable façon la double vie du racisme dans *La Force
du préjugé*, La Découverte, 1987. D'autre part, signalons deux études

participé au rêve d'une révolution annonciatrice de la société harmonieuse et de la nouvelle humanité. Sans regret pour un passé qui les avait ordinairement maltraités, beaucoup d'entre eux ont concouru à l'utopie socialiste. Mais cette identité, qu'ils avaient sacrifiée sur l'autel de la révolution, les autres se chargèrent bien de la leur rappeler. Fût-il athée ou converti, fût-il dans le mouvement ou contre le mouvement, il redevenait Juif à son corps défendant sous l'œil de l'antisémite. Le « socialisme réel », tel qu'il s'est édifié à l'est de notre continent, s'est révélé une autre société « close », où les Juifs, aussi bien que d'autres minorités, cherchent encore leur place.

L'acceptation de l'altérité, de la pluralité, de la différence, ne va pas de soi. Quand elle existe, elle tend à hiérarchiser et à exclure. Le groupe homogène dominant impose ses normes ; il faut que les groupes marginaux les adoptent pour prix de leur existence. Seule la « société ouverte », également prémunie contre la nostalgie contre-révolutionnaire et l'utopie totalitaire, peut offrir les chances d'une véritable démocratie pluraliste, à même d'intégrer les Juifs sans les contraindre à aliéner leur être propre, leur mémoire collective, leur double solidarité (française *et* juive).

L'ère de la décolonisation nous a amenés peu à peu à en rabattre de notre « mission civilisatrice » ; notre regard n'est plus dirigé de haut en bas ; en fait de civilisation, nous en avons découvert d'autres.

Penser l'universel à travers les différences ; défendre son droit à la différence dans une perspective universaliste : rien n'est plus difficile que de répondre simultanément à ce double impératif, mais c'est la condition d'une société vivable aujourd'hui.

---

stimulantes pour la réflexion sur le thème ici traité : Michel Graetz, *Les Juifs en France au XIXᵉ siècle, De la Révolution française à l'Alliance israélite universelle*, Éd. du Seuil, 1989 ; Pierre Birnbaum, « Sur l'étatisation révolutionnaire : l'abbé Grégoire et le destin de l'identité juive », *Le Débat*, n° 53, janv.-février 1989.

3

Bonapartisme et fascisme

Dans un article, « L'ombre des Bonaparte », publié dans la presse de la France libre en 1943, Raymond Aron se prêtait à une comparaison entre bonapartisme et boulangisme d'un côté, et fascisme de l'autre, écrivant notamment :

« Le bonapartisme est [...] tout à la fois l'*anticipation* et la *version française* du fascisme. Anticipation française, parce que l'instabilité politique, l'humiliation patriotique et le souci des conquêtes sociales — mêlé d'une certaine indifférence aux conquêtes politiques — de la révolution ont créé à diverses reprises une situation plébiscitaire dans le pays, au temps même du capitalisme ascendant. Version française, des millions de Français pour compenser leur hostilité coutumière à leurs gouvernants par des élans passionnels, cristallisant autour d'une personne désignée par les événements. Version française encore parce qu'un régime autoritaire, en France, inévitablement se réclame de la grande Révolution, paie tribut verbal à la volonté nationale, adopte un vocabulaire de gauche, fait profession de s'adresser, par-delà les partis, au peuple entier [1]. »

Dans cet article antigaulliste, Aron entendait mettre en garde ses concitoyens contre les séductions d'un pouvoir personnel qui, loin d'être contre-révolutionnaire comme celui de Pétain, s'établirait sur la volonté populaire. L'article était polémique, mais ne manquait pas de pertinence. De Gaulle démontra, par la suite, à plusieurs reprises, son attachement à la démocratie, mais, par ses préférences institutionnelles, ses méthodes de gouvernement, les moyens mêmes de son retour au pouvoir, les correspondances sont trop nombreuses pour refuser sans discussion cet apparentement du

1. Raymond Aron, *Mémoires*, Julliard, 1983, p. 185.

gaullisme à la famille du bonapartisme, qui indigne tant d'admirateurs du général de Gaulle. Nous avons donc tenté, dans un premier chapitre, de suivre la continuité et les ruptures dans la tradition bonapartiste, du premier empereur à Charles de Gaulle.

Dire que le bonapartisme était une anticipation du fascisme est plus discutable. Sans doute une telle analyse avait déjà eu lieu. Ainsi, certains marxistes comme Thalheimer, dans les années vingt, avaient-ils jugé que le fascisme présentait la même singularité de classe que le bonapartisme : il s'agissait d'un État qui jouissait d'une certaine *autonomie*, en raison de l'*équilibre* réalisé dans la société civile entre bourgeoisie et prolétariat. Les classes dominantes sacrifiaient leur « domination politique », afin de conserver leur « domination économique », au profit d'un « maître-sauveur [1] ».

D'autres traits peuvent être comparés : la situation de crise dans laquelle un Bonaparte ou un Mussolini prend le pouvoir, l'importance du chef charismatique, le mépris des institutions parlementaires, la centralisation administrative et policière, le lyrisme étatique, les grands travaux, etc. Avec le recul, on pourra même conclure que le fascisme a eu en Italie la même fonction que le Second Empire en France... Néanmoins, l'un et l'autre phénomène ne sont pas contemporains. Le bonapartisme est un phénomène français du XIXᵉ siècle ; il aura été un des modes de transition entre la monarchie absolue et la démocratie libérale, composant une sorte de régime mixte — mi-monarchique, mi-démocratique — sur l'échec institutionnel de la Révolution. La question est de savoir si, *mutatis mutandis*, le gaullisme relève de sa tradition.

Le fascisme, dans sa réalité italienne, s'est imposé lui aussi sur l'échec d'une démocratie libérale désunie et instable. Mais cela s'est passé en 1922. Entre-temps deux événements majeurs ont eu lieu : la guerre mondiale et la révolution bolchevique. Si le fascisme est une catégorie politique nouvelle, il le doit à sa finalité *totalitaire*. Tout en remplissant les fonctions du bonapartisme : arbitrage entre les partis, organisation d'une dictature personnelle, unification et centralisation, initiative économique de l'État, velléités sociales vantées par

---

1. Voir Nicos Poulantzas, *Fascisme et Dictature*, Maspero, 1970.

la propagande, surveillance policière du territoire et des personnalités en vue, etc., le fascisme vise, de surcroît, à unifier la société selon un modèle militaire, une idéologie d'État, et finalement une volonté expansionniste. Je retiendrai comme l'une des plus denses la définition qu'en donne Philippe Burrin :

« Les éléments constitutifs de l'idéologie fasciste s'intègrent ainsi dans une structure hiérarchisée et orientée : il s'agit de former une communauté nationale mobilisée en permanence sur des valeurs d'énergie, de foi et de sacrifice ; une communauté comprimée dans une unité totalitaire excluant toute autre allégeance que la fidélité exclusive à un Chef qui décide absolument du destin collectif ; une communauté militarisée enfin, soudée en vue d'une entreprise de domination qui est à elle-même son principe et son but [1]. »

Pareille définition permet de saisir les similitudes entre fascisme et nazisme, plutôt qu'entre fascisme et bonapartisme. La France n'est pas pour autant complètement innocentée dans la construction de l'idéologie fasciste. Quand bien même le fascisme n'y a été qu'à l'état d'ébauche, un certain nombre de mouvements et un certain corpus d'idées ont alimenté, de l'aveu même d'un Mussolini, la contre-révolution du XXe siècle (voir le chapitre que nous consacrons au fascisme français). De là à considérer le « fascisme français » comme le plus authentique, pour la bonne raison qu'il n'aurait jamais pu être altéré par la corrosion du pouvoir, est un paradoxe insoutenable ; c'est pourtant l'un de ceux qui ont fait la réputation de Zeev Sternhell [2] : on trouvera plus loin l'écho de ce débat.

Autre débat, si l'on peut dire, auquel je fais ensuite écho : Sternhell ayant mis notablement en cause un certain nombre d'hommes et de mouvements de gauche dans l'élaboration de l'idéologie fasciste, on vit au cours des années 1980, quand les socialistes furent de retour au pouvoir, d'étranges colloques faire allégrement l'amalgame entre… socialisme et fascisme. L'histoire des idées, vaste auberge espagnole [3] !

1. Philippe Burrin, « La France dans le champ magnétique des fascismes », *Le Débat*, n° 32, novembre 1984.
2. Zeev Sternhell, *Ni droite ni gauche*, Bruxelles, Éd. Complexe, 1986.
3. Nous disposons, depuis ces polémiques, d'un excellent guide — enfin ! — sur la question du fascisme en France : Pierre Milza, *Le Fascisme français*, Flammarion, 1988.

1

La tentation bonapartiste

« L'idée napoléonienne consiste à reconstituer la société française bouleversée par cinquante ans de révolution, à concilier l'ordre et la liberté, les droits du peuple et les principes d'autorité. » Ainsi s'exprime en 1840, dans son exil londonien, Louis-Napoléon Bonaparte [1]. Retenons dans ce qu'il affirme là les deux mots clés de ce qu'il appelle « l'idée napoléonienne » et qui est pour nous le bonapartisme : peuple et autorité. Devenu Napoléon III, le même auteur publie en 1862 une vie de Jules César. Ce n'est pas par hasard. La référence romaine ne s'applique pas seulement au conquérant mais à celui qui a voulu établir son pouvoir absolu sur le consentement des plébéiens. Les deux régimes napoléoniens que la France voit s'installer au début et au milieu du XIXe siècle s'affirment pareillement des régimes forts et personnels se réclamant du peuple. Le bonapartisme est devenu le césarisme moderne.

Le bruit des armes qui est à l'origine comme à la chute des régimes césarien et bonapartiste pourrait faire croire à leur fragilité, voire à leur nature factice. En fait, le césarisme fut au principe d'un empire durable ; de même les deux empires napoléoniens furent-ils plus stables que les régimes qu'ils remplaçaient. Si l'on veut compléter cette observation par le fait qu'au XXe siècle deux républiques parlementaires ont encore laissé place, en 1940 et en 1958, à des régimes peu ou prou césariens, on peut se demander légitimement si le bonapartisme n'est pas l'une des tendances lourdes de la vie politique française.

Au départ, en 1799 (18 Brumaire) comme en 1851

---

1. Louis-Napoléon Bonaparte, *Des idées napoléoniennes*, Plon et Amyot, 1860.

(2 Décembre), c'est un régime qui prend forme sur les ruines d'une république parlementaire abattue par un coup d'État. Le maître d'œuvre a déjà conquis depuis longtemps les faveurs de l'opinion. Comme César, à la tête d'une armée prétorienne avant de franchir le Rubicon, Napoléon Bonaparte s'est imposé aux foules par la gloire militaire. La campagne d'Italie de 1797 lui a valu le surnom de « Notre-Dame des Victoires » (Lodi, Arcole, Rivoli…). Il est devenu membre de l'institut, au siège de Carnot frappé de proscription. Mais le nouveau chef a su dessiner sa propre image de héros national : c'est avec les richesses accumulées en Italie qu'il finance la fondation de journaux qui assènent au public les récits de ses prouesses. D'emblée, sa carrière politique s'appuie sur la propagande.

Louis-Napoléon Bonaparte, lui, ne pourra pas jouir de la réputation militaire, mais le neveu qu'il est héritera des palmes reçues par l'oncle. Les lettrés, les gens à latin, les hommes politiques considèrent le surgeon napoléonide comme un « crétin » — facile à tenir en main. Ils se trompent : Louis-Napoléon n'a guère d'éloquence mais il a une culture scientifique et des connaissances en matière économique très au-dessus de la moyenne. Surtout, ils sous-estiment la ferveur populaire que la légende napoléonienne va assurer à l'épigone du vainqueur d'Austerlitz. « Napoléon le petit », comme dit Victor Hugo ? Peut-être, mais qui a su capter la charge de fascination disponible en provenance de « Napoléon le Grand ». L'élection présidentielle de 1848, consécutive à la révolution de Février et faite au suffrage universel, concrétise le magnétisme exercé par le patronyme historique : au lieu de choisir parmi les politiciens déjà connus, le peuple envoie à l'Élysée un obscur, mais d'éclatante lignée.

Voilà donc deux hommes jugés hors du commun, l'un par la réputation de ses exploits, l'autre par un nom désormais élevé à la puissance d'un mythe, qui décident ou de prendre le pouvoir ou de s'y maintenir de manière illégale. S'ils y parviennent, c'est qu'ils répondent à une apparente nécessité. Le coup d'État originel est pratiqué dans la crise d'une république en état de décomposition — « l'anarchie », dit Napoléon. Le Directoire n'arrive à se maintenir lui-même, vaille que vaille, qu'au moyen de manipulations électorales et d'élections cassées, tantôt contre les jacobins, tantôt contre les royalistes. Le système politique issu de l'échec de la monarchie constitutionnelle, voulue par les Constituants de 1789, n'a pu trouver son équilibre ; la guerre étrangère coûte cher, les finances sont délabrées ; la division religieuse reste profonde : « Lorsque je me mis à la tête des affaires, expliquera Bonaparte, la France se trouvait dans le même état que Rome, lorsqu'on déclarait qu'un dictateur était nécessaire pour sauver la République. »

L'idée d'un « sauveur » courait même les rangs de la gauche : les jacobins s'imaginèrent avant Brumaire se concilier l'alliance du soldat d'Italie et d'Égypte ; à défaut, ils songèrent à Bernadotte, autre général et récent ministre de la Guerre. Cependant, le dictateur en herbe n'entendait point se lier les mains à un parti : il était au-dessus de tous. Il sut pourtant trouver des appuis dans les gouvernants de l'heure, à commencer par Sieyès. Finalement, celui-ci tira les marrons du feu pour lui : Bonaparte, mal assuré devant l'assemblée des Cinq-Cents transportée à Saint-Cloud, abreuvé d'injures, menacé d'être mis hors la loi, ne doit finalement son salut qu'à l'intervention décidée de son frère Lucien, président de l'assemblée rebelle, et de ses fidèles soldats, Leclerc et Murat en tête. Le coup d'État parlementaire devenait un coup d'État militaire : les représentants du peuple étaient dispersés par le sabre.

Le « coup du 2 Décembre » en 1851 fut tout autre. Un président de la République, inéligible, entend se maintenir à la tête de l'État par la force. Il y réussit, mais au moyen d'une répression sanglante contre les soulèvements sporadiques, localisés mais non sans intensité, que son action déclenche. Cependant, loin d'être le résultat d'un caprice despotique, le coup d'État venait à point pour remplacer un régime républicain sans l'âme. La II\ :superscript:`e` République, en effet, était née dans un concours d'espérances populaires et d'apparente fraternisation des classes et des convictions philosophiques.

Entre-temps, les arbres de la Liberté, plantés au lendemain des journées de février 1848, avaient été déracinés. La peur des ouvriers insurgés avait établi dans le sang des journées de Juin une république conservatrice, au sein de laquelle les conservateurs patentés n'arrivaient pas à s'entendre, et d'abord sur la nécessaire « fusion dynastique » (autrement dit, la réconciliation des deux branches de la famille royale, légitimiste et orléaniste) qui leur eût permis la restauration de leurs vœux. A l'approche de l'échéance électorale, la peur des rouges a poussé une partie d'entre eux à se rallier à la solution bonapartiste, c'est-à-dire à la réforme constitutionnelle permettant à Louis-Napoléon d'être de nouveau éligible — puisqu'il était prévu à l'origine un seul mandat de quatre ans.

En vain ; ils ont échoué face à une coalition de droite et d'extrême gauche. Convaincu de représenter le sentiment général contre la résistance d'une partie de la classe politique, le président en appelle au peuple par voie d'affiche et dissout l'Assemblée au moyen de l'Armée. Le sang répandu dans les jours suivants marquera le régime d'une tache indélébile : il était né d'un « crime », comme dira Victor Hugo. Mais la violence de la répression ne doit pas masquer la réalité d'un assentiment profond dans toutes les couches de la nation : la IIe République avait massacré plus d'ouvriers en juin 1848 que d'opposants n'étaient morts sous le coup d'État de décembre 1851 ; néanmoins elle restait un danger aux yeux de ceux-là mêmes qui en avaient la direction. Ainsi, le futur Napoléon III pouvait se targuer d'offrir au peuple une revanche sur les « Burgraves » du pouvoir et aux bourgeois l'assurance d'une protection face aux révolutionnaires ; d'une part, il rétablissait le suffrage universel et, de l'autre, il assurait la restauration de l'ordre. Le bonapartisme se définira comme garant conjoint des valeurs (ou de certaines valeurs) de gauche comme de droite, dans une perspective de réconciliation et d'union nationale.

Le chef face au peuple.

La force pouvait permettre provisoirement de gouverner une société en état de division endémique. Au-delà, le régime qui en résulte a besoin de légitimité. Les deux Napoléon la recherchèrent d'abord dans le principe de la souveraineté nationale. L'un et l'autre ont pu se prévaloir de s'appuyer sur les « masses », au détriment des castes et des oligarchies. Les deux dictateurs, leur coup étant fait, entendirent faire ratifier leur pouvoir par le suffrage universel.

Par trois fois, en l'an VIII (le Consulat), en l'an X (le Consulat à vie) et l'an XII (l'Empire héréditaire), Napoléon Bonaparte met au référendum le changement de Constitution, sans passer par des assemblées. La consultation populaire s'apparente à un plébiscite : il s'agit de donner ou non sa confiance à un homme. La démarche prend un tour démocratique dans la mesure où le régime directorial défunt s'établissait sur le suffrage censitaire. Le tête-à-tête entre le chef et le peuple, sans intermédiaire, est l'une des marques intrinsèques du bonapartisme. Dans le concret, ce premier essai est équivoque : on attendit deux mois les résultats de la première consultation. Lucien Bonaparte, ministre de l'Intérieur, se « trompa » avantageusement dans ses additions : il fallait démontrer la base populaire du nouveau régime. De même, Napoléon le neveu. Il commença par faire proclamer, dans la nuit même du coup d'État, le rétablissement d'un suffrage universel, qui avait été sensiblement mutilé au détriment des pauvres par l'assemblée conservatrice[1]. Puis, il procéda à une consultation, d'abord en décembre 1851, pour faire ratifier la réforme constitutionnelle qui lui attribuait une présidence décennale, puis en 1852, pour faire confirmer le rétablissement de l'Empire : dans les deux cas, un triomphe.

Certes, ni l'oncle ni le neveu n'abusèrent du plébiscite : un résultat négatif ou simplement médiocre pouvait leur coûter ou entamer cette légitimité obtenue des urnes dès l'origine. Mais l'appel au peuple constitue la ressource légale dont on peut user à souhait ; tel Napoléon 1er, au retour de l'île d'Elbe, tel Napoléon III qui, contesté par les élections législatives de 1869, propose un référendum sur ses réformes en 1870 et obtient un succès qui lui permet de replâtrer son autorité. Dès 1844, Louis-Napoléon écrivait : « Aujourd'hui le règne des castes est fini : on ne peut gouverner qu'avec les masses ; il faut donc les organiser pour qu'elles puissent formuler leurs volontés et les discipliner pour qu'elles puissent être dirigées et éclairées sur leurs propres intérêts[2]. »

1. Par la loi électorale du 31 mai 1850, proposée par Thiers, la majorité de l'Assemblée fait obligation aux électeurs d'avoir trois ans de domiciliation dans le canton, ce qui écarte une bonne partie de « la vile multitude » (environ un tiers d'électeurs en moins).
2. Cité par Alain Plessis, « Napoléon III, un dictateur ? », in *Dictatures et Légitimité* (sous la direction de Maurice Duverger), PUF, 1982.

La fin des « castes », c'était aussi la mise au pas des assemblées. Le bonapartisme est le contraire du parlementarisme — haine et mépris des assemblées, « trait caractéristique et fondamental de son esprit », disait Tocqueville, qui refuse de se rallier. Avec le suffrage universel au lieu du droit divin, le régime bonapartiste reprend le mouvement de la monarchie absolue : guerre aux corps intermédiaires ! plus d'égalité promise et moins de liberté offerte ! centralisation accentuée ! et des fonctionnaires partout, plutôt que des élus ! Dans ce domaine, Napoléon achève l'œuvre des Bourbons : au pouvoir des intendants, supprimés par la Révolution, il donne pour suite celui des préfets en 1800. Ceux-ci, comme autant d'empereurs délégués départementaux, tissent à travers le pays un réseau d'influence, de surveillance, d'action, aux fins d'unifier le pays sous la direction du grand homme. « La chaîne d'exécution, disait Chaptal, descend sans interruption du ministre à l'administration et transmet la loi et les ordres du gouvernement jusqu'aux dernières ramifications de l'ordre social avec la rapidité du fluide électrique. »

Tout est organisé pour donner la prépondérance absolue à l'Exécutif : l'Empereur a l'initiative des lois. L'opposition parlementaire, s'il en est, est réduite par tous les moyens — y compris les moyens « légaux » comme la candidature officielle. Le régime doit encore sa modernité au double emploi de la police et de la propagande. La censure et les images d'Épinal font bon ménage dans le régime bonapartiste. Quant à l'Université, d'où pourraient venir des objections, elle tombe, elle aussi, sous la férule du maître, au moyen du monopole. « Il n'y aura pas d'état politique fixe, déclare Napoléon, s'il n'y a pas un corps enseignant avec des principes fixes. »

Les étudiants ne sont pas les seuls visés : dès l'enfance les petits Français doivent apprendre obéissance et reconnaissance. Ainsi, Napoléon avait fait introduire dans le catéchisme une question flatteuse : « — N'y a-t-il pas des motifs particuliers qui doivent plus fortement nous attacher à Napoléon 1er notre empereur ? — Oui, car il est celui que Dieu a suscité dans les circonstances difficiles pour rétablir le culte public de la religion sainte de nos pères et pour en être le protecteur. Il a ramené et conservé l'ordre public par sa sagesse profonde et active. Il défend l'État par son bras puissant ; il est devenu l'oint du Seigneur par la consécration qu'il a reçue du Souverain Pontife, chef de l'Église universelle. »

Néanmoins, le bonapartisme n'est pas un simple régime démagogique et policier. Napoléon 1er et Napoléon III n'ont pu créer ou restaurer l'Empire que dans la mesure où ils répondaient à une demande forte. Le premier eut le mérite aux yeux des Français de stabiliser la vie politique après dix années de déchirements, de guerre civile et de guerre extérieure. Le Concordat de 1801, qui posait les bases de la réconciliation religieuse, et la paix d'Amiens, mettant fin en 1802 à la coalition étrangère, furent les actes initiaux sur lesquels Napoléon pouvait bâtir sa puissance. Lui et son neveu, se plaçant au-dessus des partis, au-dessus des classes, claironnaient n'avoir qu'un but : la grandeur nationale. De fait, les deux régimes bonapartistes en produisirent à foison.

Cette grandeur impliquait le dynamisme économique et la paix sociale. Un volontarisme d'État est notable en ce domaine sous le Premier, et plus encore sous le Second Empire. De la création de la Banque de France à la politique des grands travaux (assèchement des Landes, routes internationales, lignes de chemin de fer...), du traité de libre-échange avec l'Angleterre, en 1860, au percement de l'isthme de Suez, achevé en 1869, les signes abondent de l'impulsion économique venue d'en haut. Le succès dans tous les domaines devait corroborer le plébiscite.

Parmi toutes les œuvres de gloire, dont le bonapartisme nourrit son auto-exaltation, la plus grande reste celle de la puissance militaire. Dans un premier temps, l'Empire « c'est la paix [1] ». Mais bien vite, quelles que soient les circonstances atténuantes, le nom des deux Napoléon devient synonyme de conquête. Le concept même d'Empire implique celui de guerre, car l'essence de l'Empire, c'est la puissance dominatrice. Un rêve les obsède l'un et l'autre. Le premier imagine la création d'une Europe française, le « Grand Empire » : considéré par les autres souverains comme un usurpateur, issu

---

1. Allusion au mot prononcé à Bordeaux par le prince Louis-Napoléon Bonaparte au printemps 1852 : « Certaines personnes disent : l'Empire, c'est la guerre ; moi je dis, l'Empire, c'est la paix. »

de la Révolution abhorrée, il passera une bonne partie de son règne et usera le gros de ses forces contre l'hydre des coalitions. En même temps, il fait souffler sur le continent le vent des idées révolutionnaires, donne le branle aux vieilles monarchies, éveille le sentiment de nationalité, construit des routes et des ponts, refait dix fois la carte de l'Europe. « Napoléon, écrit Engels, était en Allemagne le représentant de la Révolution, l'annonciateur de ses principes, le destructeur de la vieille société féodale. » Et Hegel avant lui : « De tels progrès n'ont été possibles que grâce à un homme extraordinaire, qu'il est impossible de ne pas admirer. »

Avec les bulletins de la Grande Armée, le grand homme répand à travers le pays son image de héros légendaire. Une fois Napoléon vaincu et exilé, les républicains et les libéraux verront moins en lui « l'Ogre corse » que le vaillant soldat de la Révolution défiant les dynasties séculaires, les anciens régimes restés en vie, la fédération des tyrans. Napoléon le neveu, malgré ses serments, retrouvera, lui aussi, le chemin des champs de bataille après un demi-siècle de paix. Élevés au pinacle par les noms des victoires remportées qui claquent comme des drapeaux, il ne pourront survivre à la défaite des armes. Avant la chute finale, deux retraites lugubres préfigurent l'effondrement de l'Empire : pour l'un, la retraite de Russie ; pour l'autre, le retour du Mexique. Les grands rêves se sont dissipés, Alexandre doit rentrer à la maison. Alors, la pire des humiliations est infligée au stratège : l'invasion de sa patrie par les armées étrangères.

Pile et face : les trompettes de la gloire et le glas de la défaite. Les Français ont été enivrés, et certains le sont toujours, par l'extraordinaire épopée impériale. Le neveu, on le sait, ne pourra la recommencer, mais il touchera les dividendes du capital accumulé par le fondateur. Dans *Les Déracinés*, Maurice Barrès nous montre ses cinq jeunes Lorrains débarqués à Paris, se retrouvant aux Invalides : « Le tombeau de l'Empereur, pour des Français de vingt ans, ce n'est point le lieu de la paix, le philosophique fossé où un pauvre corps qui s'est tant agité se défait ; c'est le carrefour de toutes les énergies qu'on nomme audace, volonté, appétit. Depuis cent ans, l'imagination partout dispersée se concentre sur ce point. Comblez par la pensée cette crypte où du sublime est déposé ; nivelez l'histoire, supprimez Napoléon : vous anéantissez l'imagination condensée du siècle. On n'entend pas ici le silence des morts, mais une rumeur héroïque ; ce puits sous le dôme, c'est le clairon épique où tournoie le souffle dont toute la jeunesse a le poil hérissé. »

On connaît le revers de la médaille : les hécatombes et autres horreurs de la guerre. Mais aussi : la nécessité de vaincre, pour se maintenir au pouvoir. Colosse aux pieds d'argile, le régime bonapartiste ne peut survivre à la défaite militaire. Sans doute est-ce devenu le lot des nouveaux régimes et seules les vieilles monarchies pouvaient-elles se permettre les défaites à répétition. Mais, dans le cas napoléonien, tout se passe comme si le régime en place se trahissait lui-même quand il ne cherche pas la gloire sous le feu des canons. Il est comme poussé vers Austerlitz ou Magenta ; et finalement, vers Waterloo ou Sedan.

Jusque-là, nous avons pris le bonapartisme comme un bloc. En bonne rigueur, il faudrait maintenant nuancer. D'abord, le terme lui-même s'applique plus exactement au régime créé par Louis-Napoléon Bonaparte, même si les traits du modèle étaient déjà assez bien tracés sous Napoléon Iᵉʳ. Les deux régimes, en fait, ont été soumis à une évolution inverse. Dans le premier cas, on a vu une dictature populaire, plébiscitaire, se transformer en monarchie impériale. Dans le second cas, on a vu une présidence de la République décennale devenir Empire, mais un Empire qui à la longue s'est sensiblement libéralisé, rendant même dans la dernière année un rôle majeur au Parlement. Malgré les différences, l'un et l'autre régimes souffrent d'une contradiction analogue — celle qui oppose le principe de la légitimité populaire et le principe d'une nouvelle dynastie héréditaire.

Dans le cas de Napoléon Iᵉʳ, la contradiction a pris la forme d'une évolution caricaturale. Sa volonté de légitimation dynastique est passée par deux actes qui remettaient en cause ses origines. Le premier est son mariage avec l'Autrichienne Marie-Louise, précédé de son divorce d'avec Joséphine. En forçant la porte de la maison des Habsbourg, l'ancien général corse, l'ancien jacobin, le « Robespierre à cheval », comme disait Mme de Staël, troquait en bourgeois gentilhomme nouveau style son passé révolutionnaire pour un blason d'Ancien

Régime. Le second fait a été le sacre de l'empereur par le pape le 2 décembre 1804 : c'était donc une légitimité de droit divin qui devait couronner la transformation du régime. Et l'on a vu plus haut, dans le passage du catéchisme, que Napoléon entendait effectivement être considéré par la formule de la royauté française : il était « l'oint du Seigneur ». Le modèle bonapartiste s'altérait : Napoléon perdait volontairement son originalité, qui venait du compromis réalisé entre les principes révolutionnaires et la restauration de l'autorité de l'État.

Dans le cas de Napoléon III, point de velléité de ce genre : le suffrage universel reste jusqu'au bout la vraie source de légitimité. Oui mais… lui aussi entend bien renouer avec un régime dynastique. Comment pouvait-on, dès lors, concilier le principe héréditaire et le principe plébiscitaire ? Celui-ci s'attache à une personne unique, à sa dignité propre ; celui-là, notion abstraite, se réfère à une fonction. Que d'aventure un non vienne désavouer le chef de l'État, doit-il partir ? Est-il imaginable qu'en pareil cas, un héritier, quel qu'il soit, voire un enfant, prenne sa place ? On touche ici à une borne du bonapartisme. Dans son essence, il a besoin du soutien populaire pour naître et durer ; dans son ambition, il rêve de se perpétuer à travers sa progéniture : c'est toute la bâtardise d'un régime, tiré entre sa sympathie affichée pour « les masses » et ses aspirations monarchiques.

Pour résoudre la contradiction, Napoléon Ier, on l'a dit, choisit tant bien que mal le retour au droit divin (tout au moins jusqu'aux Cent Jours) ; Napoléon III, lui, était condamné à solliciter l'adhésion du suffrage universel. Celui-ci ne fut pas convié à un autre plébiscite entre 1852 et 1870, mais il l'était régulièrement pour les élections législatives. Du même coup, le régime devait s'armer de toutes les précautions, utiliser tous les conditionnements de l'époque, imaginer toutes les propagandes pour garder le soutien du peuple. Monarchie incomplète, l'empire bonapartiste devait éviter la crise d'impopularité. D'où résulte en grande partie son volontarisme mais aussi, pour le pire, sa fuite en avant.

Le bonapartisme s'appuie-t-il sur des couches sociales privilégiées ? Est-il la traduction politique d'une domination de classe ? De fait, des contemporains ont vu en lui la garantie d'un ordre bourgeois contre le danger révolutionnaire : la peur des jacobins en 1799, la peur des « partageux » en 1851, la demande d'autorité étatique de la part des possédants ont été maintes fois relevées. Louis Veuillot, qui a le langage dru d'un catholique d'extrême droite, écrit sans ambages au lendemain du 2 décembre, considéré par lui comme « une véritable contre-révolution », que Louis-Napoléon est pour « les hommes d'ordre, l'homme au fouet qui rendra à la société ses fermes assises sur un prolétariat dûment maîtrisé ». Plus proche de nous, Pierre Barberis, historien de la littérature d'inspiration marxiste, présente Napoléon III comme « le chien de garde du capitalisme français forgeant son avenir ».

L'analyse de Marx était plus fine. Pour l'auteur du *18-Brumaire de Louis Bonaparte*, le 2 Décembre répondait à la nécessité d'en finir avec les divisions internes de la bourgeoisie. Celle-ci était partagée entre sa fraction *foncière* et sa fraction *industrielle*. La seule entente possible entre elles deux avait été l'établissement de cette république neutre sur la défaite du prolétariat. Restaurer la monarchie eût signifié l'avantage d'une fraction sur l'autre, c'est pourquoi la fusion dynastique était impossible. Ce désaccord entraîne un courant du Parti de l'Ordre à rallier la solution napoléonienne. C'est donc de l'incapacité de la classe bourgeoise à trouver un commun langage et une politique commune que va sortir le coup d'État du 2 Décembre.

Cependant, cette solution étatique ne tombe pas du ciel. Louis-Napoléon Bonaparte est assuré d'une base sociale, qui est aussi une base électorale de granit : celle de la paysannerie « parcellaire ». Dans cette France, profondément rurale, le bonapartisme va signifier la défense de la petite paysannerie propriétaire, conservatrice, dont les membres isolés les uns des autres se trouvent dans l'incapacité de faire entendre leurs voix, c'est-à-dire leurs intérêts de classe. Déjà Napoléon Ier avait consolidé, par le Code civil, la petite propriété de plein droit fraîchement acquise par les paysans ; Napoléon III s'en fera le défenseur à la fois contre les anciens maîtres et contre les nouveaux notables citadins.

Les élections successives n'ont jamais démenti l'attachement de la petite paysannerie au régime bonapartiste. Proudhon, adversaire de Marx, confirmera l'analyse. Cela dit, Marx, fidèle à sa méthode, a tendance à subordonner la poli-

tique aux impératifs de l'économie et de la lutte des classes.
Les personnages de la scène sont toujours, ou presque,
l'incarnation d'un intérêt de classe. Or, si le bonapartisme
a constitué un modèle politique, applicable *grosso modo* à
d'autres époques et à d'autres conjonctures, il faut le saisir
dans sa spécificité politique. Marx lui-même, dans son célèbre pamphlet, fait état des « intérêts particuliers » de tel ou
tel député en contradiction avec les intérêts de sa classe : il
admet donc que dans la cuisine politique les individus et leurs
passions singulières mettent au moins un grain de sel qui
change le goût du plat final. Les acteurs du champ politique
ne sont pas sans arrêt en train de se demander ce qui vaut
le mieux pour le groupe social dont ils sont issus ; quand bien
même ce serait le cas, ils pourraient s'opposer à leurs collègues du même groupe, non sur la finalité de leur action, mais
sur ses moyens.

Bref, la brillante analyse de Marx ne nous satisfait pas pleinement. La dictature napoléonienne, comme tout autre
régime politique, ne descend pas des airs, pour parler comme
lui : elle a besoin d'un enracinement dans la société. Admettons que la paysannerie en fut le terreau durable. Mais on
parlerait du régime napoléonien sans utiliser un terme en
« isme » si l'on n'avait pas eu l'idée qu'un certain type de
régime politique avait été inventé, dont certains traits l'appa-
rentent au césarisme de l'Antiquité, et dont les caractères fondamentaux pouvaient se retrouver en d'autres époques, sans
paysannerie majoritaire. La fondation de la Ve République
nous encourage dans cette voie.

Certes, les différences entre gaullisme et bonapartisme sau-
tent aux yeux. De Gaulle n'a pas enterré le régime des libertés (les atteintes portées à la liberté de la presse pendant la
guerre d'Algérie avaient commencé sous la IVe République).
De Gaulle n'a jamais instauré un régime qui donnât la prépondérance à l'armée (ses adversaires les plus résolus furent
même des officiers supérieurs). Surtout, de Gaulle n'a jamais
voulu fonder ni un Empire ni une dynastie. Cela dit, les éléments du bonapartisme ne manquent pas dans le système qu'il
achève de mettre en place en 1962.

A l'origine, de Gaulle bénéficie, peut-être pas d'un coup
d'État mais en tout cas d'un coup de force — celui du 13 Mai

— canalisé vers lui par les responsables de l'armée d'Algérie. Certes, plus habile que Bonaparte à Saint-Cloud, le Général obtient l'investiture du Palais-Bourbon. Mais il revient au pouvoir dans des conditions au moins aussi troubles, dans un pays qui se croit au bord de la guerre civile. Justement, de Gaulle se place au-dessus des clans, récusant ce « système des partis » qui, à ses yeux, a fait tant de mal à la France, répétant à sa manière le mot de Lucien Bonaparte : « Le gouvernement ne veut plus, ne connaît plus de partis, et ne voit en France que des Français [1]. » Leitmotiv du « rassemblement », lequel n'est pas sans résultat : jusqu'au bout, une partie de l'ancien électorat de gauche lui reste fidèle !

Lui aussi, de Gaulle, est précédé d'une « légende » : celle du Patriote intransigeant, l'homme du 18 Juin, le Libérateur du territoire, celui qui a remplacé la France au rang des grands, après la terrible humiliation de 1940. Héritier de sa propre gloire, homme providentiel, accueilli comme un sauveur par un pays embourbé dans les contradictions de l'heure et la lutte des factions, il va faire adopter une Constitution et établir un système où l'on retrouve, surtout après la réforme constitutionnelle de 1962, maintes caractéristiques du bonapartisme : la légitimation par le référendum-plébiscite, l'affaiblissement des assemblées, le renforcement de la centralisation administrative sous la forme technocratique, le rapport affectif qu'il entretient avec « les masses ». Les voyages en province sont un de ces moyens efficaces pour court-circuiter les assemblées intermédiaires : les plongées dans la foule, les poignées de main à la chaîne, les mots qu'il fait tomber sur des oreilles émerveillées... Ajoutons-y l'art renouvelé de la propagande. De Gaulle sait s'entourer d'écrivains fameux — Malraux, Mauriac et d'autres — qui colorent de leur style l'épopée gaullienne. La diffusion de la télévision arrive à point ; il en use bientôt en artiste, tout en ayant soin d'en faire surveiller les messages...

Quand, aujourd'hui, on rencontre quelques jeunes gens faisant le pèlerinage de Colombey, on repense aux cinq Lorrains de Barrès devant le tombeau de Napoléon : de Gaulle

---

1. Cité par Jean Tulard, « Les dictatures de l'époque libérale : Napoléon 1er », in *Dictatures et Légitimité*, *op. cit.*

avait réveillé le désir de gloire nationale : il avait été le Résistant suprême ; il demeurait le farouche garant de l'indépendance française. Il pouvait bien « abandonner » l'Algérie : c'était dans le mouvement de l'histoire ; il compensait le prestige colonial par la nouvelle réputation d'un grand pays moderne, dynamique, résolu à forger les armes de sa défense. La mise au point de la bombe A puis de la bombe H, la diplomatie gaullienne défiant la république impériale des États-Unis, la reconnaissance de la Chine communiste, le départ de l'OTAN... A chaque coup, les Français rendus à leur fierté par tant d'audace s'imaginaient revivre une époque héroïque. Le développement économique des années soixante, le redressement du franc, les progrès de la législation sociale [1] : on retrouverait encore bien des traits de ressemblance, *mutatis mutandis*, avec le Second Empire.

La synthèse gaulliste : une monarchie républicaine.

Le Second Empire, dans les trois dernières années de son existence, s'est libéralisé. A terme, au vu de l'évolution générale des nations industrielles d'Occident, on pourrait imaginer une évolution parallèle du système impérial vers des institutions et des pratiques voisines de celles que de Gaulle a mises en place. La grande différence reste le choix dynastique. De Gaulle a voulu fonder, non un empire héréditaire, mais une monarchie républicaine, c'est-à-dire élective. Reste que Napoléon III et de Gaulle remettent en jeu leur légitimité par le référendum-plébiscite dès que le doute s'insinue entre le guide et la nation. Dans le cas gaulliste, le modèle s'est épuré, s'est débarrassé de la contradiction mentionnée plus haut : le Chef se retire sur la volonté du peuple. La synthèse gaulliste démontra sa validité par le départ du Général au lendemain du référendum perdu de 1969. En ce sens,

---

1. Une législation sociale qui reste néanmoins en deçà des velléités affichées — notamment dans la théorie de l'association Capital-Travail. Le thème de la « participation » aurait pu être l'axe d'une politique sociale, mais de Gaulle s'en avisa trop tard : la grandeur extérieure avait eu la priorité ; la crise de Mai-68 révéla l'erreur. Le bonapartisme veut être populaire mais ne se donne pas les moyens de l'être jusqu'au bout.

NAPOLÉON, PÉTAIN ET DE GAULLE

	Napoléon 1er	Napoléon III	Pétain	De Gaulle
Origine du régime	Coup d'État	Coup d'État	Défaite militaire	Coup de force à Alger
Personnalité prestigieuse	Militaire (héros d'Italie et d'Égypte)	Neveu de Napoléon	Militaire (« vainqueur de Verdun »)	Militaire (Ancien chef de la France libre)
Système de légitimation	Constitution ratifiée au suffrage universel	Constitution ratifiée au suffrage universel	Vote des pouvoirs spéciaux	Investiture de l'assemblée. Constitution ratifiée au suffrage universel
Référendums-plébiscites	4	3	0	5
Rôle du Parlement	Enregistrement	Enregistrement - mais émancipation progressive	En vacance	Prééminence du pouvoir exécutif
Sort des libertés	Sous étroite surveillance	Sous étroite surveillance Évolution libérale	Confisquées	Respectées après la guerre d'Algérie
Le grand dessein	Le Grand Empire (« l'Europe-France »)	L'hégémonie française sur l'Europe des nationalités Le Mexique	La Révolution nationale	L'hégémonie française sur l'Europe des nationalités L'indépendance militaire et diplomatique
Références positives à 1789	oui	oui	non	oui
Fin brutale du régime	Défaite militaire	Défaite militaire	Libération du territoire de l'occupation étrangère	Référendum négatif

Ce tableau suggère un certain nombre de traits communs entre bonapartisme et gaullisme. Il montre en revanche que le régime établi par le maréchal Pétain est assez nettement éloigné du modèle - même si, comme les autres, il est fondé sur l'échec d'une république parlementaire et sur un chef « charismatique ».

sa monarchie républicaine était aussi une monarchie démocratique.

Longtemps, la Révolution a laissé libre cours à une intrigue principale dans la société française : la lutte des héritiers de 1789 et des fidèles de la monarchie catholique. En fait, le double échec de la Restauration et de la monarchie constitutionnelle de Juillet laisse place, dans le champ politique, à la concurrence de deux systèmes, tous deux issus de la Révolution : république parlementaire et régime bonapartiste. Chacune des quatre républiques parlementaires, du Directoire à la IVᵉ République, s'est achevée à l'avantage d'un sauveur suprême, pourfendeur du régime d'assemblée. Car même si le régime de Vichy échappe à la catégorie du bonapartisme, il lui prend néanmoins quelques-uns de ses caractères (tableau p. 245), à commencer par la haine des partis et la mise au rancart du Parlement. Par quatre fois, un homme chargé de gloire foudroie, sous les applaudissements des « masses », le « système des partis ». A chaque fois, il peut — au moins à ses débuts — compter sur une ferveur populaire que les républiques défuntes n'ont jamais atteinte.

La IIIᵉ République, qui fut l'essai le plus réussi de république parlementaire, fut régulièrement l'objet des assauts néo-bonapartistes. Le boulangisme en a été l'épisode le plus échevelé : derrière le panache d'un général, qui électrisait les foules, les « révisionnistes » ont fait le procès d'un régime jugé par eux sans tête, sans âme, sans gloire. Le Brumaire boulangiste n'eut pas lieu ; du moins les manifestants menés par le cheval blanc de Boulanger n'ont pas remisé leur passion après la défaite. Dans le nationalisme antidreyfusard comme dans les ligues des années trente, on a de nouveau entendu des cris de haine contre le parlementarisme, régime de voleurs, régime de honte, régime d'impuissance. La IVᵉ République, quant à elle, vit sa constitution ratifiée par une minorité d'électeurs inscrits ; les sondages entrant dans les mœurs, on peut observer que le régime était mort dans les cœurs bien avant le 13 Mai.

La république plébiscitaire, chère à Déroulède, est restée pour bien des Français le régime de leurs vœux. Un grand chef, extra- et antiparlementaire, l'enthousiasme populaire, un « grand dessein », la fin des querelles partisanes, la communion nationale... Tout cela est autrement exaltant pour eux que le parlementarisme, d'importation anglaise, qui n'est que bavardages, tripotages et faiblesse. Chez beaucoup, en effet, l'imaginaire politique s'accommode mal des formes et des lenteurs du travail d'assemblée. Surtout, les images de la représentation nationale sont perçues comme celles de la *division*. Une aspiration intime à l'ordre et à l'union, particulièrement dans une conjoncture de crise, pousse à intervalles répétés à réclamer l'homme fort... jusqu'au jour où l'on s'en débarrasse, ne supportant plus sa tutelle.

Notre histoire politique, depuis le milieu du XIXe siècle, paraît ainsi balancer entre un régime parlementaire qui fonctionne mal et un régime de type bonapartiste qui séduit mais finit dans le drame. Serions-nous en passe d'en sortir ?

2

L'ébauche
d'un fascisme français

Combien de monde contient la salle Wagram à Paris ? 3 000, 4 000, 5 000 places ? Les avis divergent dans les reportages. En tout cas, en ce 11 novembre 1925, elle est pleine à craquer, d'un public attentif, de gens très comme il faut : ingénieurs, voyageurs de commerce, employés des assurances. La date de la réunion n'a pas été choisie au hasard : la salle est décorée de drapeaux tricolores et les anciens combattants sont en majorité. L'un d'eux, Georges Gressent, qui depuis longtemps signe des articles et des livres « Georges Valois », domine la tribune, flanqué d'un ancien officier, Jacques Arthuys, et du fils d'un écrivain célèbre mort depuis peu, Philippe Barrès.

Dans la foule, les indicateurs du préfet de Police enregistrent consciencieusement les thèmes des discours. Le gouvernement en place, celui du Cartel des gauches, et présentement le troisième cabinet Paul Painlevé — un mathématicien, ce Painlevé, mais aussi impuissant que ses prédécesseurs à enrayer la chute du franc ! —, subit les foudres des orateurs. Le régime parlementaire au rancart ! Les vieux partis à la décharge ! Ils ont trahi la paix ! Ils entraînent le pays dans le naufrage monétaire et économique ! Il est temps de réagir !

Ce jour-là était fondé dans l'enthousiasme et accueilli par une vibrante *Marseillaise* le premier parti fasciste français : le Faisceau des combattants et des producteurs. Il s'assignait un but tout simple : créer, au-dessus des partis et des classes, un véritable État national.

« Le fascisme en France », *Édouard Drumont et Cie*, Éd. du Seuil, coll. « XXe Siècle », 1982.

Origines françaises du fascisme.

Un commentaire s'imposait le lendemain : le fascisme italien, au pouvoir depuis l'automne 1922, avait trouvé un client en France pour ses exportations idéologiques. Le mouvement de Valois ne s'appelait-il pas le Faisceau ? Quant aux chemises noires, les « légionnaires » les troquaient contre des chemises bleues (comme la ligne bleue des Vosges). Du reste, Valois ne cachait pas son admiration pour Mussolini : « A l'Italie, écrivait-il le 3 décembre 1925, reviendra l'honneur d'avoir donné un nom au mouvement par lequel l'Europe contemporaine tend à la création de l'État moderne [1]. »

Toutefois, comme Valois devait l'écrire quelques années plus tard : « A l'origine du Faisceau, en France, il y a une foule de malentendus [2]. » Retenons-en deux pour notre part :

1° Le fascisme que Valois et ses amis voulaient donner à la France n'était pas un mouvement d'extrême droite de plus, à la manière des Jeunesses patriotes de Pierre Taittinger, destiné à protéger les intérêts de la bourgeoisie face au péril rouge. Non seulement Valois affirmait son fascisme « anti-ploutocratique », ce qui pouvait ne faire de mal à personne, mais il se montrait partisan résolu d'un syndicalisme ouvrier « absolument libre » et en appelait aux producteurs, sans lesquels — disait-il — il n'y avait rien à espérer ;

2° Loin d'imiter Mussolini, Valois eut à cœur de rappeler à plusieurs reprises que c'était au contraire les précédents français qui avaient inspiré le fascisme italien. Mussolini avait inventé le mot ; l'idée était née en France, avant 1914. Georges Valois lui-même avait contribué à son accouchement. « Nos emprunts au fascisme italien se réduisent au choix de la chemise comme pièce caractéristique de l'uniforme, et à une conception de l'opération révolutionnaire inspirée de la marche sur Rome [...] c'est tout. Pour le reste, conception de la structure de l'État moderne, c'est nous les inventeurs, et c'est nous que l'on copiait en Italie [3]... »

1. Cité par Pierre Milza, *L'Italie fasciste devant l'opinion française 1920-1940*, Colin, « Kiosque », 1967.
2. Georges Valois, *L'Homme contre l'argent*, Librairie Valois, 1928, p. 179.
3. Georges Valois, *L'Homme...*, op. cit., p. 264-265,

Dans un livre qu'il publie en 1927, Valois définit le fascisme par la fusion de deux courants jusqu'alors contradictoires : le nationalisme et le socialisme. Le nationalisme et le socialisme ne doivent plus se faire la guerre mais se réconcilier ; ils ont le même ennemi, l'individualisme triomphant du XIXe siècle et ses corollaires ; le libéralisme et le régime parlementaire. Cette fusion eût été imaginable dans le socialisme français, blanquiste ou proudhonien, mais, dit Valois, « le marxisme l'a rendue impossible ». La synthèse désirée doit donc être opérée dans un nouveau mouvement : telle est la vocation du fascisme [1].

En d'autres termes, le fascisme est défini comme étant « à la fois à gauche et à droite ». A gauche, parce qu'il a pour objectif de satisfaire aux « besoins du peuple » et de « défendre celui-ci des grands et des puissants » ; à droite, parce qu'il en appelle à l'autorité d'un État restauré.

Dans la genèse de l'idée fasciste, Valois insiste sur la dette qu'il a contractée envers Maurice Barrès. Le Barrès boulangiste, le député « révisionniste » élu en 1889, le journaliste franc-tireur : « Sa *Cocarde*, faite avec des républicains, des royalistes, des socialistes, c'était la préface de notre œuvre [2]. »

Le mot, donc, n'existait pas, en cette fin du XIXe siècle — mais l'idée, oui. Mais qu'est-ce qu'une idée, si elle ne sort pas des livres, des journaux ou des salons où quelques esprits distingués l'échangent contre une tasse de thé ou un petit four ? Or le préfascisme — appelons ainsi ces mouvements divers qui avant la Grande Guerre concouraient à rassembler des forces apparemment hétérogènes venues et de gauche et de droite contre le régime en place —, ce préfascisme ne resta pas dans le monde des idées pures ; il prit forme, se métamorphosa, échoua finalement, mais non sans laisser des traces durables et des germes que l'ébranlement de la guerre et de l'après-guerre fit croître. Zeev Sternhell a étudié dans un livre récent [3] ces racines françaises du fascisme, où s'enchevêtrent, à moins qu'ils ne se succèdent, le boulan-

---

1. Georges Valois, *Le Fascisme*, 1927.
2. Georges Valois, *L'Homme...*, op. cit., p. 184.
3. Zeev Sternhell, *La Droite révolutionnaire, op. cit.*

gisme, les ligues, les syndicats jaunes, voire les convergences inattendues entre des nationalistes de l'Action française et des théoriciens du syndicalisme révolutionnaire.

L'événement provoque généralement ces alliances contre-nature : les crises épisodiques, en relançant les attaques contre la République parlementaire et contre la République bourgeoise (c'est tout un !), les favorisent. Mais il leur faut un catalyseur, faute duquel la formule « fasciste » (socialisme + nationalisme) reste inopérante. Ce fut la trouvaille de cette fin de siècle, le sésame de cette nouvelle droite qui se constitue dans les années 1880 : à ces bourgeois et à ces prolétaires qu'on voulait unir, il fallait un ennemi commun ; en 1886, Édouard Drumont le leur offrit dans un gros bouquin frénétique, qu'on dévora à pleines dents : *La France juive*. Le 20 octobre 1889, Henri Rochefort dénonçait « le triomphe de la juiverie ». C'était dans *Le Courrier de l'Est*, le journal de Barrès. Une longue et sinistre histoire commençait. Jusqu'en 1914, toutes les aventures préfascistes repérables en France eurent recours à l'antisémitisme. Georges Valois ne fait pas exception à la règle.

Il a pourtant appris le *b a ba* politique dans les feuilles anarchistes. A vingt ans, il est dreyfusard. Mais, précisément, il va faire partie de cette petite cohorte d'intellectuels dreyfusards qui sont bientôt déçus par l'œuvre de la gauche parlementaire accédant au pouvoir, sous les auspices de Combes et avec l'appui de Jaurès. Selon le mot de Péguy, qui est un de ces dreyfusards dépités, la « mystique » dreyfusarde est tombée en « politique ». L'intrigue, la brigue et le sectarisme ont fait leur lit dans celui de la justice. Toutefois, à partir de 1906, un fait nouveau pourrait bouleverser les données de la politique : la montée en force de la CGT révolutionnaire, dont Georges Sorel, autre combattant désabusé du dreyfusisme, se fait le théoricien contre le « socialisme parlementaire ».

Ce sont ces deux hommes, Georges Valois et Georges Sorel, qui vont certainement compter le plus dans la genèse doctrinale du fascisme. Sorel, tout nourri de Marx et de Proudhon, futur admirateur de Lénine et de Mussolini, se rapproche des nationalistes à partir de 1910. Valois, lui, tout monarchiste qu'il est devenu depuis 1906, ne s'estime pas moins solidaire de la classe ouvrière. Il formule même l'idée d'une « monarchie ouvrière » dans laquelle le syndicalisme, organisation de classe authentique, défendrait « la vie ouvrière » sous l'autorité du roi, conservateur de « l'énergie nationale ». Le second dira du premier : « Le père intellectuel du fascisme, c'est Georges Sorel [1]. »

Les deux hommes et leurs amis finissent par se rencontrer. En définitive, cela ne donne lieu qu'à quelques projets avortés et à quelques revues (*L'Indépendance*, les *Cahiers du Cercle Proudhon*), mais cette convergence insolite d'hommes et d'idées si différents est virtuellement destructrice du régime établi : l'antidémocratie de gauche et l'antidémocratie de droite, l'une inspirée de la révolte ouvrière et l'autre de l'activisme monarchiste, tel est, sans oublier le catalyseur antisémitique, le nouveau mélange explosif. Édouard Berth, disciple de Sorel, résume ainsi cette rencontre : « Deux mouvements synchroniques et convergents, l'un à l'extrême droite, l'autre à l'extrême gauche, ont commencé l'investissement et l'assaut de la démocratie ; pour le salut du monde moderne et la grandeur de notre humanité latine [2]... »

L'illusion de Valois.

Quand Valois fonde son Faisceau, ce passé est encore vivant mais la guerre a provoqué une nouvelle donne. Trop d'hommes jeunes sont morts pour la patrie ; les survivants n'ont pas le droit de trahir leur sacrifice. La victoire oblige. Or le régime en place, surtout depuis le Cartel des gauches, révèle jour après jour son impuissance. Valois est resté à l'Action française, mais l'économiste et l'organisateur qu'il est prend des initiatives. En 1922, il lance la formule des États généraux, qui doivent représenter l'ensemble des intérêts de la nation. Il ne parle plus de monarchie. Un chef responsable, oui, mais qui pourrait rallier les différentes familles politiques. Un État dans lequel la bourgeoisie garderait sa fonction de gestionnaire économique (contrairement à ce qu'a fait Lénine) mais serait chassée de la direction politique ; une

1. Georges Valois, *Le Fascisme, op. cit.*, p. 5.
2. Emmanuel Berth, *Les Méfaits des intellectuels*, Rivière, 1914.

classe ouvrière organisée ; un État arbitre, responsable, au-dessus des classes. Et comment réaliser cet État national ? Grâce à une élite qui a fait ses preuves : celle des combattants qui ont placé la patrie au-dessus de leurs intérêts propres.

En février 1925, il lance un hebdomadaire, *Le Nouveau Siècle*. C'est là qu'est publié son « Appel aux combattants ». Avec ceux qui viennent à lui, il crée des « légions » destinées à militer contre le parlementarisme. Caillaux et le banquier Horace Finaly sont ses cibles favorites au cours de ses campagnes pour le franc. Mais l'antisémitisme n'est plus de ses discours, comme si les souffrances et les souvenirs des combattants de la Grande Guerre étaient devenus le nouvel élément unificateur.

La fondation du Faisceau provoque les attaques du parti communiste. Valois, cependant, ne cesse d'appeler à lui les militants ouvriers. Des communistes, il dit : « Il n'y a pas de différence très profonde entre eux et nous. Ils sont comme nous en rébellion contre le règne de l'argent » (*Le Nouveau Siècle*, 19 mars 1925). En mars 1926, Valois est payé de ses efforts d'une manière éclatante : le maire communiste de Périgueux, Delagrange, qu'il a affronté naguère en réunion publique, donne son adhésion au Faisceau.

Victoire plus symbolique que substantielle. Peu d'ouvriers s'engagent au Faisceau dont la composante bourgeoise prédomine [1]. Malgré ses désirs de dépasser l'opposition gauche/droite, le fascisme de Valois reste embourbé à droite. C'est aussi de la droite qu'il reçoit les coups les plus durs. Principalement ceux de l'Action française, qui, après quelques semaines de neutralité, passe à l'offensive verbale, puis à l'action de commando.

Pendant les premiers mois suivant la fondation, Valois obtient cependant quelques beaux succès. S'inspirant de la marche sur Rome, il met au point une marche sur Paris — en plusieurs mois et en plusieurs étapes : Verdun, d'abord, et puis Reims, Meaux... Les premières réunions attirent un

---

1. Voir Zeev Sternhell, « Anatomie d'un mouvement fasciste en France. Le Faisceau de Georges Valois », *Revue française de science politique*, février 1976.

grand public. Trains spéciaux et autocars drainent les fascistes dans les hauts lieux. Ils sont sans doute alors 25 000, mais le mouvement s'affaiblit en se divisant. L'arrivée de Delagrange et les discours ouvriéristes de Valois déplaisent à la plupart des adhérents. Georges Valois, malgré ses qualités intellectuelles et son sens pratique, n'est pas et ne veut pas être le chef «charismatique» qui semble indispensable au succès des fascistes. Enfin Poincaré vient, rétablit la droite au pouvoir en 1926 et le franc sur ses bases en 1928. A la même date, Valois est exclu de son propre mouvement. Son évolution personnelle vers la gauche est alors entamée.

Le deuxième souffle des années trente.

Le monde, un moment stabilisé comme le franc Poincaré, est de nouveau menacé du chaos par la grande crise économique partie des États-Unis en 1929. En France, la victoire électorale de la gauche en 1932 agit comme un déclic : les ligues de droite renforcent leurs effectifs et l'on voit naître de nouvelles organisations de type fasciste. La victoire de Hitler, qui prend le pouvoir en janvier 1933, suscite à droite des comparaisons vengeresses contre le régime parlementaire et l'alliance radicalo-socialiste, incapables de remettre de l'ordre dans les finances et l'économie du pays. Ces premières années de la décennie voient éclore une série de petites revues, *Réaction*, *Esprit*, *Ordre nouveau*, etc., autant d'expressions d'une nouvelle génération intellectuelle qui, en dépit de ses différences, communie dans la même aversion de la République parlementaire et bourgeoise.

Le 6 février 1934, après un mois de campagne de presse et de manifestations provoquées par l'Action française et les ligues de droite, qui se servent de l'affaire Stavisky comme d'un bélier contre le gouvernement et le régime en place, la Chambre des députés se trouve investie au cours d'une journée d'émeute assez confuse, dont le résultat le plus clair est la démission d'Édouard Daladier de la présidence du Conseil et la formation d'un nouveau cabinet d'Union nationale sous la direction de Gaston Doumergue.

Les commentateurs ont souvent vu dans cette journée fameuse comme la tentative *avortée* d'un putsch fasciste. Ce fut en fait une manifestation d'intimidation *réussie* par les ligues contre un gouvernement de gauche qui doit finalement laisser la place. Si quelques-uns des meneurs du 6 février espéraient le putsch, le manque total de coordination des différents groupes manifestants aussi bien que le refus délibéré de certains d'entre eux, comme les Croix-de-feu du colonel de La Rocque, de forcer les barrages fragiles de la police, montrent assez bien le caractère classique de cette «journée». Comme en 1926, la gauche doit, malgré sa victoire électorale deux ans plus tôt, passer les rênes du pouvoir à la droite, les radicaux assurant cette nouvelle majorité, en échangeant leurs alliés socialistes d'hier contre de nouveaux alliés «modérés», sous couvert d'«union nationale[1]».

Mais, loin de perpétuer la droite au pouvoir, la journée du 6 février provoque un sursaut des organisations de gauche qui, malgré leurs querelles, lancent une contre-attaque et des manifestations qui préfigurent le Rassemblement populaire et sa victoire aux élections du printemps 1936. Cette victoire des forces de la gauche un moment réconciliées grâce à une révision tactique de l'Internationale communiste a été remportée au nom de l'antifascisme. Les menaces fascistes étaient surtout visibles à l'extérieur : conquête de l'Éthiopie en 1935 par Mussolini, renforcement de la dictature hitlérienne et remilitarisation de la Rhénanie en mars 1936 par l'Allemagne, pronunciamiento lancé en juillet de la même année contre la République espagnole et début de guerre civile de l'autre côté des Pyrénées, sans compter en mai les succès électoraux du rexisme de Léon Degrelle en Belgique, au mois d'août le coup d'État de Metaxás en Grèce, et, en ce même été, comme une apothéose, les jeux Olympiques de Berlin. Pour bien des gens de droite, une conclusion s'impose : tandis qu'en France les grèves et les occupations d'usines laissent craindre la bolchevisation du pays, les États étrangers savent prendre les mesures d'autorité nécessaires face au «spectre du communisme» qui hante de nouveau l'Europe.

1. Serge Berstein, *Le 6 février 1934*, Gallimard, «Archives», 1975.

« *Gringoire* » et « *Je suis partout* ».

Ce sont ces réflexes de classe assez communs qui ont certainement alimenté la diffusion en France d'un état d'esprit fasciste. Mais cette peur sociale, somme toute banale, ne suffit pas à expliquer l'espèce d'« imprégnation fasciste », selon l'expression de Raoul Girardet [1], qui pénètre la France au cours de ces années-là. Car, plus que par un ensemble d'organisations, dont nous parlerons plus loin, une partie de la droite française a été conquise ou contaminée par une idéologie de guerre civile, que la puissante presse de droite de l'époque porta jusqu'au fond des départements.

Une école de violence existait à droite depuis longtemps : l'Action française et le quotidien du même nom, que dirigeait Charles Maurras, auréolé en 1936 par sa condamnation à huit mois de prison pour ses appels au meurtre. L'Action française n'est pas spécifiquement fasciste mais elle constitue depuis longtemps une école de pensée extrémiste qui, par le mépris des institutions libérales et des traditions républicaines, l'exaltation du « coup de force » et des pouvoirs autoritaires, et peut-être plus encore par l'apprentissage d'un certain style, fait d'invective, d'outrance, de calomnie, d'attaques *ad hominem*, a largement contribué à former des « têtes » fascistes. Ce sont les maurrassiens de la nouvelle génération qui, derrière leur aîné Pierre Gaxotte, animent *Je suis partout* : Robert Brasillach, Maurice Bardèche, Pierre-Antoine Cousteau, Lucien Rebatet, Georges Blond, Alain Laubreaux... A côté, les grands hebdomadaires *Gringoire* et *Candide*, dont le tirage dépasse plusieurs centaines de milliers d'exemplaires, distillent une violence, sinon fasciste à proprement parler, du moins, selon leur expression, « anti-antifasciste » (« le fascisme est pour beaucoup une réaction vitale, une sorte d'anti-antifascisme [2] », écrit Brasillach en 1938). *Gringoire*, en particulier, journal fondé par Horace de Carbuccia, où collaborent Henri Béraud, Philippe Henriot, Jean-Pierre Maxence, etc., s'illustre en 1936 par la cam-

1. Raoul Girardet, « Notes sur l'esprit d'un fascisme français, 1934-1940 », *Revue française de science politique*, juill.-septembre 1955.
2. Cité par Pierre-Marie Dioudonnat, *Je suis partout 1930-1944 ; les maurrassiens devant la tentation fasciste*, La Table ronde, 1973, p. 418.

pagne qu'il déchaîne contre le ministre de l'Intérieur socialiste Roger Salengro, acculé au suicide.

La véhémence, mêlée au vieil antisémitisme resurgi, est tout spécialement dirigée contre le chef du Front populaire, Léon Blum, que Maurras avait appelé « détritus humain » et que Gaxotte résume par ces mots : « Il incarne tout ce qui nous révulse le sang et nous donne la chair de poule. Il est le mal, il est la mort [1]. »

Ce « bréviaire de la haine » que composent jour après jour la presse et la littérature d'extrême droite est balancé par l'éloge des grandes réalisations des dictatures. Au fil des discours fascistes ou fascisants de l'époque, la France du Front populaire est peinte sous les couleurs sombres de la décadence : chute démographique, alcoolisme, « invasion juive », intellectualisme... *Bagatelles pour un massacre*, de Céline, comme plus tard *Les Décombres* de Rebatet, exprime ce dégoût physiologique pour un peuple avili ; à la même époque, les livres de Drieu La Rochelle et de Brasillach, qui diagnostiquent le même délabrement physique et moral du pays, en appellent à l'idéal héroïque du guerrier, chantent l'exaltation du corps, du plein air, du sport, de l'action. Ce qui donne ainsi, sous la plume de Brasillach, des morceaux « antibourgeois » du genre : « De graves personnes, pleines de leur droit, de ce-qui-est-à-moi-est-à-moi, protestèrent contre l'auto-stop, que pratiquaient depuis vingt ans les Allemands, les Américains. Ils n'avaient évidemment pas l'esprit fasciste [2]. » Pour ces intellectuels, le fascisme défiait sur son propre terrain le communisme qui prétendait incarner « la jeunesse du monde ».

Uniformes et grandes manœuvres.

Cet état d'esprit fasciste où le romantisme juvénile, l'esthétique aristocratique le disputent à l'antimarxisme, à l'antisémitisme le plus haineux et à l'exaltation des pouvoirs hiérarchiques s'est donc répandu à doses plus ou moins fortes dans la droite du pays. On ne peut pas dire que les gens

---

1. Pierre Gaxotte, « L'homme maudit », *Candide*, 7 avril 1938.
2. Robert Brasillach, *Notre avant-guerre*, Grasset, 1941, p. 193.

de gauche en furent complètement préservés, comme en témoigne la scission des « néo-socialistes » qui sortent de la SFIO derrière Marcel Déat en 1933. L'un de ceux-ci, Montagnon, avait déclaré au 30e Congrès du Parti socialiste, en juillet 1933, à la Mutualité : « La naissance du fascisme, la force du fascisme, vient de la nécessité qui semble évidente partout d'un État fort, d'un État puissant, d'un État d'ordre. » Le pacifisme intégral et l'anticommunisme viscéral amenèrent aussi un certain nombre de syndicalistes ou de personnalités de gauche sur des positions assez proches des formules fascistes ; l'échec du Front populaire qui se désagrège en 1938 ne fait que les encourager. De ce point de vue, est significative l'évolution d'un Gaston Bergery et de son hebdomadaire *La Flèche*, dont l'anticapitalisme pouvait ainsi s'exprimer en 1939 : « Il est certain que Léon Blum faisant la pause en 1937 accomplissait un geste de soumission que n'aurait accompli ni M. Hitler ni M. Mussolini. » Ce fut enfin un ancien communiste, Jacques Doriot, qui créa la formation fasciste la plus influente : le Parti populaire français.

Entre 1933 et 1936, on assiste à la création d'au moins cinq organisations fascistes ou de type fasciste :

— La *Solidarité française*, fondée en 1933 par François Coty, parfumeur, qu'on trouve jusqu'à sa mort, en 1934, à l'origine de multiples financements de journaux et d'organisations de droite. Bernanos disait joliment de lui : c'est un Birotteau qui se prend pour un César. Grâce à *L'Ami du Peuple*, quotidien populaire et xénophobe qu'il avait lancé en 1928, il avait acquis de l'audience. A sa mort, c'est le commandant Jean Renaud qui prend la tête de la Solidarité française, dont les membres sont des plus actifs lors du 6 Février. Les milices de la SF portaient la chemise bleue de rigueur, des bottes, un ceinturon et saluaient « à l'antique ». Une panoplie de grades, d'écussons, de brassards ajoutait encore à l'allure martiale qu'on voulait imprimer à ces corps d'élite. La Solidarité française n'a guère survécu à la mesure de dissolution qui la frappe en même temps que les autres ligues en juin 1936.

— Le *Francisme* est créé en septembre 1933 par Marcel Bucard, ancien combattant et blessé de guerre, qui avait été du Faisceau de Valois, et collaborateur de Gustave Hervé à

La Victoire. Admirateur de Mussolini, Bucard est reçu par le Duce à Rome en septembre 1935. Il réunit quelques milliers de fidèles, dont les plus actifs défilent avec la chemise bleue, la cravate marine, le ceinturon baudrier et le béret basque. Le parti est dissous en juin 1936 mais le 11 novembre 1938 Bucard, qui entre-temps a fait un séjour en prison, fonde le Parti unitaire français d'action socialiste et nationale, dont le manifeste annonce le double objectif de combat : « A la fois contre la réaction ploutocratique et contre le judéo-marxisme. » En 1941, Bucard lui redonnera vie sous le nom de parti franciste.

— Le *Parti populaire français* : la dérive de Jacques Doriot du communisme au fascisme s'est faite en plusieurs étapes [1]. Précurseur du Front populaire au moment où il est exclu du Parti communiste, Doriot, grâce à la popularité acquise à Saint-Denis, dont il est le maire, tente d'abord de s'imposer entre communistes et socialistes par le biais du « Rayon majoritaire de Saint-Denis ». Mais le rapprochement et l'accord final entre communistes, socialistes, puis radicaux, vont l'exclure du Rassemblement qu'il souhaitait à l'origine. En avril 1936, il est élu contre le candidat du Front populaire. Fort de son succès, il fonde le 28 juin le Parti populaire français qui, pendant deux ans, va conquérir une certaine audience. La base ouvrière de Saint-Denis donne à son parti une assise prolétarienne tandis que son éloquence de tribun le désigne, lui, comme le nouveau Mussolini. Des intellectuels, séduits, le rejoignent, les uns après être passés par le communisme comme Henri Barbé, ou Paul Marion passé aussi par le Parti socialiste ; d'autres sont issus de l'Action française comme Claude Jeantet ; les adhérents les plus connus restant Alfred Fabre-Luce, Bertrand de Jouvenel et Drieu La Rochelle. Grâce, notamment, à Pierre Pucheu, directeur du service d'exportation au Comptoir sidérurgique de France, Doriot bénéficie de l'aide financière d'industriels et d'associations patronales, que complètent les subsides de l'Italie fasciste.

1. Voir Jean-Paul Brunet, « Doriot, du communisme au fascisme », *L'Histoire*, n° 21, mars 1980, et Dieter Wolf, *Doriot, du communisme à la collaboration*, Fayard, 1970. Plus récemment, Philippe Burrin, *La Dérive fasciste, Doriot, Déat, Bergery, 1933-1945*, Éd. du Seuil, 1986.

Contrairement aux deux formations précédentes, le PPF réussit à devenir un parti de masse. On estime généralement à 100 000 ses effectifs, quand bien même ses vrais militants sont sensiblement moins nombreux. Ceux-ci n'ont pas à porter d'uniforme ; il leur suffit d'un insigne ; du reste, leur parti ne se déclare pas fasciste. Ils saluent toutefois « à la romaine » — geste qui s'oppose au poing levé du Front populaire. Ils ont un hymne, *France, libère-toi* ; ils prêtent serment. Sans oublier, dans toutes les réunions, le portrait géant de Doriot.

En 1938, les accords de Munich et la découverte des liens financiers avec l'Italie provoquent des dissensions au sein du PPF ; c'est le début d'une crise durable, à laquelle le parti de Doriot ne pourra survivre qu'à la faveur de la guerre et de la collaboration.

— Le *CSAR* (la *Cagoule*). Le Comité secret d'action révolutionnaire, fondé en 1936, appartient à l'histoire des sociétés secrètes plus qu'à celle du fascisme. Mais bien de ses membres adhèrent aux idées fascistes. Il fut créé au lendemain de la victoire du Front populaire par des transfuges de l'Action française décidés à l'action, notamment Eugène Deloncle et Jean Filliol. Administrateur de sociétés, polytechnicien, ancien combattant plusieurs fois cité, Deloncle est particulièrement à l'aise dans l'univers des complots, des serments, des mystères... Pour lui, il importe de lutter par l'action clandestine contre les trois ennemis désignés : le bolchevisme, le Juif et la franc-maçonnerie [1].

Disposant de fonds, d'armes et de munitions, la Cagoule met à son compte un certain nombre d'activités : sabotages sur les avions en transit en France destinés aux républicains espagnols, exécution des frères Rosselli, militants antifascistes réfugiés en France. Mais le but ultime est le coup d'État. A cette fin, la Cagoule doit nécessairement entraîner une partie de l'armée. En mars 1937, le maréchal Franchet d'Esperey s'entremet afin d'unir les projets de Deloncle avec les activités du commandant Loustanau-Lacau. Celui-ci avait créé un « réseau Corvignolles », qu'on appela aussi la « Cagoule militaire », destiné à surveiller et faire expulser de l'armée les communistes. Mais Loustanau refuse de partici-

---

1. Voir Philippe Bourdrel, *La Cagoule*, Albin Michel, 1970.

per à tout mouvement putschiste. Sans se décourager, la Cagoule — après quelques attentats provocateurs (par exemple contre le siège de la Confédération générale du patronat français le 11 septembre 1937) — décide le coup de force pour la nuit du 15 au 16 novembre. Mais, faute du soutien de l'armée escompté jusqu'au bout, l'opération est finalement annulée. Les dirigeants de la Cagoule sont arrêtés peu de temps après. La guerre va les faire libérer. L'un de ces « cagoulards » se fera particulièrement connaître sous Vichy : Joseph Darnand, chef de la Milice.

— Un fascisme paysan : les *Chemises vertes* de Dorgères. Henri d'Halluin, fils de petits commerçants, journaliste dans la presse agricole sous le pseudonyme d'Henry Dorgères, se fait vraiment connaître en mars 1935, au cours d'une campagne électorale, à l'issue de laquelle il est battu de peu pour le siège que Camille Chautemps venait de laisser après son élection au Sénat. En quelques mois il devient le chef éloquent d'une *Défense paysanne*, où il sait regrouper des comités de défense paysanne régionaux, dont l'origine remonte à 1929, et qui étaient alors dirigés contre les assurances sociales. Propagandiste de la mythologie terrienne contre la « tyrannie des villes », violemment antiétatiste (« le fonctionnaire, voilà l'ennemi »), antimarxiste, xénophobe, le mouvement de Dorgères se donne des allures fascistes avec la création des Jeunesses paysannes. Vêtus de la chemise verte, décorés d'un insigne (une fourche et une faux entrecroisées sur un faisceau de blé), ils sabotent les réunions des adversaires et se préparent à établir une « Dictature paysanne », par laquelle la France retrouverait ses antiques vertus.

L'apogée du mouvement se situe entre 1936 et 1938. L'Ouest, le Nord, la région parisienne, la région de Nice, l'Algérie furent les plus touchés par le dorgérisme qui put compter sur plusieurs dizaines de milliers d'adhérents, dont 10 000 environ réellement actifs. Il est à noter que son influence dépassa le monde des notables et des petits exploitants, le dorgérisme réussissant à intégrer bon nombre de salariés agricoles [1].

---

1. Voir Pascal Ory, « Le dorgérisme », *Revue d'histoire moderne et contemporaine*, avr.-juin 1975.

Caporalisme et corporatisme.

Ces mouvements fascistes, avoués ou non, reprennent tous
à leur compte la synthèse de Valois (fascisme = nationalisme
+ socialisme), en lui donnant un contenu variable mais avec
cependant des constantes assez nettes. Ces organisations sont
nées dans la crise générale des années trente ; elles prétendent
faire sortir la France de la décadence. En face des menaces
externes (restauration de l'Italie, de l'Allemagne, danger
soviétique), elles dénoncent les faiblesses du pays : le régime
parlementaire, la lutte des classes, la menace communiste...
Changer de régime, mettre en place un État fort, à même de
se faire respecter à l'extérieur, de rétablir et de maintenir
l'ordre à l'intérieur, tel est le but commun de leur nationalisme. Un nationalisme qui, tôt ou tard, reprend à son compte
la panacée antijuive.

Si pour Jean Renaud, de la Solidarité française, la « race
aryenne » ne repose que sur des « hypothèses invérifiées », il
dénonce en revanche les « puissances occultes de l'Internationale juive », « l'emprise de l'esprit, de la pensée, du travail de la nation par le Juif », car, « de la littérature
pornographique au scandale financier ou au meeting révolutionnaire, on trouve au moins un Juif [1] ». Si l'antisémitisme n'apparaît qu'en 1936 dans la propagande franciste,
Marcel Bucard comble vite son « retard » : « chasser les Juifs »
devient chez lui un impératif obsessionnel. *Le Franciste* du
4 juin 1936 déclare que « le Front populaire est une invention juive » ; en 1938, Bucard publie sa déclaration de guerre :
L'Emprise juive. Jacques Doriot, au début du PPF, ne professe aucun antisémitisme. La guerre d'Espagne venue, son
journal, *L'Émancipation nationale*, se met à parler de
« judéo-bolcheviks ». Insensiblement, l'organe du PPF se
mêle au chœur antisémite, d'abord *mezza voce*, puis *fortis-
simo*. Le 23 juillet 1938, Drieu La Rochelle y publie un article, « A propos de l'antisémitisme », où il est dit : « Nous ne
pouvons admettre que, dans l'insuffisance actuelle des mœurs
et des lois, tant de Juifs tiennent les leviers de commande de
l'administration et de la politique. » Dans les mois qui sui-

1. Jean Renaud, *La Solidarité française attaque*, 1935.

vent, les expressions « judéo-marxisme » ou « clan juif »
deviennent monnaie courante. Entre *Le Droit de vivre* de Bernard Lecache, président de la LICA, et *L'Émancipation
nationale* de Doriot, la guerre est décidément entamée [1].
Quant aux écrivains de *Je suis partout*, qui se déclarent ouvertement fascistes, ils illustrent leur virulence antisémitique de
vieille date par l'accueil qu'ils réservent aux *Bagatelles pour
un massacre* de Céline : « La démocratie, partout et toujours,
écrit Céline dans son [livre] éblouissant, n'est jamais que le
paravent de la dictature juive [2]. » Ces journalistes, dans la
droite ligne de Drumont, déposent une couronne au mur des
Fédérés, pour l'anniversaire de la Semaine sanglante, tout
en rivalisant d'agressions verbales contre les Juifs. Tout se
passe comme si, en France, un courant fasciste devait nécessairement se jeter à un moment ou à un autre dans les maré-
cages de l'antisémitisme.

Chaque organisation fasciste se proclame anticapitaliste,
mais leur « socialisme » ne va pas jusqu'à condamner la propriété privée. L'idéologie sociale des fascismes est très nettement orientée en direction des classes moyennes : pour la
Solidarité française, il faut « faciliter [au travailleur] dans la
plus large mesure possible l'accession à la propriété » ; le PPF,
lui, propose « le maintien et la défense de toutes les activités
moyennes, paysannes, artisanales, commerciales et industrielles, qui constituent l'essence même de la nation »... Ces thèmes préindustriels sont complétés souvent par la nostalgie de
la France villageoise. Le francisme préconise le « retour à la
terre », le « repeuplement des campagnes », la « réorganisa-
tion de la vie rurale », tandis que Dorgères fait de ce retour
le grand mythe de son mouvement.

Alors, le socialisme ? La solution au problème social, c'est
pour tous le corporatisme. Il faut en finir avec la lutte des
classes, l'affrontement entre syndicats et patronat, les idéaux
collectivistes. Le corporatisme, c'est sur le plan économique
l'unité nationale réalisée par la collaboration harmonieuse

---

1. Voir Patrice Hollemart, *L'Idéologie de « L'Émancipation nationale »*, *1936-1939*, Institut d'études politiques de Paris, 1980 (mémoire
de DEA).
2. Pierre-Antoine Cousteau, cité par P.-M. Dioudonnat, *op. cit.*,
p. 224.

des classes dans la profession organisée. L'État doit avoir la faculté d'arbitrage. Il doit aussi veiller aux réalisations sociales d'intérêt général : hygiène sociale, sports, urbanisme, logements — « de façon, dit le PPF, à engendrer une race plus forte, plus saine… ».

Si diverses organisations fascistes récupèrent encore le terme de socialisme, celui-ci n'a plus grand-chose à voir avec les conceptions de Sorel et de Valois. Eux défendaient les principes d'un syndicalisme ouvrier resté libre. Les fascistes des années trente rêvent, pour leur part, de tenir en respect la classe ouvrière dans des institutions corporatistes d'où ses organisations propres seraient chassées. L'Italie et l'Allemagne sont devenues des modèles : « Là-bas, il n'y a plus de grèves ! » L'équation fasciste : nationalisme + socialisme n'est plus que de l'algèbre publicitaire.

Et les Croix-de-feu ?

Nous n'avons pas parlé jusqu'ici d'un mouvement qui symbolisait, plus encore que les précédents, le danger fasciste en France aux yeux des militants de gauche des années trente : les Croix-de-feu. Celles-ci, devenues, après leur dissolution de juin 1936, le Parti social français, furent de très loin, au sein des nouvelles formations politiques de l'époque, les plus nombreuses, le PSF comptant jusqu'à 700 000 membres. Mais, quelles que soient les velléités de tel ou tel de ses adhérents — qui passèrent souvent du reste à des groupes plus « musclés » —, le parti de La Rocque ne saurait être considéré comme fasciste puisqu'il avait le souci de se tenir dans une stricte légalité et défendait un programme plus conservateur que « révolutionnaire ».

Au départ, ce n'était qu'une association d'anciens combattants comme tant d'autres. C'est lorsque le comte François de La Rocque, fils du général Raymond de La Rocque, et lui-même militaire à la retraite, devient président des Croix-de-feu en 1931, que l'association se transforme peu à peu en mouvement de masse, ouvert à tout le monde à partir de 1933 par la création de la Ligue des volontaires nationaux. Après la journée du 6 Février, au cours de laquelle les Croix-de-feu refusent de franchir les barrages policiers — La Rocque s'opposant, dira-t-il, « aux contagions de la folie » —, le mouvement attire les volontaires dont le nombre ne va pas cesser de s'élever.

« Fascistes ! » dira-t-on des Croix-de-feu, parce qu'ils constituent bientôt l'organisation anticommuniste la plus puissante ; parce qu'on y pratique la mystique du Chef ; parce qu'on y trouve aussi ces groupes de choc — les Dispos — organisés militairement, à la fois service d'ordre et bataillons de défense contre la subversion bolchevique.

Le PSF constitué le 10 juillet 1936 sous la présidence de La Rocque et la vice-présidence de Jean Mermoz, qui devait se tuer peu de temps après dans un accident d'avion, garde les mêmes caractéristiques que le mouvement Croix-de-feu, à ceci près qu'il se déclare désormais décidé à la conquête du pouvoir par les urnes, alors que la Ligue n'avait pas présenté de candidats officiels aux élections de 1936.

Virtuellement, tout se prêtait à faire du PSF un parti fasciste français : sa clientèle de classes moyennes, l'appui financier que La Rocque aurait pu obtenir de grands industriels, son anticommunisme et son antisocialisme militants. Mais le colonel de La Rocque, éduqué dans un milieu chrétien social, imprima à l'idéologie et à la pratique de son parti une marque beaucoup plus traditionaliste que fasciste. Son refus de la violence (même si, au cours de certaines manifestations, des bagarres, comme à Clichy en mars 1937, provoquent des blessés et des morts), son refus de l'antisémitisme (même si, dans les rangs, maints Croix-de-feu de la base partagent le même racisme que les fascistes), son catholicisme fervent et les thèmes de la droite conservatrice, seulement retrempés par l'esprit militaire et la mystique ancien combattant qu'il prône, font de son organisation ce qu'on pourrait appeler un parti conservateur de masse. Car telle était la nouveauté du temps par rapport à la droite de naguère : ne pas laisser aux états-majors et aux politiciens l'avenir du pays ; le peuple devait y être activement associé. Mieux : il devait être mobilisé et se tenir toujours prêt. La Rocque comme Mermoz désiraient naïvement appliquer à la vie politique des recettes militaires, ce qui a amené René Rémond à qualifier leur mouvement de « scoutisme politique ».

Cependant, La Rocque joua un rôle appréciable dans

l'échec du fascisme en France, dans la mesure où, polarisant la plus grosse partie des opposants de droite (voire d'extrême droite) au Front populaire, il garda une complète autonomie et fit de son mieux pour protéger ses ouailles de la contamination par les mouvements fascistes. On le vit nettement en juin 1937, lorsqu'il refusa d'adhérer au Front de la Liberté que Doriot avait créé pour contrecarrer le Parti communiste et le Front populaire. Au cours d'un meeting tenu à l'époque, La Rocque déclara clairement : « Notre entrée dans le Front de la Liberté signifiait la fermeture de nos portes au recrutement populaire. Et nous étions classés fascistes — ce dont nous ne voulons à aucun prix[1]. » Doriot avait escompté attirer les Croix-de-feu pour les noyauter : la victoire du fascisme passait sans doute par là. Mais La Rocque tint ferme et le PPF se désagrégea.

Épilogue.

Ainsi, à la fin de 1938, passé la vague de peur sociale déclenchée par le Front populaire, les mouvements fascistes battent de l'aile. La France de Daladier, à la veille de la guerre, a retrouvé une certaine stabilité politique. La rupture du Front populaire suffirait-elle pour autant à expliquer l'échec du fascisme en France ? Elle y a certes contribué mais l'exemple de l'Italie, qui a vu la montée et la victoire du fascisme *après* et non pas *contre* la vague révolutionnaire de 1920-1921, inclinerait à quelque circonspection.

En fait, si le fascisme en France n'a pas su s'imposer, c'est que la droite française pouvait rester forte *à l'intérieur* de la légalité républicaine. La clientèle habituelle des fascismes — les classes moyennes, artisans, commerçants, employés, exploitants agricoles — était numériquement considérable en France. Mais ces classes moyennes adhéraient, dans une large mesure, à ces traditions républicaines, que le Parti radical et aussi la Fédération républicaine de Marin incarnaient encore puissamment à l'époque. Économiquement, ces cou-

---

1. Cité par Philippe Machefer, « L'union des droites, le PSF et le Front de la Liberté, 1936-1937 », *Revue d'histoire moderne et contemporaine*, janv.-mars 1970.

ches sociales étaient atteintes par la crise ; socialement, elles étaient aussi hostiles au pouvoir des « trusts » qu'aux solutions « collectivistes », mais ce double refus s'est exprimé à travers une grande diversité de choix politiques. Selon les régions et les milieux culturels, les membres de ces classes moyennes étaient soit attirés par les solutions autoritaires (mais La Rocque plutôt que Doriot), soit fidèles à une certaine idée de la République, celle de leurs pères ou de leurs instituteurs.

Un témoignage, saisi au cours d'une enquête, illustrera ce propos. Voici un épicier de la banlieue parisienne ; il lisait *La Victoire* de Gustave Hervé (celui qui publie en 1936 la brochure prémonitoire *C'est Pétain qu'il nous faut*) ; il voue Blum aux gémonies, etc. On lui demande s'il a été Croix-de-feu, comme son voisin le boucher. « Ah ! non ! monsieur, dit-il, moi, j'ai toujours été *républicain* ! » Ledit boucher, s'il avait été présent, aurait juré ses grands dieux que, pour lui aussi, la République, c'était sacré.

Or, ni en Italie ni en Allemagne ceux qui ont été sollicités par le fascisme ou le national-socialisme ne pouvaient avoir de ces réflexes. S'il y avait des influences marxistes — au demeurant circonscrites aux milieux ouvriers et intellectuels —, il n'existait pas ce que nous appelons des traditions démocratiques. La République de Weimar avait été d'emblée rejetée par une grande partie de l'opinion, accusée d'être un produit du *Diktat* étranger. Quant à l'Italie, le suffrage universel venait tout juste d'être instauré en 1919.

Depuis les années 1890, la droite française, vaille que vaille, s'était accommodée de la République parlementaire ; elle l'avait en partie colonisée. C'est dans ce cadre politique que les hommes d'affaires avaient pu prospérer ; la petite-bourgeoisie, protéger ses intérêts contre les « gros » ; les ouvriers, défendre leurs organisations de classe ; les employés, espérer par les vertus de l'école laïque la promotion sociale de leurs enfants...

Il est vrai que l'industrialisation du pays, l'essor des grands magasins, l'exode rural, la déstructuration progressive de la société villageoise commencèrent, à la fin du XIXᵉ siècle, à remettre en question l'harmonie républicaine. La Grande Guerre, la révolution bolchevique et la crise des années trente achevèrent de la bouleverser. Mais pas au point de remettre en question un cadre politique qui, malgré ses faiblesses et ses corruptions, laissait aux différentes couches sociales au moins l'illusion de vivre dans un pays libre et pacifique.

Or, le fascisme porte en lui l'impérialisme. Il porte en lui la guerre, comme moyen de gouvernement, comme éthique collective, comme mythe national. La nation fasciste, c'est la nation militarisée. Les escouades françaises n'étaient guère destinées à la guerre — comme les squadristes, les sections d'assaut ou les phalangistes. La France n'avait plus de conquêtes à faire depuis 1918 ; le fascisme français avait beau se déclarer nationaliste : il était pacifiste — du moins face à l'Allemagne d'où venait le danger. Ce n'est pas là la moindre de ses contradictions.

Seule la guerre, imposée d'ailleurs et perdue, remet les fascismes en selle. Deloncle crée le MSR (Mouvement social-révolutionnaire), qui s'affirme « national », « socialiste », « raciste » et déclame contre les Juifs, « banquiers internationaux dont la guerre est la principale source de profits ». Déat lance le RNP (Rassemblement national populaire), au moyen d'une brève entente avec Deloncle, en janvier 1941 ; il s'applique à donner à son mouvement une certaine cohérence doctrinale, ce qui l'amène à publier en 1942 *Le Parti unique*. L'ancien normalien, l'agrégé de philosophie, l'ancien socialiste, est désormais entré carrément dans la carrière de l'antisémitisme fasciste : « Le problème, l'unique problème, est donc de faire comprendre au peuple français la nécessité d'une défense systématique et résolue contre les infiltrations juives [1]. » Les Français, dit-il encore, « feront aussi cette réflexion fort opportune que notre peuple, plus que d'autres, a besoin de se refaire biologiquement, qu'il lui manque à la fois le nombre et la qualité, que les précautions prises par les éleveurs de bétail seraient utilement appliquées à l'élevage des petits d'hommes, et d'hommes français, et que la pureté de la race est la condition première de tout redressement démographique [2] ». Doriot, lui, relance le PPF et rivalise

1. Marcel Déat, *Le Parti unique*, 1943, p. 129 (recueil d'articles publiés dans *L'Œuvre*, du 18 juillet au 4 septembre 1942).
2. *Ibid.*, p. 131.

avec Déat dans la fuite en avant collaborationniste, faisant siens non seulement les idées hitlériennes mais jusqu'à l'uniforme allemand. Le francisme de Bucard se nazifie sans retenue. Dans le numéro du 27 décembre 1941 de son hebdomadaire, *Le Franciste*, on peut lire : « En 1939, 300 000 Juifs vivaient sur le territoire français ; 5 000 ont déjà été déportés. Quand se décidera-t-on à coffrer et à éliminer les 295 000 restants ? » Ce fanatisme est loin d'être isolé ; c'est aussi celui de l'équipe de *Je suis partout*, dont fait partie Rebatet. On lit dans *Les Décombres*, que celui-ci publie en 1942, au moment des rafles et des déportations : « La juiverie offre l'exemple unique dans l'histoire de l'humanité, d'une race pour laquelle le châtiment collectif soit le seul juste [1]. »

Ce ne sont plus là que des fascismes d'imitation, sécrétant leur fiel et ourdissant leurs menues intrigues sous l'aile tutélaire de l'aigle allemand.

Tous ces nationalistes se mettent par la logique implacable de la situation au service d'un nationalisme étranger, celui — ô ironie ! — de l'« ennemi héréditaire ». Or Hitler, à ces avatars de fascismes vaincus, préfère la collaboration du maréchal-patriarche, qui a reçu les pleins pouvoirs en juillet 1940. Pétain reprend la formule lancée naguère par La Rocque : « Travail, Famille, Patrie. » Mais le régime du maréchal n'a pas les mêmes prudences que le parti du colonel. Il fait entrer l'antisémitisme dans la loi, ce qui apparaît, entre autres mesures contre-révolutionnaires, comme une rupture avec 1789. En 1943, alors que La Rocque est déporté en Allemagne après avoir fourni des renseignements à l'Intelligence Service, Pétain laisse créer la Milice française, dont le futur chef Darnand déclare bientôt sa « volonté de voir instaurer en France un régime autoritaire national et socialiste, permettant à la France de s'intégrer dans l'Europe de demain ».

Nous avons dit plus haut ce qu'était devenu le « socialisme » des fascistes français ; c'est dans l'épreuve de 1940-1944 qu'on a pu mesurer leur « nationalisme ». Lucien Rebatet, formé à l'école du nationalisme intégral, en exprimait la toute relativité dans un article de *Je suis partout* du 28 juillet 1944 : « J'admire Hitler. Nous admirons Hitler, et nous avons pour

1. Lucien Rebatet, *Les Décombres*, Denoël, 1942, p. 566.

cela de très sérieuses raisons... C'est lui qui portera devant l'Histoire l'honneur d'avoir liquidé la démocratie. »

La formule de Valois n'était décidément plus de saison. Mais Valois lui-même, à la veille de sa mort dans le camp de déportation de Bergen-Belsen, avait cessé d'être « fasciste » depuis longtemps.

Le fascisme est intimement lié à la Grande Guerre et aux bouleversements dont elle fut l'origine, jusqu'à la crise des années trente. Il est remarquable cependant que la formule politique, sinon linguistique, en a été élaborée avant 1914 ; qu'en France un certain nombre de tentatives ont été faites pour allier une classe ouvrière révolutionnaire aux couches sociales et aux familles d'esprit contre-révolutionnaires ; que l'antisémitisme a été utilisé comme le détonateur de ce mélange. Les feux ainsi allumés ne furent, en France, que de paille, et les violences restèrent le plus souvent verbales. Le système politique français demeura solidement organisé autour des familles idéologiques qui s'étaient mises en place tout au long du XIXe siècle.

Si la menace fasciste devint plus sérieuse entre les deux guerres, et surtout dans les années trente, en raison notamment des difficultés réelles et des appréhensions vagues éprouvées par les classes moyennes — c'est un fait que la France y résista victorieusement ; que le fascisme y fut surtout un état d'esprit dans une partie de l'opinion ; que les organisations qui en avaient suivi peu ou prou le modèle demeurèrent plutôt faibles.

On a pu dire que les formes atténuées que la crise économique prit en France ont épargné à celle-ci la tentation fasciste. C'est possible mais seulement dans une certaine mesure car les exemples de l'Angleterre et des États-Unis, où la crise fut violente sans menacer les institutions démocratiques, nous montrent bien que d'autres facteurs ont agi, qui ressortissent en particulier aux héritages et aux habitudes culturels des différentes nations. Le succès des fascismes s'est appuyé socialement sur deux masses de manœuvre : la petite-bourgeoisie appauvrie et apeurée, et les ouvriers chômeurs ou en passe de l'être, dans des États tardivement unifiés et sans habitudes démocratiques enracinées. Il n'est pas douteux qu'en France cent cinquante ans d'« esprit républicain » et de résistance périodique aux tentatives contre-révolutionnaires ont mithridatisé dans une large mesure le corps social. D'autre part, l'enthousiasme belliqueux, l'esprit conquérant, l'agressivité impérialiste qui sont au fond des fascismes n'avaient plus cours en France — où le pacifisme de gauche et de droite finit par dominer l'opinion. Cependant, par un effet pervers, contre lequel le pacifisme n'est jamais prémuni, celui-ci devait en définitive faciliter la guerre, la défaite et ainsi la chute de la démocratie. C'est une autre histoire.

Toutefois, quand bien même le fascisme *intérieur* n'a jamais sérieusement menacé les institutions françaises (la dictature pétainiste n'eut droit à l'existence que par la défaite militaire, elle s'évanouit du moment que la France fut libérée), on doit remarquer que dans notre pays presque toutes les tentatives qu'on peut qualifier de « fascistes » ont repris à leur compte l'idéologie antisémite qui, elle, ne manquait pas de continuité. Le Faisceau mis à part, qui fit long feu, toutes les autres figures du fascisme français ont réactivé d'une manière ou d'une autre les formules de Drumont. Pendant une soixantaine d'années, moyennant une accalmie due à la Première Guerre mondiale, l'antisémitisme en France n'a pas désarmé. Il aura fallu précisément la défaite des fascismes pour lui arracher ses dernières prétentions de légitimité [1].

---

1. Voir l'excellente mise au point de Pierre Milza, *Fascisme français, passé et présent*, Flammarion, 1987.

3

*Fascisme à la française
ou fascisme introuvable ?*

Depuis longtemps, l'historiographie de la France contemporaine avait diagnostiqué notre allergie nationale au fascisme. Ce produit d'importation avait pu faire quelques adeptes — mais beaucoup moins que le yo-yo ou le *charleston*. On avait usé et abusé du mot, c'était une injure commode pour flétrir l'adversaire conservateur ou réactionnaire; en fait, on n'avait jamais connu qu'un fascisme larvé, des imitations groupusculaires, au pire un fascisme de gendelettres sans conséquence directe sur notre destinée politique. Or, depuis quelques années, nous ressentons l'impression toute contraire, que la patrie de Jaurès et de Clemenceau aurait offert aux idées fascistes leur plus fertile terrain de culture; c'est là qu'elles seraient nées; c'est de là qu'elles auraient gagné l'Italie et le reste de l'Europe. Plus que toute autre, l'œuvre de Zeev Sternhell nous a sommés de dissiper une illusion, fruit probable d'une autocensure [1].

Ainsi, Zeev Sternhell a remis en question l'étude classique de René Rémond sur *Les Droites en France* [2]. Celui-ci avait montré la naissance, la coexistence et la continuité de trois droites distinctes : légitimiste (ou traditionaliste), orléaniste (ou libérale), bonapartiste — trois courants qui pouvaient, au fil des ans, entremêler leurs eaux, mais dont on repérait continûment l'identité. Pour Sternhell, ce schéma accepta-

---

1. Notamment : *Maurice Barrès et le Fascisme français*, Presses de la Fondation nationale des sciences politiques, 1972 ; *La Droite révolutionnaire, 1885-1914*, Éd. du Seuil, 1978 ; *Ni Droite ni Gauche, l'idéologie fasciste en France*, Éd. du Seuil, 1983.

2. René Rémond, *Les Droites en France*, Aubier, dernière éd. 1982.

ble jusqu'aux débuts de la IIIe République ne fonctionne plus à partir du boulangisme. Car, et voici sans doute ce que l'historien de Jérusalem a démontré avec le plus de force, dans l'avant-dernière décennie du siècle, une *nouvelle droite* émerge, dont les premières manifestations sont l'antisémitisme populaire, animé par Drumont, et le mouvement plébiscitaire, incarné par Boulanger.

Des conditions nouvelles ont concouru à l'éclosion de cette droite nouveau style, dont on peut suivre les avatars jusqu'à la guerre de 1914 : la victoire définitive des républicains contre les monarchistes et les cléricaux, le régime des libertés publiques, les débuts réels du mouvement ouvrier, les difficultés économiques et les inquiétudes existentielles de la petite bourgeoisie… L'ère des masses commence. Le jeu politique n'est plus circonscrit à la société des notables et à la vigilance des préfets. Le journal quotidien devient un produit de consommation courante. La politique s'affiche, passionne et descend dans la rue. L'opinion est à prendre. Les « honnêtes gens », comme on disait sous Thermidor, sont la minorité ; la « populace » a le droit de vote. Aussi, pour Sternhell, les trois droites de René Rémond ne sont plus que deux, à la fin du siècle dernier : il reste une droite conservatrice, plus ou moins libérale, ralliée aux institutions parlementaires, appuyée sur les solidarités traditionnelles, et cette nouvelle droite, aux aspirations révolutionnaires, une droite encanaillée, antibourgeoise, voire prolétarienne, qui rêve d'abattre la République parlementaire, au nom des vertus patriotiques et plébéiennes.

Cette nouvelle droite a eu, on n'ose pas dire son théoricien, mais son poète en la personne du jeune Barrès — non le conservateur en habit vert du temps de l'Union sacrée — mais le député boulangiste, le journaliste de *La Cocarde* (fondée en 1894), celui qui déclarait aux électeurs de Nancy : « Il s'agit d'avoir une République soucieuse des intérêts démocratiques des Travailleurs, des malheureux, en place de cette oligarchie de bourgeois. »

Cette nouvelle droite a eu ses organisations de combat : la Ligue des patriotes de Déroulède, éloigné de ses origines gambettistes ; les « Amis de Morès », ces bouchers de la Villette en uniforme qui perturbent les réunions de gauche ; la

Ligue antisémitique de Jules Guérin... Elle a eu ses organisations syndicales : les Jaunes, de Biétry, qui, pendant quelques années, défendent la collaboration de classe sur une base
ouvrière authentique. Elle a eu ses tribuns : un Drumont,
consacré député d'Alger en pleine affaire Dreyfus, et mieux
encore un Rochefort, vieil adversaire de Badinguet, ancien
communard, rallié au nationalisme antisémite, faisant de ses
calembours, à la une de *L'Intransigeant*, le bonheur peu exigeant du peuple antidreyfusard.

Si l'on y ajoute la combinaison des idées nouvelles que
représentent le déterminisme raciste et les divers succédanés
du darwinisme, qu'illustrent un Vacher de la Pouge, un Jules
Soury ou un Gustave Le Bon, les attaques contre le positi-
visme et la vogue de Bergson, on découvre à quel point le
panorama des idées courantes est bouleversé depuis le Second
Empire. Les thèmes du sang, de la race, de l'instinct inves-
tissent le discours politique de cette droite qui rejette tous
les « cosmopolitismes » d'Ancien Régime.

Mais — et voici peut-être l'endroit précis où l'on saisit la
fécondation de l'idéologie fasciste — cette nouvelle droite ne
se contente pas de disputer son public populaire à la gauche ;
la voici qui tente un rapprochement, une union inattendue,
qui doit sceller son alliance avec ce que Sternhell appelle une
nouvelle gauche, et qu'il convient mieux de nommer une
ultra-gauche, dans la mesure où celle-ci se refuse précisément
au jeu de la gauche et de la droite, où elle méprise les enjeux
électoraux et parlementaires, où elle se proclame (syndicaliste) *révolutionnaire*. L'Action française née de l'affaire
Dreyfus a effectivement tenté une « OPA » sur la CGT, au
moment où ses militants en grève affrontaient les troupes de
Clemenceau, sur les chantiers de Draveil et du côté de
Villeneuve-Saint-Georges. OPA qui échoue mais qui laisse
quelques traces. Sternhell s'est attaché à suivre surtout l'opération qui lui paraît de la plus haute portée : les rencontres
et les projets communs de Georges Sorel, d'Édouard Berth,
théoriciens de l'héroïsme syndical, et de Georges Valois, économiste de l'AF, un moment encouragé par Maurras, à la
recherche d'une caution ouvrière. L'idée d'une revue commune, *La Cité française*, « antidémocratique et anticapitaliste »,
ne dépasse pas les premières ébauches, mais un Cercle Prou-

dhon, animé par Valois et Berth, tient sa première réunion en décembre 1911 ; il édite des *Cahiers*, dont le premier numéro sort en janvier 1912, à propos de quoi Valois dira en 1927 : « Ce fut la première tentative fasciste en France. » Publiant, en 1914, *Les Méfaits des intellectuels*, Berth écrit de son côté : « Deux mouvements synchroniques et convergents, l'un à l'extrême droite, l'autre à l'extrême gauche ont commencé l'investissement et l'assaut de la démocratie ; pour le salut du monde moderne et la grandeur de notre humanité latine [1]... »

La lecture de ces *Cahiers* et d'un certain nombre d'écrits contemporains de Sorel et de Berth nous incite effectivement a identifier ce qu'on peut bien appeler un préfascisme. On y rencontre l'exaltation des vertus guerrières et du nationalisme, la condamnation de la philosophie des droits de l'homme, le mépris du parlementarisme, l'anticapitalisme, l'antisémitisme, et, plus encore, une insurrection éthique contre la décadence et l'appel à l'héroïsme : « L'humanité, écrit Berth, toute confite en amour et douceur — ce sont généralement d'ailleurs les époques de grande corruption —, va tomber en quenouille ; il faut alors que la violence et la guerre la rappellent à un sentiment plus sain et plus viril de la réalité. » Et Berth de préciser le programme : « Mais la violence appelle l'ordre, comme le sublime appelle le beau ; Apollon doit compléter l'œuvre de Dionysos [2]. »

Ces tentatives, qui ont eu leur répondant en Italie [3], où Sorel compte de nombreux admirateurs, sont restées en France, comme le reconnaît Sternhell lui-même, au stade des expériences de laboratoire. Il n'empêche — et quelles que soient les variations postérieures d'un Sorel (célébrant Lénine avant de mourir), d'un Berth (revenant au syndicalisme révolutionnaire après être passé par le communisme) ou d'un Valois (mourant dans un camp de déportation nazi) —, la France a connu les signes réels et a formulé quelques-unes des premières théories d'un fascisme avant la lettre. Aussi,

---

1. Édouard Berth, *Les Méfaits des intellectuels*, Rivière, 1914, p. 325.
2. *Ibid.*, p. 329.
3. Voir E. Santarelli, « Le socialisme national en Italie : précédents et origines », *Le Mouvement social*, n° 50, janv.-mars 1965.

lorsque Georges Valois fonde son Faisceau en 1925, il est
fondé à dire, lui mieux que personne, qu'il n'est pas en train
d'imiter Mussolini, qu'au contraire c'est Mussolini qui a pris
à la France l'idée — sinon le mot — du fascisme : « Le père
intellectuel du fascisme, dit-il, c'est Georges Sorel[1] », et
encore : « Avant la guerre, bien avant, il y a quelqu'un qui
a pressenti le fascisme, qui lui a donné sa première expression, c'est Maurice Barrès[2]... » Valois, chemin faisant, défi-
nissait ainsi « la grande originalité du fascisme » : « Réaliser
la fusion des deux grandes tendances, le nationalisme et le
socialisme, qui, au XIXᵉ siècle, ont été la première réalisation anti-individualiste des nations européennes[3]. »

Le Faisceau a la vie brève ; il ne résiste pas au retour de
Poincaré au pouvoir. Zeev Sternhell, dans l'excellent chapitre qu'il consacre au « fascisme naïf » de Valois, en analyse
la raison principale : là, en France notamment, où la droite
conservatrice a suffisamment de poids, la nouvelle droite fasciste « ne passe pas ».

Pourtant, tout n'est pas joué. Au contraire. Et quand bien
même la République parlementaire saura résister à la crise
générale des années trente, c'est au cœur de cette crise que
les idées fascistes, sans dire leur nom, vont proliférer et impré-
gner profondément tous les courants de pensée en France.
Toute l'originalité du travail de Sternhell est de passer vite
sur le fascisme vulgaire — celui des manuels : groupuscules
bottés, PPF de Doriot, écrivains de *Je suis partout*, cagoulards, sans parler de l'épouvantail Croix-de-Feu — pour
s'arrêter longuement aux ravages du fascisme inconscient,
des fascistes-sans-le-savoir. Tour à tour, notre auteur passe
à l'étamine les idées du socialiste belge Henri De Man, intro-
duites en France par André Philip ; le développement du courant néo-socialiste derrière Marcel Déat ; l'idéologie planiste
qui prend forme à la SFIO et surtout à la CGT, et de nous
révéler l'une des sources aussi vive que méconnue du fascisme : le révisionnisme. Non pas la révision de Marx façon

---

1. Georges Valois, *Le Fascisme*, Nouvelle Librairie nationale, 1927,
p. 5.
2. *Ibid.*, p. 6.
3. *Ibid.*, p. 24.

Bernstein ou façon Jaurès, car ce révisionnisme-là est resté démocratique — mais la révision du marxisme, soit par la gauche (jadis Sorel), soit par la droite (De Man ou Déat), qui aboutit à un socialisme sans prolétariat et sans démocratie. A cette source de gauche, il faut ajouter cette source de droite qu'a été la révision symétrique du nationalisme conservateur, entreprise par les dissidents de l'Action française, appelant de leurs vœux la révolution spirituelle contre la France bourgeoise et décadente — cet « au-delà du nationalisme » se trouvant exprimé de la manière la mieux élaborée dans la revue *Combat*, où collaborent Thierry Maulnier, Maurice Blanchot, Pierre Andreu et quelques autres intellectuels représentatifs de la nouvelle droite. Ici et là, l'idéologie fasciste avance masquée : Sternhell la traque et la débusque jusque dans les revues faisant profession d'antifascisme, tel *Esprit*, la revue de Mounier, qui, par ses attaques contre la démocratie parlementaire, contre le libéralisme bourgeois et, simultanément, contre le marxisme stalinien, se trouve accusée d'avoir sapé d'avance la résistance au monstre.

Vérification par l'année 1940 : les révisionnistes de gauche — néos, planistes et autres transfuges du socialisme et du radicalisme (Déat, Marion, Marquet, Bergery, etc.) — rejoignent les néo-nationalistes de droite dans leur ralliement au vichysme, voire dans la Collaboration. Plus démonstratif encore : Emmanuel Mounier demande au censeur pétainiste l'autorisation de faire reparaître sa revue — ce qui lui est provisoirement accordé —, et notre philosophe personnaliste, dans la satisfaction qu'il éprouve de voir à terre le parlementarisme bourgeois et l'individualisme libéral, de donner ainsi sa caution à la Révolution nationale. Ces défaillances de l'an 40 sont aux yeux de Sternhell comme autant de preuves *a posteriori* du travail de la révolution/contre-révolution, qui est à l'œuvre dans la pensée et la société française depuis la fin du XIXe siècle : faute de mieux, la convergence de la gauche révisionniste et de la droite radicale a fini par accoucher de l'État français.

C'est à grands traits que je viens de résumer le propos de
Zeev Sternhell ; je précise que ce *Ni Droite ni Gauche* représente un travail substantiel, dû à un remarquable chercheur,
s'appuyant sur d'immenses lectures et des sources de première
main. Ce n'est pas sur ce terrain professionnel qu'on lui cher-
chera querelle : son information est méticuleuse. Certains lecteurs, qui ont été jadis des acteurs, y sont allés de leur
protestation indignée : « Non ! nous n'étions pas fascistes. »
Émotion inutile, puisque Sternhell se propose justement de
démontrer que le fascisme n'était pas ou n'était qu'accessoi-
rement là où il était dit ; qu'il était surtout actif sous ses formes inconscientes — dans son impensé fasciste. Aussi je ne
crois pas que ce soit ni par une querelle des sources ni par
des souvenirs d'anciens combattants qu'on peut entamer
l'argumentation de l'auteur. C'est sur un autre plan qu'il me
paraît nécessaire d'engager le débat : celui tout à la fois de
la méthode et de l'interprétation.

Une première remarque touche à la question des proportions. Il ne me semble pas douteux que les « idées fascistes »
ont circulé en France ; il est plus discutable d'en exagérer
l'importance. Si le principe unifiant de l'idéologie fasciste est
bien, selon la formule de Georges Valois, la synthèse du nationalisme et du socialisme, on doit se demander quels ont été
concrètement les lieux de cette synthèse. A juste titre, Zeev
Sternhell nous parle du Cercle Proudhon, du Faisceau de
Valois, de la revue *Combat*... Au total, des entreprises de
médiocre influence ou de vie brève. Cette brièveté même ou
leur nature confidentielle n'ont-elles pas *au moins* autant de
sens que leur existence ? Tout spécialiste a naturellement tendance à valoriser sa *partie*, à en amplifier la portée, en la déta-
chant d'un *tout*, où elle n'occupe objectivement qu'une place
secondaire. C'est ainsi qu'on peut dire que l'antisémitisme
a pris dans notre histoire contemporaine un poids spécifique
plus élevé que le fascisme, dans la mesure où *La France juive*,
La Libre Parole ou *La Croix* parlaient à des millions d'individus — au lieu que les *Cahiers* du Cercle Proudhon ou le
Combat de Thierry Maulnier n'atteignaient que quelques centaines d'initiés. Question de proportions encore quand, dans
l'étude d'un auteur, on privilégie outrancièremnt ce qui va
dans le sens de la thèse, au préjudice du reste de l'œuvre qui

va d'un autre côté. A ce sujet, les objections faites jadis à Zeev Sternhell par Raoul Girardet à propos de Barrès [1], je ne doute pas que d'autres les lui feront à propos de Sorel ou d'Henri De Man. Je n'insiste pas sur ce point mais ne tenons pas pour négligeable cet effet de grossissement optique du sujet par le travail et le talent mêmes de l'auteur.

De la même manière, je me demande si Sternhell n'a pas mis trop de cohérence sur beaucoup de confusion. Recensant les cas de révisionnisme, de droite et de gauche, les critiques tous azimuts du libéralisme, du système parlementaire et du marxisme, notre auteur en arrive à formuler cette conclusion : « Le fascisme [...] possède un solide cadre conceptuel [...]. Il constitue un système d'idées organisé pour diriger l'action politique, pour commander des choix concrets et pour façonner le monde » (p. 297). Or cette « solidité » du cadre conceptuel est bien ce qui laisse le plus à désirer dans le cas du fascisme, même quand celui-ci se trouve canalisé dans un courant unifié comme en Italie. Autant le racisme nazi et le marxisme soviétique sont repérables à leur vulgate idéologique, autant le fascisme a cultivé et entretenu le flou. S'adressant à des clientèles diverses, il a tenu les discours les plus contradictoires. Comme le dit Sergio Romano : « Nous avons tendance à imaginer le fascisme comme un système cohérent, né, un peu comme Athéna, de la cuisse de Jupiter... C'est une erreur. C'est un système conditionné par les événements [2]. » Sans doute une fois au pouvoir le fascisme italien s'est-il cherché une légitimité culturelle et donné une légitimité idéologique. Les œuvres de Benedetto Croce, de Giovanni Gentile, de D'Annunzio, du Français Sorel, sont apparues par leur antipositivisme et leur néo-idéalisme comme autant de jalons dans la marche triomphale du Duce. Au pays de Gramsci, on ne peut dénier au mouvement des idées un rôle actif dans le processus historique, du moins doit-on noter le caractère très éclectique de cette culture préfasciste, qui ne prend ce sens-là que par rétrodiction.

1. Préface de Raoul Girardet à l'étude de Zeev Sternhell sur Barrès, *op. cit.*.

2. Sergio Romano, « Le fascisme », in *Dictatures et Légitimité*, *op. cit.*

A lire Sternhell, on a l'impression que toute pensée, toute publication, tout individu, qui, dans la France des années trente, se refuse aux idées reçues et aux structures héritées, contribue peu ou prou à l'imprégnation du fascisme. En fait, il convient de se demander si les antirévisionnistes de tous les camps, si toutes les vestales du temple républicain et du temple marxiste, n'ont pas été, à leur manière, coresponsables du drame final. J'y reviendrai. Pour le moment, tout en sachant que la fonction de l'historien est de mettre du rationnel dans l'apparence chaotique du passé, je conteste la cohérence d'un fascisme français, laquelle ne saurait être qu'une construction *a posteriori*, à partir d'éléments épars et hétérogènes, qu'aucun mouvement politique n'a jamais pu rassembler ni unifier durablement.

Cette cohérence cristallisée, l'auteur ne la met pas seulement dans la structure ; il la fixe aussi dans la durée. Tout se passe, en effet, comme si le fait de rompre avec les lignes établies engageait nécessairement sur la voie du vichysme ou du collaborationnisme. Ainsi, quand Henri De Man, en 1940, prononce la dissolution du Parti ouvrier belge et découvre dans l'occupation allemande une sorte de divine surprise, une telle attitude ne serait que la *suite naturelle* de ses positions théoriques antérieures. En somme, les jeux sont faits dès 1927, l'année de son *Au-delà du marxisme* ; De Man est déjà dans le camp fasciste. De même pour Marcel Déat : qu'il fonde le RNP fasciste en janvier 1941 n'est que l'aboutissement logique des propositions avancées dès 1930 dans ses *Perspectives socialistes* et, *a fortiori*, lors de la crise « néo » de 1933[1]. Ainsi de suite. Cette interprétation téléologique souffre malheureusement de toutes les exceptions qui en contredisent le sens. D'une part, elle néglige tous les autres itinéraires qui des divers « révisionnismes » ont mené à la Résistance — comme c'est le cas d'un André Philip, d'un Robert Lacoste, voire d'un Mendès France. Pourquoi ces cas individuels, aux yeux de l'auteur, ne « changent[-ils] rien » ? Ils sont d'autant plus intéressants et significatifs que toute

---

1. Voir Georges Lefranc, « Une scission malencontreuse : la scission 'néo-socialiste' de 1933 », in Georges Lefranc, *Visages du mouvement ouvrier français*, PUF, 1982, p. 117-138.

une part de l'idéologie de la Résistance s'abreuve aux sources de la critique antilibérale et antiparlementaire. [1] Inversement, il faudrait nous donner la preuve *a contrario* que la fidélité aux principes de la République parlementaire aurait préservé ses défenseurs du ralliement à la Révolution nationale en 1940-1941 — période que privilégie Sternhell. Ce n'est pas cette preuve-là que les historiens de l'année 40 nous fournissent. [2]

En fait, l'objection la plus nette qu'on peut faire au livre de Sternhell tient au genre historiographique dont il relève : une pure histoire des idées, censée suivre son mouvement propre et conséquent, hors de portée de l'évolution générale et sans relation directe avec les événements. Ceux-ci ne sont pourtant pas à prendre comme simples révélateurs ou catalyseurs d'idées en puissance ; ils sont aussi producteurs de changement et redistributeurs d'enjeux politiques et sociaux. De ce point de vue, il est frappant de constater la place ténue qu'attribue Sternhell à la Première Guerre mondiale dans la genèse du fascisme. Ce sont pourtant ces quatre années et demie de guerre qui provoquent l'un des plus grands bouleversements de l'Histoire : comment imaginer le triomphe du fascisme en Italie sans la guerre et la crise qu'elle provoque dans tous les rangs de la société civile et de l'État ? Et, tout autant, la naissance et la montée du nazisme ? Faut-il croire que tout était décidé avant la conflagration générale de 14-18 ? Ce qui est en place (et à une place encore modeste) avant la Grande Guerre, c'est une contestation culturelle de la philosophie des Lumières ; ce sont quelques formules dont les mouvements fascistes feront leur miel. Peu de chose encore en comparaison de la rupture sismique que représente le cor-

---

1. Sans évoquer de Gaulle, on sait que Léon Blum lui-même écrivait dans *A l'échelle humaine*, en 1941 : « Ce qui ne survivra probablement pas à l'expérience bourgeoise prolongée pendant plus d'un siècle, c'est le régime représentatif proprement dit, c'est-à-dire la délégation intégrale de la souveraineté populaire à la Chambre élue et sa concentration dans les assemblées législatives. » Voir d'autres textes dans Henri Michel et Boris Mirkine-Guetzévitch, *Les Idées politiques et sociales de la Résistance*, PUF, 1954.

2. Voir notamment les remarques d'Yves Durand sur certains instituteurs laïques et la Révolution nationale in *Vichy 1940-1944*, Bordas, 1972, p. 89-90.

tège de la guerre et de la « paix » qui suit : la fin des libertés publiques, l'ébauche des dictatures totalitaires, la libération des pulsions de mort, les souffrances inouïes, les espérances entretenues puis déçues, l'effondrement des monnaies, la révolution bolchevique, l'incendie révolutionnaire qui embrase l'Europe en 1919, la peur du communisme, l'essor de la contre-révolution, particulièrement dans ces pays d'ancien régime où s'instaurent des démocraties libérales sans racines... Et, devant l'amoncellement des cadavres, ce doute qui grandit sur la raison occidentale, ce pessimisme qui s'aggrave sur l'avenir de l'Europe, cette montée de l'irrationnel sur les ruines d'un continent suicidaire... La continuité de certains courants d'idées peut être observée ; elle semble dérisoire en comparaison de cette violence d'État déchaînée et des convulsions sociales qu'elle provoque, tout particulièrement dans ces classes moyennes qui seront en Italie et en Allemagne la proie désignée du fascisme et du national-socialisme.

Le fascisme a partie liée avec la guerre. Non seulement ses protagonistes en sont sortis imprégnés d'agressivité nationaliste, irrédentiste, impérialiste — mais le style de la guerre est le style du fascisme, qui en a pris les uniformes, les attitudes et les discours. « La véritable chance du fascisme, écrit René de Lacharrière, est venue d'une conjonction parfaite, alors réalisée, entre la militarisation de la politique intérieure qui le caractérise et la guerre internationale qu'il se préparait à affronter. Cette conjonction impliquait la popularité d'une politique étrangère agressive [1]. » Il n'y a pas de fascisme pacifiste. Ce qui fait le plus défaut au fascisme français est justement ce manque d'agressivité martiale. Dans la France de Giraudoux, qui n'a pas d'ambition territoriale, qui a récupéré au prix le plus fort ses provinces perdues et qui est fière de son Empire colonial, il est entendu pour tout le monde que « la Guerre de Troie n'aura pas lieu ».

Une pure histoire des idées se révèle décevante, en ce qu'elle suit la logique des mots, sans pénétrer la résistance des cho-

---

1. René de Lacharrière, *La Divagation de la pensée politique*, PUF, 1972, p. 261.

ses ni la force des émotions individuelles et collectives devant
l'événement. Histoire idéaliste aussi impuissante que le matérialisme marxiste à rendre raison du phénomène fasciste. Là,
on réduisait celui-ci au simple produit de la stratégie défensive du grand capital. Ici, on veut en faire un système d'idées
qui vivrait de sa vie propre et suivrait mécaniquement son
destin déductif.

Si, dans le cas français, les seuls événements dignes de considération sont ceux de 1940-1941 — la chute de la IIIe République, l'instauration de l'État français, la proclamation de
la Révolution nationale —, alors il faut se demander s'ils trahissent seulement le fascisme — vrai ou supposé — qui minait
la société et l'intelligentsia françaises depuis Barrès et Sorel.
Outre que l'adhésion massive au maréchal Pétain tient moins
— encore une fois — aux idées que celui-ci défend sous
l'enseigne de la Révolution nationale qu'à une situation de
faits catastrophiques : la défaite, l'exode, l'armistice, le
recours au Chef providentiel, il convient, dans le souci légitime de faire aux idées leur part, de les inventorier sans exclusive. L'esprit de l'armistice découle en partie des courants
de pensée répertoriés par Sternhell — et le nouveau régime
qui s'ensuit s'inspire bien de l'idéologie antidémocratique et
antilibérale, sans prendre la forme résolument « fasciste » que
la défaite et l'occupation lui interdisent. Mais, dans cette crise
de la conscience républicaine, il faudrait faire leur part aux
autres facteurs intellectuels. La résistance au fascisme, au
cours des années trente, ne se confond pas avec la seule résistance à l'*idéologie* subreptice du fascisme intérieur ; elle est
aussi, elle est peut-être surtout, résistance aux entreprises
conquérantes des États fascistes. De ce point de vue, on peut
s'étonner que Sternhell fasse si peu cas de la politique extérieure et de la vigilance variable démontrée par les divers groupes politiques français face à la véritable montée du fascisme
— celui qui s'est déjà incarné dans un appareil d'État et aspire
à plier les autres sous son empire.

Sous cet angle, les positions antérieurement définies se trouvent bousculées. N'est plus si « fasciste » qui le paraissait à
première vue. Inversement, dans l'effondrement de la République parlementaire, on découvre des entrepreneurs en démolition que rien ne désigne comme fascistes. Autrement dit,

il me paraît fondé que la politique défendue face au danger
hitlérien a eu plus d'effet que les critiques du libéralisme et
du marxisme ; que la résistance au nazisme dès 1933 défendait plus efficacement le régime républicain que la résistance
aux divers révisionnismes.

Ainsi, parmi les agents de l'imprégnation fasciste, Sternhell cite Gustave Hervé et Emmanuel Mounier. Rien en
commun. Mais tous deux ont été les censeurs, parmi d'autres,
et de la démocratie parlementaire et du socialisme marxiste.
Le premier, ancien champion de l'antimilitarisme révolutionnaire, évolue à partir de 1912 vers ce qu'il appelle lui-même
le « socialisme national ». Tant dans *La Victoire*, son journal, qu'à travers les petits partis sans lendemain qu'il fonde
entre les deux guerres, il flétrit « le régime des assemblées politiques », il prêche la collaboration des classes et la restauration de l'autorité... En 1935, il lance un appel en faveur de
Pétain, le héros national « qu'il nous faut ». Or, malgré le
coefficient élevé de profascisme qu'on est tenté de lui attribuer, force est de reconnaître la lucidité et la fermeté qu'il
manifeste face au nazisme. Autant Hervé s'élève contre la
politique intraitable que Poincaré inflige à la République de
Weimar, autant il dénonce les entreprises extérieures de Hitler et le racisme de l'État nazi. En juillet 1940, Hervé se rallie
à Pétain, qu'il avait appelé de ses vœux, mais apparemment
sur un malentendu : en mai 1941, il se réfugie dans le
silence [1].

Rien n'est donc simple dans cette guerre des idées. Voir
Esprit, la revue de Mounier. On peut y relever maintes ambiguïtés — et assurément un discours hostile à la démocratie
(bourgeoise) et au parlementarisme (radical-socialiste) —,
hostilité qui a pu contribuer, admettons-le, au moins dans
l'univers des symboles, à la déstabilisation du régime. Mais,
malgré ce discours, il serait judicieux de noter ce que fut l'attitude d'*Esprit* devant la guerre d'Éthiopie, face à la guerre
d'Espagne, au moment du renoncement de Munich, contre
la vague de xénophobie et d'antisémitisme dont la France est

---

1. Voir le mémoire de DEA de Catherine Grunblatt, *Le Socialisme
national de Gustave Hervé et de « La Victoire » 1916-1940*, Institut d'études politiques de Paris, 1982.

le siège en ces années de crise. Sur tous ces problèmes concrets, la revue de Mounier a pris position dans un sens qui engageait à la résistance au fascisme. Certes, Mounier n'évite pas le faux pas de 1940 ; il croit habile une politique « de présence » au sein de la Révolution nationale, à un moment où il s'imagine comme tant d'autres le sort de la guerre décidé. Encore faudrait-il mentionner qu'*Esprit* est frappé d'interdiction en juillet 1941 ; et que son directeur est incarcéré par la police de Vichy : sont-ce là des détails insignifiants ?

Non, rien n'est si simple. Pour compléter le tableau, il faudrait en venir aux défaillances propres, face au fascisme, des démocrates fidèles, des libéraux sans contestation et des marxistes orthodoxes. Examiner l'attitude de la droite libérale ou conservatrice qui, dans sa majorité, au moment du Front populaire, a préféré sauvegarder ses intérêts de classe plutôt que de rester fidèle à sa vocation nationale, face à Hitler. S'arrêter aux puissants courants pacifistes qui ont fait l'esprit munichois de la gauche non communiste. Sans oublier de prendre en compte aussi ce qui revient aux communistes : la guerre incessante qu'ils ont menée contre les socialistes jusqu'en juin 1934 et puis, au bout de cinq années d'antifascisme résolu, l'approbation qu'ils ont donnée au pacte germano-soviétique et la dénonciation de la guerre commencée contre l'Allemagne nazie comme « guerre impérialiste » : ce sont là aussi des mots et des actes qui ne contribuaient guère à la « défense républicaine ».

Ce ne sont pas Pareto ou Croce, Mosca ou D'Annunzio qui ont été en Italie les fourriers du fascisme. Assurément, leurs œuvres ont offert des justifications à la révolution/contre-révolution mussolinienne. Mais le fascisme ne s'est pas développé sur des livres ; il a pris forme sur les retombées de la grande vague révolutionnaire de 1919-1920. Il a fini par triompher en remplissant le vide laissé par un État libéral en voie de décomposition avancée, sans tuteurs légitimes, sans défenseurs décidés.

Au fond, Zeev Sternhell a déplacé le problème central du fascisme : sa conquête du pouvoir et la nature de l'État qu'il installe. A la recherche de l'idée platonicienne du fascisme, il s'interdit d'analyser les conditions de son avènement éventuel en France. Et pour cause, puisqu'il ne se produit pas. Tout le paradoxe de l'historien des idées est qu'il étudie l'idéologie fasciste dans ce pays où précisément elle ne triomphe pas, et donc où elle ne peut être altérée par les compromissions du pouvoir : là le fascisme est à l'état pur puisqu'il ne gouverne pas. Originalité de la démarche, limites de l'entreprise. Car aux origines du fascisme n'est pas le verbe mais, comme dit Mussolini, « l'action ». L'historien a renversé la perspective ; c'est son droit. C'est aussi peut-être son illusion.

4

Socialisme et fascisme

Les 26 et 27 novembre 1983, le Club de l'Horloge réunissait un colloque sur un thème... comparatif : *Socialisme et Fascisme : une même famille*[1] ? Cette parenté suggérée, même sous la forme dubitative, signalait d'entrée la nature de l'entreprise : attaquer l'idéologie gouvernante sur le terrain où elle se croit le plus assurée : « Ne dites pas que vous êtes antifascistes, parce qu'avec le fascisme vous avez beaucoup plus de points communs que nous, ceux de la droite libérale. » Ce qu'il fallait démontrer.

Laissons de côté la question de savoir si le Club de l'Horloge était aussi libéral qu'il veut apparaître, et depuis quand[2] : on y est à l'heure, par définition, et l'heure, comme on sait, est au libéralisme triomphant. Contentons-nous de signaler la présence des historiens appelés à apporter leur concours : François-Georges Dreyfus et Alain-Gérard Slama. Ils n'étaient pas à l'unisson.

Le premier a intitulé sa communication : « Les sources socialistes du fascisme ». C'était sans détour, sans nuances, mais non sans à-peu-près. La démarche polémique ne s'embarrasse pas de distinguos subtils. « Socialisme », pour notre collègue, n'est pas un terme polysémique, aux référents aussi variés que la Suède d'Olaf Palme ou la Russie de Staline : tout, à ses yeux, est dans tout, et en particulier le socialisme dans le national-socialisme. Comme dans cette

---

1. Le Club de l'Horloge, *Socialisme et Fascisme : une même famille ?*, Albin Michel, 1984.
2. Sur les relations entre le Club de l'Horloge et la Nouvelle Droite, voir Pierre-André Taguieff, « La stratégie culturelle de la Nouvelle Droite en France (1968-1983) », in *Vous avez dit fascisme ?*, ouvrage collectif, Arthaud/Montalba, 1984.

Inédit, décembre 1983.

« famille » socialiste, tout s'est dit, on puise chez les uns et chez les autres au gré de l'argumentation, autant de preuves comme autant d'éléments d'une source unique et d'une pensée homogène. Cet usage modulé, différencié et approprié des auteurs socialistes, permet une grossière généalogie du fascisme, dont la découverte la moins contestable est que le socialisme l'a précédé : le délit de paternité s'en trouve fondé. Il suffit pour cela d'établir une courte liste des composantes du fascisme et de pécher dans la culture « socialiste » les analogies qui ne manquent pas. Exemple : si vous voulez démontrer que le fascisme tout comme le socialisme sont des super-étatismes, vous vous garderez de faire référence à Proudhon, prenez Déat ; en revanche, ledit Proudhon sera utilisé au chapitre de l'antisémitisme. Et ainsi de suite.

La communication d'Alain-Gérard Slama, quant à elle, détonne étrangement dans le concert. Pour lui, le socialisme n'est pas d'un bloc : il suffit d'examiner la question de l'État pour mesurer la complexité des réponses données. On pourrait ajouter : la question du parti, la question de la démocratie, la question de la révolution, et tant d'autres. De plus, Alain-Gérard Slama souligne à quel point il est fallacieux d'induire la source socialiste du fascisme à partir des parcours individuels de certains hommes politiques, dont le propre est justement le double caractère de transfuges et de marginaux ; il dit bien aussi que, par un paradoxe apparent, s'il y a du socialisme dans la genèse des fascismes, celui-ci n'est pas de la famille « marxiste » mais de la famille « libertaire », dans son opposition radicale à la démocratie parlementaire. Bref, cette communication laissait planer un doute sur les équations trop simplistes des autres orateurs.

Si l'on veut bien oublier toute l'arrière-pensée politique et se maintenir sur le territoire de l'historien, la question des rapports entre socialisme et fascisme peut être intéressante, à condition de ne pas tout mélanger. D'un point de vue macroscopique, et en se tenant dans la sphère des idées pures, loin de toute pratique sociale et politique, on peut détecter des germes de totalitarisme dans la pensée utopique. Vivre dans les perfections sociales rêvées par Morelly ou Cabet ne répond pas à l'idée que nous nous faisons de la liberté ! En ce sens, un certain volontarisme intellectuel, le projet de révolutionner une société imparfaite, de la remodeler du tout au tout, bref de créer l'*homme nouveau*, oui ce projet-là, utopique et millénariste à la fois, participe bien du rêve totalitaire. De même le régime qu'on appelle par antiphrase « soviétique » — qui n'est pas sorti casqué du cerveau de Lénine (*L'État et la Révolution* est-il un traité préfasciste ?), mais d'un processus historique échappant largement à la volonté du fondateur —, ce régime donc, et particulièrement ce qu'il devient sous Staline, présente des traits communs avec ce qu'on a appelé les régimes totalitaires ; il devient même, les autres s'écroulant, l'État totalitaire s'il en est, incontestable et durable. Là-dessus, une littérature abondante existe, et la réflexion n'a fait que s'enrichir au long des années 1970. Je ne sache pas que le Colloque du Club de l'Horloge visait cette homologie. C'est un autre sujet. Le communisme, c'est tout de même *autre chose* que le socialisme, l'un et l'autre eussent-ils des ancêtres communs.

Si l'on veut bien revenir au socialisme, à son *histoire* — et pas seulement à quelques-unes de ses inspirations initiales —, il faut admettre qu'il a été, en France comme ailleurs, un instrument efficace de la démocratisation de la vie politique. Le socialisme s'est coulé, en France, dans la forme républicaine ; Guesde aussi bien que Jaurès ont accepté la compétition électorale ; mieux : au moment où un danger nationaliste menace les institutions de la République parlementaire, le socialisme de parti s'en fait le garant, dût-il s'allier avec les représentants de la bourgeoisie républicaine contre la démagogie populiste, antisémite et antiparlementaire. Pour ne pas entrer dans les détails d'une histoire connue, disons que le socialisme démocratique, dont Jaurès a été le porte-parole privilégié, a favorisé l'intégration de la classe ouvrière dans le système de la démocratie libérale. Dans les autres pays européens, le socialisme, de ce point de vue, n'a pas fait moins : il a contribué de façon décisive à créer les institutions démocratiques élémentaires, à commencer par l'établissement du suffrage universel, ce qui était déjà fait en France. En Autriche, un des tout premiers objectifs du Parti social-démocrate, fondé en 1888, a été l'établissement du suffrage universel, ce qui est atteint, à la suite d'un long combat, couronné par une grève générale en 1905. Ce n'est qu'un exemple : dans la plupart des pays européens, les partis socialistes, d'idéologie marxiste ou non, ont travaillé à l'instauration d'un régime démocratique libéral : suffrage universel et libertés, publiques et individuelles. On prendra l'habitude par la suite, au moment de la IIIe Internationale, d'appeler ces mouvements « social-démocrates » dans un sens péjoratif ; ils sont « révisionnistes », peu (en théorie) ou prou (en pratique), par rapport à l'idéologie marxiste. Soit ! Ils n'en sont pas moins socialistes, dans leur formation comme dans leurs intentions. Or ces socialistes ont été, dans la plupart des pays européens du XXe siècle, les soutiens constants des régimes parlementaires et du régime des libertés, face à la montée des dictatures — même si leur efficacité a été parfois douteuse. *Grosso modo*, le socialisme est devenu dans les démocraties européennes un des éléments vitaux du système : il a été l'agent du compromis entre les classes sociales, facilitant un équilibre institutionnel entre l'interventionnisme étatique et la libre entreprise. Suggérer une filiation entre ce socialisme-là et le fascisme, parce qu'un Déat ou un De Man sont devenus fascistes, équivaut à faire de l'Église catholique une des sources directes du radical-socialisme, sous prétexte qu'Émile Combes sortait du séminaire. Passons...

L'autre socialisme d'avant 1914, le libertaire, l'antiautoritaire, le syndicalisme d'action directe, le socialisme « par en bas », c'est vrai qu'il a été mentionné par Mussolini dans la genèse du fascisme italien. C'est en France surtout qu'on peut noter quelques convergences entre lui et le radicalisme de droite avant 1914. En commun, la « droite révolutionnaire » et le syndicalisme révolutionnaire partageaient l'*antidémocratisme*. Leur critique, cependant, n'avait pas le même fondement : l'une dénonçait la démocratie en soi ; l'autre, un système pseudo-démocratique, établi au profit de la classe dirigeante et au préjudice des producteurs. Mais l'alliance pouvait être imaginable. Elle fut imaginée, contre l'ennemi commun : la démocratie parlementaire. Alliance imaginable, alliance imaginée (voir les tentatives d'un Valois et du Cercle Proudhon) mais restée à l'état symbolique : le gros des troupes comme le gros des dirigeants de la CGT se sont révélés foncièrement fidèles à la IIIe République malgré ses gouvernements « briseurs de grève ».

Évidemment, on a fait grand cas d'auteurs comme Sorel dans la genèse du fascisme : son antidémocratisme, son anti-sémitisme (mais on sait que le fascisme italien n'a pas été fondamentalement antisémite), son anti-intellectualisme visant la carrière des intellectuels socialistes, son exaltation nietzschéenne de l'héroïsme, qui en avait fait un des champions de la grève générale, oui, sans doute Sorel a-t-il été une des inspirations du premier fascisme italien, de l'aveu de Mussolini. Mais que représente Sorel dans le socialisme français ? De formation marxiste, il n'exerce pourtant aucune influence réelle sur le mouvement ouvrier ; qui plus est, il rompt avec le projet du syndicalisme révolutionnaire au moment où il se rapproche, provisoirement, de Maurras.

La nouveauté du fascisme a été de faire l'assaut de la démocratie libérale avec des idées prises à gauche et à droite. De fait, un certain nombre d'anarcho-syndicalistes furent des premiers faisceaux de combat ; de fait, Mussolini était lui-même un ancien socialiste de gauche. Il reste que la filiation entre syndicalisme révolutionnaire et fascisme est pour le moins douteuse : ce ne sont pas quelques « déviants » qui peuvent impliquer l'ensemble de la CGT dans la naissance du fascisme. Le syndicalisme révolutionnaire est aux antipodes du corporatisme fasciste. Une communauté d'adversaires (la démocratie libérale) ne fonde pas une même visée politique. Si le socialisme — pris dans son ensemble — a des responsabilités certaines dans l'instauration du fascisme italien, c'est par l'incapacité dont il a fait preuve de s'y opposer : le maximalisme et les divisions intestines du PSI ont affaibli la défense d'un régime que l'oligarchie libérale et l'abstentionnisme catholique avaient contribué à désarmer.

Il faudra donc remettre l'ouvrage sur le métier : la nature totalitaire du socialisme — dont le communisme n'est pas une simple variante — reste à démontrer. Dans le cas français, les marginaux étant laissés à leur place marginale, il est patent que le socialisme a été une des forces peu à peu intégrée du mouvement démocratique. Le syndicalisme révolutionnaire a maintenu la critique de la démocratie parlementaire, mais sa parenté est mieux établie avec le naissant Parti communiste (pas au-delà de 1924) qu'avec les avatars du fascisme français.

En conclusion, dire tranquillement comme François-Georges Dreyfus : « On pourrait presque [*sic*] dire que le socialisme est intellectuellement à la source du fascisme », c'est se livrer au plaisir du brouillage idéologique, car c'est laisser entendre une communauté de nature entre deux systèmes rigoureusement antagoniques. Bien sûr, le fascisme — dont le corps doctrinal s'est constitué peu à peu, et de façon très éclectique — n'a pas manqué d'emprunter des formules et des auteurs qui ont pu appartenir à la culture socialiste. Mais c'est bien *contre* cette culture même qu'il a tenté de produire sa propre culture : autoritarisme, antiégalitarisme, nationalisme, bellicisme... Surtout, le fascisme a voulu résoudre dans la construction de l'« État éthique » la contradiction des classes : « *Ni individus, ni groupes (partis politiques, associations, syndicats, classes) en dehors de l'État,* écrit Mussolini. *Le fascisme s'oppose donc au socialisme, qui immobilise le mouvement historique dans la lutte des classes, et ignore l'unité de l'État qui fond les classes en une seule réalité économique et morale ; et de même il est contre le syndicalisme de classe* [1]. » On ne saurait mieux dire que Mussolini l'opposition centrale du fascisme et du socialisme et les limites de l'influence syndicaliste révolutionnaire sur les idées du Duce. Mais il ne s'agit pas seulement d'idées : le parti de Giacomo Matteoti en a fait la douloureuse expérience.

Il y a une crise de la pensée socialiste ; ce n'est pas récent. La présente « expérience » du socialisme gouvernemental l'a approfondie. Ce n'est pas une raison pour s'autoriser à dire sur le socialisme n'importe quoi.

---

1. Mussolini, *Le Fascisme, doctrine, institutions*, Denoël et Steele, 1934, p. 20 et 21.

4

Figures et moments

1

Boulanger
l'homme providentiel

Il y a cent ans, au lendemain du 14 juillet 1886, la France entière a été prise d'engouement pour un jeune général, dont le nom très roturier est devenu un symbole : Boulanger a donné le boulangisme, et le boulangisme est, depuis cette époque, une des catégories de notre univers politique. On serait tenté de le diagnostiquer comme une des maladies honteuses et endémiques de la France moderne — celle qui est née de la culture de masse démocratique. Il représente d'abord le recours à l'homme providentiel, comme ultime solution d'un pays trop souvent déchiré en lui-même et qui s'en remet de manière irrationnelle à un Sauveur d'occasion. Cependant, « *l'âme des foules* », comme disait Barrès, n'est pas entièrement dupe de ses chimères car le boulangisme est aussi un mouvement de revendication en faveur d'une autre démocratie — plus directe —, qu'on oppose à la république des députés. Il faut donc y regarder de près avant d'estampiller trop vite un mouvement dont le sens, à le bien prendre, est ambigu.

Nouvelle République et Ancien Régime.

Le dimanche 27 janvier 1889, la fièvre monte à Paris. Chacun a mesuré l'enjeu de l'élection législative partielle, à laquelle, selon la loi électorale en cours, l'ensemble du département de la Seine — la capitale et sa banlieue — est en train de participer. A un comparse près, le citoyen Boulé, présenté par une partie de l'extrême gauche socialiste, les électeurs doi-

L'Histoire, n° 92, septembre 1986.

vent choisir entre le général Boulanger et le président du
Conseil général Jacques, qui est aussi conseiller municipal
radical de Paris. Que le premier l'emporte, et qui pourra
répondre de l'avenir immédiat du régime parlementaire ?
Qu'inversement il soit battu, et l'on sera autorisé à pronos-
tiquer le déclin et la chute de ce flambant mouvement d'opinion qu'aura été le boulangisme. Nul ne sait, au moment où
les citoyens se pressent devant les urnes, ce qui doit en sortir : une ville si capricieuse, si nerveuse, et sur laquelle pèsent
tant de souvenirs vivants, bien malin qui pourrait en sonder
la raison et le cœur !

Georges Boulanger, ancien ministre de la Guerre, échappe
aux classifications ordinaires de la politique parlementaire.
Depuis l'établissement laborieux de la IIIᵉ République, on
a vu s'affronter deux France : les tenants de la nouvelle République et les partisans des diverses formules d'Ancien Régime ;
bref la gauche et la droite. Or Boulanger n'entre pas dans
cette dualité trop simple ; il est à la fois de gauche et de droite ;
à moins qu'il ne soit ni de gauche ni de droite, désireux de
se placer au-dessus de cette mêlée où la gauche et la droite
échangent leurs coups et qu'il entend dissoudre.

Dans cette ville de légende révolutionnaire, où les pavés
qu'on foule ont servi moins de vingt ans plus tôt à la construction des barricades ; où les votes, également hostiles à
Napoléon III et à l'Ordre moral de Mac-Mahon, ont installé
le radicalisme à l'Hôtel de ville, que peut espérer un général,
ouvertement soutenu par la droite bonapartiste et, *mezza
voce*, par tous les vœux de la famille conservatrice, monarchiste et catholique ? Justement, malgré les faveurs venues
de la droite, minoritaire dans la capitale, Boulanger bénéficie du soutien de journaux populaires, dont *L'Intransigeant*
de Rochefort, qui élargit de façon notable l'horizon de ses
espérances. Du reste, en d'autres élections partielles, aussi
bien dans des départements industriels comme le Nord que
dans des départements agricoles comme la Charente-
Inférieure, on a vu s'additionner des suffrages habituellement
contraires. Néanmoins, le président du Conseil, le radical Floquet, n'émet pas l'ombre d'un doute sur la victoire de Jacques, soutenu à la fois par les radicaux et les républicains
modérés, unis dans la résolution de combattre le césarisme

et forts de défendre simultanément les principes républicains et l'ordre public. A Paris, le boulangisme risque de frapper à la borne de sa réussite.

Une carrière fulgurante.

Pendant ces longues heures d'attente, Georges Boulanger est calme. Il mesure sans doute, maintenant qu'il capitalise tant d'espérances, le chemin qu'il a parcouru depuis sa naissance, à Rennes, cinquante-deux ans plus tôt. Ayant choisi la carrière des armes, il avait été reçu à l'École de Saint-Cyr à dix-sept ans. Frais émoulu sous-lieutenant, il avait été envoyé prendre son baptême du feu en Algérie où, en 1857, le maréchal Randon entreprenait la conquête de la Grande-Kabylie, encore rebelle. Cette campagne offrit à Boulanger une première occasion de manifester sa bravoure, moyennant deux blessures légères. Deux ans plus tard, il participait à la campagne d'Italie contre les Autrichiens; non loin de Magenta, il reçut une balle dans la poitrine, ce qui lui valut Légion d'honneur et grade de lieutenant. En 1861, Boulanger s'embarquait pour la Cochinchine : à peine guéri de sa blessure autrichienne, il prit dans la cuisse une balle annamite. Résultat : un grade de capitaine, pour son retour au pays en 1864.

Le guerrier cède provisoirement la place à l'instructeur : pendant une demi-douzaine d'années, Boulanger exerce ses talents de meneur d'hommes auprès des élèves de Saint-Cyr. Selon les témoignages récoltés au temps de sa gloire ultérieure, le jeune capitaine tranchait sur les autres chefs par son entrain et sa mansuétude. Bientôt commandant, il est nommé lors de la guerre franco-allemande de 1870 lieutenant-colonel du 114e de ligne. A Champigny, nouvelle blessure par balle, à l'épaule droite cette fois : le voilà promu officier de la Légion d'honneur en décembre 1870; mieux : à la suite des combats devant Paris, auxquels il participe, on le fait colonel en janvier 1871. Quelques mois plus tard, à la fin de la guerre civile qui oppose la Commune à Versailles, c'est une nouvelle blessure — une balle qui l'atteint au coude gauche, alors qu'il est entré avec ses hommes dans Paris — qui non seulement lui vaut une nouvelle promotion dans l'ordre de la Légion d'honneur mais surtout lui permet de ne pas prendre part à l'impitoyable répression de la Semaine sanglante. En ce dimanche 27 janvier 1889, bien des anciens communards qui s'apprêtent à voter pour lui mettent à son actif de n'avoir pas les mains tout à fait sales. Ce grand cicatrisé aura connu le bon usage des blessures.

Tout de même, colonel et commandeur de la Légion d'honneur à trente-quatre ans, c'est beaucoup, c'est trop. Du moins est-ce l'avis de la Commission de révision des grades qui, à la fin de 1871, faisant le ménage dans les promotions trop rapides des temps de guerre et de révolution, ramène Georges Boulanger au rang de lieutenant-colonel. Fureur du rétrogradé ! Et lettre de démission sur-le-champ au ministre de la Guerre, le général de Cissey. Celui-ci convoque le jeune officier, atténue sa rancœur et finit par lui faire accepter de reprendre sa démission. Mais l'épisode n'a fait qu'aviver l'ambition d'un homme qui se juge victime d'une affreuse injustice.

Boulanger n'attendit pas trop pour retrouver son grade de colonel : c'était chose faite en 1874. Mais alors, finie l'aventure... Boulanger doit se résigner à la vie de garnison et, en ces temps d'Ordre moral, lui, qui n'a pas de sentiment religieux, accepte de tenir le sabre à côté du goupillon. Appartenant au 7e corps, il fait des pieds et des mains pour obtenir les faveurs de son chef, le duc d'Aumale. C'est à celui-ci, devenu inspecteur de corps d'armée, que Boulanger s'adresse, en janvier 1880, pour être promu au grade de général de brigade. Mais, tout en flattant le prince pour gagner son appui, Boulanger n'en professe pas moins des sentiments républicains et sait, à l'occasion, traîner ses bottes chez Gambetta. Recevant en mai 1880 le grade escompté, Boulanger remercie avec une égale gratitude ses deux protecteurs.

Ce sens de l'opportunisme ne fera jamais défaut à l'ambitieux Boulanger. En 1884, il est le plus jeune général de division de sa promotion. On l'envoie alors commander les troupes françaises de Tunisie, à laquelle la France, depuis 1881, a imposé son protectorat.

En Tunisie, Boulanger va laisser libre cours à son goût débridé de l'ostentation, du panache et de la provocation. Il s'affiche en tous lieux, d'une oasis à l'autre, fraternisant avec les caïds, invitant à sa table les sous-officiers, forçant l'admiration des foules par ses grands airs, son escorte de spahis, etc. Ce pouvoir militaire en grand arroi ne pouvait qu'agacer le résident civil Paul Cambon. Entre les deux hommes le conflit devient manifeste.

La présence en Tunisie d'une grosse colonie italienne entretenait des causes incessantes de frictions entre Italiens et militaires français. Or, à la suite d'un incident au théâtre italien, Boulanger, plus capitan que jamais, fait publier un ordre du jour enjoignant à ses hommes de faire usage de leurs armes en cas d'agression. On évitera de peu l'incident diplomatique. Mais le conflit entre les deux pouvoirs et entre les deux hommes ramena Boulanger à Paris, tandis qu'une enquête était décidée. En fait, en janvier 1886, Boulanger sut qu'il ne retournerait pas en Tunisie : il était, si l'on peut dire, promu ministre de la Guerre dans le nouveau ministère Freycinet. Comment expliquer pareille faveur ?

Le boulangisme ministériel.

Depuis plusieurs années déjà, l'industrieux Boulanger avait su se tisser un réseau de relations dans les milieux politiques. Cela avait vraiment commencé en 1882, lorsqu'il avait été nommé à la Direction de l'infanterie. Dans ce poste, comme jadis à Saint-Cyr, il avait su faire apprécier son zèle réformateur ; en même temps, il ne perdait pas une occasion pour prononcer des discours républicains bien sentis, qu'il s'ingéniait à faire reproduire dans les journaux. Ce sens de la publicité l'avait entraîné dans la familiarité de certains journalistes, de sorte que *La Lanterne, L'Événement, La France, La Nation* étaient des jounaux radicaux sur lesquels il pouvait compter au service de sa gloire. Le milieu parlementaire lui avait été ouvert ; entre autres, Georges Clemenceau, son cadet de trois ans, ancien élève comme lui du lycée de Nantes, et son ami Félix Granet, député radical, avaient sympathisé avec lui.

Dès lors, il n'est plus étonnant que Boulanger obtienne un portefeuille de ministre. Depuis les élections de 1885, il n'existe plus à la Chambre que des majorités de coalition, dans lesquelles les radicaux exercent désormais leur arbitrage.

Clemenceau soucieux de la républicanisation de l'appareil d'État, entend notamment faire voter une réforme militaire. Boulanger avait cette qualité, encore peu répandue dans l'armée, d'afficher des convictions républicaines. Le chef radical réussit à convaincre Freycinet d'en faire son ministre de la Guerre.

Une armée nationale.

Boulanger ministre avait deux missions : d'une part, réaliser la réforme en cours, et en particulier créer une véritable armée nationale par le service obligatoire ; d'autre part, nettoyer les rangs de l'armée des ennemis du régime. Si la première partie du programme ne fut réalisée qu'après le départ de Boulanger, en revanche, dès son arrivée au ministère, celui-ci procéda à quelques mutations qui provoquèrent les protestations des conservateurs. Ce n'était qu'un début.

En juin 1886, à la suite d'une réception trop voyante donnée par le comte de Paris dans les salons de l'hôtel Galliéra, une loi expulsa les chefs de famille ayant régné sur la France et leurs héritiers directs. Un article de ladite loi interdit aux membres de ces familles d'entrer dans les armées de terre ou de mer. Boulanger interpréta cet article de la façon la plus restrictive, en rayant des cadres de l'armée le prince Murat, les ducs de Chartres, d'Alençon, de Nemours, et jusqu'au duc d'Aumale, son ancien protecteur. Protestation du duc auprès du président de la République ! Réplique de Boulanger, qui fait procéder à l'expulsion du prince ! Interpellation des royalistes à la Chambre ! Un peu plus tard, en août, *Le Figaro* publiera une lettre que le farouche républicain Boulanger adressait une demi-douzaine d'années plus tôt au duc d'Aumale, auquel il servait du « *Monseigneur* » et disait sa « *vive reconnaissance* » pour le grade de général obtenu. D'autres lettres suivirent en différents journaux, qui nuancèrent pour le moins la figure de ce gardien du temple républicain. Mais Boulanger avait acquis alors un capital d'admiration suffisant pour braver de telles révélations.

Cette ferveur, qui s'était attachée à sa personne, avait eu pour cause un certain nombre de mesures qu'il avait prises en faveur de l'armée et des soldats : amélioration de l'ordinaire, autorisation du port de la barbe, adoption du fusil Lebel... Mais certaines paroles et certaines attitudes avaient eu encore plus d'effet. Ainsi, lors de la grève des mineurs de Decazeville, où un ingénieur nommé Watrin avait été défenestré, Boulanger avait été interpellé à la Chambre sur le rôle de l'armée. Loin de tenir le discours de la répression, il prononça celui de la paix civile : « Peut-être, à l'heure qu'il est, chaque soldat partage avec un mineur sa soupe et sa ration de pain. » Le ministre avait tendu la gamelle aux grévistes : image saisissante, pour longtemps gravée dans l'esprit populaire. « Dans ce mot-là, écrira Maurice Barrès, les principes d'humanité, de fraternité, si flottants et tout abstraits à l'ordinaire, simples morceaux de bravoure, pénétraient la vie réelle. »

Le « général Revanche ».

Le général Boulanger devenait la coqueluche du peuple en mal de héros. L'apothéose eut lieu le 14 juillet 1886. Lors de la revue, organisée à Longchamp, le cabotinage du soldat s'en donna à cœur joie. Bicorne à plumes, culotte blanche et palefroi noir, il fit sensation en s'immobilisant impeccablement devant la tribune présidentielle. Au retour, du champ de courses à l'Élysée, le président de la République fut éclipsé par le glorieux ministre vers qui monta une immense ovation. Le soir même, le chansonnier Paulus créait la chanson qui allait tant faire pour le lustre du général : *En revenant de la revue*. Gais et contents, on commença à parler du boulangisme.

Parmi ceux qui s'employèrent à créer une effervescence favorable à Boulanger, Paul Déroulède joua un rôle majeur. Ce poète à la lyre martiale était à la tête, depuis 1882, de la Ligue des patriotes, un mouvement bien organisé, comprenant de nombreux militants susceptibles d'une mobilisation rapide. Très républicaine au début, se donnant pour but de préparer les esprits et les corps à la Revanche, dans un esprit gambettiste, la Ligue avait évolué au fur et à mesure que son chef acquérait la conviction d'une nécessaire révision constitutionnelle, à laquelle il fallait subordonner la Revanche. L'instabilité ministérielle, la débilité du pouvoir exécutif, la

division des Français : autant de handicaps pour la grande
cause. Déroulède en conçut le projet d'une république plébiscitaire, à même de rendre simultanément toute sa souveraineté au suffrage universel et toute sa puissance à la
direction de l'État. Telle était l'idée, dont Boulanger, fort
opportunément, devenait l'incarnation. Appelé par les radicaux pour son républicanisme, il était désormais acclamé pour
son patriotisme. L'affaire Schnaebelé devait achever la
légende du « général Revanche », comme on l'appela.

Au début de 1887, alors que Boulanger était toujours
ministre de la Guerre dans un cabinet Goblet constitué en
décembre 1886, la tension monte soudain entre la France
et l'Allemagne. Bismarck, pour défendre son projet de budget militaire devant le Reichstag, évoque le danger repré-
senté par Boulanger. En avril, un commissaire français,
Schnaebelé, tombe dans un piège tendu par les Allemands
près de la frontière, peut-être même sur territoire français.
Le gouvernement français exige des explications qui ne viennent pas ; la presse s'émeut ; on parle déjà d'une guerre
probable... Ce n'est qu'au bout d'une dizaine de jours, après
enquête, que Bismarck annonce la libération du fonctionnaire français.

Boulanger avait manifesté une certaine impatience mais il
n'était pour rien dans la décision du chancelier. Pourtant,
celle-ci fut jugée comme une reculade entièrement due à la
fermeté du ministre de la Guerre. Ce ne fut qu'un cri : Boulanger avait fait peur à Bismarck ; le général Revanche devenait le général Victoire, les rimailleurs n'hésitant pas à
présenter leurs rêves pour des réalités :

« Regardez-le là-bas ! Il nous sourit et passe :
Il vient de délivrer la Lorraine et l'Alsace. »

Ce général-ministre commençait à déranger. Jules Ferry
se fit le porte-parole des opportunistes — les républicains
modérés —, en prévenant Jules Grévy, président de la République, qu'il fallait se débarrasser du matamore. L'idée d'un
changement de ministère pour changer de ministre de la
Guerre parcourut ainsi les couloirs du Palais-Bourbon.
Rochefort agita les colonnes de *L'Intransigeant* : « Le soir
où Boulanger serait renversé, vingt mille hommes parcour-
raient les boulevards en criant : 'A bas les traîtres !' et 'vive

Boulanger !' Est-il bien établi que la troupe, si on voulait les mettre à la raison, ne passerait pas de leur côté ? »

Cependant, le 18 mai 1887, Goblet donnait la démission de son ministère. L'opération envisagée par Ferry était déclenchée. Il y eut toutefois quelques ratés. Ainsi, comme une élection partielle était prévue à Paris pour le 23 mai, Rochefort eut l'idée de recommander à ses lecteurs, mécontents de cette nouvelle crise ministérielle, d'ajouter le nom de Boulanger sur les bulletins du candidat radical. Le mot d'ordre du tribun remporta un franc succès : près de 39 000 bulletins de vote furent marqués du nom de Boulanger. Alors, certains amis du général, notamment le sénateur radical Alfred Naquet, lui préconisent le coup de force. Boulanger récuse le conseil et n'acceptera jamais l'idée. Néanmoins, l'Élysée s'alarme. Maurice Rouvier, chargé d'un nouveau cabinet excluant l'importun, s'entend alors secrètement avec la droite conservatrice pour s'assurer de sa neutralité, moyennant quoi il promet d'arrêter la laïcisation en cours. Le 30 mai, le nouveau ministère est constitué, tandis que la foule entonne sur les boulevards :

« C'est Boulange, Boulange, Boulange,
C'est Boulanger qu'il nous faut,
Oh ! Oh ! Oh ! »

Le syndic des mécontents.

Le boulangisme est désormais un mouvement d'opposition. Venu de la gauche, porté encore quelque temps par les radicaux, appuyé par la presse populaire, exalté par le tribun Rochefort, défendu par les ligueurs de Déroulède, le boulangisme est aussi une des premières réussites des méthodes de promotion qui inaugurent l'ère des masses. Ce terme de *masses*, Barrès, qui a fait entrer le boulangisme dans la littérature , l'emploie avec gourmandise : Boulanger est né du « *désir des masses* ». Mais, puisque ce désir compte désormais, il faut bien le faire naître, il faut bien l'exciter. A cet effet, tous les moyens de communication sont mis à contribution : placards, dessins, almanachs, chansons, lithographies, pipes à gueule de général, cartes à jouer boulangères, boîtes de camembert, bouteilles d'apéritifs, cendriers et autre

bimbeloterie qui diffusent partout son effigie comme autant
de médailles miraculeuses. Tout se simplifie aux yeux des
vaincus, des déçus, des opprimés : un sauveur leur est né.
On en prend conscience le 8 juillet 1887.

Le gouvernement avait décidé d'éloigner Boulanger de
Paris avant le 14 juillet. Aussi le général est-il nommé au
13e corps, à Clermont-Ferrand. C'est une véritable brimade ;
Rochefort parle d'une « *déportation* ». Le départ est prévu
de la gare de Lyon, le 8 juillet. A l'appel de *L'Intransigeant*,
et derrière les hommes de Déroulède mobilisés, une foule de
Parisiens envahit la gare en chantant des refrains boulangistes. A l'arrivée du général, l'enthousiasme est à son comble.
On crie : « A l'Élysée ! », on entonne *La Marseillaise*, on prend
son train d'assaut ; certains se couchent sur les rails, tandis
que d'autres collent des affiches sur la locomotive. C'est finalement grâce à une ruse conçue dans l'entourage du préfet
de police Lépine que Boulanger parvient à s'arracher aux
mains de ses fidèles : monté, plus loin, dans une locomotive
qu'on a préparée au bout d'un quai, et qu'il escalade coiffé
de son haut-de-forme, le général peut gagner Villeneuve-
Saint-Georges et, de là, reprendre son train pour Clermont.

Pareilles scènes, propres à multiplier les partisans du boulangisme, ont déclenché la rupture des radicaux : elles ne sont
pas compatibles avec « *la doctrine républicaine* », dit *La Justice*. Deux jours plus tard, à la Chambre, Clemenceau
confirme les distances qu'il a prises avec la nouvelle idole des
foules : « La popularité du général Boulanger est venue trop
tôt à quelqu'un qui aimait trop le bruit. »

Cet amour-là interdisait à Boulanger de se laisser étouffer
dans sa retraite auvergnate. A l'automne 1887, alors qu'éclatait au grand jour le scandale des décorations accablant le
gendre de Grévy, Daniel Wilson — qui avait trafiqué de la
Légion d'honneur pour faire subventionner son entreprise de
presse —, Boulanger s'avisa de donner une interview au *Gil
Blas* sans demander d'autorisation. Le ministre de la Guerre,
le général Ferron, pris à partie, infligea à son subordonné
trente jours d'arrêt de rigueur.

Cependant, il apparaît vite que Grévy, dans son malheur
d'avoir un gendre, doive donner sa démission ; on parle d'une
candidature Jules Ferry. Or ce nom excite des haines vio-

lentes. Bête noire des radicaux, incarnation de la république opportuniste qui affame le peuple et s'aplatit devant l'Allemagne ; également odieux aux conservateurs en raison de son œuvre scolaire, il rappelle encore aux Parisiens les mauvais souvenirs du Siège et de la Commune. Le 2 décembre, jour de la démission de Grévy, Séverine écrit : « A bas Ferry, au nom de ceux qui ont enduré les douleurs et les misères du siège [...] A bas Ferry-Famine ! A bas Ferry qui trompa les Parisiens le 31 octobre, qui les fit mitrailler au 2 janvier ! A bas Ferry-Tueur-de-Peuple ! A bas Ferry, au nom de toutes celles qui ont là-bas au Tonkin un pauvre cadavre qui pourrit, mutilé, au fond des rizières. A bas Ferry-la-Défaite, Ferry-Mensonge, Ferry-la-Honte ! » Le lendemain, alors que le Congrès se réunit à Versailles, une manifestation antiferryste agite Paris. Finalement, sur l'avis de Clemenceau, députés et sénateurs ont donné pour successeur à Grévy Sadi Carnot. Mais la vague antiparlementaire va porter de nouveau Boulanger au premier plan.

L'exilé de Clermont.

Au mois de janvier, un journaliste bonapartiste, Georges Thiébaud, s'attache aux guêtres de l'exilé de Clermont et lui propose d'utiliser toutes les élections partielles pour s'imposer à l'opinion. Le 26 février 1888, il doit y en avoir dans 7 départements. Boulanger n'est pas éligible mais Thiébaud distribue des bulletins à son nom. Partout le général obtient, sans avoir fait campagne, des résultats encourageants. Le ministère réagit en plaçant Boulanger en non-activité, le 14 mars. Cette décision entraîne une protestation, orchestrée par les journaux acquis à la cause boulangiste. Un « Comité républicain de protestation nationale » est constitué, avec Rochefort. S'imaginant pouvoir couper l'herbe sous le pied des protestataires, le ministère met Boulanger en retraite d'office, le 26 mars. Mais, rendu à la vie civile, voici le général devenu éligible. Du coup, la manœuvre imaginée par Thiébaud devient réalisable. Justement, une élection partielle est prévue pour la Dordogne le 8 avril suivant. Boulanger n'est pas encore candidat officiellement, et pourtant il l'emporte de manière écrasante, conjuguant les votes conservateurs et les votes d'extrême gauche. Le dimanche suivant, autre élection partielle dans le Nord. Cette fois, Boulanger est candidat. Son programme tient en trois mots : « *Dissolution, Révision, Constituante.* » Triomphe : Boulanger obtient 173 000 voix contre 76 000 à son adversaire opportuniste et 9 700 au radical. Deux jours auparavant, Boulanger avait remis sa démission de député de la Dordogne. Le *steaple chase* électoral — mot de Barrès — était lancé : de département en département, Boulanger obtiendrait un véritable plébiscite national qui devait lui ouvrir les portes du pouvoir.

Autour du général, qui sont ces hommes qu'on voit désormais l'œillet rouge à la boutonnière, en signe de reconnaissance ? D'abord les représentants d'une extrême gauche qui s'est démarquée de Clemenceau : le sénateur radical Naquet ; les députés Laguerre, Laisant, Francis Laur et quelques autres. Des directeurs de journaux, comme Rochefort, Portalis, Eugène Mayer. Paul Déroulède, bien sûr. Et Thiébaud, le bonapartiste. Que voulaient les radicaux ? La révision constitutionnelle, la suppression du Sénat, le retour aux principes républicains, enterrés par le compromis de 1875. Que voulait Déroulède ? Fonder une république plébiscitaire, redonner tout son prestige et toute sa puissance à un chef d'État appuyé sur le suffrage populaire.

Cependant, Boulanger avait beau siéger à l'extrême gauche et être entouré par des militants venus du même horizon, bientôt les monarchistes s'avisèrent que cet adversaire du régime parlementaire pourrait bien être ce que Mac-Mahon avait refusé de devenir : l'auxiliaire de la restauration monarchique, — un Monck [1] français. Un des leurs, le comte Dillon, s'entremit avec Boulanger et lui offrit une aide financière. Boulanger, pour qui l'argent n'avait pas d'odeur, se montra gourmand. Dillon sut vaincre les hésitations de ses amis et l'argent commença à affluer, sous la bienveillance du comte de Paris, dans les caisses du mouvement. On sut plus tard que la duchesse d'Uzès mit sa fortune, qui était considérable, au service de la cause. Dans cette intrigue royaliste, restée secrète, Alfred de Mun fut de ceux qui allaient dîner chez

---

1. Général anglais, devenu maître du pays après la mort de Cromwell, qui assura la restauration des Stuarts en 1660.

Boulanger affublés de fausses barbes, rêvant de faire du général un connétable, ouvrant la voie au roi.

Quant à Thiébaud, il travaillait pour le prince Napoléon. Il espérait qu'au cas où Boulanger ne saurait pas « tirer parti de la force qui s'était créée autour de son nom », on pourrait la capter en faveur du prince Napoléon. Entre celui-ci et Boulanger, Thiébaud organisa une rencontre secrète qui eut lieu, en Suisse, le 1er janvier 1888. Sans rien promettre, Boulanger laissait entendre aux uns et aux autres qu'il était leur homme.

Le mouvement socialiste lui-même, encore faible à l'époque mais déjà divisé en multiples tendances, ne parvint pas à échapper tout à fait à l'attrait boulangiste. Les plus révolutionnaires, guesdistes et blanquistes, espéraient au moins capter, eux aussi, le mouvement et le faire dériver vers la révolution sociale ; en tout cas, ils se refuseraient à aider « les républicains » dans la défense d'un régime d'exploiteurs. Seuls les possibilistes (c'est-à-dire les réformistes de l'époque), derrière Brousse et Allemane, entreront carrément dans l'anti-boulangisme. Cette attitude d'une partie des socialistes venait de ce que la république parlementaire se montrait incapable de résoudre les problèmes les plus urgents provoqués par la crise économique ; que dans ses conceptions libérales elle se refusait à toute intervention de l'État : le boulangisme était ainsi l'expression maladroite d'une véritable colère ouvrière, on ne pouvait pas en faire fi, on pourrait l'utiliser.

La marche triomphale.

Ainsi, la personne du général était devenue le lieu géométrique des espérances et des chimères les plus contradictoires. Mais, en définitive, ce n'étaient là que contradictions d'états-majors. Ceux-ci avaient mis Boulanger sur le devant de la scène mais, en dernier ressort, c'est le peuple qui le porterait au pouvoir. Et le peuple n'avait pas de programme ; le peuple se moquait des programmes : « Qu'importe son programme, dit encore Barrès, c'est en sa personne qu'on a foi [...]. On veut lui remettre le pouvoir, parce qu'en toute circonstance il sentira comme la nation. »

Le 19 août 1888, une triple élection partielle doit se tenir

en Charente-Inférieure, dans la Somme et dans le Nord encore
une fois. Entre-temps, Boulanger a subi un échec, le 22 juillet, dans le département de l'Ardèche. Était-ce une conséquence de son duel avec le président du Conseil Floquet ? A
la suite d'un échange injurieux à la Chambre, l'avocat et le
soldat s'étaient retrouvés, l'épée au poing, dans la propriété
du comte Dillon, à Neuilly. L'homme de robe avait eu le dessus, embrochant le général par le cou et le laissant plusieurs
jours entre la vie et la mort. Barrès dira de l'Ardèche : « Ce
département se détourna d'un Messie alité. » On enterrait
déjà, sinon Boulanger, guéri, du moins le boulangisme, jugé
moribond. Avant la consultation, *La Croix*, assez réservée
jusque-là, demanda au général « s'il voterait la liberté de la
religion, de l'association, de l'enseignement, et s'il ne persé-
cuterait jamais, comme beaucoup le redoutaient » ? Protestation de Boulanger : « Je réponds sans difficulté : je ne ferai
jamais, quoi qu'il arrive, de persécution religieuse. » Le soutien des catholiques à Boulanger s'en trouva encouragé.

Après une campagne fort active, au cours de laquelle les
millions de la duchesse d'Uzès tombèrent à propos, Boulanger fut triplement réélu par les 3 départements consultés.
Ouvriers, bourgeois, paysans, chacun paraissait trouver son
compte en votant pour lui. Qu'allait faire le héros de cet appel
populaire ? Les mieux informés en reçurent la confidence :
pendant près de six semaines, Boulanger quitta ses fidèles
pour un voyage d'intérêt personnel en Espagne et au Maroc.
Joli cœur, affligé d'une épouse ennuyeuse, Boulanger n'avait
cessé de collectionner les aventures dites sentimentales. Mais,
cette fois, il avait rencontré le « grand amour » dans les bras
de Marguerite de Bonnemains. Ainsi, au moment même où
la France parlait de Boulanger en termes de destin national,
le général travaillait à son bonheur individuel. Pareille esca-
pade a laissé Barrès indulgent : « Acceptons-le avec ses
défauts à la française. » Dans son entourage, on était plus
sévère : « Ce qu'il y a de plus faible dans le boulangisme, c'est
Boulanger. »

A son retour, les intrigues autour de lui reprennent de plus
belle ; le mouvement risque d'éclater en miettes. Cependant,
le 24 décembre, on apprend la mort d'un député de Paris,
le radical Hude. C'est une aubaine : Boulanger va pouvoir,

d'un seul coup, ressouder les différents éléments du boulangisme, tout en portant celui-ci au sommet.

Tous les adversaires de Boulanger — radicaux, opportunistes et modérés de tout poil — ont fait campagne pour Jacques. Celui-ci a été soutenu par un bataillon de journaux : *La Justice*, de Clemenceau, mais aussi *Le Parti ouvrier* des socialistes possibilistes, mais aussi *Le Temps* qui a des sympathies pour Jules Ferry, *Le Journal des débats*, qui est proche de la grande bourgeoisie d'affaires... En face, même disparité, même coalition d'intérêts hétéroclites : on trouve *L'Intransigeant*, mais aussi *La Croix*, *Le Soleil* qui est monarchiste, *L'Autorité*, qui est bonapartiste — et même *Le Figaro*, où toute la rédaction n'est pas d'accord...

Le soir du 27 janvier 1889, dans l'attente des résultats, Boulanger en habit, l'œillet rouge à la boutonnière, a dîné dans un salon du restaurant Durand. Il est entouré de tout l'état-major boulangiste. D'heure en heure, des agents électoraux apportent des résultats partiels ; d'heure en heure, le triomphe se dessine ; une foule grossissant aux abords du restaurant commence à scander : « Boulanger-à-l'Élysée ! » Ses proches, Laguerre, Déroulède, Rochefort et les autres, le pressent d'agir : il a pour lui le peuple, le suffrage universel, l'armée, la police sans doute... Qu'il dise un mot, qu'il donne un ordre : qui pourrait l'arrêter dans sa marche triomphale ?

Boulanger, pourtant, ne l'entend pas de cette oreille. Il demeure pénétré par la conviction qu'il ne faut pas entreprendre un coup d'État. Un moment, il s'esquive. On dira qu'il est allé voir Marguerite, dans un salon contigu ; que celle-ci l'aurait confirmé dans sa résolution de ne pas tenter l'aventure. Vers onze heures et demie, les chiffres définitifs sont connus : plus de 245 000 voix pour Boulanger contre 162 000 pour Jacques et 17 000 au socialiste Boulé. Le succès écrasant encourage Déroulède et les autres partisans du coup de force ; ils pressent de nouveau Boulanger ; qu'il ordonne, ils sont prêts ! Peine perdue : rien ne peut le convaincre.

« Minuit cinq, messieurs, déclare Thiébaud. Depuis cinq minutes, le boulangisme est en baisse ! » Aux dernières supplications de Déroulède, plus pâle que jamais, Boulanger rappelle le souvenir du Second Empire, « mort de ses origines ». Son père lui a récité, jadis, les imprécations de Victor Hugo

contre l'homme du Deux-Décembre. Et puis, à quoi bon ?
Les élections générales auront lieu à l'automne : dans quel-
ques mois, c'est en toute légalité que le mouvement portera
Boulanger au pouvoir.

Les défenseurs du régime en ont eu pour leur frayeur. Sur
le coup ils étaient réduits à l'impuissance. Toujours sûr de
lui, Floquet avait prédit la défaite écrasante de Boulanger :
Paris n'était-il pas aux mains des radicaux depuis 1873 ? Floquet n'avait pas prévu que l'électorat populaire, tant
d'anciens communards, tant d'électeurs radicaux allaient plé-
bisciter Boulanger, en même temps que les conservateurs. On
le voit dans l'analyse des résultats : aussi bien les quartiers
bourgeois que les arrondissements ouvriers et la banlieue ont
soutenu « *la Boulange* ».

Une victoire à la Pyrrhus.

Cette fois, mesurant le danger, tous les adversaires du mouvement césarien vont coaliser leurs volontés et user de tous
les moyens, légaux et extra-légaux, pour liquider le boulangisme avant les élections de septembre-octobre. Le ministre
de l'Intérieur Constans, du nouveau ministère Tirard,
s'emploie à creuser des contre-sapes. Condamnation de la
Ligue des patriotes. Chantage. Intoxication, qui provoque
la fuite de Boulanger en Belgique, puis en Angleterre.
Constitution du Sénat en Haute-Cour de justice et condamnation de Boulanger par contumace. Rétablissement du scru-
tin d'arrondissement. Interdiction des candidatures
multiples... Tout est mis en œuvre, y compris l'ouverture,
le 6 mai 1889, de l'Exposition universelle à Paris, sous la hou-
lette de la toute jeune Tour Eiffel.

Aux élections de septembre-octobre, les boulangistes
n'obtiennent que 44 sièges, Boulanger étant lui-même élu à
Clignancourt. Une petite minorité était composée de conservateurs ; le reste — dont était Barrès, élu à Nancy — allait
siéger à l'extrême gauche, aux côtés de socialistes. Le boulangisme était retombé, il se morcelait, mais il avait semé une
nouvelle graine dans la vie politique et dans la société française : celle du nationalisme.

Boulanger lui-même, malgré son esprit manœuvrier,

n'avait pas été à la hauteur du rôle d'homme providentiel que l'opinion lui avait imparti. Il se suicida sur la tombe de Marguerite de Bonnemains, à Ixelles, en Belgique, le 30 septembre 1891, ce qui fit dire à Clemenceau : « Il mourut comme il vécut : en sous-lieutenant. » Un autre observateur, l'abbé Mugnier, avait un commentaire différent mais tout aussi lapidaire, qu'il confiait à son Journal : « Ce coup de revolver dans le cimetière d'Ixelles est un nouveau triomphe pour la République [1]. »

Le boulangisme est né de trois facteurs de crise concomitants : économique, parlementaire, nationaliste. La dépression économique a provoqué un profond malaise dans les campagnes et dans les villes depuis le début des années 1880. Le régime républicain — dominé par les opportunistes — se révèle incapable de répondre aux vœux du suffrage populaire qui en espérait tant. Convaincus des bienfaits de la non-intervention de l'État, les modérés n'envisagent pas de législation sociale. Qui plus est, le régime parlementaire fonctionne en vase clos, selon des règles d'initiés et avec des apparences de désordre qui provoquent l'antiparlementarisme. Celui-ci provient d'une séparation de fait entre la classe politique — les hommes du sérail — et un suffrage universel dont la convocation régulière est sentie comme une attente toujours leurrée. Une petite moitié du peuple français se trouve exclue : celle dont les représentants, catholiques, monarchistes, bonapartistes, sont privés de la légitimité républicaine. L'autre moitié, dans l'impossibilité de se rallier à un parti dominant, distribue ses voix entre radicaux et opportunistes qui, pour être solidaires face aux ennemis du régime, n'en sont pas moins incapables de gouverner ensemble. Depuis les élections de 1885, les forces respectives de l'opposition de droite et de l'arbitrage radical conduisent à une instabilité ministérielle, dont l'image, plus encore que la réalité, est insupportable.

Or le système parlementaire, pour bien des républicains, n'est qu'un héritage de l'orléanisme. C'est précisément la crise et l'échec boulangistes qui imposeront l'assimilation entre

---

1. *Journal de l'abbé Mugnier (1879-1939)*, Mercure de France, 1985, p. 63.

république et régime parlementaire. Pour beaucoup d'hommes d'extrême gauche, il existait au contraire une incompatibilité entre les deux — la république requérant la démocratie la plus directe. Mais tout se passe comme si les fondateurs de la IIIe République, formés sous le Second Empire, tenaient le peuple pour un mineur, auquel on ne peut accorder que des libertés étroitement contrôlées : tout ce qui s'apparente à la législation directe fleure le plébiscite bonapartiste. Il y a confiscation de la souveraineté populaire au profit d'une « *démocratie gouvernée* » (Georges Burdeau), dont les députés sont les maîtres querelleurs.

La crise nationale, quant à elle, paraît n'être qu'un adjuvant. En fait, l'exaltation de l'idéal patriotique n'est qu'une autre manière de contester une classe politique jugée byzantine, concussionnaire et impuissante. Le nationalisme naissant touche le cœur des foules ; il leur offre cette part de poésie dont le système en place les a sevrées. C'est à travers ce troisième élément de crise que l'on comprend mieux, positivement, la ferveur boulangiste.

Nous voilà entrés dans l'ère de la communication de masse. Depuis 1881, la presse est devenue libre et bon marché. Or l'entrée en force de l'opinion dans la politique se heurte à la complexité d'un système qui frustre l'entendement du citoyen. Face à ces députés qui font et défont les cabinets, sans tenir compte de l'avis populaire, tandis que le président de la République n'est plus qu'un soliveau, le général Boulanger exerce d'autant plus d'attrait qu'il représente la simplification de la règle commune. On l'exalte parce qu'on espère des réformes, sans doute, mais aussi parce qu'on en attend une transposition dans le champ politique du système de références de la vie quotidienne : on fait confiance à sa personne, c'est un rapport direct d'homme à homme. S'il faillit, on saura encore à qui s'en prendre. La ferveur pour le grand homme est en proportion inverse du dégoût qu'on éprouve pour l'opacité du régime parlementaire — sur lequel on ne peut avoir prise.

Un vieux sédiment d'idolâtrie.

Ajoutons-y un autre facteur. Eugène Fournière, dans une étude de la *Revue socialiste* de 1888, évoquait « la foule, en qui reste un vieux sédiment d'idolâtrie ». L'histoire du XXᵉ siècle nous suggère l'épaisseur de cette sédimentation. En fait, la démocratie est un système exigeant, difficile, voire ingrat. Montesquieu la pensait peu praticable car il la fondait sur la vertu. Et de ce fait, ce qu'on a appelé le *wilsonisme* — autrement dit la corruption — est bien plus intolérable dans un régime démocratique que dans un régime mono- ou aristocratique. Mais la démocratie repose aussi sur une culture de la rationalité. Elle suppose que les citoyens, égaux entre eux, sont à même de traiter des problèmes de la Cité en connaissance de cause — ce qui ne peut être qu'un idéal, sans doute stimulant mais inaccessible. Or cette culture de la rationalité doit affronter la culture de la croyance — beaucoup mieux partagée. Celle-ci offre à la non-compétence autant d'explications que de solutions aux malheurs du temps. La société française a connu l'antagonisme dramatique des deux cultures lors de la Révolution. La culture rationnelle l'a, en principe, emporté. En fait, tout le XIXᵉ siècle est soumis à une recharge de croyance : superstitions en tout genre, relance du merveilleux chrétien, apparitions répétées de la Vierge, prédictions apocalyptiques, profusion d'intersignes, goût de l'occulte, etc.

C'est aussi à travers le prisme de ces attitudes qu'il faut considérer le phénomène Boulanger. De lui, on attend le miracle parce que l'histoire de la France est entendue comme une suite miraculeuse, depuis Clovis et la bataille de Tolbiac [1]. Cette culture de la croyance déborde la famille proprement catholique, elle investit jusqu'à l'extrême gauche socialiste qui, en ces années, est dans l'état d'esprit des premiers chrétiens attendant l'imminente parousie. La démocratie invite les citoyens à chercher les solutions de la vie collective en eux-mêmes ; le providentialisme leur promet des solutions imposées *d'ailleurs* — et généralement d'En-Haut.

De sorte que le boulangisme peut apparaître comme la conjugaison de deux mouvements contradictoires : 1° une exigence de démocratie gouvernante, le désir d'une véritable souveraineté populaire, le besoin de transparence dans le

---

1. Voir notamment Jacqueline Freyssinet-Dominjon, *Les Manuels d'histoire de l'École libre 1882-1959*, Colin, 1969.

système politique ; 2° une attente de l'imaginaire collectif, qui s'incarne dans un Sauveur et dont la mission sera de chasser les imposteurs en place (*dissolution*) et d'affirmer, à travers sa personne sacrée, la volonté générale (*révision*). Ces deux tendances se combinent dans la personne même de chaque partisan de Boulanger à des doses variables. La communication de masse fait le reste : la démocratie à peine née devra — en se reformant elle-même — relever le défi de la démagogie toujours renaissante.

Repères chronologiques

1882 19 janvier   Krach de l'Union générale.

1885 30 mars   Chute du cabinet Ferry.
14-18 octobre   Élections législatives.

1886 7 janvier   Boulanger ministre de la Guerre.

13 mars   Interpellation sur la grève de Decazeville.
14 juillet   Revue de Longchamp.
11 décembre   Boulanger, pour la deuxième fois, ministre de la Guerre.

1887 20-30 avril   Affaire Schnaebelé.
30 mai   Ministère Rouvier sans Boulanger.
8 juillet   Manifestation à la gare de Lyon.
2 décembre   Démission de Grévy.
3 décembre   Manifestation antiferryste à Paris. Carnot président de la République.

1888 14 mars   Boulanger mis en non-activité.
8 avril   Boulanger élu député de la Dordogne.
15 avril   Boulanger élu député du Nord.
22 juillet   Échec de Boulanger dans l'Ardèche.
19 août   Triple victoire électorale de Boulanger.

1889 27 janvier   Élection de Boulanger à Paris.
22 février   Deuxième ministère Tirard, Constans devient ministre de l'Intérieur.
1er avril   Fuite de Boulanger en Belgique.
6 mai   Inauguration de l'Exposition universelle.
22 sept.-6 oct.   Élections législatives.

2

Jules Guérin,
du Fort Chabrol

« Il est un homme dont la silhouette caractéristique reparaît, chaque fois que l'esprit public est profondément troublé, chaque fois que des manifestations violentes se produisent. Il se plaît dans le désordre comme certains oiseaux de mer se plaisent, dit-on, dans les tempêtes.

» Il s'appelle Jules Guérin.

» Qui racontera la vie de cet homme étrange ? Pareil récit pourrait prendre place au rez-de-chaussée de nos journaux, entre *Les Pirates de Paris* et les *Mémoires de Mandrin*. On y verrait souvent Jules Guérin flanqué de quelques douzaines de 'tueurs' et exerçant sur nos rues une sorte de dictature. »

C'est le 9 octobre 1898 que le *Voltaire* fait ainsi cas d'un singulier cabotin politique, dont le jour de gloire est proche. Nous sommes en pleine affaire Dreyfus. Depuis le mois d'août, Guérin a doté la Ligue antisémitique, dont il est le délégué général, d'un organe de presse officiel au titre franc et massif : *L'Anti-Juif*. L'argent vient du prétendant à la couronne, le duc d'Orléans, qui s'est publiquement rallié à la cause antisémite et s'imagine, en subventionnant Guérin, gagner les faveurs du peuple.

Guérin se flatte en effet de recruter ses fidèles, non pas chez les bourgeois comme Édouard Drumont, auteur de *La France juive* et directeur de *La Libre Parole*, mais dans les rangs ouvriers et anarchistes. En 1897, il a réorganisé la Ligue antisémitique ; on en compte désormais des sections dans chaque arrondissement de la capitale et dans les grandes villes

---

de province. Usant son éloquence sur toutes les estrades, il défend le petit commerce contre le grand « bazar juif », les ouvriers contre la haute finance « étrangère » et soutient les « doctrines révolutionnaires les plus violentes ». Dans son XIXe arrondissement, il a lancé un journal local, puis recruté une véritable garde prétorienne, parmi les chevillards, les servants d'échaudoirs et les garçons bouchers des abattoirs de la Villette, qui donnent à qui mieux mieux du nerf de bœuf dans les manifestations nationalistes.

En cette année 1898, Guérin transforme sa Ligue en « Grand Occident de France » (rite antijuif) et, face aux « menées » des « révisionnistes » et des « dreyfusards », il met le tapage à l'ordre du jour. Aux élections législatives du mois de juin, il a tant fait pour que Drumont soit élu à Alger qu'il a écopé huit jours de prison ferme. Mais il est sorti enivré sous les vivats algérois : « Vive Guérin ! Vive Drumont ! A bas les Juifs ! »

L'homme porte beau, jouant de la prunelle entre son feutre gris et ses moustaches mousquetaire. Le torse bombé, muni d'une canne plombée dont il ne se départ jamais, toujours un ou deux pistolets dans les poches, Guérin pose devant le petit peuple qui raffole du *miles gloriosus*. Parfois, il s'abandonne à se faire tâter les biceps par les garçons bouchers, qui apprécient en connaisseurs.

Le 30 août, il a un duel — un de plus — avec un journaliste, Philibert Roger, qu'il blesse d'une balle dans la mâchoire. Mais, furieux de voir sa victime récrire des articles contre lui, il le fait assommer quelques jours plus tard par une demi-douzaine de voyous, choisis dans ses « brigades de marche ». Or Guérin sort toujours impuni de ses mauvais coups. Quand il passe en octobre en correctionnelle pour avoir frappé un commissaire au cours d'une échauffourée, il s'en tire superbement avec 100 francs d'amende pour « port d'armes prohibé ». Quand, en janvier 1899, il est jugé aux assises pour l'affaire Roger, il est tout simplement acquitté. Les jurés (petits propriétaires, commerçants et employés) représentent assez bien une opinion parisienne de plus en plus acquise au nationalisme : Guérin lui plaît.

L'Anti-Juif redouble donc d'imprécations contre Zola, contre Picquart et tous les complices du « traître ». Mieux :

il en appelle carrément au coup d'État. C'est un sauveur qu'il nous faut, un homme honnête et énergique, qui nettoiera la République des Juifs et des francs-maçons.

A ce moment, Guérin est devenu plus qu'un simple « hercule de foire », comme le présentent ses adversaires. Il a des troupes, dont la jonction peut se faire avec celles de Déroulède et des autres ligues. Le régime en place est menacé. Or voici qu'on apprend, le 16 février 1899, la mort subite du président de la République Félix Faure. L'élection d'Émile Loubet, deux jours plus tard, est prétexte à de nouvelles manifestations de rue. Le 23 février, jour des obsèques du président défunt, voulant profiter de la foule, Déroulède tente d'entraîner sur l'Élysée le général Roget avec son régiment, mais en vain, le coup d'État est bien dans l'air. Or le jury de la Seine, devant lequel Déroulède comparaît le 31 mai, prononce l'acquittement du factieux. La température de l'opinion monte encore lorsque, le 3 juin, on apprend que la Cour de cassation vient d'annuler le premier jugement qui avait condamné Dreyfus, et qu'un nouveau conseil de guerre doit se tenir. En trois jours, l'indignation a pris le relais de l'enthousiasme chez les antidreyfusards. Le lendemain, aux courses d'Auteuil, Loubet, mal protégé, doit laisser son haut-de-forme se faire aplatir par un coup de canne. Le 11 juin, la gauche dreyfusarde réplique, envahit les rues, de la Concorde à Longchamp ; la République saura se défendre.

Dans ces journées de fièvre, le ministère Dupuy a manqué de nerf. A la place, c'est un ministère de défense républicaine, dont la direction est confiée, le 22 juin, à Waldeck-Rousseau. Celui-ci a nommé Lépine à la tête de la Préfecture de police ; tous deux sont décidés à venir à bout des ligues séditieuses qui tiennent le haut du pavé et comptent des sympathies au sein des forces de l'ordre. Persuadé qu'un complot est en train de s'ourdir contre l'État, le préfet Lépine procède à l'arrestation préventive des meneurs, dont Paul Déroulède est le plus populaire. Jules Guérin est bien sur la liste, lui aussi, mais il échappe aux agents qui, au lieu de venir chez lui, s'étaient rendus chez sa mère. Tandis que les autres conjurés présumés sont écroués à la prison de la Santé, en attendant la Haute Cour, Guérin embouche la trompette ; il ne se rendra pas, il va s'enfermer avec ses braves au siège du Grand Occident de France, et que la police l'assiège, si elle ose ; elle trouvera à qui parler !

Ainsi commence l'épisode du « Fort Chabrol ».

Depuis le mois d'avril 1899, Guérin avait installé les bureaux du Grand Occident et de *L'Anti-Juif* au 51, rue de Chabrol. Il y avait fait faire des travaux considérables et payait un loyer rondelet. Mais Guérin s'était accoutumé à mener sa vie à grandes guides, roulant voiture, régalant ses fidèles dans les endroits chics, faisant assaut de toutes les élégances : l'or du prétendant parait à ses fastes. Dans cet hôtel particulier de la rue de Chabrol, il avait installé une salle de réunion, disposait d'une salle d'armes... Bref, l'antre d'un somptueux condottiere.

Le 12 août, l'antre devient le « Fort Chabrol ». Guérin et une quinzaine de ses ligueurs s'y barricadent, après avoir stocké une charretée de conserves livrées par un magasin du quartier. Première réplique du gouvernement : on lui coupe le téléphone. Puis on concentre des policiers et des gendarmes aux abords. Mais Lépine ne donne pas l'assaut. Il piaffe, le bouillant Lépine. Il voudrait bien forcer la porte du drôle, lui, mais Waldeck-Rousseau a interdit l'effusion de sang. Faute de siège, on aura donc un blocus.

Guérin est d'abord soutenu par une bonne partie de l'opinion. Des badauds applaudissent. Mais le dimanche 20 août, les amis de Guérin, au premier rang desquels les bouchers de la Villette, se réunissent en nombre imposant boulevard Magenta, non loin de la rue Chabrol. Bientôt les agents de Lépine sont agressés à coups de boulons de fer ; plusieurs s'affaissent sur le trottoir. Les bouchers vont-ils délivrer Guérin ? Le sang de Lépine ne fait qu'un tour, comme on dit dans les romans-feuilletons. Mais le mieux est de laisser la parole à notre héroïque préfet, qui a écrit ses Mémoires :

« Mes hommes étaient ébranlés, sinon démoralisés... J'appelai mes réserves et à la tête de tout ce qui se trouva sous ma main, je fonçai sur ces sauvages, je crevai leurs rangs, et quand la débandade commença, je les poussai sabre au clair jusqu'à la grille de la gare de l'Est d'abord, jusqu'aux bâtiments ensuite, et jusqu'aux quais. Là, ayant de l'espace devant eux, ils se dispersèrent, et on ne les revit plus. »

Dès lors, il n'y a plus qu'à attendre que la faim et la soif fassent leur œuvre. Cependant, les vaillants assiégés essaient toutes les façons de communiquer avec l'extérieur. Louis Guérin, le frère du matamore, armé d'une paire de jumelles, lit les instructions que son frère lui écrit, à partir d'un appartement situé dans l'immeuble vis-à-vis. Des vivres passent par les toits. On fait même des trous dans les murs des immeubles contigus...

Les sympathisants tentent d'apporter leur aide. Les bruits les plus funèbres courent. On entend en effet des coups de pistolet. Mais non! ces messieurs s'entraînent. Une mère éplorée finit par obtenir le droit d'entrer voir son fils prétendument à l'agonie. Le brouhaha ne cesse pas rue de Chabrol. D'autant que des chanteurs de rue ont pris le temps de rimer l'épopée du grand Jules et les voici entonnant leurs couplets sur l'air de *La Paimpolaise* et autres. Un matin de septembre, c'est une bonne âme de Château-Gonthier qui adresse aux assiégés un panier... d'oies vivantes. La fermière n'avait sans doute jamais entendu parler des oies du Capitole, mais la police, plus experte en lettres latines, comme on sait, retourne les volatiles à l'envoyeuse. Le drame n'ayant pas éclaté, la comédie occupe désormais la scène.

Au bout de six semaines, les esprits s'étant ramollis et l'opinion fatiguée, Lépine obtient de Waldeck-Rousseau l'autorisation de forcer la porte. Les amis de Guérin, alertés, négocient la reddition du Vercingétorix des abattoirs. Le 20 septembre 1899, Lépine-César peut triompher; l'ordre règne dans le Xe arrondissement.

Le héros de Chabrol devait connaître une fin moins glorieuse. Condamné à la prison, puis au bannissement, il entreprend en 1902 une campagne contre ses alliés de la veille, le groupe de Drumont et de *La Libre Parole*, dont la concurrence en antisémitisme l'énerve. Mais un des anciens co-enfermés de la rue Chabrol, un dénommé Spiard, publie un ouvrage, *Les Coulisses du fort Chabrol*, dans lequel il peint Guérin sous les traits d'un chevalier d'industrie, au service du gouvernement. Pis : un ami de Drumont, Gaston Méry, dévoile le pot aux roses pour les lecteurs de *La Libre Parole*. Pendant plusieurs semaines, il narre la vie peu édifiante du sieur Guérin, un failli, un escroc, un incendiaire, un trafiquant de l'antisémitisme, et finalement un agent provocateur du préfet de police.

Guérin a beau faire, envoyer ses témoins, proférer des menaces, Méry, sans débrider, accomplit jour après jour son travail de sape et finit par convaincre ses lecteurs que le fort Chabrol n'a été qu'une « *grande mystification rémunératrice* ».

Jules Guérin resta en exil jusqu'en 1905, vivant de la pension que lui versait toujours le duc d'Orléans. Mais il était déconsidéré. Amnistié, revenu en France, il fit oublier son nom, avant de mourir à l'âge de cinquante ans, en 1910. Avec Guérin, l'antisémitisme de combat avait trouvé un champion ; avec l'antisémitisme, Jules Guérin, qui avait commencé dans les pétroles, avait trouvé une affaire flambante. Mais, comme a dit Napoléon, on peut donner une première impulsion aux affaires ; après, elles vous entraînent.

3

Huysmans
et la décadence

Pendant longtemps, Joris-Karl Huysmans n'avait été, pour des générations de lycéens, qu'un nom parmi d'autres que les manuels de littérature française accolaient à celui d'école «décadente». Des gens lettrés en savaient plus mais il fallut attendre le début des années soixante et la réédition de *Là-bas* par le Livre de Poche pour que Huysmans retrouve un public à la proportion de son talent. Gageons qu'il n'a pas fini sa carrière. On pourrait en effet se demander si la fin du XXe siècle ne va pas, par analogie, forcer notre attention sur la fin du siècle dernier : n'entend-on pas, ici et là, dénoncer les signes d'une nouvelle «décadence»? Huysmans, pour le coup, pourrait bien redevenir notre contemporain.

Entre Zola et Breton.

Trois livres, à peu près également célèbres, peuvent — grossièrement — résumer l'itinéraire de Huysmans. Le premier est *A rebours* ; il date de 1884, son auteur a alors trente-six ans. Sans qu'il en ait bien conscience, Huysmans signe avec ce roman (roman ?) l'arrêt de mort du naturalisme. C'est qu'à ses débuts lui-même était sous l'influence de Zola, dont il était devenu le familier. Dans ces premiers livres [1], dont *A vau-l'eau* est le plus significatif, il narrait de minables histoires

---

1. *Marthe*, *Les Sœurs Vatard*, *En Ménage*, *A vau-l'eau* ont été, entre autres titres, réédités en 1975 dans l'excellente collection «Fins de siècles» dirigée par Hubert Juin aux Éditions UGE 10/18. On y trouvera aussi des ouvrages d'Hugues Rebell, de Marcel Schwob et bientôt des frères Goncourt, de Jean Lorrain et de Joséphin Péladan.

L'Histoire, n° 13, juin 1979.

où des antihéros tuaient tristement leur temps dans des milieux sordides. Mais ce n'était pas écrit de n'importe quelle encre : les Goncourt y avaient déposé quelques-uns de leurs fluides « artistes » et, si l'on peignait l'infamie, c'était avec des préciosités d'enlumineur.

Pour changer d'air (« Je cherchais vaguement à m'évader d'un cul-de-sac où je suffoquais »), il imagine alors un personnage tout aussi dégoûté de la vie que ses précédentes marionnettes mais qui, par la culture et la richesse mises au service d'une imagination exubérante, va, après des tribulations communes, tenter de fuir toutes les platitudes de l'existence en vivant la plus extravagante des aventures *closes*. C'est, en effet, en ne bougeant pratiquement pas de la villa de banlieue où il a fait retraite que le duc Jean des Esseintes pousse au paroxysme de l'artifice son goût démesuré du rare, de l'étrange, du non-pareil en tout genre. Fuyant la vulgarité du siècle, il fait de ses jours une rhapsodie de sensations exceptionnelles et de sa maison un kaléidoscope de « correspondances » baudelairiennes où les sons, les couleurs, les parfums, les saveurs et les émotions se répondent dans une luxueuse harmonie.

La « nature » n'était plus de saison. Le modeste fonctionnaire à la Sûreté générale (où Huysmans fut décoré de la Légion d'honneur comme sous-chef de bureau) nourrissait ses fantasmes des images obsédantes, de luxure et de sang, dont la peinture de Gustave Moreau hantait ses contemporains. C'est aux limites de l'imaginaire et aux confins de la névrose qu'un art nouveau éclatait. Les ivresses de *L'Assommoir* étaient devenues écœurantes ; au loin pointait la révolution surréaliste.

Le deuxième grand livre de Huysmans est *Là-bas*, qui paraît en 1891. Durtal, le personnage central, fait une recherche historique sur Gilles de Rais, l'ancien compagnon de Jeanne d'Arc devenu le Barbe Bleue de la légende ; chemin faisant, il entre en relations avec des milieux occultistes et satanistes, peuplés de prêtres excommuniés et célébrant des messes noires, mais garde son quant-à-soi grâce à la conversation pleine de bon sens de Carhaix, sonneur de cloches à l'église Saint-Sulpice, dans le logement duquel (situé dans une tour de l'église) Durtal goûte au repos de l'esprit en même temps qu'aux délices culinaires de la femme du sonneur. Tout cela baigne dans une étonnante odeur de soufre et de pot-au-feu, de sacré et de profanation, de religion et d'érotisme. Comme nombre de ses concitoyens, Huysmans avait dit à un de ses amis qu'il cherchait dans les sciences occultes « une compensation aux dégoûts de la vie quotidienne, aux ordures de chaque jour, aux purulences d'une époque qui répugne ». Mais Huysmans connut de véritables obsessions diaboliques : son extrême sensibilité l'exposait à des terreurs surnaturelles qu'une partie de son entourage quelque peu hallucinée renforçait.

Si Huysmans adhère au catholicisme comme en témoigne *En route*, datant de 1895, c'est par quelques-uns des chemins étranges qu'annonçait *Là-bas*. En particulier l'influence qu'exerça sur lui Joseph-Antoine Boullan, prêtre défroqué, guérisseur et sectateur obsédé des problèmes sexuels, est aujourd'hui bien connue. La conversion de Huysmans fut du reste longtemps tenue pour suspecte. *En route*, largement autobiographique, qui narrait le retour à la foi catholique de Huysmans sous les traits de Durtal et décrivait dans le détail la vie monastique, n'eut pas l'heur de convaincre tout le monde. Certains critiques exprimèrent leur doute quant à la sincérité de Huysmans, la religion n'étant ici que prétexte à littérature. De nombreux prêtres réagirent vivement aux attaques contenues dans le livre contre la médiocrité du clergé séculier. « Un tel livre, écrivait un jésuite, ne peut être remis aux mains ni des jeunes filles, ni des jeunes gens, ni des femmes honnêtes… »

Quoi qu'il en soit, Huysmans devait rester catholique jusqu'à sa mort, en 1907. Au moment même où l'Église semble incapable de surmonter ses crises internes, sa médiocrité intellectuelle et les coups que la loi républicaine achève de lui porter, on assiste à une série de conversions éclatantes dans le monde littéraire, qui annonce le *revival* catholique des débuts du XXe siècle. Paul Claudel, Francis Jammes, en attendant Jacques et Raïssa Maritain (filleuls de Léon Bloy), Charles Péguy, Ernest Psychari, Henri Massis, ce sont, avec Huysmans, quelques-uns des noms les plus connus de ces convertis ; il y en eut de moindre talent mais non moins célèbres, tel Émile Baumann, dont les romans connurent de grands succès : la réaction anti-intellectualiste de l'époque, dont un des courants allait se fondre dans le nationalisme, produisait des effets en littérature, au point qu'un historien anglais, Richard Griffiths, a pu écrire : « Des écrivains [...], pour la première fois depuis deux siècles, allient de profondes convictions religieuses à un véritable talent littéraire [1]. »

« L'homme moderne est un blasé [2]. »

Pourtant, ce n'est pas l'écrivain catholique qui a entretenu la gloire posthume de Huysmans. Sans doute est-ce parce que ses œuvres les plus fortes précèdent sa conversion : ceux qui, découvrant *Là-bas* dans le Livre de Poche, se sont mis ensuite à lire *La Cathédrale*, publié peu de temps après dans la même collection, ont connu à peu près tous la même déception. C'est donc le *décadent* qui a gardé son prestige jusqu'à nous. Mais, au juste, qu'est-ce que la décadence ?

Pour être clair, il faudrait distinguer la décadence du déclin (d'un peuple, d'une société, d'une civilisation). Le *déclin* peut être apprécié en termes objectifs : avec des statistiques et des courbes, avec des poids et des mesures, car le déclin ressortit à l'économie, à la démographie, à la production culturelle. Dans ce dernier cas, les critères objectifs sont déjà moins sûrs : on peut bien établir que tel pays n'a pas obtenu le prix Nobel depuis x années, il est plus difficile d'affirmer qu'il n'a plus de poètes... Insensiblement, nous en arrivons à la notion de *décadence*, notion plus subjective, plus impressionniste, qui s'appuie peut-être sur quelques-uns des signes du déclin, mais qui peut tout aussi bien ne reposer que sur des préjugés ou des illusions. La décadence se réfère à l'état des mœurs, du « moral de la nation », aux aspects les plus visibles des mutations économiques, politiques, sociales et psy-

---

1. Robert Griffiths, *Révolution à rebours. Le renouveau catholique dans la littérature en France de 1870 à 1914*, Desclée De Brouwer, 1971.
2. « La société se désagrège sous l'action corrosive d'une civilisation déliquescente. L'homme moderne est un blasé. Affinement d'appétits, de sensations, de goûts, de luxe, de jouissances, névrose, hystérie, hypnotisme, morphinomanie, charlatanisme scientifique, schopenhauérisme à outrance, tels sont les prodromes de l'évolution sociale » (*Le Décadent*, 10 avril 1886).

chologiques, qu'on interprète en termes négatifs. La décadence peut, dans certains cas, ne désigner que le changement,
qui est facteur d'angoisse : les références de mon enfance
s'écroulent, que vais-je devenir ?

Il y a donc toujours, peu ou prou, dans nos sociétés des
contempteurs de la décadence. Mais, parfois, ceux-ci peuvent être suffisamment nombreux et doués pour se faire
entendre. Surtout s'ils ont quelques éléments de *déclin* à stigmatiser. Les mouvements réactionnaires dénoncent ainsi la
décadence au nom d'un âge d'or qui a été perdu.

A la fin du XIXe siècle, la France est-elle en déclin ? On
peut sur ce sujet disserter longtemps. Ce qui est sûr est qu'un
mouvement réactionnaire se développe contre les nouveautés politiques (le règne des libertés), philosophiques (le processus de séparation de l'Église et de l'État), économiques
(l'industrialisation), sociales (l'urbanisation et les menaces
qu'elle fait peser sur la société patriarcale)... La « décadence »
ne manque pas de preuves pour alimenter son antienne.

Les écrivains et les artistes qui se proclament « décadents »
dénoncent, quant à eux, la « platitude », la « trivialité »,
l'« ennui » d'une époque, déjà guettée par l'« américanisation ». L'aristocratie est morte, les temps épiques sont passés, l'ère de la démocratie commence avec son cortège
d'horreurs égalitaires, le journalisme et bientôt le cinématographe. De sorte que le *décadent* vitupère le style et les mœurs
de son époque, caractérisée par la bassesse standardisée. Mais,
en même temps, par défi, il assume la décadence et la reven-
dique en s'engageant sur des voies esthétiques que le commun
juge morbides : recherche du bizarre, du précieux, du factice, et aussi du faisandé, du délétère, du pervers. Contre la
banalité de son temps, il contourne son écriture, multiplie
les néologismes, raffine dans l'exotique, jure d'étonner dans
le moindre détail : tout doit concourir à l'affirmation d'un
monde artiste séparé du *vulgum pecus*. Mais, par un de ces
paradoxes dont la vie est prodigue, ces artistes finissent à
force de fuir leur époque par lui donner un style car, de la
littérature et de la peinture aux arts décoratifs il n'y a qu'un
pas, bientôt franchi. Et voici le métropolitain de Paris, preuve
vivante de la modernité décriée, multiplier dans la capitale
les grâces de fonte d'une décadence, rebaptisée du coup

modern'style. Qu'il y eût une relation entre les dégoûts affichés par des Esseintes et la flore forgée des stations de métro, construites une vingtaine d'années après *A rebours*, c'est de quoi a pu s'émerveiller Huysmans dans ses derniers jours.

Les décadents entretenaient donc avec la décadence des rapports ambigus et une complicité qui fut dénoncée par les nouveaux champions de l'énergie nationale. L'affaire Dreyfus puis le danger allemand à partir de 1905 replongent la France dans la passion politique : le mouvement décadent ne lui survit pas. Le nationalisme, entre autres, lui porte un coup fatal. Maurras, au nom de l'harmonie classique et de la race latine, dénonce en Huysmans le « barbare » : « La violence pour la violence, la grossièreté qui hurle pour le plaisir, les enfantines crudités, les niaiseries, rien ne répugne davantage au pur génie français. » Léon Daudet, autre écrivain de *L'Action française*, stigmatise *Le Stupide XIXe siècle* comme « celui du nombre brut, de la quantité... » où « l'audace fut du côté des destructeurs ». Or, « il s'agit de faire que, maintenant, elle soit du côté des reconstructeurs, de ceux qui détiennent le bon sens et le réveil de la raison agissante ».

De fait, le XXe siècle somma les artistes à s'engager : les mouvements nationaliste, fasciste, socialiste, communiste... les appelèrent à reconstruire un monde nouveau, un ordre nouveau, une cité radieuse. Or voici qu'en cette fin de siècle que nous vivons, tous ces engagements apparaissent à beaucoup comme autant de « services inutiles » et que l'avenir, radieux ou non, nous échappe. De nouvelles tendances « décadentes » pourraient bien fleurir sur les tombes des espérances mortes, renforcées par les nouvelles preuves d'un déclin de l'Occident. Mais aussi de nouvelles aspirations spirituelles. J.-K. Huysmans, mal dans sa peau, mal dans son siècle, avait en son temps déjà tenté de vivre... à rebours.

4

Georges Sorel :
un « fasciste » de gauche ?

On a beaucoup entendu parler de Georges Sorel, ces temps derniers. Le débat, relancé par Zeev Sternhell, sur le « fascisme français », a remis sur la place publique le nom de ce théoricien politique dont l'influence a été marquante en Italie, où un Mussolini s'était déclaré débiteur à son égard. Pour Zeev Sternhell, Sorel représentait, en France même, le type de ces intellectuels venus de la gauche qui, sans être nommément « fascistes », avaient largement contribué au phénomène d'imprégnation fasciste de l'entre-deux-guerres : n'était-il pas à la fois un révisionniste du marxisme et un antidémocrate résolu ? Du reste, Sorel n'avait pas seulement offert au fascisme quelques-unes de ses idées maîtresses, indirectement, à son insu ; il avait lui-même, vers 1910, opéré son rapprochement vers l'extrême droite, allant jusqu'à collaborer avec Georges Valois et autres maurrassiens, et sacrifier, lui l'ancien dreyfusard, au démon de l'antisémitisme.

De bons connaisseurs de Sorel se sont alors émus de ce réductionnisme. S'il est vrai que les variations politiques de l'auteur des *Réflexions sur la violence* laissent encore perplexe, on ne saurait pour autant négliger l'imposant travail théorique auquel il s'est adonné toute sa vie et qui fait de lui, entre autres originalités, l'un des meilleurs connaisseurs français de la pensée de Marx, ou celui dont Gramsci disait : « Il est compliqué, décousu, incohérent, superficiel, sibyllin ; mais il fournit ou il suggère des points de vue originaux, il trouve des liens auxquels on n'avait pas pensé et qui pourtant sont vrais, il oblige à penser et à approfondir. » Aussi vit-on les défenseurs de Sorel passer à la contre-attaque. La revue *Esprit* en fut le premier instrument, qui publia une critique du *Ni droite ni gauche* de Zeev Sternhell, sous la signature d'un autre universitaire israélien, Shlomo Sand, un des meilleurs connaisseurs de la pensée de Georges Sorel [1]. De manière moins polémique, Jacques Julliard mettait en garde Zeev Sternhell, dans les *Annales*, contre la confusion, fréquente sous sa plume, entre Georges Sorel et le « syndicalisme d'action directe » de l'ancienne CGT [2].

C'est dans ce contexte de controverse intellectuelle, mais sans que celui-ci en ait été la cause, que de nouvelles recherches sur Sorel viennent enrichir la connaissance de ce qu'on est tenté d'appeler ce caméléon de la pensée sociale. Jacques Julliard, directeur d'études à l'École des hautes études en sciences sociales et éditorialiste du *Nouvel Observateur*, a lancé en 1983, en compagnie de Shlomo Sand et de quelques autres, les *Cahiers Georges-Sorel*, dont le deuxième numéro annuel vient d'être publié [3]. Entreprise scientifique, qui devrait être complétée par l'édition progressive des œuvres complètes de Sorel, dont l'état d'éparpillement rend d'autant plus difficile l'interprétation. Et puis, Shlomo Sand vient de faire paraître une étude érudite, *L'Illusion du politique Georges Sorel et le Débat intellectuel 1900* [4]. Bref, le brouillard est en train de se dissiper autour de cette espèce d'hippogriffe de la pensée politique.

Né en 1847, polytechnicien, Georges Sorel a d'abord travaillé comme ingénieur d'État, jusqu'à l'âge de quarante-cinq ans. Après quoi il se consacre à son œuvre écrite, multipliant les articles et les livres. De cette première « vie », il y a peu à dire, sinon que par ses origines Sorel, on le devine, ne fait pas partie des réseaux intellectuels habituels et se démarque en particulier du milieu universitaire qu'il détestera moins que cordialement toute sa vie. Autre chose aussi : ce fils de bour-

---

1. *Esprit*, août-septembre et décembre 1983.
2. Jacques Julliard, « Sur un fascisme imaginaire », *Annales ESC*, juill.-août 1984.
3. *Cahiers Georges-Sorel*, 2, Société d'études soréliennes, 1984.
4. Shlomo Sand, *L'Illusion du politique Georges Sorel et le Débat intellectuel 1900*, La Découverte, 1984.

geois normands (il a vu le jour à Cherbourg) est tombé amou-
reux d'une fille de paysans pauvres, Marie-Euphrasie David.
D'abord ouvrière, elle travaille dans un hôtel à Lyon. C'est
là que, à vingt-huit ans, il fait sa connaissance : elle le soi-
gne, alors qu'il est malade. Ils ne se quitteront plus, jusqu'à
la mort de Marie, en 1897. Sorel écrit alors à Benedetto
Croce : « J'ai perdu ma chère et dévouée femme qui avait
été la compagne de vingt-deux ans de travaux et à qui j'étais
lié *per la forza del primo amore*. Son souvenir, je l'espère,
restera la meilleure partie de moi-même et la vraie âme de
ma vie [1]. »

Or cette femme tant aimée ne fut jamais l'épouse légitime
de Sorel, ce qui étonne d'un homme extrêmement rigoureux
sur les mœurs, toujours prompt à dénoncer la décadence
morale. Il semble bien que Sorel, respectueux de ses parents,
ne voulut jamais contrarier leur *veto*, y compris après leur
mort. Toujours est-il que la présence à ses côtés d'une femme
sortie du peuple, quasiment illettrée, eut pour effet de mar-
ginaliser Sorel dans son propre milieu et l'entraîna à connaître la classe ouvrière mieux que par les livres.

En 1893, il entame sa carrière de penseur socialiste. Portant sur son époque et sur le régime de république bourgeoise
un regard méprisant de moraliste (c'est le temps du scandale
de Panama), épris d'un souci d'absolu, il croit trouver chez
Marx les outils scientifiques d'une philosophie sociale. Il
devient alors, pendant cinq ans, comme le dit Shlomo Sand,
« une espèce de compagnon de route du parti guesdiste ». Il
collabore à ces deux premières revues marxistes qu'ont été,
en France, *L'Ère nouvelle*, puis *Le Devenir social*, en comp-
gnie de Lafargue, Deville et autres intellectuels proches du
Parti ouvrier français. Mais, en 1898, premier coup de barre
à droite : à la suite d'Édouard Bernstein, Sorel va entrer dans
le révisionnisme du marxisme, planter là ses amis guesdistes, et, l'affaire Dreyfus explosant en janvier, se faire le militant de cet autre révisionnisme, également abhorré des
guesdistes : la révision du procès qui a expédié à l'île du Diable le capitaine juif.

Au cours de cette phase « dreyfusienne », Sorel, qui a tou-

---

1. Cité par Pierre Andreu, *Notre maître M. Sorel*, Grasset, 1953.

jours conçu le plus grand dédain pour le socialisme démocratique, porte Jaurès aux nues et soutient même la participation de Millerand dans le gouvernement bourgeois de Waldeck-Rousseau : « La conduite admirable de Jaurès est la plus belle preuve qu'il y a une éthique socialiste. » Contre la réaction, redevenue si dangereuse, les socialistes doivent prendre leurs responsabilités et ne pas hésiter à soutenir la gauche. Mais, en 1902, coup de barre à gauche et adieu Jaurès ! Après les élections qui portent Émile Combes à la tête du gouvernement, le spectacle d'une république radicale, à la mesquinerie de laquelle Jaurès donne la caution socialiste, l'éloigne des dreyfusards et autres intellectuels socialistes, partis à la « curée » : de 1903 à 1908, il va se faire le praticien d'un autre compagnonnage de route, celui du syndicalisme révolutionnaire, nouvelle chance de ce « socialisme prolétarien », dont les partis marxistes et les pratiques parlementaires des réformistes se sont révélés de si piètres interprètes.

Au cours de cette nouvelle séquence quinquennale (c'est Sand qui observe ce rythme quinquennal dans l'évolution de Sorel), notre auteur fait entendre la voix des déçus du dreyfusisme. Parmi ceux-ci, Charles Péguy a été le plus éloquent. Du reste, Sorel et Péguy ont fait un bout de chemin ensemble. Le premier fréquentait la boutique des *Cahiers* du second et le second appelait le premier, par un hommage de cadet à aîné : « *Notre bon maître M. Sorel* ». Un autre cénacle exprime alors cette critique du dreyfusisme politique : *Le Mouvement socialiste*, revue dirigée par Hubert Lagardelle et dans laquelle Sorel va se trouver un moment en communion d'esprit. C'est au cours de cette période, en 1906, qu'il publie son livre resté le plus célèbre, *Réflexions sur la violence*, réputé comme une sorte de théorie officieuse du syndicalisme révolutionnaire.

Le syndicalisme de la CGT séduit Sorel, en ce qu'il se maintient dans la lutte des classes, contrairement à la démocratie qui « mêle les classes ». Aspirant à un idéal d'héroïsme, rien ne répugne tant à Sorel que ces scènes de compromis, dont la Chambre est le théâtre, entre la bourgeoisie et les socialistes parlementaires. La violence prolétarienne doit rappeler « les bourgeois au sentiment de leur classe » ; au syndicalisme révolutionnaire, nul adversaire n'est plus enviable qu'un capi-

talisme de combat ! Sorel n'a nullement en vue l'amélioration de la vie des ouvriers au moyen de réformes légales — ce
qu'il appelle « un arrangement des appétits sous les auspices
des avocats politiciens » : ce à quoi aspire cette âme corné-
lienne, c'est au « sublime » ; ce n'est pas la « société future »
qui l'intéresse — il déteste l'utopie —, c'est la grandeur
morale acquise dans et par la lutte. Voilà pourquoi il fait
l'apologie de la grève générale, mythe générateur de l'esprit
combattant et moissonneur de gloire : « Dans la ruine totale
des institutions et des mœurs, il reste quelque chose de puissant, de neuf et d'intact, c'est ce qui constitue, à proprement
parler, l'âme du prolétariat révolutionnaire ; et cela ne sera
pas entraîné dans la déchéance générale des valeurs morales, si les travailleurs ont assez d'énergie pour barrer le chemin aux corrupteurs bourgeois, en répondant à leurs avances
par la brutalité la plus intelligible [1]. »

C'est aussi au cours de cette période rouge que Sorel
commence à distiller un antisémitisme d'autant plus curieux
chez lui qu'il l'avait dénoncé antérieurement comme une
duperie pour la classe ouvrière et qu'il avait vanté la culture
et l'histoire juives. Dans une excellente mise au point, publiée
dans la dernière livraison des *Cahiers Georges-Sorel* (preuve
que ceux-ci ne tombent pas dans la célébration), Shlomo Sand
a suivi avec précision cet étonnant dérapage de la pensée sorélienne. Il n'était, du reste, pas unique en son genre. En juillet 1906, *Le Mouvement socialiste* publie un article de Robert
Louzon intitulé « La faillite du dreyfusisme ou le triomphe
du parti juif ». Sorel l'approuve, au point, nous dit Sand,
de suggérer à Lagardelle d'adresser l'article à... Drumont.

En 1909, après les événements de Villeneuve-Saint-
Georges [2], Sorel en vient à diagnostiquer la faillite du syndicalisme révolutionnaire. Et nouveau coup de barre à droite !
Mais cette fois très à droite, infiniment plus à droite que le
socialisme de Jaurès ou même de Millerand. Son antidémocratisme viscéral, il en cherche désormais le point d'application dans les courants d'extrême droite influencés par

---

1. Georges Sorel, *Réflexions sur la violence*, Rivière, 10ᵉ éd. 1946.
2. Voir Jacques Julliard, *Clemenceau briseur de grèves*, Julliard,
« Archives », 1965.

Maurras. Petits pas d'un rapprochement : en septembre 1909, Sorel donne une interview à *L'Action française* ; en 1910, Maurras y consacre un article à Sorel ; en avril de la même année, Sorel donne un article au journal monarchiste. Sorel entretient alors un commerce d'idées avec Georges Valois, lequel préconise, dans les publications du « nationalisme intégral », le rapprochement de la classe ouvrière et de la monarchie. Les deux hommes conçoivent le projet de *La Cité française*, « revue antidémocratique et anticapitaliste ». Le projet avorte mais Sorel va avoir le loisir de développer ses nouvelles positions dans la revue *L'Indépendance*, tandis que son ami Édouard Berth va concrétiser le rapprochement avec Valois par la création, en 1912, des *Cahiers du Cercle Proudhon*, dont Valois dira plus tard : « Ce fut la première tentative fasciste en France. » Au cours de cette période blanche, Sorel s'abandonne à un antisémitisme « plus primaire que théorique » (Shlomo Sand), dont il ne départira plus jusqu'à la fin de sa vie.

Va-t-il pour autant emboucher, en 1914, les clairons du patriotisme ? Eh bien, pas du tout ! L'année précédente il a rompu avec les milieux d'extrême droite et le voici, au moment des grands héroïsmes qu'il appelait de ses vœux, tournant les talons à l'Union sacrée. Là on ne comprend plus très bien. On avait cru que Georges Sorel était avant tout un moraliste, un philosophe social anxieux face à ce qu'il considère comme la décadence de la civilisation, cherchant l'agent historique de la régénération, ce qui explique la contradiction entre sa cohérence éthique et son incohérence politique, mais alors pourquoi se retire-t-il sur l'Aventin au moment même où la force des choses jette des millions d'hommes dans la vie héroïque, celle de Verdun et des tranchées quotidiennes ? Lui, qui voyait dans la violence l'instrument de la grandeur morale, la violence de la guerre lui est-elle trop étrangère ? En tout cas, il condamne dans sa correspondance la « soif de carnage » des gouvernants et « la servilité » des peuples.

C'est le nouveau, c'est le dernier coup de barre à gauche de Sorel, que confirme l'enthousiasme dont il fait montre dans les dernières années de sa vie pour Lénine et la révolution bolchevique. Sa haine des « orgueilleuses démocraties bourgeoises » se concilie avec sa demande de sublime, à laquelle répond la geste de la Révolution russe. On vivait dans Feydeau et voici que Corneille nous revient du froid. Là-dessus, Sorel ne changea plus d'avis, puisqu'il mourut avant Lénine, dans un état de pauvreté qui avait été de toute sa vie.

Et Mussolini ? direz-vous. N'a-t-on pas dit que Sorel, à la fin de sa vie, avait non moins admiré Mussolini que Lénine ? Sur ce point, Shlomo Sand est formel : ça, c'était un bobard, une prétendue confidence qu'il aurait faite à Variot, person-nage douteux, avec qui il s'était brouillé entre-temps. Mais doit-on suivre Sand sur ce terrain ? Il reste tout de même quel-ques phrases de sa correspondance qui nous montrent notre Sorel perméable à l'action des fascistes. Ainsi écrit-il, le 26 août 1921, à Benedetto Croce : « Les aventures du fascisme sont peut-être à l'heure actuelle le phénomène social le plus original de l'Italie : elles me semblent dépasser de beaucoup les combinaisons des politiciens [1]. » Disant cela, Sorel restait fidèle à son antidémocratisme. Admirer conjointement le futur *Duce* et le créateur du parti bolchevique n'était qu'une contradiction *politique* ; ce n'est pas sur ce terrain-là, on l'a dit, qu'il faut chercher la cohérence de la pensée sorélienne.

« Éveilleur d'idées », « type hors série », comme dit Boris Souvarine [2], Sorel a distribué à tous vents : les fascistes ita-liens, les fascistes français (les vrais et les faux) se sont récla-més de ses idées ; les partisans du socialisme ouvrier, opposés au socialisme étatique, au socialisme « des intellectuels » et au socialisme parlementaire, peuvent toujours y prendre des leçons. D'autres, au bout de la traversée, fatigués de virer de bord, confesseront plus prosaïquement... un léger mal de mer.

---

1. Cité par Pierre Andreu, *op. cit.*
2. Lettre de Boris Souvarine publiée dans les *Cahiers Georges-Sorel*, 2, p. 187-198.

5

Péguy : préfasciste ou insurgé ?

Charles Péguy, poète français, né le 7 janvier 1873 à Orléans, mort au front (au double sens du mot : à la guerre et à la tête) le 5 septembre 1914, ne finit pas d'entretenir sur sa vie et sur son œuvre une bataille d'experts en tout genre : en littérature, en socialisme, en catholicisme, en nationalisme, et autres. C'est que Péguy, comme quelques autres « monstres sacrés » de son pays — un Proudhon, un Sorel, par exemple —, appartient à une espèce d'hommes et d'auteurs dont l'unité est difficile à cerner, sinon insaisissable. Des partis contraires s'en réclament : et l'État français de Vichy et la Résistance. On l'aime à gauche et à droite ; on le déteste ici et là. Bien peu pourraient se vanter d'avoir lu son œuvre complète qui n'a jamais été complètement publiée. Chacun se fait son idée, bonne ou mauvaise ; le plus souvent, avec passion. En 1973, Jean Bastaire publiait ainsi un *Péguy tel qu'on l'ignore*[1]. C'était une anthologie tout à fait remarquable d'un certain point de vue, disons « préguyste de gauche ». L'auteur nous en prévenait : « Péguy est un auteur dangereux, car il dérange les idées reçues, menace les conformismes... La droite l'a réduit aux dimensions d'un petit soldat en pantalon garance mourant pour son pays, un crucifix à la main. La gauche a fait mieux encore : elle l'a escamoté. » Et le recueil qui suivait, sans oublier le Péguy patriote et chrétien, de nous restituer le Péguy « révolutionnaire », « socia-

---

1. Jean Bastaire, *Péguy tel qu'on l'ignore*, textes choisis et présentés par Jean Bastaire, Gallimard, « Idées », 1973.

L'Histoire, n° 52, janvier 1983.

liste », « anarchiste ». Deux ans plus tard, Jean Bastaire réci-
divait par son essai : *Péguy l'insurgé*[1].

Un pareil titre attire le rire moqueur d'Henri Guillemin,
qui, après une enquête d'une « vingtaine d'années », publie
en 1981 son *Charles Péguy*[2], où il rappelle avec un malin
plaisir qu'en 1942 Brasillach faisait de Péguy « un très grand
sociologue digne d'être l'inspirateur de la France nouvelle,
bref un national-socialiste français ». Mussolini avait écrit
bien avant lui : « Dans le grand fleuve du fascisme, vous trouverez les courants... de Sorel, de Péguy, de Lagardelle[3]. »
Bernard-Henri Lévy, dans sa fracassante *Idéologie française*,
avait jugé que la question : Péguy nationaliste ou Péguy
socialiste, n'avait pas grand intérêt, dans la mesure où il
annonce, comme Barrès, « un *national-socialisme à la française*[4] ». Pas moins !

Fort heureusement pour l'hygiène de nos lettres, toutes ces
passions croisées ne découragent pas la critique et la recherche patientes, desquelles se dégage peu à peu la figure tragique d'un Péguy simultanément arrachée à ses « fans »
inconditionnels et à ses agresseurs posthumes. Il convient ainsi
de signaler les travaux de Simone Fraisse et tout particulièrement son excellent *Péguy*, de la collection « Écrivains de
toujours », destiné à tous ceux qui veulent s'initier à la vie
et à l'œuvre du fondateur des *Cahiers de la quinzaine*[5]. Il
faut surtout recommander le livre que Géraldi Leroy a consacré à sa philosophie et a son itinéraire politiques : *Péguy entre
l'ordre et la révolution*[6]. Dans une langue sobre et précise
et en puisant aux meilleures sources — en particulier celles
détenues par le Centre Charles-Péguy à Orléans —, cet auteur
a fait preuve de ces ceux qualités conjointes qu'on demande
à l'historien : la sympathie et l'esprit critique.

Immuable ou changeant, fidèle ou transfuge, Péguy a-t-il

1. Jean Bastaire, *Péguy l'insurgé*, Payot, 1975.
2. Henri Guillemin, *Charles Péguy*, Éd. du Seuil, 1981.
3. *Ibid.*
4. Bernard-Henri Lévy, *L'Idéologie française*, Grasset, 1981.
5. Simone Fraisse, *Péguy*, Éd. du Seuil, « Écrivains de toujours »,
1979.
6. Géraldi Leroy, *Péguy entre l'ordre et la révolution*, Presses de la
Fondation nationale des sciences politiques, 1981.

été un prophète intemporel ou une girouette passée du socialisme anticlérical au nationalisme catholique ? L'un des grands mérites du livre de Leroy est d'avoir analysé et replacé les écrits de Péguy dans leur chronologie. Quoi qu'en dît l'intéressé lui-même en son temps, qui mettait rétrospectivement du catholicisme (récent chez lui) dans son dreyfusisme de jeunesse, à preuve de son invariabilité, Géraldi Leroy a distingué les étapes de son évolution politique. Comment le fils de la rempailleuse de chaises, le boursier d'Orléans, a d'abord été républicain et patriote. Comment entre 1891 et 1898, il s'est « converti » à un socialisme d'essence morale, sous l'influence de la trilogie normalienne Jaurès-Andler-Herr ; comment, en 1898, il devient un des sublimes agitateurs de l'affaire Dreyfus, réchauffant les tièdes, entraînant les prudents, harcelant tous les pontes du socialisme pour qu'ils s'engagent dans la bataille de la justice, stratège du Quartier latin mobilisant ses troupes entre la rue d'Ulm et la Sorbonne pour contrer les bandes nationalistes... Comment la déception l'atteint, en 1899, au congrès socialiste de la salle Japy, quand il découvre que Jaurès, le grand Jaurès qu'il admire, sacrifie quelques-unes de ses convictions sur l'autel de l'unité avec les guesdistes. Le libertaire qui est en lui se cabre contre le dogmatisme et le sectarisme dont le parti est menacé par la domination marxiste : « J'ai trouvé le guesdisme dans le socialisme comme j'ai trouvé le jésuitisme dans le catholicisme. » Comment il fait paraître dans des conditions héroïques d'acharnement et de pauvreté ces *Cahiers de la Quinzaine*, qui, de 1900 à 1914, portent la marque de sa rupture progressive avec le socialisme officiel, de sa sympathie pour le syndicalisme révolutionnaire, puis de sa rupture avec lui, du choc décisif qu'il reçoit du « coup de Tanger » en 1905, à partir duquel il considère que tout doit être subordonné à la défense de la patrie menacée. Comment, partant, il se marginalise du mouvement ouvrier, restant sans un mot devant les violents affrontements de classes de 1906-1909. Comment il devient dans les dernières années de sa vie un catholique à part, un nationaliste à part, un homme seul, rompant avec ses amis les uns après les autres, emplissant ses *Cahiers* d'une colère aveugle contre le « monde moderne » et d'une fureur méchante contre les hommes qui l'incarnent

— un Lavisse ou un Seignobos à la Sorbonne, un Marc San-
gnier dans le catholicisme, un Jaurès dans le socialisme... Restant néanmoins, malgré toutes les attaques *ad hominem*, qui
ont tant desservi sa mémoire (celles lancées contre Jaurès étant
les plus célèbres), l'un de nos grands écrivains dans l'ordre
de la pauvreté. Il écrit ainsi, en 1913, dans *L'Argent Suite* :
« Je ne veux rien savoir d'une charité chrétienne qui serait
une capitulation constante devant les princes, et les riches,
et les puissances d'argent. Je ne veux rien savoir d'une charité chrétienne qui serait un constant abandonnement du pauvre et de l'opprimé. Je ne reconnais qu'une charité chrétienne,
mon jeune camarade, et c'est celle qui procède directement
de Jésus, (Évangiles, *passim*, ou plutôt *ubique*) : c'est la
constante communion, et spirituelle, *et temporelle*, avec le
pauvre, avec le faible, avec l'opprimé. » Péguy s'était rallié
à Poincaré, mais il faisait un drôle de poincariste, répétant :
« Je suis un vieux révolutionnaire » et magnifiant le souvenir de la Commune de Paris.

Géraldi Leroy nous dit : « La conjoncture a fait de lui un
homme de gauche qui marche à droite. A une phraséologie
qui se veut toujours révolutionnaire, il juxtapose désormais
une pratique conservatrice. Cette contradiction, ces oscilla-
tions entre un présent bloqué et conservateur, auquel il
n'arrive pas, malgré tout, à s'identifier, et un passé militant,
dont il ne peut ni ne veut se détacher tout à fait, expliquent
le malaise d'une prose qui essaie de surmonter le hiatus par
des outrances unilatérales, des antithèses forcées, des affirmations aussi péremptoires que discutables. »

Malgré l'indiscutable évolution politique de Péguy,
l'homme et l'œuvre gardent une unité secrète. Socialiste, il
n'adhère pas à la lutte de classe ; proche des syndicalistes révolutionnaires, il ne dit jamais un mot en faveur de la grève
générale ; devenu nationaliste, il reste jusqu'au bout ferme-
ment opposé à toute forme d'antisémitisme et témoigne de
son admiration constante pour Israël : « Il y a chez Péguy,
écrit Edmond-Maurice Lévy, une résonance juive, absolument unique dans la littérature française. » Péguy n'a jamais
été un homme de parti. Dans le dreyfusisme, il a épousé une
cause sainte qui mêlait des hommes de toutes les classes dans
un combat d'essence morale. La suite du dreyfusisme a été

pour lui trahison parce que, d'une « mystique », le dreyfusisme est devenu une « politique ». Son dégoût du parlementarisme, son moralisme, tout comme sa défiance de la lutte
de classe, révèlent finalement chez lui une répugnance pour
la politique, qui doit bien avoir son explication quelque part.
Pour Géraldi Leroy, il faut chercher la clé de Péguy dans son
enfance, dans l'enseignement qu'il a reçu ; il a été le « trop
bon élève » de l'école républicaine, le fils respectueux des
tabous d'une mère autoritaire : il « a beaucoup trop intério-
risé les impératifs de la morale sociale et familiale pour pouvoir les liquider complètement, fût-ce au prix de spectaculaires
manifestations. Aussi leur obéira-t-il sous forme déguisée ».

Quoi qu'il en soit, Péguy n'est pas seulement un morali-
sateur de notre vie politique, c'en est un de nos meilleurs pro-
sateurs. Chez lui, il ne faut pas chercher la « cohérence
doctrinale » mais des cris de ferveur et d'indignation splen-
dides ; les plus beaux hymnes à la justice, à la vérité, à la pauvreté, à côté des traits polémiques les plus injustes ; le sens
de la formule lapidaire dans une prose qui marche au pas
des bœufs... Voilà pourquoi on parle encore de lui
aujourd'hui. Reste à savoir s'il n'est pas destiné à rester un
auteur de morceaux choisis — la meilleure et la pire des pos-
térités.

6

Gustave Hervé,
de la guerre sociale
à la guerre

Gustave Hervé ne paie pas de mine. Mais il n'a pas la mine de tout le monde. Petit, dodu, le cheveu très court, laissant négligemment végéter quelques poils à son menton, l'œil myope derrière son lorgnon, on prendrait volontiers sa flaccidité pour celle d'un personnage de Courteline, s'il n'avait l'idée de la comprimer dans une veste étroite à col militaire, qu'il a fait tailler dans une ancienne tunique d'officier. C'est sans doute en raison de cette tenue martiale qu'on l'appelle familièrement « le Général ».

Il est effectivement général, mais d'une armée singulière : celle des antimilitaristes et des antipatriotes. Il peut se vanter, vers 1910, au moment où il dirige l'hebdomadaire *La Guerre sociale*, de pouvoir compter sur des milliers de « bons bougres », qui n'attendent que son signal pour se jeter dans l'insurrection. Gustave Hervé est alors, pour une minorité fiévreuse du Parti socialiste et bon nombre d'« anars », un vrai révolutionnaire qui ne fait pas carrière à la Chambre, comme les « blablateurs » et les « bourgeois » du parti. Certains l'appellent le « Blanqui moderne » : il croit au coup de force plutôt qu'aux urnes et il passe une bonne partie de son temps en prison — tout comme l'Enfermé.

Le département de l'Yonne a été la circonscription de ses premiers faits d'armes. Hervé est pourtant un vrai Breton ; il vient de Brest. Bénéficiant d'une bourse, il a pu faire ses études à Paris. Et puis, à force d'entêtement, de privations, de travail solitaire, il est devenu, de pion, professeur, réus-

Le Matin Magazine, 19 décembre 1989.

sissant l'agrégation d'histoire en 1897. Il se fixe à Sens, en pleine affaire Dreyfus ; c'est de là que commence sa carrière publique.

Sa carrière de professeur, quant à elle, ne va pas s'éterniser puisqu'il est révoqué assez vite par le Conseil supérieur de l'Instruction publique. Car, malgré l'impression débonnaire qu'il laisse de lui, Hervé est un violent. Socialiste, et de l'espèce extrémiste, il prend au pied de la lettre les couplets de *L'Internationale.* Un article explosif, publié le 6 juillet 1900, dans *Le Travailleur socialiste* de l'Yonne, est à l'origine de sa gloire. Hervé y célébrait l'anniversaire de la bataille de Wagram à sa façon : « Wagram, journée de honte et de deuil ! » La fin du texte retenait particulièrement l'attention : « Tant qu'il y aura des casernes, pour l'édification et la moralisation des soldats de notre démocratie, pour déshonorer à leurs yeux le militarisme et les guerres de conquête, je voudrais qu'on rassemblât, dans la cour principale du quartier, toutes les ordures et tout le fumier de la caserne et que, solennellement, en présence de toutes les troupes en tenue n° 1, au son de la musique militaire, le colonel, en grand plumet, vînt y planter le drapeau du régiment. »

L'article est signé « Un Sans-Patrie », mais on a tôt fait, dans l'émotion qu'il a suscitée, de retrouver le véritable auteur. Le général André, ministre de la Guerre, porte plainte. Traduit devant la cour d'assises d'Auxerre, en novembre 1901, Hervé est défendu par Aristide Briand. Les jurés, apparemment pas trop émus par l'opprobre jeté sur les trois couleurs ou charmés par la voix caressante d'un avocat qui en séduira d'autres, acquittent le sacrilège. Mais on ne voue pas impunément le drapeau au fumier aux yeux des vigilants patriotes de l'Instruction publique : le 6 décembre 1901, Gustave est flanqué à la porte de son lycée.

Qu'à cela ne tienne ! Le pédagogue, chez Hervé, ne sommeillera pas pour autant. Sa vocation de professeur, il lui donne libre cours toute sa vie. Et pas seulement dans les journaux. Il rédige de vrais manuels d'histoire et d'instruction civique, non officiels évidemment, qu'il signe fièrement : « Gustave Hervé, agrégé de l'Université, professeur révoqué. » Des manuels qui ne sont pas dans le goût de l'*alma mater.* Hervé y professe sa foi socialiste avec des images fortes et des mots simples : « Les socialistes considèrent que, par-dessus les frontières, tous les travailleurs exploités ont les mêmes intérêts ; qu'ils doivent s'entendre pour empêcher leurs classes dirigeantes de les jeter les uns contre les autres dans des guerres internationales fratricides, etc. »

Qu'on imagine le scandale de ces manuels à une époque où tous les petits Français s'allaitent aux mamelles patriotiques d'Ernest Lavisse, et où les grands, seraient-ils de gauche, considèrent encore l'armée comme une « arche sainte ».

Gustave Hervé, au demeurant, n'a guère d'idées personnelles. Il ne fait que reprendre la doctrine de la gauche socialiste en matière d'armée et de patrie. Mais c'est un tempérament. Il a, en provocateur-né, l'art de concentrer ces idées-là en formules choc. Sa fameuse *Histoire populaire* est l'objet d'un débat à la Chambre, qui lui vaut la solidarité de Jaurès et un vote d'hostilité écrasant.

Professeur déchu, Hervé prépare sa licence de droit pour devenir avocat. Encore une carrière vite écourtée ! A peine inscrit au barreau de Paris en 1905, il est radié du Conseil de l'Ordre avant d'avoir pu sauver la tête du moindre voleur de pommes. Car les concessions ne sont pas de ses habitudes et il continue sa campagne antimilitariste, se signalant une nouvelle fois, en cette année 1905, par la signature qu'il donne à une affiche rouge « Aux conscrits », qui soulève les protestations, jusqu'aux rangs socialistes.

Décidément, il n'y a plus pour lui qu'une tribune, d'où il pourra continuer à jeter ses pétards en toute indépendance : le journal. En décembre 1906, il lance, avec quelques amis, un hebdomadaire révolutionnaire, *La Guerre sociale*. C'est l'organe, dira-t-il, des socialistes antiparlementaires et anti-réformistes ; des syndicalistes d'action directe ; des communistes libertaires qui se préparent à entraîner les masses pour la future insurrection ; bref, « un organe de concentration révolutionnaire ».

Le succès ne les boude pas. Le journal est bien fait, vivant. Almeyreda, qui en est le secrétaire de rédaction, a le chic pour improviser les titres qui font mouche. Les articles et les caricatures réjouissent toute cette extrême gauche, qui se moque des « socialos-de-rose ». Hervé et ses compagnons entretiennent l'esprit insurrectionnel, antimilitariste, anticolonialiste, à coups de déclarations tonitruantes et de reportages à effets. La crise marocaine leur donne l'occasion de fustiger le « brigandage » de la conquête et de prendre parti pour les Marocains. Les inculpations pleuvent, les condamnations s'accumulent, la Santé et la Conciergerie deviennent les résidences secondaires d'Hervé. Rien ne paraît l'arrêter. Pourtant, le journaliste outrancier donne, hors de ses articles, toutes les apparences d'un homme tranquille. Il ne « sort » pas, il déteste les brasseries, il dort comme un enfant, on ne lui connaît pas de maîtresse... Il n'a guère qu'une faiblesse — pour les petits plats cuisinés et, de temps en temps, les bonnes bouteilles de bourgogne, qu'il a appris à apprécier dans sa province d'adoption. Il entre en prison et sort de prison avec la quiétude d'un fonctionnaire qui se rend à son bureau. Ce vociférateur n'aime ni les gros mots ni les mauvaises manières. Sous son verbe orageux, une âme paisible veille.

Entre deux séjours à la Santé, il mène l'agitation dans les congrès socialistes, où il est suivi par une fraction « insurrectionnaliste ». Sa spécialité est de pourfendre l'action parlementaire et il peut se vanter que l'hervéisme gagne du terrain. Pas seulement avec des mots. C'est lui qui organise, en octobre 1909, la manifestation devant l'ambassade d'Espagne, à la suite de l'exécution de Francisco Ferrer. Une nuit entière de bataille rangée, au cours de laquelle l'inévitable préfet de police Lépine manque d'être tué. Mieux encore, Hervé, en 1910, lance ses troupes pour arracher à la guillotine un autre condamné, Liabeuf, qu'on disait innocent. Naturellement, après cette bataille-là, Hervé se retrouve encore en prison.

Mais la prison finit par lui mettre de l'eau dans son bourgogne.

Quand Gustave Hervé sort une nouvelle fois de la Conciergerie, en juillet 1912, il publie dans *La Guerre sociale* le produit de ses méditations carcérales. Il est resté le même, Hervé, il le dit, il le proclame, il est toujours le socialiste révolutionnaire qu'on a toujours connu. Mais il a réfléchi. Il faut changer de tactique, dit-il, sur trois points. *Primo*, on doit cesser d'attaquer l'activité parlementaire, parce que c'est affaiblir le parti. *Secundo*, un « désarmement des haines » est nécessaire, face au danger de césarisme et de guerre ; seul un bloc

soudé entre Parti socialiste et CGT barrera la route à un nouveau boulangisme. *Tertio*, et voici le plus nouveau, Hervé
demande à ses amis de reconsidérer le problème militaire. Si
l'on veut faire la révolution, il nous faut compter sur l'appui
de l'armée, ou d'une partie de l'armée ; donc, fini l'antimilitarisme, vive le « militarisme révolutionnaire ». Il s'agit désormais de faire pénétrer nos idées socialistes dans les casernes,
transformer les bleus en rouges, et même gagner à la Sociale
les sous-offs mal payés et ces intellectuels pauvres que sont
la plupart des officiers.

Le lecteur ordinaire de *La Guerre sociale* en reste bouche
bée. Le « Général », qui mérite décidément son surnom, vient
s'expliquer lors d'une grande réunion, salle Wagram (un nom
qui le poursuit !), le 25 septembre 1912. Il y a foule, mais
l'orateur est chahuté par les anars de la Fédération communiste. Coups de poings et coups de revolver rivalisent. Hervé,
protégé par des jeunes gardes musclés, reste maître de la salle.
Il peut clamer son nouveau mot d'ordre, qu'il emprunte à
Napoléon : « Une révolution, c'est une idée qui a trouvé des
baïonnettes. »

Quand la guerre éclate en 1914, Hervé veut s'engager, mais
le ministre de la Guerre le juge trop précieux à la tête de son
journal. Certes ! Comme Hervé en fait toujours trop, il va
désormais en rajouter dans le patriotisme. Dès le 9 août, *La
Guerre sociale* reproduit à la une... *Le Clairon* de Déroulède,
avec portrait photographique du poète ligueur en prime.

Le néo-hervéisme indispose, tout autant que le primo-
hervéisme, les instances de la SFIO. Le 1er janvier 1916, Hervé
le poilu troque sa *Guerre sociale* contre un quotidien, dont
le titre — *La Victoire* — est plus approprié aux circonstances. Au fil de ses éditoriaux, il développe l'idée d'un « socialisme national », qu'il oppose à la lutte des classes et à
l'internationalisme. Le 22 octobre 1916, Hervé est exclu du
Parti socialiste.

La guerre a achevé la métamorphose de l'ex-insurgé. Dans
les années vingt et trente, il garde la même passion, mais il
a changé de foi. Hier, la Révolution ; aujourd'hui, la Patrie.
Pendant vingt années encore, il va se dépenser en faveur de
son « socialisme national », fondateur de groupuscules éphé-
mères, éditorialiste toujours désintéressé et toujours véhément

de *La Victoire*. En 1935, il en appelle à une République autoritaire et plébiscitaire. Après la victoire de la gauche en 1936, il publie une brochure au titre tristement prémonitoire : *C'est Pétain qu'il nous faut*. Pourtant, Hervé cesse toute activité politique, au moment même où, dans le lit de la défaite, le maréchal dictateur, qu'il avait appelé de ses vœux, s'installe.

Histoire d'un transfuge, histoire d'une girouette, dont notre XXe siècle est bourré, la vie de Gustave Hervé est à la fois touchante et dérisoire. Mais on a vu des itinéraires semblables tourner de façon plus dangereuse. Mussolini, lui aussi, avait été un champion de l'antimilitarisme. Il faut toujours se méfier des champions.

7

Une parabole fasciste :
« Gilles » de Drieu La Rochelle

Malgré leur échec politique en France, les idées fascistes ont pu y trouver un terrain fertile : une famille d'esprits formés par les œuvres de Drumont, de Barrès, de Maurras y inclinait naturellement. N'est-ce pas en France qu'on peut observer les signes — au moins doctrinaux — les plus nets d'un proto-fascisme avant 1914 ? La démarche d'un Drumont et d'un Morès, le « socialisme » d'un Barrès, la convergence d'un Valois et d'un Sorel : autant d'étapes dans la genèse du fascisme, c'est-à-dire l'alliance théorique du nationalisme et du socialisme contre la démocratie libérale et parlementaire. Quoi qu'il en advînt par la suite, le fascisme a été durablement pensé, en effet, par ses adeptes intellectuels français comme le résultat de cette synthèse voulue avant 1914 par la gauche de l'Action française (Valois) et les transfuges du syndicalisme révolutionnaire (Berth, Sorel) : « Ce sont deux mouvements qui semblent, et qui sont, en effet, aux antipodes l'un de l'autre ; et, néanmoins, c'est de leur libre opposition que jaillira le nouvel équilibre social[1]. » Parallèlement à ce qui se passe en Italie à la même époque — la rencontre d'une extrême gauche et d'une extrême droite nationaliste autour de la *Lupa*, revue dirigée par Paolo Orano[2] —, on observe en France un semblable creuset, ainsi décrit par Drieu La Rochelle :

1. Emmanuel Berth, cité par Pierre Andreu, *Notre maître, M. Sorel*, Grasset, 1953, p. 88.
2. Voir E. Santarelli, « Le socialisme national en Italie », *Le mouvement social*, janv.-mars 1965. L'auteur mentionne l'influence sorélienne dans ce rapprochement.

Drumont et Cie, Éd. du Seuil, 1982.

« Sans doute quand on se réfère à cette époque, on s'aperçoit que quelques éléments de l'atmosphère fasciste étaient
réunis en France vers 1913, avant qu'ils le fussent ailleurs.
Il y avait des jeunes gens sortis des diverses classes de la
société, qui étaient animés par l'amour de l'héroïsme et de
la violence et qui rêvaient de combattre ce qu'ils appelaient
le mal sur deux fronts : capitalisme et socialisme parlementaire, et de prendre leur bien des deux côtés. Il y avait, je
crois, à Lyon, des gens qui s'intitulaient socialistes-royalistes
ou quelque chose d'approchant. Déjà, le mariage du nationalisme et du socialisme était projeté. Oui, en France, aux
alentours de l'Action française et de Péguy, il y avait la nébu-
leuse d'une sorte de fascisme [1]. »

Passons sur l'à-peu-près d'une telle évocation ; l'important
est ici la définition du fascisme, *tel qu'on y crut* (et non point
tel qu'il fut réalisé), cette alliance explosive de deux « abso-
lus » — comme disait encore Berth — que pouvait tenter de
structurer Georges Valois en fondant le Faisceau en 1925,
sur le modèle mussolinien :

« L'opposition du nationalisme et du socialisme, écrit-il,
a paru irréductible dans le régime parlementaire [...]. L'opération salvatrice du fascisme est d'annuler le caractère irréductible de cette opposition [2]. »

Le Faisceau a fait long feu, comme on sait, mais non l'idée
qui le sous-tendait — cette fameuse synthèse opératoire. Ce
qu'on a parfois appelé « l'esprit des années 1930 [3] » avait
bien pour dénominateur commun : le refus de la démocratie
bourgeoise et parlementaire, et la volonté, pour édifier un
« ordre nouveau », de réunir les énergies de droite et de gauche contre la molle République de concentration. Après
février 1934, les « non-conformistes des années 30 [4] » durent
choisir leur camp, qui la droite, qui la gauche : décidément,
il était difficile de changer la règle du jeu politique en France.
C'est à ce moment-là pourtant que Pierre Drieu La Rochelle

---

1. *Les Nouvelles littéraires*, 2 février 1934.
2. *Le Nouveau Siècle*, 25 janvier 1926.
3. Voir Jean Touchard, « L'esprit des années 1930 », in *Tendances politiques dans la vie française depuis 1789*, Hachette, 1960.
4. Jean-Louis Loubet Del Bayle, *Les Non-Conformistes des années trente*, Éd. du Seuil-Gallimard, 1969.

est saisi d'un nouvel espoir : n'a-t-on pas vu, dans la manifestation du 6 février, des ouvriers communistes marcher du même pas que des bourgeois nationalistes ? Peu de temps plus tard, il se déclare *fasciste* et publie une série d'articles recueillis bientôt sous le titre de *Socialisme fasciste*[1]. En 1936, Drieu pense avoir découvert l'expression politique de ses idées dans le PPF de Doriot — ce maître d'œuvre enfin trouvé de la synthèse fasciste. Pendant deux ans, il va s'affirmer comme un des porte-plume les plus remarqués de *L'Émancipation nationale*, l'organe du PPF, jusqu'à sa rupture avec Doriot en octobre 1938.

A la même époque, un autre écrivain fasciste, Robert Brasillach, suivit un itinéraire parallèle sinon identique. Pour lui aussi, la « grande recherche » était de réaliser « l'idée fasciste ou nationale-socialiste », savoir « l'union d'une doctrine sociale forte et de l'intelligence nationale[2] ».

Si telle est bien, en ses débuts, l'originalité du fascisme, on peut légitimement conclure à son échec : dans les régimes mussolinien et hitlérien montrés en exemple par les écrivains fascistes français[3], on sait à quel point le nationalisme a complètement étouffé le « socialisme ». Mais à rester dans l'œuvre des fascistes français, on peut mesurer la pauvreté de leur propre socialisme : si Valois restait encore proche des conceptions soréliennes, Drieu et moins encore Brasillach ne prenaient au sérieux les fondements les plus communs du socialisme. Le mot était pratique, on en jouait abusivement. Dans le cas de Drieu, on peut même se demander jusqu'où allait son nationalisme : n'était-ce pas le drame des fascistes français, que d'avoir cru voir, au lendemain du 6 février, « l'aube du fascisme se leve [r] sur la France[4] », et d'avoir eu à subir la victoire du Front populaire deux ans plus tard ? Douter de la France (« est-ce que vraiment on nous fera croire que désormais les grands sentiments sont incompréhensibles à la France[5] ? ») conduisait à espérer dans l'Europe — une

1. *Socialisme fasciste*, 1934.
2. Robert Brasillach, *Notre avant-guerre, op. cit.*, p. 30.
3. Voir Paul Sérant, *Le Romantisme fasciste... ou l'œuvre politique de quelques écrivains français*, Fasquelle, 1960.
4. Henri Béraud dans *Gringoire*, cité par Robert Brasillach, *op. cit.*, p. 151.
5. Robert Brasillach, *op. cit.*, p. 271.

Europe qui, en de notables parties, échappait déjà à la décadence libérale. Le nationalisme de Drieu, impraticable dans le cadre français, débouchait logiquement sur un « nationalisme européen » qui annonçait déjà l'impasse « collaborationniste » des années d'Occupation.

Si le socialisme de Drieu est plus que suspect, si son nationalisme est sujet à caution, que reste-t-il de la synthèse fasciste et de la nouveauté fasciste ? Peu de chose, en vérité, comme en témoigne *Gilles*, ce roman-bilan, ce roman autobiographique, que Drieu écrit à la veille de la guerre.

Ce roman s'impose en effet à l'historien des idées politiques. Mieux que la plupart des écrits théoriques, il présente dans le désordre apparent de l'intrigue mais selon une logique propre à l'idéologie de l'auteur, qui avait été pendant deux ans le penseur du PPF, un riche catalogue des idées fascistes, telles qu'elles ont pu s'exprimer dans le cadre français.

Gilles a été publié en octobre 1939 : la censure de guerre avait alors supprimé maints passages du roman ; c'est en 1942 que devait paraître la version intégrale, enrichie d'une préface rédigée par l'auteur au cours du mois de juillet de la même année.

De ce récit qui retrace à sa façon une vingtaine d'années d'histoire — de la Grande Guerre à la guerre d'Espagne —, rappelons les grandes lignes :

La première partie du roman, « La permission », narre le retour du front à Paris d'un jeune combattant, Gilles Gambier, qui vient d'être blessé. Sans famille, à l'exception d'un tuteur impécunieux retiré en Normandie, sans argent, mais désireux de jouir au maximum des délices de l'arrière, il parvient à vivre dans l'aisance grâce aux femmes, sur lesquelles il exerce un universel attrait. L'une d'elles réussit à le retenir, Myriam Falkenberg, sœur de deux compagnons d'armes « morts au champ d'honneur ». Elle est jolie, intelligente ; elle est riche surtout. Ce « bon parti » le décide au mariage, malgré ses préventions, cependant qu'à la faveur des relations de sa future épouse il obtient un poste au Quai d'Orsay. A la suite de ce mariage bénéfique mais immoral, un sursaut de dignité renvoie Gilles au front, où de nouvelles amours consomment sa rupture avec une épouse qu'il n'a jamais aimée.

La deuxième partie, « L'Élysée », a pour cadre chronologique les années vingt. Gilles mène à Paris une vie légère, distraite et — malgré ses fonctions au ministère — dépourvue d'ambition. Après avoir divorcé d'avec Myriam, il semble enfin connaître la réussite sentimentale auprès de Dora, jeune femme américaine, mère de deux enfants, jusqu'au jour où, mis l'un et l'autre devant un choix décisif, il éprouve la douleur de perdre sa maîtresse avec la conviction d'avoir été puni pour médiocrité. Une médiocrité qui le dépasse, une médiocrité proprement française, qui tient aussi à son entourage : fréquentant un groupe de littérateurs révolutionnaires dirigé par Caël, il place en ces nouveaux amis l'espoir de détruire ou d'aider à la destruction d'une société bourgeoise qui lui fait horreur. Mais il a tôt fait de s'apercevoir du caractère pusillanime de ces révolutionnaires de café : le complot qu'ils méditent contre l'honneur du président de la République se termine de la façon la plus piteuse et la plus inavouable pour eux.

La troisième partie, « L'Apocalypse », nous transporte dans les années trente et particulièrement en 1934. Quittant le Quai d'Orsay, optant délibérément pour la pauvreté — une pauvreté qu'il avait toujours redoutée —, Gilles va faire retraite dans le désert algérien d'où il ramène Pauline (qu'il épousera plus tard) et de mâles résolutions. De retour à Paris, il fonde *L'Apocalypse*, journal d'opinion, qui lui permet de gagner modestement sa vie et celle de Pauline : c'est un pamphlet contre la France radicale-socialiste ; c'est aussi, dit-il, une « prière ». Entré désormais dans le jeu politique, Gilles attend le salut pendant quelque temps, d'une fructueuse alliance des forces vives qui restent à la France : l'extrême droite et l'extrême gauche. Un moment, il croit l'occasion venue lorsqu'il pressent chez Clérences, jeune-Turc radical, des intentions voisines des siennes. Mais le 6 février le porte en quelques heures de la plus grande exaltation au plus profond abattement. Suivi en effet du fol espoir que tout devient possible, Gilles somme Clérences d'agir, mais le caractère décidément velléitaire de son ami le renforce dans le sentiment, menacé l'espace d'une émeute, de l'irrémédiable décadence de la France. C'est à l'occasion de ces journées dramatiques, dernière chance de sursaut finalement gâchée, qu'il se déclare ouvertement « fasciste ».

La guerre d'Espagne est le théâtre de l'«Épilogue». Gilles y participe du côté de Franco. L'âpre discipline de la guerre le sauve personnellement à ses propres yeux de la chute où son pays est entraîné. L'ascétisme militaire, le goût de l'action, la morale du risque le préparent à tout le moins à une mort héroïque qu'il attend le fusil à la main.

Remarquons, sans nous y attarder longuement, la nature indiscutablement autobiographique de ce roman. Gilles a plus d'un trait caractérologique de Drieu, mais, si l'on s'en tient aux seules ressemblances factuelles entre la vie du romancier et celle de son personnage, nous pouvons noter des coïncidences évidentes. Le romancier qui publie *Gilles* en 1939 a quarante-six ans ; il est de la classe d'âge de son héros, ancien combattant comme lui, blessé comme lui au combat. L'un et l'autre épousent une jeune fille juive en premières noces ; l'un comme l'autre divorcent. Drieu fréquente les dadaïstes puis les surréalistes comme Gilles s'intègre au groupe Caël — caricature reconnaissable d'André Breton. Et combien d'autres traits communs encore : on sait que le désespoir de Gilles après que Dora l'eut quitté est un épisode authentiquement vécu par son père littéraire en 1925 ; que Drieu a été le collaborateur de Bergery comme Gilles l'ami de Clérences ; qu'il s'est reconnu fasciste enfin en 1934, tout comme son héros... Ces exemples suffisent : sous le masque de la création artistique, un écrivain doublé d'un homme politique se confesse et, du même coup, nous fait prendre la mesure d'une « vocation » fasciste.

Gilles est sans doute d'abord l'analyse, ou l'auto-analyse, d'un cas singulier, celui de Pierre Drieu La Rochelle. Dans une étude récemment parue, le Dr Robert Soucy nous montrait qu'on pouvait expliquer les options politiques et idéologiques de Drieu à partir de ce que l'on peut bien appeler son « complexe d'infériorité [1] ». Ce n'est point là notre propos ; nous voudrions déceler, au contraire, ce que *Gilles*, au-delà de Drieu, contient de plus général ; en quoi les idées, les images, les mythes véhiculés par ce roman ressortissent à une idéologie qui, tout en étant celle de Drieu, est commune, en

1. Dr R. Soucy, « Le fascisme de Drieu La Rochelle », *Revue d'histoire de la Deuxième Guerre mondiale*, avril 1967, p. 61-84.

de multiples aspects, à toute une intelligentsia de droite de son époque. Que la psychanalyse, ou toute autre psychologie, nous permette de mieux comprendre la démarche de Drieu paraît incontestable, mais elle ne peut expliquer à notre sens l'option finalement fasciste de Drieu : les prédispositions à la névrose acquises dans la petite enfance, l'application à vaincre sa peur, la volonté de surmonter son angoisse peuvent décider de tout autres choix. Autrement dit, l'analyse des « idées politiques » ne nous paraît pas superfétatoire : si ces « idées » n'existent pas en elles-mêmes, elles ne sont pas nées pour autant des seuls fantasmes d'un individu isolé ; elles participent d'un milieu et d'un temps ; par là même, elles dépassent celui qui s'en est fait le propagateur. C'est le caractère spécifique de ce roman de Drieu que nous avons voulu retenir, ce qu'il charrie parfois de moins personnel : en quoi il témoigne du fascisme français dans son ensemble. Tel qu'il apparaît dans ce livre, le fascisme fut un violent refus de la France contemporaine, une nostalgie avouée d'un âge d'or révolu, et le rêve moins précis d'un ordre nouveau. C'est dans cette économie secrète que la leçon de *Gilles* se dévoile ; c'est celle-là que nous allons suivre.

Une ultime remarque de méthode s'impose au préalable. Le discours de Drieu se laisse entendre sur trois registres ; c'est d'abord le discours direct, l'auteur exposant sa pensée de manière explicite ; c'est ensuite le discours indirect, symbolique ou parabolique, par lequel l'auteur, en toute connaissance, veut compléter sa leçon par l'exemple et l'image, laissant au lecteur le soin de conclure ; c'est enfin, malgré l'auteur, ce que son récit contient d'aveux inconscients. Dans notre présentation, nous mêlerons ces trois registres par souci de synthèse, ce qui nous conduira à faire simultanément la traduction idéologique du roman telle que Drieu l'eût vraisemblablement acceptée et l'interprétation personnelle à laquelle nous nous risquerons — interprétation d'où la critique ne sera évidemment pas exclue.

La décadence.

Dans la préface de *Gilles*, Drieu enracine son roman — et toute son œuvre même — dans le fumier de la décadence française : « Je me suis trouvé comme tous les autres écrivains contemporains devant un fait écrasant : la décadence [1]. » Le mot (ou l'idée) est le *leitmotiv* de *Gilles* : il n'est pas de fait ni de personnage qui n'en rende compte à sa manière. Qui plus est, cette décadence paraît « irrémédiable [2] », à tout le moins aux yeux de Carentan, le vieux tuteur de Gilles, que Drieu nous présente comme une manière de Mage, retiré sur ses terres normandes, qu'on vient consulter de temps à autre comme la Pythie à Delphes : « Voici, dit l'oracle, les derniers jours de cette fameuse 'civilisation'. L'Europe qui n'a pas croulé en 1918 s'en va lentement en ruine [3]. »

« La France se meurt », de maladies multiples et incurables. Il n'est besoin que de visiter un village normand pour mesurer les ravages de la dépopulation et de l'alcoolisme ; il y a eu les morts de la Grande Guerre, les blessés, les mutilés, survivants sans progéniture, ou ceux qui ont eu des enfants, « tous morts en bas âge ; alcoolisme et syphilis [4]… », et puis tous ceux qui sont partis pour la ville. Le tableau soulève le cœur. La France ne s'est pas remise de la grande saignée, et ceux qui y ont survécu sont abîmés dans l'éthylisme et l'infécondité. Quand la décadence a corrompu jusqu'au village, on imagine dans quelle turpitude la ville se putréfie. « Les cinémas et les cafés, les maisons de passe, les journaux, les bourses, les partis et les casernes [5] », autant d'attributs infamants du monde moderne. Au nadir, Paris est devenu une concentration d'intellectuels débraillés (qui ont perdu « la dignité des anciennes mœurs [6] »), de noceurs, d'homosexuels (« Il y en a partout. Avec la drogue, c'était la maladie qui lui avait le plus déchiré le cœur à Paris [7] ») ; la peinture de Picasso, les music-halls, les romanciers catholiques, les Juifs, « les cauteleux radicaux francs-maçons [8] »… On jauge la profondeur du mal.

1. *Gilles*, p. 111. Nos références se rapportent à l'édition intégrale de 1949.
2. *Ibid.*, p. 94.
3. *Ibid.*, p. 179.
4. *Ibid.*, p. 342.
5. *Ibid.*, p. 340.
6. *Ibid.*, p. 384.
7. *Ibid.*, p. 455.
8. *Ibid.*, p. 455.

Les prétendues élites donnent d'elles-mêmes un spectacle dégradant ; qu'il se tourne vers les hommes au pouvoir, qu'incarnent les radicaux, ou vers ceux qui représentent la révolte, comme les jeunes gens qui se groupent autour de Caël (*i.e.* les surréalistes), Gilles éprouve la même nausée. Sous la plume mordante de Drieu, le radicalisme est mis en pièces. Herriot, parangon du parlementarisme, pilier de la République bourgeoise, facilement reconnaissable sous les traits caricaturaux de Chanteau, exprime toute l'obésité morale et physique du radicalisme déclinant : ce n'est qu'un paquet de *graisse* [1] (substantif répété avec délectation comme mot clé), incapable d'un sursaut viril, mais roué et satisfait, engoncé dans ce régime républicain dont le personnel « était vraiment un monde d'héritiers, de descendants, de dégénérés et un monde de remplaçants [2] ». Le style de la satire fasciste utilise avec prédilection l'image et le vocabulaire de la sexualité, Drieu n'échappe pas à la règle. Ainsi, entre l'orateur radical et son public, « au lieu d'une saine et féconde rencontre sexuelle, on voyait deux onanismes s'approcher, s'effleurer puis se dérober l'un à l'autre [3] ». Et si ces hommes-là peuvent être au pouvoir, c'est qu'« il y a une puissance de syphilis dans la France [4] ». A l'opposé des radicaux, les petits-bourgeois de la revue *Révolte* ont beau contester la France bourgeoise, ils en sont les parasites. Le portrait que Drieu trace d'eux est souvent d'une honnêteté intellectuelle douteuse : par l'amalgame de faits vrais et notoires (telle phrase publique de Breton, par exemple), pour que nul ne s'y trompe, et d'inventions romanesques où ceux qu'il attaque figurent ignoblement, l'auteur se fait le plaisir de vitupérer ses ennemis au vu de tous mais à l'abri de la fiction. Les surréalistes (qui ne sont jamais appelés par leur nom) sont des révoltés qui tremblent devant les gendarmes ; quand ils se battent, c'est à méchants petits coups de pied, et non à coups de « grande patte fauve [5] », comme font les braves

1. *Ibid.*, p. 391.
2. *Ibid.*, p. 386.
3. *Ibid.*, p. 390.
4. *Ibid.*, p. 343.
5. *Ibid.*, p. 211.

avant de bourrer tranquillement leur pipe. Caël, *alias* Breton, n'est qu'un « grand Inquisiteur de café[1] » ; autour de lui, ce n'est qu'un monde de bourgeois veules, de femmes, et d'*impuissants* qui, malgré leurs propos bravaches contre les nantis, finissent par s'entendre avec ces radicaux précédemment éreintés, par opportunisme politique : le cercle est bouclé, les jeunes bourgeois sont revenus épauler leurs flatulents géniteurs. Politiciens professionnels et révoltés de Montparnasse sont de la même famille.

Deux figures du roman personnifient la décadence française : c'est Gilles lui-même, le premier Gilles, celui qui fait un mariage d'argent, celui qui approuve Carentan, son vieux maître, professant la suppression des maisons closes, mais qui ne peut se résoudre à ne les plus courir ; le Gilles désœuvré, nihiliste, fréquentant la bande de Caël, participant à ses mascarades, pour le plaisir de la destruction, seule force qui lui reste. Un Gilles sans enfant, souffrant du péché d'« avarice ». La seconde figure symbolique est Pauline, ancienne « poule » devenue la compagne de Gilles : elle ne manque pas de vertus, comme la France, mais comme elle, elle est frappée à mort : « Il s'en approchait maintenant comme d'un temple foudroyé, délabré, où régnait un air troublant de désastre, de ruine, de stérilité[2]. » Comme Gilles a perdu foi en la France, « il ne croyait plus en Pauline, stérile, marquée par la mort, mais surtout devenue bourgeoise[3] ». Et plus loin, pour que l'allégorie soit claire : « La France mourait pendant que Pauline mourait[4]. »

De cette décomposition, quel est le secret ? A y regarder de près, il faut en chercher l'explication la plus profonde dans une sorte de « déterminisme physiologique[5] » : la France meurt de la race. Outre la présence multipliée d'étrangers en France, *bicots, Tchèques, Polonais*, la preuve insigne de la décadence française est l'omniprésence et la puissance occulte

1. *Ibid.*, p. 330.
2. *Ibid.*, p. 400.
3. *Ibid.*, p. 408.
4. *Ibid.*, p. 425.
5. Nous empruntons cette expression à Zeev Sternhell, *Maurice Barrès...*, *op. cit.*

des Juifs. Selon Robert Soucy, qui se réfère à un article sur
« la question juive » de Drieu, celui-ci, en 1938, « n'était toujours pas converti au racisme » : « Ce n'est qu'après la défaite
de la France et après que Drieu se fut rallié à la collaboration » que cette conversion se serait faite [1]. La lecture de *Gilles* ne confirme pas cette conclusion : le racisme de Drieu s'y
affirme tout au long. Non seulement les Juifs y sont dénon-
cés comme produits *culturels*, mais — déjà en tant que race
biologiquement distincte des autres — comme facteurs de
dégénérescence *naturels*.

Le Juif, selon Drieu, c'est le monde moderne qui s'est fait
chair : « Moi, dit Carentan, je ne peux pas supporter les Juifs,
parce qu'ils sont par excellence le monde moderne [2]. » Ou
bien : « Le Juif, c'est horrible comme un polytechnicien ou
un normalien [3]. » Ou encore : « La plus frivole des Juives
vous jette à la figure la Bourse et la Sorbonne [4]. » Cette
modernité de Juif, Drieu ne manque pas d'en rappeler l'explication que l'on trouve dans la tradition antisémitique de
droite : « Les Juifs restent stérilement fidèles à 89 qui les a
sortis du ghetto [5]. » Nomade, déraciné, le Juif est l'insecte
parasite dans le ventre de la nation ; lorsqu'un pays a perdu
la sagesse de s'inspirer de ses propres traditions, de s'abreu-
ver à la source de ses vertus séculaires, le Juif, produit de
la Révolution, du Capitalisme et du Scientisme, surgit du périmètre réservé où nos ancêtres avaient eu la sagesse de le
contenir et, par la ruse et l'argent, s'insinue dans le corps
social affaibli : « Il doit y avoir, dans le rôle des Juifs, une
nécessité biologique pour qu'on retrouve ainsi toujours leurs
mots dans la salive des décadences [6]. » Cette allusion à la
biologie n'est encore qu'un trope ; de l'image à l'explication
« scientifique », le pas est cependant bientôt franchi.

Le Juif est l'antiphysique, l'esprit désincarné, la valeur
fiduciaire prétendant se substituer à la monnaie métallique ;

1. Dr R. Soucy, *art. cité*, p. 68.
2. *Gilles*, p. 99.
3. *Ibid.*, p. 100.
4. *Ibid.*, p. 100.
5. *Ibid.*, p. 401.
6. *Ibid.*, p. 387.

bref, une personnalisation de l'abstrait. De Myriam, Drieu donne cette clé : « Dans son milieu, on ignorait toute expérience physique : que ce fût le sport, l'amour ou la guerre [1]. » Ce qui n'est pas une tare familiale, mais bien raciale puisqu'on la retrouve chez les autres Juifs, par exemple chez Cohen, que Gilles rencontre en Espagne lors d'un quiproquo dramatique : alors qu'ils sont réunis dans le même avion en détresse, « Cohen était abominablement exaspéré de ne pouvoir en ce moment rien faire pour ajouter à la chance. Il se heurtait à la nécessité et à la simplicité de l'action physique [...]. Il aurait voulu lui communiquer [au pilote] son astuce, son art de se retrouver dans la vie. Mais comment changer cette monnaie de papier dans l'or d'un travail d'homme [2] ? ». La Bourse et la Sorbonne restent inopérantes dès que l'action physique s'impose ; revanche de la vieille race, de la civilisation paysanne : quand la ruse devient impuissante, la « voix du sang » parle.

C'est qu'en effet les défauts des Juifs ne sont pas exclusivement des phénomènes de culture ; ils sont congénitaux, héréditaires et inévitables. Si *Gilles* met en scène une galerie de Juifs, l'existence de chacun d'eux est subordonnée à une essence supérieure : ils sont consubstantiellement de la *Juiverie*, autant d'hypostases d'une idée pure ; quoi qu'ils disent, quoi qu'ils fassent, ils sont de la race maudite. Car Gilles-Drieu ajoute foi explicitement à la théorie des races : « Oh ! races, races. Il y a des races, j'ai une race [3]. » Une race qui doit se préserver du métissage si elle veut sauvegarder ses qualités intrinsèques ; l'instinct sur ce point ne trompe pas. Gilles épouse la Juive Myriam, parce qu'il a besoin de son argent, mais, en dépit de sa bonne volonté, ce n'est qu'à grand renfort de courage qu'il parvient à remplir ce qui s'appelle strictement ici son devoir conjugal, à telle enseigne que le jour de ses noces il va se redonner du cœur chez une prostituée de ses connaissances ; jamais il ne guérit de son dégoût épidermique, tant qu'à la longue il divorce. Drieu illustre ainsi la prétendue « loi de répulsion » imaginée par Gobineau, qui

1. *Ibid.*, p. 29.
2. *Ibid.*, p. 447.
3. *Ibid.*, p. 91.

postule l'opposition instinctive aux croisements [1]. Pour se purifier du commerce sexuel entretenu avec la représentante de la race interdite, Gilles, son divorce prononcé, « s'était précipité en Scandinavie [2] ». L'allusion est claire, Drieu La Rochelle accrédite déjà le mythe aryen. De même que *physiquement* Myriam répugne à Gilles malgré qu'il en ait, de même Dora (c'est-à-dire la *Dorique*, l'Indo-européenne, l'Aryenne) l'attire et le retient victorieusement. « Cette Américaine, avec son mélange de sang écossais, irlandais, saxon, croisait et multipliait plusieurs caractères des peuples nordiques. Or, c'était de ce côté-là que se rassemblaient toutes les émotions de Gilles [3]. » Avoir épousé une Juive est bien, pour Gilles-Drieu, « la tare ineffaçable [4] » ; le « terrible silence de la chair [5] » qui s'est établi entre Gilles et Myriam est dans la nature des choses, on ne peut impunément attenter à la « parenté de sang ». Sans faire appel à la *Blutsverwandschaft* de Büchner qui est devenue un dogme du régime hitlérien, Drieu exprime là des idées puisées dans sa culture française — notamment et principalement chez Barrès dont il est le fervent admirateur [6].

Dans cette description de « l'hiver du peuple [7] », il n'est pas difficile, en effet, de déceler l'influence récurrente de Barrès. Roman de la décomposition, *Gilles* multiple les images de la mort, du néant et de la pourriture. La France y est décrite comme une prostituée moribonde, autour du lit de laquelle des « vieillards débiles et pervers [8] », des « petits intellectuels, dernières gouttes de sperme arrachées à ces vieillards [9] » et des charlatans juifs dessinent une danse macabre

1. Voir Gobineau, *Essai sur l'inégalité des races humaines*, 1867, p. 208.
2. *Gilles*, p. 182.
3. *Ibid.*, p. 182.
4. *Ibid.*, p. 38.
5. *Ibid.*, p. 64.
6. Drieu : « Barrès est évidemment le prince de la littérature contemporaine et, chaque année, je relis un cycle de ses livres. » Cité par Jean-Pierre Maxence, *Histoire de dix ans, 1927-1937*, Gallimard, 1939, p. 41. Sur le racisme de Barrès et sur l'influence jouée dans celui-ci par Jules Soury, voir la thèse de Zeev Sternhell sur Barrès, citée plus haut.
7. *Gilles*, p. 340.
8. *Ibid.*, p. 403.
9. *Ibid.*, p. 338.

grotesque. Le romantisme funéraire de Barrès, sa « hantise du périssable [1] », son obsession de la mort se renouvellent dans ces pages d'un Drieu encore plus persuadé que son maître de l'incurable maladie dont la France est atteinte. Si nous retrouvons décrites sous la plume de celui-là les mêmes images funèbres de la décadence française dont celui-ci était prodigue, nous pouvons y lire aussi la même déception de ne pouvoir compter sur une race française, sur une race « pure » en qui placer l'assurance du redressement national : « Hélas ! écrivait Barrès, il n'y a point de race française, mais un peuple français, une nation française, c'est-à-dire une collectivité de formation politique [2]. » Et Gilles-Drieu, considérant avec la même inquiétude la différence lourde de conséquences entre la « pureté » aryenne de Dora et les caractères aléatoires de sa « race latine », s'interroge : « Que savait-il de sa race ? [3] », ce bâtard on ne sait de quelle origine, ce produit on ne sait de quels croisements, tout comme la nation française. Nous pensons voir là certainement une des raisons de l'européanisme de Drieu : de la France métisse, « enjuivée », déclinant « au niveau de la mort [4] », il en appelle à une Europe où l'élément nordique aurait la prééminence — garantie de force et de résistance à la « pétrification ».

Le mythe de l'âge d'or.

Le monde contemporain est un univers défruité auquel le héros fasciste ne trouve que la saveur morbide du néant, car c'est un nostalgique des temps révolus d'avant-la-décadence. Les prémices douces-amères du Déclin peuvent avoir été cueillies en des printemps plus ou moins anciens : tel regrette « le siècle de Louis XIV », tel autre « l'âge d'or de la noblesse » qu'il situe entre la guerre de Cent Ans et les débuts du XVIIe siècle ; en général, on s'accorde à penser que la déca-

---

1. Jean-Marie Domenach, *Barrès par lui-même*, Éd. du Seuil, 1954, p. 74.
2. Barrès, *Scènes et Doctrines du nationalisme*, Plon, 1925, p. 74.
3. *Gilles*, p. 89, ou encore : « Je suis bien latin, mêlant la sentimentalité à la cochonnerie. Et moi qui avais joué au Nordique avec elle... », p. 276.
4. *Ibid.*, p. 426.

dence est définitive avec le triomphe de la démocratie. Pour
Drieu, l'époque lumineuse, c'est le Moyen Age. Le mythe de
l'âge d'or est de tous les lieux et de tous les temps ; déjà les
poèmes homériques décrivent le passé de manière enchante-
resse : c'est l'âge où les mortels vivaient tous comme des
dieux, « le cœur exempt de soucis, écrit Hésiode, à l'abri de
la fatigue et de l'infortune ». « Et, comparant la misère présente au bonheur dont son imagination colore le passé, le
poète oppose avec désespoir les jours sombres de l'âge de fer
aux jours ensoleillés de l'âge d'or [1]. » On sait que la conception du Moyen Age a varié selon les siècles : méprisé par les
contemporains de Boileau et, plus tard, par ceux d'Émile
Combes, le Moyen Age est progressivement devenu, dans
l'idéologie de la droite française (et chez de grands écrivains
catholiques, que l'on songe à Bloy et à Bernanos), une référence constante. Drieu reprend le mythe à son compte : dans
Gilles, le monde moderne, contre lequel il n'a pas assez de
flèches, a pour antipode rayonnant le temps des Capétiens,
époque d'authenticité *foncière*, opposé à la fausseté *mobi-
lière* du monde contemporain. Car la France *vraie* n'est pas
le produit de ces valeurs douteuses : Bourse, Sorbonne, Normale, Polytechnique, Franc-Maçonnerie, Juiverie, etc., mais
bel et bien celui « [d]es montagnes et [d]es rivières, [d]es arbres
et [d]es monuments [...]. La pierre construite, cela l'émou-
vait et le retenait comme encore si proche de la pierre dans
la gangue de la terre [2] ». Et la suite, qui nous rappelle encore
davantage Barrès : « Il avait entendu son pas résonner solitaire dans toutes les églises de France, les grandes et les petites [...]. Les Français avaient fait des églises et ils ne pouvaient
plus les refaire ni rien de semblable : toute l'aventure de la
vie était dans ce fait, la terrible nécessité de la mort [3]. » Gilles, périodiquement, se replonge dans la forêt, dans le village, dans la province, pour y retrouver « la valeur d'or »,
« la valeur primitive, avant toute altération [4] ». La religion
fasciste a des aspects nettement chthoniens : on rend un culte

---

1. Gustave Glotz, *Histoire grecque*, PUF, 1938, t. 1, p. 152.
2. *Gilles*, p. 393.
3. *Ibid.*, p. 393.
4. *Ibid.*, p. 204.

à la *Terra Mater*, par lequel on retrouve la source perdue de la Sagesse et de la Race.

Le symbole qui n'est pas nouveau de cette religion qui n'est pas nouvelle est par excellence l'*arbre*. Symbole d'une prodigieuse fécondité dans la littérature traditionaliste française, l'arbre a pris force de signification avec le platane de M. Taine : malheur aux hommes, démontre son disciple Barrès, qui, arrachés à leur milieu naturel, deviennent des *déracinés*. On sait, en effet, que « fils de la terre, l'arbre est ordre, fidélité, tradition. Non liberté, mais nécessité biologique. Non progrès, mais pérennité[1] ». Quand Gilles entraîne Dora en promenade, c'est « toujours vers les forêts[2] ». Pourtant : « Il n'avait jamais osé auparavant emmener une femme parmi les grands arbres[3]. » Cette dernière observation est lourde de sens : le héros de Drieu perçoit bien la communication qui s'établit spontanément entre la forêt sacrée et la représentante des grandes vertus « nordiques » ; car elle aussi « sen[t] [s]es racines[4] ». Quand Gilles vient prendre conseil auprès de son vieux tuteur normand, celui-ci lui désigne tout naturellement un hêtre comme détenteur d'éternité : « Ce que dit ce hêtre sera toujours redit, sous une forme ou sous une autre, toujours[5]. » Et lorsque Gilles, dans la forêt avec Dora, pose ses mains sur les troncs d'un hêtre (encore !)[6], il trouve « drôle de voir de telles mains [de longues mains blanches, déliées] sur cette écorce[7] » : la ville l'a efféminé et perverti ; Dora qui comprend le sens de sa réflexion s'empresse de le rassurer : « Vous auriez dû avoir une autre vie[8] », dit-elle. Une vie d'enraciné.

---

1. Louis Bodin et Jean-Marie Royer, « Vocabulaire de la France », *Esprit*, décembre 1957.

2. *Gilles*, p. 200.

3. *Ibid.*

4. *Ibid.*, p. 203.

5. *Ibid.*, p. 341.

6. Le hêtre n'est pas pour rien homonyme du verbe être : le jeu de mots n'est sans doute pas involontaire, il est significatif que dans une même phrase de Carentan, à trois lignes d'intervalle, on évoque tour à tour ce *hêtre* et l'*être* (p. 341). La valeur du symbole ontologique du hêtre se trouve ainsi doublée par la phonétique.

7. *Gilles*, p. 201.

8. *Ibid.*

Dans *Gilles*, complainte d'un homme nostalgique sur la «ruine des derniers piliers médiévaux[1]», Drieu chante mélancoliquement le temps des épopées, des cathédrales, des enluminures et des croisades. Quand son héros s'adonne au journalisme, c'est, d'une voix égale, pour déclamer contre le monde moderne et faire, selon sa propre expression, «l'éloge extatique des vérités oubliées dans leur tombe[2]». Jadis, la vertu avait de préférence les sabots crottés; la naïveté, la spontanéité l'emportaient sur l'argutie des cuistres. Ce monde viril était en effet guidé par la sensibilité, en quoi il faut voir un des secrets du Moyen Age. «Les Français avaient été des soldats, des moines, des architectes, des peintres, des poètes, des maris et des pères. Ils avaient fait des enfants, ils avaient construit, ils avaient tué, ils s'étaient fait tuer[3].» Tels sont les héros vrais de la «raison française» qui était tout le contraire du rationalisme : «Oui, il y avait eu une raison française; mais si vive, si dure, si naïve et si large, embrassant tous les éléments de l'être. Pas seulement le raisonnement mais l'élan de la foi[4].» Évidemment, la Sorbonne détestée par l'auteur ne fait pas partie de ce Moyen Age rêvé : Thomas d'Aquin est de peu de poids au regard d'un seul croisé. Car le catholicisme était «mâle[5]» (s'opposant probablement à un christianisme femelle, d'origine sémitique) : c'était plutôt celui de Simon de Montfort que celui du Poverello; le catholicisme chez Drieu tend le sabre de préférence à la joue gauche.

Son idée du Moyen Age, Gilles-Drieu ne l'a pas demandée aux historiens, mais aux «fervents de l'Anti-Moderne, depuis de Maistre jusqu'à Péguy[6]». C'est dans leurs livres qu'il cherche la règle divine d'une sagesse et d'un ordre perdus. Et si, d'aventure, les hasards de la vie lui offrent, en province (toujours sous le toit de l'auguste Carentan), une réincarnation touchante de l'ancien monde où chacun était à sa place, le voilà qui s'attendrit : «La servante était partie

1. *Ibid.*, p. 402.
2. *Ibid.*, p. 364.
3. *Ibid.*, p. 393.
4. *Ibid.*, p. 392.
5. *Ibid.*, p. 463.
6. *Ibid.*, p. 364.

en fermant la porte, en leur jetant un long regard d'orgueil :
elle était fière de servir[1]. » Tel est le fondement du Moyen
Age : c'était une *aristocratie*, un monde hiérarchisé, établi
sur la force et l'hérédité des vertus viriles. A lire Drieu, le
Moyen Age n'a que des charmes. Violences, famines, épidémies, superstitions, guerres, tout cela n'est que broutilles. Une
terre, un roi, une foi, un peuple : voilà le paradis perdu et
pleuré.

C'est Carentan, évidemment, qui incarne dans *Gilles* les
valeurs médiévales. Il est une manière de revenant, le spectre d'un homme du XIIIe siècle, taillé dans la matière brute,
égaré dans la France de M. Doumergue. Il emploie son temps
à étudier l'histoire des religions : de l'une à l'autre, il procède comme un alchimiste qui, de distillation en distillation,
quête la sagesse éternelle. En France, il est le seul Français
— ou à peu près. Parfois, Drieu accorde encore des vertus
ancestrales aux paysans qu'il rencontre, mais ils lui semblent
« l'arrière-garde hargneuse d'une armée en déroute[2] » ; un
instant, il croit subodorer dans les rangs communistes des
« hommes sains et vigoureux[3] », fourvoyés certes ! mais des-
cendant du vieux peuple révolté... Tout compte fait, les vrais
Français ont passé l'Atlantique : au Canada, on peut voir
« des Français, sur qui n'est pas passé 1789, ni le XVIIIe siècle, ni même somme toute le XVIIe, ni même la Renaissance
et la Réforme, c'est du Français tout cru, tout vif[4] ». Rome
n'est plus dans Rome, la France est à la semelle des souliers
du Québec.

La représentation artificielle du passé français est de toutes les idéologies ; dans la vision de Drieu, le Moyen Age
atteste la perfection des origines de la France, ce temps premier d'harmonie avant le déluge. Il est de bonne logique que
Gilles-Drieu, son poète, aspire à restaurer un « Nouveau
Moyen Age[5] ».

1. *Ibid.*, p. 102.
2. *Ibid.*, p. 339.
3. *Ibid.*, p. 402.
4. *Ibid.*, p. 101.
5. *Ibid.*, p. 340.

Un ordre nouveau.

Gilles est un roman de la grâce, le récit du cheminement moral
d'un homme qui, né au temps de la décadence et nourri de ses
fruits amers, tente de transcender son époque qu'il méprise.
Dans cette tentative, c'est aux femmes d'abord qu'il est
demandé de jouer le rôle médiateur, de permettre d'échapper
à la médiocrité contemporaine et de retrouver la trace du paradis perdu. Mais les femmes, à bien considérer, se révèlent paradis artificiels : Gilles, qui use d'un grand nombre d'entre elles,
ne parvient pas, malgré le temps, l'affection et l'amour parfois qu'il leur prodigue, à émerger par leur entremise de la décadence ; même, à l'image de Pauline, elles sont trop souvent les
vivants symboles de la Chute. Le salut de Gilles, homme de
la quête, chevalier errant et nostalgique, c'est, en définitive, la
politique. En elle, Gilles-Drieu découvre enfin le moyen de se
dépasser, l'espoir tangible de s'arracher au Déclin, et par-dessus
tout sa religion : « Ce serait sa façon de prier [1]. »

La maturation politique de Gilles est lente. De naissance,
d'éducation, il dit qu'il est de droite. Mais la droite française,
immodérément modérée et bien-pensante, n'a pas plus
d'attrait pour un homme d'absolu que le radicalisme. Gilles
a d'autres exigences que de défendre la prospérité des notables. Il donne sa sympathie à tout ce qui dans un pays *sénile*
comme la France a l'ardeur de la jeunesse, à ceux qui, quel
que soit leur drapeau, crachent à la face du vieux monde de
la décadence. C'est la raison qui le pousse aux côtés des surréalistes dont l'agressivité verbale et le nihilisme le séduisent
par leur énergie suicidaire. Il se sépare d'eux lorsqu'il discerne derrière leur masque le même visage honni des bourgeois *débiles* (autre mot clé). De la même façon, Gilles, qui
n'a aucun goût pour le marxisme, n'en témoigne pas moins
du respect pour les militants communistes, nous l'avons vu,
trompés par les théoriciens, mais capables de la violence qu'il
appelle de ses vœux contre le monde moderne. A tout prendre, se demande Gilles à une étape de son évolution, « pourquoi ne pas se jeter dans le communisme [2] ? ». Que la France

1. *Ibid.*, p. 358.
2. *Ibid.*, p. 398.

soit balayée par la destruction. C'est vivre que de hâter la destruction de la mort. « Il voyait dans le communisme non pas une force, mais une faiblesse qui pouvait coïncider avec celle de la France [1]. » Mais ce n'est pas seulement la politique du pire qui attache Gilles-Drieu aux communistes ; à vrai dire, il n'a cessé de rêver à l'union de tous les vaillants, de tous les révoltés, de tous les entrepreneurs de démolition. Ce rêve de renverser « la dictature franc-maçonne [...] par une coalition des jeunes bourgeois et des jeunes ouvriers [2] » n'est pas neuf : Drumont, Morès, Barrès avaient déjà en leur temps conçu un tel projet ; c'est dans la dernière décennie du siècle passé qu'on avait assisté à la naissance de ce conservatisme radical appelant les ouvriers et les catholiques contre la « République juive ». Mais ce rassemblement des forces vives — jusque-là séparées arbitrairement par les idéologies — a été aussi, d'une autre manière, une des illusions de cet « esprit des années trente » qu'il serait erroné d'assimiler au fascisme : on rencontre largement exprimées dans *Gilles* ces diverses aspirations à dépasser les traditionnelles oppositions entre la droite et la gauche, pour faire surgir, qui le néo-marxisme, qui le néo-nationalisme. D'un côté, chez les hommes de la tradition, on veut rompre avec les compromissions capitalistes, de l'autre, on veut « fonder un nouveau marxisme en France qui ne [soit] ni dans l'obédience russe ni dans la routine parlementaire des socialistes [3] ». Gilles se joint à ces hommes, venus de tous les azimuts, qui veulent faire table rase ; ils jettent leur dévolu sur un politicien qui pourrait devenir leur chef ; il est encore au parti radical, mais il veut lui aussi sortir du cloaque : c'est Clérences (un composé caricatural de Bertrand de Jouvenel, de Bergery et d'autres radicaux aux idées neuves). Gilles stimule l'énergie de Clérences, participe aux activités de son groupe, avant de se décourager enfin : « Tous ces gens étaient des gens de robe, des clercs comme dit l'autre, tout à fait stériles. Décidément, la vie n'est pas en France [4]. »

1. *Ibid.*, p. 398.
2. *Ibid.*, p. 422.
3. *Ibid.*, p. 378.
4. *Ibid.*, p. 408.

Mais sur son chemin de Damas, Gilles est soudain jeté de son cheval par le coup de tonnerre du 6 février 1934. Jusquelà, les orages tant désirés s'étaient tous levés au-delà du Rhin et des Alpes; le ciel français demeurait terne. Joie! Le 6 février, la Révolte enfin submergeait Paris : « La France recevait enfin la pensée de toute l'Europe, du monde entier en mouvement [1]. » Le vieux Palais-Bourbon tremble de tous ses piliers; Gilles crie à Clérences : « Si un homme se lève et jette tout son destin dans la balance, il fera ce qu'il voudra. Il ramassera dans le même filet l'Action française et les communistes, les Jeunesses patriotiques et les Croix-de-feu, et bien d'autres [2]. » Gilles-Drieu nous offre alors une parfaite description de la genèse d'un mouvement fasciste, les premiers éléments de la technique du coup d'État : « Attaque Daladier ou défends-le, mais par des actes qui soient tout à fait concrets. Envahis coup sur coup un journal de droite et un journal de gauche. Fais bâtonner à domicile celui-ci ou celui-là. Sors à tout prix de la routine des vieux partis, des manifestes, des meetings et des articles et des discours. Et tu auras aussitôt une puissance d'agrégation formidable. Les barrières seront à jamais rompues entre la droite et la gauche, et des flots de vie se précipiteront en tout sens. Tu ne sens pas cet instant de grande crue? Le flot est là devant nous : on peut le lancer dans la direction qu'on veut, mais il faut le lancer tout de suite, à tout prix [3]. »

Encore faut-il un Mussolini, c'est-à-dire, selon Malaparte qui trace ce portrait du Mussolini d'octobre 1922 : « Un homme moderne, froid, audacieux, violent et calculateur [4]. » Las! La France ne trouve pas son guide et le 6 février n'a été qu'une journée des dupes. La vieille gueuse reprend vite le dessus et Gilles « regrettait d'être sorti le 6 février, pendant un instant, de son incroyance prophétique. Après ce dernier spasme sans issue, la France ne pouvait plus que descendre au niveau de la mort [5] ». Dès lors, le fascisme de

1. *Ibid.*, p. 418.
2. *Ibid.*, p. 420.
3. *Ibid.*, p. 421.
4. Curzio Malaparte, *Technique du coup d'État*, 10/18, 1964, p. 158.
5. *Gilles*, p. 426.

Gilles-Drieu prend ses caractères les plus nets : il s'agit de retrouver, vaille que vaille, malgré ce « peuple de France aux artères asséchées[1] », ce que sa génération a appris de la guerre : l'*idée émouvante de la vie forte*[2].

Le culte de la force *physique*, l'obsession de la *virilité*, le *mépris* des intellectuels sont les expressions multiples d'une apologie de l'instinct. Là encore, Drieu n'invente rien, ne faisant qu'illustrer la leçon de ses maîtres, Barrès avant tout. Ainsi, dans le fascisme de Drieu, s'épanouit la nostalgie de la guerre, du front, du danger : la guerre est l'épreuve de l'homme ; tout y est simple, l'exercice n'est jamais truqué ; face au danger, l'homme est dépouillé, vêtu de sa seule peur et de ses seules forces : nerfs, cœur et muscles : « La Guerre, c'est ma patrie[3] », dit Gilles. Jules Soury, qui a tant appris à Barrès, ne disait-il pas : « La guerre, heureuse ou malheureuse, la guerre éternelle, source de toute vie supérieure, cause de tout progrès sur la terre[4]... » Cette force que la guerre révèle est avant tout celle du corps, car le corps est le tabernacle des principes les plus essentiels, ceux de l'instinct et de la race. A preuve que lorsqu'un Juif, fût-il intelligent et habile, se trouve aux prises avec le danger physique, tel Cohen que nous avons vu précédemment au-dessus de l'Espagne, il doit s'avouer impuissant.

A l'idée de force corporelle est liée celle de *santé*. « Il savait que lui seul dans leur milieu représentait la santé[5]. » Même quand il ne fait pas d'alpinisme, le fasciste est un homme sain, au regard clair, à l'inverse de ces hommes de bibliothèques, cacochymes et myopes : « Tout ce petit monde de bourgeois intellectuels, tremblotant et flageolant, fit grimacer de mépris les agents[6]. » Nous retrouvons ici la même opposition que chez Barrès entre le peuple et les intellectuels. « Le peuple », disait-il, « m'a révélé la substance humaine et, mieux que cela, l'énergie créatrice, la sève du monde, l'incons-

---

1. *Ibid.*, p. 340.
2. *Ibid.*, p. 423.
3. *Ibid.*, p. 76.
4. Jules Soury, *Campagne nationaliste*, p. 185, cité par Zeev Sternhell, *Maurice Barrès...*, *op. cit.*, t. 2, p. 49.
5. *Gilles*, p. 241.
6. *Ibid.*, p. 322.

cient [1] » ; les intellectuels, au contraire, perdus par le kantisme et toutes les autres formes d'abstraction, sont proprement désincarnés, ils n'ont plus corps. Le procès de Burdeau-Bouteiller est continué par Drieu : au culte de la raison, il faut substituer celui de l'énergie et de l'action. Dans les années trente, Drieu éprouve le même sentiment que Barrès dans les années quatre-vingt-dix ; celui-ci, méprisant les doctrines, s'écriait : « C'est l'élan que je goûte [2] », et celui-là, rêvant de dissoudre les idées dans la pureté de l'action, s'exclame de dépit devant la France inerte : « Il ne manque qu'une chose : l'élan vital [3]. »

L'anti-intellectualisme de Drieu a pour corollaire la glorification incessante de la virilité. Les intellectuels sont des « impuissants » ; à plusieurs reprises, Drieu les vêt d'une robe (« misérables petits clercs, des petits moines en robe [4] »). Comme dans l'ancienne noblesse, à ces gens de robe s'opposent les gens d'épée. « Penser, c'était finalement donner ou recevoir un coup d'épée [5] », et ceci, plus loin, qui ne laissera plus de doute sur le symbole phallique : « Oui, songeait Gilles, en entrant dans une maison de passe, ce sont des hommes sans épée [6]. » De sorte qu'on peut comprendre qu'entre l'intellectuel de gauche et le fasciste, ce qui les sépare d'abord, c'est la virilité : « Tous ces garçons m'en veulent, dit Gilles, parce que je plais aux femmes [7]. »

Deuxième idée maîtresse : *refaire une aristocratie*. La décadence prend sa source dans la démocratie. Il faut recréer un monde hiérarchisé où les *chefs* pourront à nouveau commander, les chevaliers et non plus les chevaliers d'industrie. « Gilles n'avait jamais cru une seconde qu'il fût possible de croire à l'égalité, au progrès [8]. » Ces idées pernicieuses ont été répandues au XVIIIᵉ siècle : « Il fallait en finir avec toutes ces prétentions absurdes du rationalisme, de la philosophie des

1. Barrès, *Le Jardin de Bérénice*, Plon, 1891, p. 183.
2. Barrès, *Du sang, de la volupté et de la mort*, Plon, 1959, p. 49.
3. *Gilles*, p. 422.
4. *Ibid.*, p. 338.
5. *Ibid.*, p. 339.
6. *Ibid.*, p. 339.
7. *Ibid.*, p. 337.
8. *Ibid.*, p. 367.

Lumières [1]. » Gilles croit davantage aux forces obscures, aux
dons mystérieux qui consacrent un chef. « Je veux, dit-il,
détruire la société capitaliste pour restaurer la notion d'aristocratie [2]. » Le meilleur, le chef, ce ne sera plus le riche ni le plus
intelligent (l'intellectuel, pour sa part, est tout juste bon à faire
un *président*), ce sera l'Homme d'Action, l'Anti-Juif par excellence — le Juif étant, lui, l'Homme de la Transaction et de la
Tractation. Comment ne pas évoquer ici encore le Maître Barrès : « Un peuple, une région qui manquent d'aristocratie n'ont
plus de modèle, de direction vers laquelle se perfectionner [3]. »

Troisième idée-force : « *Le nationalisme est périmé* [4]. »
Lorsque, après le 6 février, le café du Commerce et les loges
ont liquéfié la révolte, Gilles a compris qu'il n'y avait plus
rien à espérer de la « France seule ». Gilles a admiré Maurras, mais il le juge désormais « petit et impuissant dans
l'immédiat [5] ». Le nouvel ordre doit être européen ou il ne
sera pas. Drieu dépasse ici la perspective barrésienne : c'est
du fascisme international que va sourdre l'ordre nouveau.
Dans ce nouvel ordre, l'Église a son rôle à jouer ; elle doit
redevenir l'Église médiévale, et le catholicisme viril devra être
le ciment de la nouvelle Europe. « Pour moi, je me suis retiré
d'entre les nations. J'appartiens à un nouvel ordre militaire
et religieux qui s'est fondé quelque part dans le monde et
poursuit, envers et contre tout, la conciliation de l'Église et
du fascisme et leur double triomphe d'une nation sur les
autres nations [6]. » Quelle que fût son attitude politique après
l'invasion allemande, Drieu envisage clairement, en 1939, une
guerre fasciste contre l'Allemagne et l'Italie fascistes — n'a-
t-il pas rompu avec Doriot après la capitulation de Munich ?
Mais, voyant au-delà, c'est « l'invasion de l'Europe par
l'armée russe » qui est prévue ; c'est contre elle que l'Allemagne doit fédérer les patries (non les dissoudre) et faire naître « un esprit de patriotisme européen [7] ». La vocation de

1. *Ibid.*, p. 368.
2. *Ibid.*, p. 365.
3. Barrès, *Mes cahiers*, Plon, 1917, t. 10, p. 74.
4. *Gilles*, p. 475.
5. *Ibid.*, p. 398.
6. *Ibid.*, p. 475.
7. *Ibid.*, p. 475.

l'Allemagne est donc clairement établie : « Par sa force et par la tradition du Saint-Empire romain-germanique, il lui appartient de diriger la ligne européenne de demain [1]. »

Au total, le fascisme de Drieu apparaît comme une volonté de refaire une Europe unie et aristocratique, où les mâles et les chefs commanderont à nouveau aux clercs, aux femmes, aux Juifs et aux manants. Restituer la foi contre le rationalisme, réestimer l'instinct contre l'intellect, la force contre l'argent, noyer le machinisme et le scientisme sous les vertus agraires, tel est le programme.

Le second Gilles — Gilles converti — est le personnage symbolique de cet ordre nouveau, qui plante là Paris pour le service de Franco et du fascisme européen, qui se retrouve dans la simplicité de la guerre, loin des femmes, loin des illusions, à nouveau combattant, et cette fois moine-soldat. La dernière image du livre est particulièrement suggestive : Gilles est seul dans une arène ; il tire au fusil sur les républicains qui approchent. Le lieu de la fin n'est pas choisi au hasard : « Il fallait, écrit Drieu, défendre le lieu des taureaux [2]. »

Dans cet étonnant catalogue des idées fascistes que constitue *Gilles*, il est en vérité bien peu de nouveautés. Nous avons cru déceler une influence centrale sur Drieu, celle de Barrès : tous les thèmes principaux de celui-ci, ou peu s'en faut, sont ici transcrits sous des couleurs à peine différentes. Le sentiment aigu de la décadence française, l'explication raciste qui en est donnée, la nostalgie des valeurs ancestrales, les aspirations aristocratiques, le culte de l'instinct, l'anti-intellectualisme... la filiation est claire. D'autres influences apparaissent, qui déjà avaient convergé en Barrès, nous pensons particulièrement à Nietzsche, évoqué à plusieurs reprises dans *Gilles* : l'hostilité de Drieu contre la « morale d'esclaves » qui est « essentiellement une morale de l'utilité [3] » ; le goût d'une aristocratie de la force et de la volonté de puissance ; l'aspiration, au-delà du nationalisme, à voir naître « l'Européen de l'avenir [4] »... Mais plus que ces

1. *Ibid.*, p. 476.
2. *Ibid.*, p. 484.
3. Nietzsche, *Par-delà le bien et le mal*, 10/18, 1962, p. 213.
4. *Ibid.*, p. 203.

influences, ce qui nous paraît distinctif du discours fasciste, c'est, à travers *Gilles*, son caractère mythologique. En compagnie de Drieu, nous voilà assez loin des prétentions positivistes d'un Maurras, loin de la mesure gréco-romaine : c'est des peuples du Nord qu'il s'inspire et c'est la démesure qu'il vante. S'agissant d'un intellectuel, c'est de propos délibéré que le *mythos* est préféré au *logos* car la critique de la France moderne va de pair avec celle du rationalisme dont elle est issue. Sans doute, Drieu n'a-t-il pas tort de dénoncer le mépris de la force répandu chez ses contemporains, la primauté des valeurs intellectuelles dans le système d'éducation français ; sans doute ne manque-t-il pas d'arguments dans son procès de la France de l'entre-deux-guerres. Emmanuel Mounier, en rendant compte de *Gilles*, notait lui-même « que la France d'avant-guerre avait besoin de muscle et d'un peu de sauvagerie [1] ». Mais Drieu juge du déclin français autant sur des billevesées que sur des réalités : à la preuve de la décadence, il apporte sur un même plateau la dénatalité et l'exode rural, soit un trait de déclin et un trait de modernisme ; du même élan : l'alcoolisme et la peinture de Picasso ; la drogue et les écrivains catholiques, etc. Refusant d'analyser sérieusement les maux réels et profonds dont souffre la France, Drieu par magie résume tous ses malheurs dans la personnalité parabolique du Juif, qui représente tout d'un coup l'antiguerrier, le citadin, le banquier, le ratiocinateur, le sorbonnard, le marxiste, bref une épure de tout ce qu'il abhorre. Plus qu'un symbole de la décadence, le Juif est la décadence même, son incarnation : il est l'Homme Moderne comme Dreyfus chez Maurras était *la* République. Cette mutilation volontaire de l'intelligence, cette inclination à l'irrationnel, ce refus, en un mot, du monde réel — dont la complexité exige assurément moins d'explications hâtives que de rigueur et d'humilité intellectuelles — entraînent Drieu dans le rêve : sa conception du Moyen Age n'est rien d'autre qu'un songe doré, le refus, une fois encore, de la réalité (historique, cette fois). A défaut de science, le fasciste préfère s'abandonner au délire d'un prétendu âge d'or (incertain, au demeurant, selon les auteurs) à restaurer, plutôt que de pren-

---

1. *Esprit*, avril 1940.

dre le monde tel qu'il est pour tenter, pas à pas, de le transformer. Nous sommes ici en présence d'une vision eschato-
logique du monde : il faut faire table rase du présent pour
retrouver, *recréer*, par un retour aux sources, la perfection
des origines. « N'importe quoi, pourvu que cette vieille bara-
que là-bas au bord de l'eau craque [1] », dit Gilles du Palais-
Bourbon ; l'important, le nécessaire est en effet, par tous les
moyens, de « détruire la société actuelle [2] ». Sur cette *tabula
rasa*, on prépare une nouvelle naissance du monde. Comme
dans la pensée archaïque décrite par Mircea Eliade, « il s'agit
toujours, en définitive, d'abolir le temps écoulé », de « revenir en arrière » et de « recommencer l'existence avec la somme
intacte de ses virtualités [3] ». Si l'on veut compléter cette analogie entre le comportement de Gilles et la pensée archaïque,
on est alors tenté de définir le fascisme comme un rituel plus
que comme une politique. Le culte de l'arbre, auquel se livre
notre héros, n'est-ce pas ce « retour à l'origine » — « seul
moyen que la pensée archaïque croyait efficace pour annuler l'œuvre du temps [4] » ?

L'action glorifiée est moins une action *en vue de* qu'une
action pour l'action : défendre Daladier ou non, n'importe !
mais agir avec fureur, penser avec un pistolet-mitrailleur,
« donner, comme dirait Nietzsche, libre cours à sa force »,
c'est là retrouver le principe même de la vie.

L'incohérence doctrinale et la nature mythologique des
idées fascistes étaient autant d'atouts pour servir la réussite
de leurs défenseurs dans des sociétés en crise. Là où le fascisme n'a pas su s'imposer, il est resté dans une large mesure
— comme c'est le cas en France — une esthétique, une façon
de vivre, une façon de ne pas pouvoir vivre *hic et nunc* et,
finalement, comme on sait, une façon de mourir. Vivre dans
« l'incroyance prophétique », lutter pour une « cause perdue »,

1. *Gilles*, p. 417.
2. *Ibid.*, p. 365.
3. Mircea Eliade, *Aspects du mythe*, Gallimard, « Idées », 1971,
p. 106. Maurice Bardèche, écrivain « fasciste », écrit, quant à lui : « Tout
fascisme est réaction par rapport au présent et toute réaction fasciste
est résurrection » (*Qu'est-ce que le fascisme ?*, Les Sept Couleurs, 1960,
p. 175).
4. *Aspects du mythe*.

choisir sa mort, telle apparaît à travers *Gilles* la destinée altière du héros fasciste. Ce qu'il croit faire pour une cause extérieure, il ne le fait en réalité que pour lui-même[1]. Le « Moi » reste l'objet sacré du « culte ».

1. Nous décalquons ici une phrase de Montherlant qui illustre dans le *Solstice de juin* (NRF, Gallimard, 1943, p. 424) une « morale de l'Ordre » voisine de la morale de *Gilles*.

8

Le scandale Céline

Décembre 1937 : Denoël publie *Bagatelles pour un massacre* de Céline. Ce pamphlet antisémite est d'une telle outrance qu'André Gide l'interprète comme une farce, une explosion d'ironie, un « à-la-manière-de »... Par exemple, celle de Swift : *Modeste proposition pour l'extermination des enfants pauvres d'Irlande et l'utilisation de leurs cadavres comme viande de boucherie.* « Il fait de son mieux, écrit Gide, pour qu'on ne le prenne pas au sérieux. » Il suffit de savoir que Céline fait entrer parmi les Juifs de son « massacre » tous les noms célèbres qui ne lui reviennent pas : Cézanne, Picasso, Maupassant, Racine, Stendhal, Zola... Donc, une plaisanterie — de mauvais goût, sans doute ! — mais une plaisanterie tout de même. A moins que ce ne soit l'ouvrage d'un cinglé ? André Gide lui-même jugeait que si *Bagatelles* n'était pas un jeu, alors Céline aurait été « complètement maboul ». Pierre Loewel, qui émet, dans *L'Ordre*, quelques doutes sur les facultés mentales de l'auteur, écrit encore : « C'est aussi exactement le type d'ouvrage dont un antisémite intelligent se demanderait si, au fond, il n'a pas été payé par les Juifs[1]. »

Cependant, du côté des antisémites — même « intelligents » —, la gêne qu'on éprouve est très supportable. Lucien Rebatet a même raconté la course de vitesse qu'il avait engagée avec Robert Brasillach pour faire paraître le premier article sur *Bagatelles pour un massacre*. Certes, le délicat Brasillach n'appréciait qu'à demi les gros mots céliniens, mais il n'en concluait pas moins : « Ayez toutes les opinions que vous voudrez sur les Juifs et sur M. Céline. Nous ne sommes pas

---

1. François Gibault, *Céline*, Mercure de France, 1985, II, p. 169.

d'accord avec lui sur tous les points, loin de là. Mais on vous le dit : ce livre énorme, ce livre magnifique, c'est le premier signal de 'la révolte des indigènes' [1]. » Céline, en effet, exprimait à sa manière, unique, excessive, torrentielle, bon nombre de peurs et de fantasmes courants dans la France du Front populaire. La surprise pour beaucoup venait de ce que cet *n*-ième avatar de *La France juive* (1886) d'Édouard Drumont avait pris forme sous la plume d'un écrivain anticonformiste, dont les premiers livres ne laissaient apparemment rien prévoir.

Néanmoins Céline avait déjà étonné, indigné et provoqué autant de colère que d'admiration. En 1932, il avait publié *Voyage au bout de la nuit*, morceaux d'autobiographie transposés dans un romanesque apocalyptique et qui jetait d'un seul coup une chape de vétusté sur le reste du roman français. Son succès de librairie relatif avait été dû surtout au conflit public qui avait déchiré l'Académie Goncourt. En son sein, Lucien Descaves, homme de gauche, et Léon Daudet, polémiste d'Action française, s'étaient faits les champions de ce bouquin terrible, qui dénonçait pêle-mêle la boucherie de la Grande Guerre, le colonialisme français en Afrique, la robotisation des ouvriers dans l'industrie américaine taylorisée et la misère atroce de la banlieue parisienne où le héros de l'épopée Bardamu-Céline avait échoué comme médecin des pauvres. Donné comme vainqueur une semaine avant l'attribution du prix chez Drouant, Céline s'était vu préférer au jour « J » un aimable tâcheron de l'écurie Gallimard, soutenu à fond par le distributeur Hachette. Le *Voyage* avait eu les faveurs de consolation du prix Renaudot, mais Céline, se sentant lésé, avait mal digéré le tour de passe-passe. Lucien Descaves avait juré ne plus remettre les pieds dans l'antre du Goncourt. Tout ce tintamarre avait finalement servi au mieux les intérêts du livre.

La critique, de son côté, malgré quelques couacs, ne se méprit pas sur le chef-d'œuvre : un grand écrivain était né, qui avait un *style* — sauvage —, une vision du monde — ténébreuse —, un souffle — celui de la tempête... Cependant, Céline reçut alors ses meilleurs soutiens de la gauche. En par-

1. Frédéric Vitoux, *La Vie de Céline*, Grasset, 1988, p. 320.

ticulier, il fit un véritable « tabac » dans les milieux libertaires et antimilitaristes. Pierre Scize, dans *Le Canard enchaîné*, ne fut pas chiche d'enthousiasme en faveur du réfractaire nouveau-né : « Nous le lisons et nous l'aimons tout de suite. Nous ? C'est-à-dire tous ceux qui ont gardé quelque rage au ventre, quelque fiel dans le cœur. Nous qui n'acceptons ni le monde comme il va, ni la société où nous sommes, ni les hommes tels qu'ils sont » (14 décembre 1932). Les communistes — notamment Paul Nizan et Henri Lefebvre — avaient été moins favorables. Pourtant, dans *Monde*, la revue dirigée par Henri Barbusse, Georges Altman avait décerné à Céline un véritable brevet d'homme de gauche : « On aura compris, dit-il, que Louis-Ferdinand Céline est des nôtres. »

Cette faveur venue de la gauche reposait sur un malentendu. De ce point de vue, Trotski se révéla plus sagace. Il avait loué le *Voyage* mais en avait précisé les « limites » : « Céline montre ce qui est. Et c'est pourquoi il a l'air d'un révolutionnaire. Mais il n'est pas révolutionnaire et ne veut pas l'être. [...] Le 'célinisme' est un antipatriotisme moral et artistique. En cela résident sa force, mais aussi ses limites [1]. » Cette observation parut encore plus pertinente lorsque fut publié en mai 1936 *Mort à crédit*. Ce roman — toujours très approximativement autobiographique et dramatisé à l'extrême — peut passer aujourd'hui pour le chef-d'œuvre de Céline. A l'époque, il fit véritablement scandale, au point que bien des défenseurs du *Voyage* — à commencer par Léon Daudet et Lucien Descaves — gardèrent un silence prudent après l'éruption de ce nouveau volcan des lettres. Les débordements de cette lave argotique sur les coteaux paisibles de l'Hexagone littéraire provoquèrent stupeur et colère dans les rangs d'une critique résolue à défendre aux créneaux le beau langage et les bons sentiments.

L'écriture de Céline, on n'y trouvait pas la « petite musique » que l'auteur s'efforçait de composer ; on n'y voyait pas le rythme haletant ; on n'en comprenait pas l'invention. On croyait y percevoir seulement l'intromission du langage parlé le plus grossier dans la littérature. Méprise totale, à vrai dire : qui donc, dans la vie, parle comme écrit Céline ou comme

---

1. Cité dans « La Pléiade », Gallimard, I, p. 1266.

Céline fait parler ses personnages ? Non ! André Rousseaux du *Figaro* et autres critiques patentés, de gauche comme de droite, y dénoncèrent le caractère *abject, monstrueux, ignoble*... qui appelait sous presque toutes les plumes la dénonciation de l'« ordure ». Non seulement le vocabulaire utilisé était celui des « *égouts* », mais la langue française, sa syntaxe étaient mises en charpie par ce singulier entrepreneur en démolition. A Rousseaux du *Figaro* répondait en écho Paul Nizan de *L'Humanité*. Cependant, Nizan était sensible au contenu. Après Trotski, il mettait en relief le pessimisme radical de Céline, son nihilisme, son manque de solidarité avec les masses. Nous n'étions plus sur le terrain de la lutte des classes, comme chez Ford dans le *Voyage au bout de la nuit*. Les pauvres eux-mêmes étaient des brutes et des salauds. Une vision à désespérer tous les prolétariats ! La contradiction, aux yeux de Céline, n'était pas au cœur de la *condition* humaine, elle se trouvait dans la *nature* de l'homme, le plus vil des animaux. Simone de Beauvoir affirmera plus tard qu'elle et Sartre changèrent alors d'idée sur Céline, passant de l'admiration à la défiance : « *Mort à crédit* nous ouvrit les yeux. Il y a un certain mépris haineux des petites gens qui est une attitude préfasciste [1]. »

Un marginal, un homme solitaire, un écrivain qui ne signait pas de pétition, qui ne faisait pas partie du sérail, qui gagnait sa vie comme médecin de dispensaire, un original, une sorte d'anarchiste forcené, broyant du noir, vociférant, irrécupérable par quelque bord que ce soit. Dans la France divisée des années trente, personne ne savait à quel camp appartenait Céline. A aucun, sans doute. Au sien, rien qu'au sien ! Vandale ou génie, il ne s'alignait pas ; dans la guerre idéologique, il était l'insoumis ; dans le combat politique, il était celui qui se vante de ne jamais voter, jamais signer, jamais applaudir. Un rebelle, oui ! Un inclassable ! Il avait des admirateurs et des négateurs dans tous les camps. Mais voici que surgit *Bagatelles pour un massacre*. Cette fois, le doute n'est plus permis. A l'heure de la persécution antijuive en Allemagne et du Front populaire en France, Céline a écrit : « Je le dis tout franc, comme je le pense, je préférerais douze

1. Cité dans « La Pléiade », I, p. 1409.

Hitler plutôt qu'un Blum omnipotent. Hitler encore je pourrais le comprendre, tandis que Blum c'est inutile, ça sera toujours le pire ennemi, la haine à mort, absolue [1]. »

Il serait pourtant contraire à la vérité de dire que le Céline de *Bagatelles* fit un véritable scandale. En un sens, *Mort à crédit* avait provoqué une secousse autrement violente. Si, aujourd'hui, le pamphlet antisémite de 1937 paraît avoir marqué Céline au fer rouge, jeté sur son œuvre — pourtant si neuve et si puissante — un tombereau d'indignité, il faut admettre le caractère rétrospectif de cette honte. Céline lui-même, après la guerre, poursuivi par les tribunaux de l'Épuration, protestera contre cette espèce d'anachronisme dont il était victime : c'est pour *Bagatelles*, datant de 1937, qu'on voulait sa peau, et non pour des faits de collaboration qu'il jugeait (on en reparlera plus loin) inexistants. Certes, la Ligue internationale contre l'antisémitisme protesta et la presse de gauche renia celui qu'elle avait cru naguère des siens. Mais ce qui étonne aujourd'hui est plutôt la modération de la critique à la sortie du brûlot de Céline. Pourquoi ? Parce que, dans la France des années trente, l'antisémitisme jouit d'un statut respectable ; il appartient à une tradition culturelle et politique qui a le verbe haut ; il fait partie des passions banales. Céline, dans son livre débridé, ne fait preuve que d'une seule originalité : celle d'un écrivain qui maîtrise parfaitement son art — l'art de la vocifération rythmée, de l'imaginaire déchaîné, l'art du délire [2].

Cette banalité peut être perçue dans les sources utilisées par Céline. La revue *Esprit* avait déjà noté l'absence de toute observation personnelle et le pillage — sans références — d'un ouvrage de De Vriès, *Israël, son passé, son avenir*, et de deux petites brochures de propagande, *Le Règne des Juifs* et *La Prochaine Révolution des travailleurs* : « La façon dont il a reproduit les statistiques, en les faussant pour en amplifier

1. *Bagatelles pour un massacre*, p. 192 (éd. de 1942).
2. Il est difficile sur ce point de suivre Philippe Muray, *Céline* (Éd. du Seuil), écrivant : « Avec *Bagatelles* en décembre 1937 puis avec l'*École* en novembre 1938, Céline est en avance sur l'ignominie française. On peut lire ces torrents racistes comme des manières d'anticiper colossalement le pétainisme » (p. 131).

l'effet, est à cet égard symptomatique. » La revue d'Emmanuel Mounier en donnait quelques exemples éclairants. Cinquante ans plus tard, une chercheuse américaine, Alice Yaeger Kaplan, s'appliquant à décrypter les sources de *Bagatelles*, démontrait que les emprunts non avoués de Céline étaient en fait innombrables. La petite bombe célinienne n'était, à vrai dire, qu'une grosse fusée dans un feu d'artifice déjà passablement nourri depuis la fin du XIXᵉ siècle. Surtout, Céline avait utilisé la littérature la plus fraîche sur le sujet, tout au moins quant à l'encre sinon quant à l'inspiration, celle des années 1936-1937.

L'antisémitisme de Céline suscite d'abord l'interprétation sociologique. L'auteur de *Mort à crédit* s'est moqué du discours accusateur de son père, modeste employé de bureau, époux d'une non moins modeste boutiquière du passage Choiseul à Paris : à l'en croire, ses parents, travaillant comme des bêtes, étaient toujours à deux doigts de la faillite. Dans la tourmente de ses mauvaises affaires, le père en rendait les Juifs et les francs-maçons responsables. Exactement comme les lecteurs de Drumont, les fidèles de Rochefort, ceux — et son père en avait été — qui allaient applaudir Jules Guérin, enfermé dans son « fort Chabrol », au moment de l'affaire Dreyfus. Le Juif, désigné comme l'agent universel de leurs malheurs, l'homme des banques anthropophages, des grands magasins vampiresques, l'homme qui tient la Bourse et la Chambre, qui règne sur la presse et le théâtre, toute une petite-bourgeoisie inquiète s'était rassurée en *comprenant* la source de ses peines. A vrai dire, tous les petits-bourgeois ne tombaient pas dans la débine et ne finissaient pas leurs jours à l'usine. Les biographes de Céline nous ont bien montré l'écart qui existait entre la version donnée par Céline sur les tribulations de ses parents et la réalité telle qu'elle a été vécue par eux. Un écart sensible qui réduit notamment la faillite omniprésente dans la mémoire à son spectre. Disons-le : c'était moins, de la part du père de l'auteur, Fernand Destouches, la réalité objective d'une condition sociale empirante qui était à l'origine de la dénonciation antisémite que l'hallucination créée par la peur du lendemain. Un ennemi était dans les murs, s'acharnant à la perte des braves gens, on le lui avait répété : c'était le Juif et ses alliés francs-maçons. Des dizaines et des dizaines de livres, depuis *La France juive*, avaient prétendu en faire la démonstration [1].

L'antisémitisme de *Bagatelles pour un massacre* ne date pas du Front populaire. Ceux qui connaissaient l'œuvre de Céline savaient qu'avant même le *Voyage*, son auteur avait composé une pièce de théâtre, *L'Église*, dont un des actes était une charge contre la SDN, dépeinte comme une association juive à prétention universelle. Le vieux fonds anti-juif de son milieu familial, Céline ne l'avait pas renié, quand bien même il lui était arrivé d'en sourire. Cependant, des éléments nouveaux avaient contribué à consolider ses préjugés, à les faire sortir de leur état latent — en quoi, une fois encore, Céline se révélait bien plus *l'expression* d'une maladie sociale que le producteur d'une pensée originale : « Je n'ai rien découvert, écrira-t-il dans *L'École des cadavres*. Aucune prétention. Simple vulgarisation, virulente, stylisée. »

En effet, on peut passer rapidement sur les raisons personnelles du genre : Céline est devenu antisémite sur le tard parce qu'il a été *victime* d'un certain nombre de Juifs. Son échec au Goncourt, le mauvais accueil de *Mort à crédit* par la critique, son antipathie pour le médecin juif d'origine lituanienne Grégoire Ichok dirigeant la clinique de Clichy... Étant donné les excellentes relations qu'il a eues avec d'autres Juifs tout au long de sa vie, la tendance à la généralisation l'eût conduit plus certainement au philosémitisme [2]. Il est possible que tel ou tel événement de sa vie personnelle ait servi de déclencheur dans la rédaction de *Bagatelles pour un massacre*, mais là n'est pas l'important. Le sûr est que Céline écrit son méchant livre au moment où la France connaît une nouvelle poussée antijuive : cette fois, loin d'être à contre-courant, le voilà du côté de ceux qui donnent le ton.

La victoire électorale du Front populaire et les grèves défer-

---

1. La référence à Drumont s'impose comme une référence au principal vulgarisateur de l'antisémitisme en France. Mais — et sur ce point Philippe Muray insiste avec raison —, alors que l'antijudaïsme de Drumont restait marqué par ses origines chrétiennes, celui de Céline est radicalement antichrétien, opposant le polythéisme aryen au monothéisme judéo-chrétien.

2. Notamment son patron à la SDN, Ludwig Rajchman, d'origine juive polonaise.

lantes qui s'ensuivent avivent deux passions, souvent mêlées : l'anticommunisme et l'antisémitisme (« Juifs et communistes sont pour moi synonymes », écrit Céline). Le *Voyage au bout de la nuit* ayant été traduit en URSS, Céline y était allé faire un séjour en 1936, tout comme Gide. Ou plutôt, tout comme Gide (à son deuxième voyage), il en avait rapporté une vue négative qu'il avait exprimée dans un texte publié, *Mea culpa*. Mais, contrairement à Gide, comme à tant d'autres intellectuels invités et choyés par les maîtres staliniens aux frais du Prolétariat au pouvoir, Céline y était arrivé sans comité de réception : il payait avec les roubles inexportables de ses droits d'auteur. De cette visite, Céline avait tiré une conclusion qui dissonait avec les hymnes du Rassemblement populaire : ce n'est pas l'exploitation de classe qui rend l'homme abruti et malheureux ; le malheur de l'homme, c'est l'homme. Vision antihumaniste, radicalement pessimiste, et de surcroît catastrophiste : faire confiance à l'homme, l'animal le plus proche de l'ordure, lui faire entrevoir la possibilité du bonheur, c'est dorer la pilule à chacun en même temps que préparer le pire. Or qui règne sur ce marché d'illusions ? Les Juifs ! car ce sont eux — voyez les noms — qui ont fait la révolution bolchevique… En France, les communistes ont aidé à mettre en place pour la première fois un gouvernement présidé par un Juif. Pourtant — remarquons-le —, dans la haine portée contre Léon Blum, Céline ne sera pas le plus virulent : une bonne partie du « vieux pays gallo-romain » (comme disait Xavier Vallat) voue alors le chef socialiste aux enfers et dans un langage souvent ignoble.

Le Front populaire ne provoque pas la seule peur sociale. Aux yeux des antisémites, il représente un autre type de danger, auquel Céline est particulièrement sensible : celui d'un nouveau conflit international, que la guerre d'Espagne préfigure à partir du 18 juillet 1936. Plus tard, au moment des règlements de comptes, Céline reviendra vingt fois sur son explication de *Bagatelles* : c'est un acte de paix, une volonté d'arrêter un nouveau carnage, le cri d'un ancien combattant qui veut épargner ses concitoyens. De fait, le pacifisme de Céline était devenu viscéral. Le jeune cuirassier de la classe 1914, engagé volontaire de 1912, qu'il avait été, n'était devenu antimilitariste qu'après coup. Mais ce fut le cas de la plu-

part des combattants : leur patriotisme de la Grande Guerre
s'était mué en pacifisme[1]. Céline, à travers son héros Bardamu, n'avait fait qu'exagérer, avec son exaltation hyper-
bolique, un sentiment largement répandu. Or qui voulait la
guerre en 1937 ? Qui voulait, autrement dit, faire la leçon à
Hitler ? Réponse évidente dans l'esprit de ceux qui, de tous
temps, dénonçaient le pouvoir occulte des Juifs : ceux que
le Führer mettait alors au pas, dans l'Allemagne rénovée, ceux
qui sortaient de leurs ghettos et venaient envahir les démocraties, pour pousser celles-ci contre Hitler ! « Une guerre
pour la joie des Juifs », écrit Céline. C'est le même raisonnement que l'on trouve dans la presse profuse d'extrême
droite, depuis les journaux à grand tirage comme *Gringoire*
jusqu'aux revues intellectuelles et doctrinales comme *Combat*.

Dans cette dernière publication, on pouvait lire en avril
1936, au lendemain de la remilitarisation de la Rhénanie :
« Il y a dans le monde, en dehors de l'Allemagne, un clan
qui veut la guerre et qui propage insidieusement sous couleurs de prestige et de morale internationale les cas de guerre.
C'est le clan des anciens pacifistes, des révolutionnaires et
des Juifs émigrés qui sont prêts à tout pour abattre Hitler
et pour mettre fin aux dictatures. » Plus loin, l'auteur évoquait les « Juifs déchaînés dont la fureur théologique exigeait
contre Hitler toutes les sanctions tout de suite ». Céline n'avait
rien inventé.

Un autre ingrédient entrait dans la composition de l'antisémitisme célinien : la défense de la race. Le médecin Louis-
Ferdinand Destouches est un hygiéniste. Il ne fume pas, il
ne boit pas. Exerçant en banlieue, il a tout le loisir d'observer la misère ouvrière, en particulier les ravages de l'alcoolisme. Dans l'interprétation délirante de l'antisémitisme, le
raisonnement par analogie fait du Juif le microbe qui s'est
attaqué au corps sain et qui le mine peu à peu. Le « Roi Bistrot » n'est qu'un vassal de la puissance juive. Des preuves ?
C'est le gouvernement Blum qui a fait voter la semaine de
40 heures. Et que fait l'ouvrier de ces nouveaux loisirs ? Il

1. Voir la thèse d'Antoine Prost, *Les Anciens Combattants et la
Société française 1914-1939*, Presses de la Fondation nationale des sciences
politiques, 1977 (3 vol.).

s'alcoolise un peu plus dans l'un des 350 000 débits qui
« livrent le peuple aux Juifs ». Or cette réflexion sur la dégénérescence de la race (alcoolisme mais aussi malthusianisme,
absence d'habitudes sportives, maladies vénériennes etc.), elle
est celle d'une partie de l'intelligentsia française, qui n'hésite
pas à mêler dans ses observations un certain nombre d'allusions, voire d'arguments, carrément racistes. Certes, on
connaît l'admiration d'un Brasillach pour cette Allemagne
hitlérienne qui veut « une nation pure, une histoire pure, une
race pure » ; les obsessions biologiques d'un Drieu
La Rochelle (voir son roman *Gilles*)... Eux, du moins, se pro-
clamaient « fascistes ». On s'étonne davantage d'un Giraudoux, auteur modéré et libéral, utilisé bientôt par un
gouvernement républicain au service de la propagande.
Qu'écrit-il dans *Pleins Pouvoirs*, à la veille de la guerre ? Qu'il
faudrait se protéger de « la cohorte curieuse et avide de
l'Europe centrale et orientale », autrement dit « refouler tout
élément qui pouvait corrompre une race qui doit sa valeur
à la sélection et à l'affinement de vingt siècles ».

On l'a compris : *Bagatelles pour un massacre* n'est à aucun
moment une œuvre brillant par la nouveauté. Inspiré par toutes les élucubrations antijuives connues depuis Édouard Drumont, reprenant la mythologie des *Protocoles des Sages de
Sion*, ce faux célèbre qui a désormais son historien [1], et qui
établissait les pseudo-preuves d'un complot juif destiné à soumettre l'univers, repérant dans tous les malheurs du monde
la main cachée des fils du Talmud, le pamphlet de Céline
ajoutait ses effets incantatoires à ceux d'une abondante production raciste, revivifiée par la conjoncture internationale.
Néanmoins, Céline payait à la cause antisémite un immense
tribut : il lui offrait son rare talent d'écrivain, c'est-à-dire
de créateur de langue. *Bagatelles* célébrait les noces de la littérature la plus avancée avec les préjugés les plus rétrogra-
des. Telle est bien, finalement, la réalité du scandale : le
contenu du livre ressortissait au racisme ordinaire, mais sa
manière était celle d'un grand écrivain.

Il y avait plus, ou plus grave. Dans un pays, qu'il préten-

---

1. Norman Cohn, *Histoire d'un mythe. La « Conspiration » juive et
les « Protocoles des Sages de Sion »*, Gallimard, 1967.

dait servir, et qui avait à accumuler son énergie face aux entreprises de l'impérialisme nazi, Céline, qui disait n'être d'aucun
parti, allait devenir ce qu'on appelle un agent d'influence de
l'Allemagne hitlérienne. Non que Céline, comme Sartre
l'affirmera plus tard, fût devenu antisémite pour de l'argent.
Il n'était, il ne sera jamais un « vendu ». Il mettra même son
point d'honneur, toujours, à ne dépendre de personne, ni
d'un parti ni d'un État. Mais, embarqué par son obsession
antisémite, il va se retrouver bientôt sur les positions les plus
insoutenables de l'échiquier politique.

Pour commencer, il avait largement utilisé, en vue d'écrire
Bagatelles, les multiples brochures de la propagande
nationale-socialiste. Alice Kaplan, déjà mentionnée, a bien
mis en lumière l'influence de la *Welt-Dienst*, service de propagande subventionné par les nazis, et son bulletin *Service
mondial*, publié en France depuis 1933. En février 1937,
ce bulletin avait recommandé l'ouvrage du Belge De Vries,
Israël, son passé, son avenir, une des sources principales,
comme on l'a dit plus haut, du pamphlet de Céline. Ce
service allemand, d'autre part, soutenait et subventionnait
un certain nombre d'officines antisémites bien françaises,
ainsi que leurs publications : *Le Siècle nouveau* d'Henry
Coston (où avait paru *La Conspiration juive* en 1937), *Le
Grand Occident* de Lucien Pemjean (ancien boulangiste et
collaborateur de Drumont à *La Libre Parole*), *Le Réveil
du Peuple* de Jean Boissel, interrompu pendant l'été 1937
mais bientôt remplacé par le titre plus explicite de *L'Anti-
Juif* (ainsi s'était appelé le journal de Jules Guérin pendant
l'affaire Dreyfus)... Outre les noms cités, ceux d'Henry-
Robert Petit et de Darquier de Pellepoix complètent le
tableau. Le premier, secrétaire du second, auteur de plusieurs ouvrages, collaborait au Centre de Documentation
et à *La Libre Parole* de Coston. Sous des intitulés divers,
ce petit monde colportait le b-a ba de la propagande antijuive et antimaçonne, avec la bénédiction des Allemands.
Or Céline, qui jusque-là n'avait jamais participé à leurs
activités, fut amené à prendre langue avec certains de ces
propagandistes. C'est ainsi que dans une lettre à Henry-
Robert Petit, Céline lui fait cet aveu : « Bien sûr je ne me
cache point de vous avoir compulsé, trituré, pompé au petit

bonheur [1]. » On verra même notre auteur très apolitique, très allergique aux réunions, pétitions et autres agitations publiques, se rendre le 3 décembre 1938 à une réunion organisée par *La France enchaînée*, journal faisant suite à *L'Anti-Juif*, organe officiel du « Rassemblement anti-juif » de France. Céline ne redoutait donc pas de s'afficher désormais avec les militants avancés de la cause nationale-socialiste en France. De là à conclure que Céline était devenu lui-même un nazi est tentant. H.-E. Kaminski franchit le pas, en cette même année 1938, dans un ouvrage au titre dépourvu d'équivoque : *Céline en chemise brune*. « Pour rendre Céline inoffensif, écrivait-il, il suffit de le démasquer. Ce qui est inadmissible, c'est qu'il vende sa camelote nazie pour de la littérature originale. Ce qui est nécessaire, c'est de mettre en lumière qu'il ne s'agit pas ici d'art ou de psychologie, mais de propagande hitlérienne. » En fait, Céline paraît alors prisonnier de l'engrenage pacifiste. Éviter la guerre à tout prix, voilà le but proclamé. Et puisque la guerre sera une guerre « juive » contre Hitler, alors il ne voit plus de salut que dans la dénonciation du judéo-communisme et dans l'alliance avec l'Allemagne.

Munich avait cru rassurer les peuples. La paix pour mille ans : tel était le refrain de l'automne 1938. Au printemps suivant, il fallut déchanter. Piétinant allégrement les accords de la célèbre conférence, Hitler achevait d'avaler ce qu'il restait de la Bohême et s'assurait le contrôle de la Slovaquie. Cette fois, le traité de Versailles et ses iniquités n'étaient plus en cause : Hitler se révélait un conquérant insatiable. S'il continuait, la guerre devenait inévitable. Les plus ardents des néo-pacifistes de droite reconsidéraient la question : l'Allemagne était sur le point de redevenir à leurs yeux longtemps myopes l'ennemi principal. Or Céline, tenaillé dans le terrible mécanisme où il avait mis sa plume et sa vie, s'était avisé de publier en novembre 1938 *L'École des cadavres* — nouveau pamphlet entièrement consacré à la glorification d'une entente avec l'Allemagne de Hitler. Il n'en démordait pas : « Je suis pas très partisan des allusions voilées, des demi-

1. A. Yaeger Kaplan, *Relevé des sources et citations dans « Bagatelles pour un massacre »*, Tusson (Charente), Du Lérot, 1987, p. 33.

teintes. Il faut tout dire ou bien se taire. Union franco-
allemande. Alliance franco-allemande. Armée franco-
allemande. C'est l'armée qui fait les alliances, les alliances
solides. Sans armée franco-allemande, les accords demeurent
platoniques, académiques, versatiles, velléitaires... Assez
d'abattoirs! Une armée franco-allemande d'abord! Le reste
viendra tout seul. L'Italie, l'Espagne par-dessus le marché,
tout naturellement, rejoindront la Confédération. Confédération des États aryens d'Europe. »

Céline n'était sans doute pas *stricto sensu* un nazi. Il était
pour le moins, dans les mois qui précèdent la guerre, un des
tout premiers collaborationnistes avant la lettre. Même un
Rebatet en éprouvait quelque gêne : « Céline continuait à exagérer [1]. » En fait, Céline avait suivi la logique du pacifisme
intégral, celui qu'il n'était plus très opportun de proclamer
au printemps 1939 mais qui, de nouveau, précipitera dans
les bras allemands tant de publicistes et de vrais écrivains qui,
depuis 1935, dénonçaient le danger de guerre comme le fruit
d'un complot judéo-maçonnique, acharné à écraser le Chef
allemand qui avait résolu de « nettoyer » son pays. Céline restait un solitaire. En quoi il n'était pas un vrai nazi. Mais cet
esprit anarchiste, désespérant de l'humanité, s'était senti brusquement investi, dira-t-il, d'une lueur d'espoir : il devait
contribuer à épargner aux hommes un nouveau 14-18, un
nouveau « *massacre* »... Ayant « compris » d'où venait le Mal,
il s'était mis à *vulgariser* sa connaissance. Avec ses moyens
propres : « J'aurais pu donner dans la science, la biologie où
je suis orfèvre. J'aurais pu céder à la tentation d'avoir magis-
tralement raison. Je n'ai pas voulu. J'ai tenu à déconner un
peu, beaucoup, pour demeurer sur le plan populaire [2]. »
Céline, qui doutait de tout, s'était mis à prêcher. Des années
plus tard il s'en voudra de ce fugace retour... d'optimisme !

Évidemment, la défaite de 1940 l'installe dans la certitude
d'avoir eu raison. Réformé à cause de ses blessures de la
Grande Guerre, Céline a voulu néanmoins offrir ses services
de médecin, ce qui l'entraîne dans quelques pérégrinations
aussi dangereuses que pittoresques au cours de la « drôle de

1. Frédéric Vitoux, *op. cit.*, p. 329.
2. A. Yaeger Kaplan, *op. cit.*, p. 36.

guerre » et au moment de l'exode — qu'il fait en blouse blanche et en compagnie de sa future femme Lucette, infirmière improvisée, et de deux nouveau-nés et de leur grand-mère, le tout dans l'ambulance municipale de Sartrouville qu'on lui avait confiée. Nouveau chapitre des mésaventures de Bardamu dans la jungle humaine.

L'Occupation venue, Céline n'en devient pas pour autant l'un des collaborationnistes les plus en pointe. Il n'adhère à aucun parti fasciste, et fréquente encore moins les allées de Vichy. Le style de la Révolution nationale est trop boy-scout pour admettre l'auteur de *Mort à crédit* dans la liste des écrivains recommandables. Tout de même, Céline, comme à l'ordinaire, ne se laisse guère inspirer par la prudence. Lui, pourtant modeste mangeur, que la peur du manque habite, au point qu'il passe une bonne partie de son temps à quémander du beurre et du lard de ses relations bretonnes ou normandes, n'a — en revanche — certainement pas conscience des risques qu'il prend en sortant du silence et de ses fonctions médicales. Celles-ci, du reste, ont changé. Il est désormais responsable du dispensaire de Bezons — toujours la banlieue ! Mais pour obtenir ce poste, il n'a pas hésité à agiter ses droits d'« Aryen » contre l'encombrement de la médecine française par les Juifs. Il y a des convictions qui parfois se révèlent fort opportunes. En mai 1941, il publie son dernier pamphlet, *Les Beaux Draps*. L'ouvrage paraît aux Nouvelles Éditions françaises, qui ne sont qu'une filiale de Denoël — une succursale bien spécialisée : on y trouve *Comment reconnaître le Juif*, du Dr Montandon, *La Médecine et les Juifs*, du Dr Querrioux, *La Presse* (sous-entendu : juive), de Lucien Pemjean, et, de Lucien Rebatet, *Les Tribus du cinéma et du théâtre*. Dans son nouveau libelle, Céline racontait la défaite militaire française sans faire — contrairement aux discours officiels de Vichy — la moindre concession aux responsables des armées : « Faudrait peut-être d'abord s'entendre... Qui c'est qui doit défendre la France ? Les civils ou les militaires ? Les tanks de 20 tonnes ou les vieillards ? Les tordus, les gnières en bas âge, les lardons morveux, les prudents affectés spéciaux, ou les régiments mitrailleurs ? Ah ! c'est pas bien net dans les propos... On arrive pas à bien se comprendre. Y a de la confusion, de l'équivoque, on dit pas toute la vérité... »

Néanmoins, cet accès de bon sens n'est pas le fond du livre. Dans la France allemande, dans la France du statut des Juifs, son obsession antisémite n'a pas désarmé. A ceux qui supportent mal la présence allemande, il réplique : « Et la présence des Juifs alors ? » Il les voit encore partout : dans la presse, au barreau, en Sorbonne, en médecine, au théâtre, à l'Opéra, dans l'industrie, dans les banques... C'est évident : « La France est juive et maçonnique, une fois pour toutes. » C'était aussi pour Céline, il est vrai, une façon métaphorique d'exprimer son dépit, sa honte, son dégoût pour un peuple français qu'il jugeait avachi, bassement matérialiste, alcoolisé jusqu'à la moelle. Cependant, quand on personnifie tout le négatif du monde dans un groupe ethnique bien précis, voué de surcroît à la haine systématique de la puissance conquérante, la « métaphore » devient un appel au meurtre. Reste que le ton de l'ouvrage était si peu officiel que la censure de Vichy finit par interdire *Les Beaux Draps* en zone non occupée. D'où ce jugement de l'auteur sur la capitale maréchaliste : « Vichy... ce chef-clapier des bourbiers juifs ! » On y revenait toujours. Médecin moliéresque, Céline répétait : « Le poumon ! Le poumon, vous dis-je ! », sous un autre nom.

Resté indépendant de tout groupe politique et de tout journal, de toute administration et de toute mission, Céline n'hésite pas, néanmoins, à laisser publier des lettres de lui à des journalistes qui pèseront lourd dans son dossier. Par exemple à Jean Lestandi, du *Pilori*, le 2 octobre 1941 : « Pour recréer la France, il aurait fallu la reconstruire entièrement sur des bases racistes-communautaires. Nous nous éloignons tous les jours de cet idéal. » Antiaméricain, antisoviétique, antigaulliste, plus antisémite que jamais, Céline est à classer indiscutablement du côté des forces morales qui ont soutenu l'Allemagne nazie. Tout en gardant son quant-à-soi et ses contradictions. Le médecin Destouches n'hésitera jamais à signer des certificats de complaisance pour épargner le STO à des jeunes gens ; les Juifs en bénéficiaient aussi. Jamais il n'eut l'idée de dénoncer ses voisins du dessous, Robert Chamfleury et Simone Mabille, rue Girardon, dont les activités de

Résistance lui étaient parfaitement connues [1]. Quand il se rend à Berlin en 1942, ce n'est pas à une invitation du gouvernement national-socialiste mais pour s'occuper de ses avoirs, placés en Hollande et au Danemark. Invité, cependant, à prononcer quelques mots au Foyer des ouvriers français de Berlin, il se venge des Allemands qui lui ont volé son magot en déclarant froidement : « Ouvriers français, je vais vous dire une bonne chose, je vous connais bien, je suis des vôtres, ouvrier comme vous, ceux-là [les Allemands] ils sont *moches*. Ils disent qu'ils vont gagner la guerre, j'en sais rien. Les autres, les Russes, de l'autre côté, ne valent pas mieux. Ils sont peut-être pires ! C'est une affaire de choix entre le Choléra et la Peste ! C'est pas drôle ! Salut ! » Imprévisible Céline.

Cependant, il se sent à juste titre trop compromis pour rester en France au lendemain du débarquement. Quelques jours avant la libération de Paris, il s'enfuit, avec sa femme Lucette et son chat Bébert, pour Baden-Baden. Commence alors une longue dérive, cahotique, burlesque, dramatique, qui conduira finalement Céline au Danemark, *via* Sigmaringen, où il approchera la cour du roi Pétain. La prison danoise, l'exil, la condamnation par contumace, l'amnistie, le retour en France en 1951, l'installation définitive à Meudon... De ce nouvel exode, Céline a tiré d'autres « romans », dont le plus connu est *D'un château l'autre* et, peut-être le plus achevé, *Nord*. Par l'intermédiaire de ses avocats, Me Albert Naud (un résistant) et Me Jean-Louis Tixier-Vignancour (un vichyssois), qu'il saura jouer habilement l'un contre l'autre, Céline s'efforcera de limiter ses responsabilités :

« Vous n'oubliez pas que je n'ai jamais appartenu à aucune société franco-allemande médicale, littéraire, politique, à aucun parti — que je n'ai jamais écrit un article de ma vie. J'ai écrit des lettres PRIVÉES aux directeurs des journaux pour protester sous l'occupation qui ne les ont point fait paraître — ou complètement tripatouillées — déformées — j'ai été harcelé pendant toute l'occupation par la Bibici (sans aucun motif), menacé perpétuellement — journaux clandestins, cercueils, etc., on ne me trouvera ni dans *Signal* — ni dans les

---

1. Frédéric Vitoux, *op. cit.*, p. 390.

Cahiers franco-allemands — ni aux 'visites des littérateurs français en Allemagne', ni ambassadeur de Pétain — RIEN DU TOUT — je n'ai profité de rien — je ne me suis vengé de rien, de personne, j'ai PERDU TOUT — je n'ai pas joué sur Hitler — on me détestait à l'ambassade — je suis un patriote pacifiste — je ne voulais pas la guerre — C'est tout — Rien rien rien d'AUTRE [1]. »

Dans ce plaidoyer *pro domo*, fini l'antisémitisme de Céline ! Envolé ! Pourtant, à l'heure où se préparait la rafle du Vel'd'Hiv', Céline laissait rééditer *Bagatelles pour un massacre* et continuait à vitupérer les victimes désignées des nazis comme les artisans du malheur de la France. Non, non, il n'avait été qu'un pacifiste : il ne sortait pas de là ! Oubliées les tirades sur la solution « *raciste-communautaire* » ! Céline n'avait été qu'un écrivain, soucieux avant tout de son art, de sa musique ; le Dr Destouches avait été un médecin qui avait fait des pieds et des mains pour ses pauvres de Bezons… Irresponsabilité de la littérature et impartialité de la médecine !

L'histoire de Céline à partir de *Bagatelles pour un massacre* est d'abord une histoire collective : celle de l'antisémitisme français, tombé bientôt dans le cul-de-sac de la Collaboration. Céline, comme tous les autres champions de l'antijudaïsme, a voulu dénoncer la « décadence » de son pays. Les symptômes de cette « décadence » étaient tantôt justes, tantôt fantaisistes : le simple regret de ce qui a été et qui n'est plus donne libre cours à toutes les dénonciations. En quête d'une explication globale, cette haine du présent et cette peur de l'avenir « découvrent » le principe du déclin. Un principe unique, qui a réponse à tout. Une engeance diabolique a juré la perte de l'ancienne France, de la race gauloise, des vertus cardinales de la nation. C'est une autre nation, parasitaire, corruptrice, travaillant de manière occulte à son avènement sur les ruines de la race. Les Juifs — puisque c'est d'eux qu'il s'agit — opèrent par les deux bouts : ils sont le Capital (Rothschild) et ils sont la Révolution (Trotski). « La France, écrit Céline après dix autres, après cent autres, la France est une colonie du pouvoir juif international [2]. » Le redresse-

1. *Ibid.*, p. 503.
2. *Bagatelles*, p. 85.

ment français passe donc nécessairement par l'antisémitisme, tout de même qu'en 1789 il passait par l'abolition des privilèges.

Ce n'est pas le moindre des paradoxes que ces bons Français, hantés par la décomposition de leur patrie, aient été conduits par la logique de la « causalité diabolique » à faire de leur pays un vassal du conquérant étranger. Cette impasse infernale a été pour un Pierre Drieu La Rochelle la voie du suicide, pour un Robert Brasillach celle du peloton d'exécution. Leur cas est douloureux et suscite encore de pieuses pensées. Moins compromis, plus prudent, Céline a échappé à ces épilogues sanglants. Mais son cas ne nous apparaît que plus scandaleux. Son refuge final dans la littérature, ses dénégations, ses ruses de petit-bourgeois pour survivre d'un château à l'autre, tout cela n'œuvre guère pour la grandeur des lettres. Or voici ce qui nous gêne : les livres d'un Brasillach, ceux d'un Drieu, quels que soient leurs talents, ils appartiennent au deuxième rang ; on peut s'en passer. Au contraire, l'œuvre de Céline est celle d'un des grands écrivains du siècle : on ne peut pas l'enterrer. Que l'auteur de *Voyage au bout de la nuit*, de *Mort à crédit*, de *Nord*, ait pu avoir partie liée avec la plus grande entreprise d'extermination du siècle, voire de l'histoire de l'humanité, reste proprement intolérable.

De ce fait, on peut tirer toutes les pensées que l'on veut, et aussi toutes les interprétations. Que Céline était paranoïaque ; qu'il ne s'était jamais remis de ses blessures de la Grande Guerre (il n'écrivait qu'entre deux migraines) ; qu'il n'était qu'un sensitif, un imaginatif, incapable de raisonner politiquement ; qu'il était un homme seul, un autodidacte, n'ayant jamais été entouré, encadré, influencé par un milieu quelconque, rejeté qu'il était aussi bien de l'*establishment* médical que de l'élite littéraire ; qu'il n'avait cessé de développer une vision du monde poussée au plus noir, hantée par des hallucinations apocalyptiques, désespérant de la nature humaine ; qu'il était aussi, dans la lignée de ses parents, le produit d'une couche sociale en passe de mourir, sécrétant un prépoujadisme mortifère... Que sais-je ? Rien de tout cela n'est faux. Mais rien de tout cela ne peut atténuer l'éclat du scandale : qu'un artiste de cette taille ait participé avec ses hurlements et ses trois petits points légendaires au génocide.

Cette perplexité, sans doute, est elle-même naïve. Elle repose en effet sur un postulat des plus contestables : que les meilleurs écrivains seraient politiquement les plus clair-voyants. Le cas Céline, une fois pour toutes, devrait nous tirer de cette illusion.

Repères chronologiques

1894	27 mai	Naissance à Courbevoie de Louis-Ferdinand Destouches, fils de Fernand Destouches, employé à la compagnie d'assurances Le Phénix, et de Marguerite née Guillou, boutiquière en Modes et Lingerie.
1899		Installation des Destouches passage Choiseul (le « passage des Bérésinas » de *Mort à crédit*).
1907		Louis-Ferdinand obtient son certificat d'études. Fait au cours des deux années suivantes des séjours linguistiques en Allemagne puis en Angleterre.
1910		Apprentissage dans le commerce (bonneterie et bijouterie).
1912		L.-F. devance l'appel sous les drapeaux et s'engage pour trois ans dans la cavalerie.
1914	27 octobre	Blessé au bras droit au cours d'une mission pour laquelle il s'est porté volontaire. Reçoit un mois plus tard la médaille militaire. Une autre blessure, à la tête, le condamne à d'incessantes névralgies.
1915	mai	Affecté au consulat général de France à Londres.

	décembre	Réforme temporaire.
1916-1917		Employé par un condominium franco-anglais au Cameroun.
1917-1918		Retour en France. Travaille à la revue *Eurêka* avec Raoul Marquis (modèle de Courtial des Péreires de *Mort à crédit*). Puis conférencier pour la fondation Rockefeller de propagande contre la tuberculose.
1919-1923		Reprise des études grâce aux conditions spéciales offertes aux anciens combattants. Baccalauréats puis médecine à Rennes. Le 10 août 1919, le bachelier Destouches épouse Édith Follet, fille du directeur de l'École de médecine de Rennes. Naissance de Colette le 15 juin 1920.
1924	1er mai	Soutenance de la thèse de médecine, consacrée à la vie et à l'œuvre du médecin hongrois Semmelweis (1818-1865). C'est une première œuvre littéraire (un critique hongrois lui reproche ses approximations et ses exagérations).
	27 juin	Mis à la disposition de la Section d'hygiène de la SDN à Genève, sous la direction du Pr Rajchman.
1924-1927		Différents voyages, aux États-Unis, à Cuba, au Canada, en Grande-Bretagne, en Afrique. Divorce à ses torts (juin 1926). Début de liaison avec Elisabeth Craig. Écrit le début d'une pièce

de théâtre, *L'Église*, qui contien-
dra une charge contre les Juifs de
la SDN. La pièce sera publiée en
1933, après le succès de son premier roman.

1927	novembre	Ouvre un cabinet de médecine générale à Clichy.

1928-1932 — Médecin de banlieue, arrondit ses revenus dans un laboratoire phar-maceutique. Ferme son cabinet en 1929, pour prendre un poste dans le nouveau dispensaire de Clichy.

1932   14 mars   Mort du père.

        15 octobre   Louis-Ferdinand Destouches, sous le pseudonyme de Céline — pré-nom de sa grand-mère maternelle —, publie chez Denoël *Voyage au bout de la nuit*. Prix Renaudot.

1936   mai   Deuxième roman, *Mort à crédit*, chez Denoël.

        août   Voyage en URSS (« Tout bluff et tyrannie »).

1937 — Deux pamphlets : *Mea culpa* et *Bagatelles pour un massacre*. Rencontre de la danseuse Lucette Almanzor, qu'il épousera en 1943. Quitte le dispensaire de Clichy.

1938   24 novembre   Sortie, toujours chez Denoël, de *L'École des cadavres*.

1939-1940 — Reprend du service comme méde-cin dans la marine marchande. Exode avec Lucette dans l'ambu-lance de Sartrouville.

1941   28 février   Mise en vente des *Beaux Draps*.

1941-1944		Médecin à Bezons. Écrit *Guignol's Band* (dont la première partie est publiée par Denoël en 1944). Laisse rééditer ses pamphlets antisémites et publier par des journaux collaborationnistes des lettres de lui compromettantes.
1944	17 juin	Fuite en Allemagne avec Lucette et le chat Bébert. Début d'un long périple, de Baden-Baden à Copenhague, en passant par Sigmaringen. Onze mois d'incarcération dans la capitale danoise. Remis en liberté le 24 juin 1947. Autorisé à rester au Danemark.
1950	février	Condamné à un an d'emprisonnement par contumace.
1951		Amnistie et retour en France. Installation définitive à Meudon.
1952-1960		Réimpression chez Gallimard de l'œuvre romanesque publiée chez Denoël et publication de nouveaux titres — notamment *D'un château l'autre* en 1957 et de *Nord* en 1960.
1961	1er juillet	Mort de Céline, juste après la seconde rédaction de *Rigodon*, qui sera publié en 1969. En 1964, paraîtra la seconde partie de *Guignol's Band* (sous le titre : *Le Pont de Londres*).

9

Le cas Bernanos

Un homme debout.

> Je suis un homme moyen resté libre, je suis un
> homme moyen auquel la propagande n'a pas
> encore appris à sauter dans tous les cerceaux qu'on
> lui présente... Je suis un homme debout !
>   *La liberté pour quoi faire ?*

Plus de vingt ans après la mort de Georges Bernanos, on
n'entre pas dans son œuvre politique comme dans un jardin
à la française ; ce ne sont pas les droites lignes d'un positi-
visme politique qui l'ont dessinée, et, de toute façon, l'esprit
de liberté eût tôt fait d'y bouleverser ce que l'esprit de géométrie se fût jamais ingénié d'ordonner. Devant Bernanos,
les étiquettes simplificatrices se justifient moins que jamais.

Vu de loin, on pourrait le baptiser réactionnaire. N'est-il
pas resté constant, jusqu'à sa mort, dans son option monarchiste ; n'a-t-il pas été l'admirateur attardé de Drumont,
auquel il a consacré un de ses livres les plus célèbres [1] — et
n'a-t-il pas gardé l'empreinte ineffaçable de l'antisémitisme
appris dans *La Libre Parole ?* N'a-t-il pas été, après la
Seconde Guerre mondiale, un des plus éloquents champions
de l'anticommunisme ? Ces quelques traits pourraient bien
lui valoir la sympathie des hommes de droite, mais comment
ceux d'entre eux qui n'ont pas la mémoire trop courte
pourraient-ils lui pardonner d'avoir dénoncé la campagne
d'Éthiopie au moment où l'« élite » intellectuelle française faisait l'apologie du Duce ; d'avoir, écrivain catholique, publié

---

1. *La Grande Peur des bien-pensants*, Grasset, 1931.

Édouard Drumont et Cie, Éd. du Seuil, coll. « XXᵉ Siècle », 1982.

un des pamphlets les plus virulents contre Franco et ses mitres[1]; de s'être dressé, malgré les patriotes de métier, contre la capitulation de Munich; d'avoir écrit les pages les plus dures contre le néo-pacifisme de droite, stigmatisé la singulière génuflexion que faisaient devant Hitler ceux qui, peu d'années auparavant, en face d'une Allemagne désarmée, s'indignaient des « générosités » du traité de Versailles et du « pacifisme humanitaire » des socialistes; d'avoir sans hésitation récusé l'armistice de 1940, acte « strictement conforme à l'esprit de Munich »; appelé à la résistance face au totalitarisme nazi et à la révolution face aux « saltimbanques de Vichy »… Ce qui ne l'empêche pas, la guerre finie, de retourner ses batteries sur les partis de gauche fondateurs de la IVe République.

On a pu considérer qu'il fluctuait un peu trop et souhaiter qu'il choisisse son camp, une fois pour toutes. Mais, si Bernanos est inclassable, ce n'est pas dire qu'il est frivole. Le vrai est qu'il est un homme seul, un homme pauvre, qu'aucune convention sociale, qu'aucune obligation de secte et qu'aucune complaisance de profession n'oblige. C'est sa force. « On aura beau essayer de me tirer à droite ou à gauche, le chemin que je me suis tracé m'est trop familier pour que je ne sois pas capable de m'y conduire, je connais ma route. »

De fait, Bernanos est resté fidèle, sa vie durant, à des valeurs inspirées d'un christianisme fervent — au rang desquelles il convient de placer la double exigence de l'honneur et de la liberté. Son œuvre politique témoigne d'un combat inlassable contre tout ce qui à ses yeux menace les personnes et les peuples du déshonneur de la soumission et de la servitude.

Si la monarchie, à notre étonnement, est pour lui le meilleur des régimes, la conception idéalisée et fort peu théorisée qu'il en a se situe aux antipodes de la monarchie selon Maurras. Là où le disciple d'Auguste Comte voit un corps d'institutions et un ordre hiérarchique, Bernanos défend une forme de gouvernement qui a « une parole d'honneur », soit tout le contraire, à ses yeux, de l'État moderne, qui est toujours

---

1. *Les Grands Cimetières sous la lune*, Plon, 1938.

le gouvernement des fonctionnaires et des policiers. Son adhésion à l'Action française apparaît comme le fruit d'un malentendu ; devenir camelot du roi avait été pour le jeune Bernanos
la seule façon qu'il vît, avant 1914, de s'insurger contre les
bien-pensants. Dès lors que l'école maurrassienne lui est appa-
rue comme un des piliers du parti de l'Ordre, il ne s'y attarda
pas — même s'il prit la défense de l'AF lorsque celle-ci, en
1926, tomba sous la condamnation de Rome. La montée des
dictatures mit clairement au point les relations de Bernanos
et de Maurras ; ils n'avaient plus de langue commune. Bernanos avait toujours été du parti du roi ; Maurras n'avait
jamais été que du parti de la Ligue.

Bernanos avait tout de même partagé avec Maurras sa
condamnation de la démocratie, mais, sur ce mot, il avertit
à plusieurs reprises son lecteur : la démocratie qu'il
condamne, ce n'est pas la liberté des peuples, c'est la démocratie institutionnalisée qui, soit dans le cadre du parlementarisme bourgeois, soit dans le cadre du communisme
soviétique, au lieu de garantir cette liberté tend au contraire
à l'abolir. C'est contre le mythe de l'égalité, sur lequel repose
la démocratie, que Bernanos nous prévient. La liberté et l'égalité, nous dit-il, ne sont pas compatibles. L'égalité est un principe au nom duquel tous les moyens coercitifs de toutes les
tyrannies sont possibles. C'est au nom de l'égalité qu'on ins-
titue la terreur ; c'est au nom de l'égalité qu'on instaure la
religion de l'État, c'est-à-dire en fin de compte l'apothéose
des bureaucrates et des gardes-chiourme. Entre la démocratie occidentale et le communisme, il n'y a qu'une différence
de degré : la servitude commence par la conscription obligatoire et elle s'achève par les camps sibériens.

La liberté, selon Bernanos, en effet, n'a rien à voir avec
le libéralisme ; il a toujours été convaincu que « dans une
société dominée par l'argent, la liberté n'est qu'un leurre ».
C'est aux hommes d'Ordre, aux bien-pensants, aux profiteurs
du régime capitaliste abrités sous les clochers de l'Église et
les drapeaux de l'anticommunisme qu'il a réservé ses coups
les plus rudes. Dénonçant la peur sociale de tant de catholiques sous le Front populaire, il accuse l'Église officielle de
donner sa caution à la bourgeoisie et à ses maîtres : « Il est
quand même désagréable d'entendre de bons gras chanoines

parler du Sermon sur la Montagne comme d'un manifeste conservateur.» La mission de l'Église est de former des hommes libres, non des hommes d'Ordre.

L'espèce la plus redoutable d'hommes d'Ordre, nous dit Bernanos, ce ne sont pas ceux en définitive qui ont le fusil à l'épaule, c'est la masse moutonnière, ces «majorités silencieuses» ou, comme il dit, les Respectueux, les Circonspects, les Modérés, ceux qui vivant dans la hantise de la sécurité sont prêts à toutes les abdications, à commencer par celle de leur propre liberté. «La pire imprudence est de dédaigner les médiocres; la médiocrité est un gaz sans couleur et sans odeur; on le laisse tranquillement s'accumuler, et il explose tout à coup avec une force incroyable.» Bernanos n'a cessé d'être un immodéré : le modérantisme et la médiocrité ont amené Munich et parrainé le vieux maréchal qui en est l'enfant naturel.

Après Hiroshima, Bernanos a consacré une grande partie de ses dernières forces à battre la générale contre le despotisme d'une Technique incontrôlée. De son point de vue, les deux grands régimes en concurrence, capitalisme et communisme, ne sont que les deux faces d'une même anticivilisation dont le trait le moins supportable sera, est déjà la réduction de l'homme à l'état de robot. Non pas que Bernanos préconisât le retour à la terre et au rouet; ce n'est pas la machine qu'il dénonce, entreprise absurde, c'est l'esprit machiniste, spéculatif et productiviste, qui conduit nécessairement à l'asservissement de l'homme à l'économique et, partant, au monstre étatique moderne.

Bernanos a répudié les idéologies, de droite comme de gauche : «Au nom de la 'justice sociale', comme hier au nom de l''ordre social', on tue, on déporte, on torture des millions d'hommes, on asservit des peuples entiers, on les déplace d'un lieu à un autre comme des troupeaux.» Mais, devant les forces conjuguées des tyrannies, mécanique, étatique, politique, dont les progrès l'ont souvent désespéré, loin de prêcher quelque vague résignation «libérale», il a cru jusqu'au bout que de la France, qui avait tant déçu mais qui gardait en elle tant de réserves de redressement séculaires, partirait «le signal de l'insurrection de l'Esprit».

« *Mon vieux maître.* »

L'attitude de Bernanos face aux États totalitaires, particulièrement depuis la conquête de l'Abyssinie, l'a donc situé le plus souvent aux antipodes de son ancienne politique. Du même coup, il s'est acquis un nouveau public, une nouvelle réputation. Les chrétiens de gauche, devenus nombreux dans les années de l'après-guerre, lui ont su gré d'avoir fait entendre une grande voix catholique contre tous les déshonneurs récents de la patrie : Munich, l'armistice, la Collaboration, Vichy béni des évêques... C'était trop rare, un écrivain de cette force qui fût un homme de cette trempe. Qui donc, dans le monde des lettres et dans le monde catholique, pouvait bien se vanter d'avoir tenu cette ligne droite face aux avancées de la dictature et de l'impérialisme nazis ? Et ce n'était pas chez lui par un reste de germanophobie maurrassienne car il s'était élevé aussi, et avec quelle véhémence, contre le fascisme italien et la prétendue Croisade du général Franco. Certes, on savait bien que Bernanos se disait toujours monarchiste, mais n'était-ce pas une vieille manie anodine, une singularité qui ne tirait pas à conséquence ? Mais son antisémitisme ? Ne se pourrait-il pas que, dans le même contexte, on l'ait minimisé aussi, ramené à un péché de jeunesse, depuis longtemps pardonné ? Tout admirateur de Bernanos devrait se considérer comme tenu de lever ce doute.

Le premier fait, à ce propos, qui s'impose à nous et ne cesse d'être troublant, est l'admiration continue que Bernanos a vouée à Édouard Drumont, qu'il appelle du reste son « vieux maître ». Quand l'auteur de *La Grande Peur des bien-pensants* qualifie *La France juive* de livre « magique » — ce qu'il est, au demeurant, mais non pas dans le sens flatteur où l'entend notre auteur —, s'agit-il bien, comme le dit Jean Bastaire, d'« un Bernanos aberrant [1] », c'est-à-dire d'un Bernanos momentanément égaré ? Hypothèse difficile à soutenir puisque jusqu'à la fin de ses jours Bernanos s'est appliqué à défendre la mémoire de Drumont et s'est réclamé de lui. Sans doute peut-on soutenir que dans l'œuvre du plus célèbre des antisémites français Bernanos ne voyait pas ce qui

1. Jean Bastaire, « Drumont et l'antisémitisme », *Esprit*, mars 1964.

crève nos yeux : des appels au pogrome. Il n'est pas douteux
qu'il n'a pris chez Drumont que ce qu'il a voulu y prendre :
« le procès d'une société sans entrailles [1] ». Et si le Juif avait
quelque chose à y voir, ce n'était pas comme agent privilégié
ou exclusif de la décadence, mais plutôt comme symptôme
de celle-ci. On dira que c'est toujours de l'antisémitisme. N'en
doutons pas. La nuance, tout de même, est notable.

L'antisémitisme de Bernanos (il accepte encore le mot en
1936 : « Je m'expliquerai sur *mon antisémitisme* où l'on voudra [2] ») est repérable dès ses premiers articles à *L'Avant-
garde de Normandie* [3] jusqu'à la *Grande Peur*, qui en est le
point d'orgue. Mais on en trouve encore maintes expressions,
quoique atténuées, dans ses écrits ultérieurs. On y reconnaît
la combinaison de l'antijudaïsme chrétien et du social-
antisémitisme opérée jadis par Drumont, renouvelée par les
assomptionnistes de *La Croix*, répandue largement dans les
milieux catholiques d'avant 1914. Premier chef d'accusation :
l'antagonisme entre la civilisation chrétienne et la mentalité
juive. « Je tiens le Juif pour l'ennemi de la chrétienté », dit-
il, ajoutant toutefois : « Je ne le méprise pas [4]. » Deuxième
chef d'accusation : l'or juif, l'usure juive, la banque juive.
Bornons-nous au résumé de leur œuvre, tel qu'il est formulé
dans la conclusion de la *Grande Peur* : « Devenus maîtres de
l'or ils [les Juifs] s'assurent bientôt qu'en pleine démocratie
égalitaire, ils peuvent être du même coup maîtres de l'opinion, c'est-à-dire des mœurs [...]. Dès la moitié du XIXe siècle, aux premières places de l'Administration, de la Banque,
de la Magistrature, des Chemins de fer ou des Mines, partout enfin l'héritier du grand bourgeois, le polytechnicien à
binocle, s'habitue à trouver ces bonshommes étranges qui parlent avec leurs mains comme des singes [...], si différents du

1. Georges Bernanos, « Édouard Drumont », conférence donnée à
l'Institut d'Action française, le 28 mai 1929, in *Écrits de combat I*, Gallimard, « Bibliothèque de la Pléiade », p. 1169.
2. *Sept*, 31 juillet 1936, in Bulletin de la Société des Amis de Georges Bernanos, n° 28-29, Noël 1956.
3. Voir notamment sa campagne contre « M. Alexandre », commer-
çant juif de Rouen, in *Écrits de combat I*, *op. cit.*, p. 930, 952.
4. Lettre à Henry Coston, directeur de *La Libre Parole*, 29 avril 1935,
in *Courrier Georges-Bernanos*, n° 8, juin 1972.

papa bonnetier ou notaire et comme tombés d'une autre planète, avec leur poil noir, les traits ciselés par l'angoisse millénaire, le prurit sauvage d'une moelle usée depuis le règne de Salomon, prodiguée dans tous les lits de l'impudique Asie [1]... »

Je veux bien croire Bernanos quand il dit qu'il n'est pas raciste, parce que le racisme, c'est la croyance dans une hiérarchie des races et que lui ne distingue pas des races supérieures de races inférieures [2], mais il faut alors convenir que le morceau qu'on vient de lire a dû échapper à sa plume.

Qu'il s'agisse des « seigneurs juifs » ou des « petits youtres roublards de Moscou [3] », Bernanos croit à un « instinct séculaire [4] » du Juif qui l'entraîne, soit par le capitalisme, soit par le communisme, à prospérer dans la société moderne, incapable de s'en défendre par paresse et médiocrité.

Au fond, au début des années trente, Bernanos exprime encore les préjugés, sinon tous les stéréotypes, antisémites, propres à sa famille d'origine, catholique et antidreyfusarde. A ceci près, qui n'est pas négligeable, qu'il vomit les conservateurs et les bien-pensants, lesquels précisément font le gros du milieu catholique antidreyfusard. Antisémite, certes, mais au nom d'une monarchie populaire qui n'a rien à voir avec les compromissions de la droite conservatrice et qui n'aura bientôt plus rien à voir avec le monarchisme calculateur et positiviste des maurrassiens.

Dans les années qui suivent sa rupture avec Maurras et l'Action française, Bernanos, tout en se démarquant des antisémites de droite, admirateurs des nouveaux régimes d'ordre installés aux frontières françaises, a continué à évoquer le « problème juif ». En 1939, dans une variante de *Scandale de la vérité*, il déclare *ne rien renier* de l'*antisémitisme* de Drumont. Il concède que le « mot » est « malheureux » mais s'en prend à Jacques Maritain qui vient de parler de « l'impos-

1. *La Grande Peur des bien-pensants*, in *Œuvres de combat I, op. cit.*, p. 328-329.
2. « Encore la question juive », mai 1944, repris dans *Le Chemin de la croix des âmes*, Gallimard, p. 421-424.
3. « Primauté de la peur », *L'Action française*, 5 décembre 1929, in *Œuvres de combat I, op. cit.*, p. 1183.
4. *L'Avant-Garde de Normandie*, in *Œuvres de combat I, op. cit.*, p. 966.

sible antisémitisme ». On ne doit, dit-il, « ni haïr ni mépriser
les Juifs » mais constater que leur présence au sein de la
communauté nationale pose un problème qui doit être réglé
pacifiquement et juridiquement. « Je ne suis pas antijuif, je
crois seulement que chaque État chrétien devrait traiter avec
ses Juifs selon les règles de l'équité... Pourquoi les États ne
traiteraient-ils pas avec eux comme ils traitent avec
l'Église ? [1] » Et Bernanos d'entrer dans quelques détails de
ce *traité* (il n'est point question d'un quelconque « statut »
imposé ou octroyé) : il souhaite qu'on réserve aux Juifs un
« grand nombre de places dans l'administration des finances
ou même dans la presse d'information » mais voudrait les
« tenir éloignés de la politique » et de « l'éducation des jeunes Français [2] ».

Cependant, l'arrivée de Hitler au pouvoir, la persécution
des Juifs en Allemagne, la nouvelle vague d'antisémitisme
que gonflent les puissants journaux d'extrême droite en
France, la fin des années trente et la guerre qui suit vont nécessairement modifier, d'abord dans leur expression puis sur le
fond, les idées de Bernanos sur la « question juive ».

Avant que n'éclate la guerre, vilipendant « la hideuse terreur antisémite [3] », il s'écrie qu'il aimerait « mieux être
fouetté par le rabbin d'Alger que faire souffrir une femme
ou un enfant juif [4] » ; pendant la guerre, il multiplie les accusations contre le nazisme et Vichy : « Comprenez-vous que
la Victoire elle-même ne suffirait pas à effacer la tache faite
à notre histoire, ne serait-ce que par la livraison des Juifs anti-
nazis réfugiés chez nous à l'Allemagne, des républicains espagnols à Franco ? [5] » Lorsque Georges Mandel, ancien
collaborateur de Clemenceau, ancien ministre de Daladier et
de Reynaud, est déporté en Allemagne, Georges Bernanos
écrit : « Quant à Mandel, vous vous dites peut-être que

---

1. Variante de *Scandale*, in *La Grande Peur des bien-pensants*, Le
Livre de poche, 1969, p. 436.
2. Variante de *Scandale*, *ibid*.
3. Bulletin de la Société des Amis de Georges-Bernanos, n° 47, sept.-
décembre 1962.
4. *Nous autres Français*, in *Œuvres de combat I*, *op. cit.*, p. 735.
5. « Réflexions sur le cas de conscience français », 15 octobre 1943,
in *Le Chemin de la croix des âmes*, *op. cit.*, p. 91.

n'ayant jamais montré de goût pour les Juifs, je ne parlerai pas de celui-là ? Détrompez-vous ! C'est lui que vous haïssez le plus, vous et vos maîtres. A ce titre, il m'est mille fois plus sacré que les autres. Si vos maîtres ne nous rendent pas Mandel vivant, vous aurez à payer ce sang juif d'une manière qui étonnera l'Histoire — entendez-vous bien, chiens que vous êtes — chaque goutte de ce sang juif versé en haine de notre ancienne Victoire nous est plus précieuse que toute la pourpre d'un manteau de cardinal fasciste — est-ce que vous comprenez bien ce que je veux dire, Amiraux, Maréchaux, Excellences, Éminences et Révérences [1] ? »

Bernanos, de son lointain exil brésilien, a été infiniment sensible au drame de la communauté juive ; il n'en a nullement pris son parti comme la lecture de Drumont aurait pu l'y encourager — l'« holocauste » étant à mettre au compte d'une « justice » enfin accomplie. Dans l'hommage qu'il rend à la mémoire de Georges Torrès, le ton à l'égard des Juifs a définitivement changé :

« Les charniers refroidissent lentement, la dépouille des martyrs retourne à la terre, l'herbe avare et les ronces recouvrent le sol impur où tant de moribonds ont sué leur dernière sueur, les fours crématoires eux-mêmes s'ouvrent béants et vides sur les matins et sur les soirs, mais c'est bien loin maintenant de l'Allemagne, c'est aux rives du Jourdain que lève la semence des héros du ghetto de Varsovie [2]. »

L'évolution est évidente. Toutefois, l'éradication de ses vieilles idées n'est pas totale. « Je ne suis ni antijuif, ni antisémite… », dit-il désormais, mais un « problème » à ses yeux demeure : « Je ne suis ni antijuif, ni antisémite, mais j'ai toujours cru qu'il y a un problème juif, dont la solution importe beaucoup au monde de demain. J'ai toujours cru, je crois encore, que l'obstination — d'ailleurs admirable à bien des égards — des Juifs à ne pas se fondre totalement dans les divers milieux nationaux est un grand malheur pour tout le monde. Mais je suis aussi trop chrétien pour désirer les voir

1. Article de février 1943, in *Le Chemin de la croix des âmes*, *op. cit.*, p. 148-149.
2. « L'honneur est ce qui nous rassemble », *Français si vous saviez*, Gallimard, 1961, p. 322-327.

renier leurs croyances par intérêt ou même par patriotisme,
et leur religion est précisément basée sur un privilège racial,
concédé par Dieu à la race, à la chair et au sang juifs. En
sorte que le problème est presque insoluble, mais ce serait
un pas fait vers la solution future si nous consentions les uns
et les autres à le poser sans parti pris, au lieu de le nier [1]. »

Si Bernanos, à partir de ces années de terreur hitlérienne,
tient en horreur le mot d'antisémitisme, c'est parce que celui-
ci se réfère désormais à un racisme d'État contre lequel il proteste de toute son énergie. Hitler lui interdit l'antisémitisme ;
Bernanos a ce mot ahurissant : Hitler « a déshonoré l'antisémitisme [2] ». Le dictateur allemand « s'est servi de l'antisémitisme, comme de l'anticommunisme, pour corrompre
l'opinion européenne, la diviser, la dissocier, fournir aux peuples ses futures victimes, des thèmes de guerre civile », ce qui
l'amène à déclarer : « Je n'ai jamais cru à la sincérité de l'antisémitisme hitlérien [3]. » Il récuse donc désormais ce « mot de
foule », ce « mot de masse », car « le destin de pareils mots
est de ruisseler, tôt au tard, de sang innocent [4] ». Au demeurant, Bernanos n'entend nullement renier Drumont car, à ses
yeux, il n'y a aucune similitude, aucune filiation, entre Drumont et Hitler.

Pourtant, ce n'est pas seulement l'abandon de certains termes de son ancien vocabulaire qui est notable dans l'évolution de Bernanos. Il n'est pas douteux que sur les origines
de la « question juive », il a revu et corrigé ses premières interprétations. A preuve, ce passage tiré de l'hommage à Georges Torrès, cité plus haut, où on le voit expliquer *l'exclusion*
des Juifs de la communauté chrétienne médiévale non seulement par ce qu'il appelait naguère le « racisme juif » mais
par l'aveuglement de la chrétienté « sur les causes réelles de
la survivance du peuple juif à travers l'Histoire, sur la fidélité à lui-même, à sa loi, à ses ancêtres, fidélité qui avait pourtant de quoi émouvoir son âme. Parce que cette fidélité n'était
pas une fidélité militaire, de tradition et d'esprit militaire,

---

1. Lettre à Jean Hauser, *Correspondance*, Plon, t. 2, p. 546.
2. « Encore la question juive », art. cité.
3. *Lettre aux Anglais*, Gallimard, 1946, p. 161-162.
4. « L'honneur est ce qui nous rassemble », art. cité.

elle maintenait le Juif hors d'une fraternité militaire dont n'était même pas exclu l'Infidèle. Et le Juif devait *nécessairement* [souligné par nous] s'accommoder d'une telle exclusion, s'y installer, en tirer profit. Ainsi le malentendu n'a cessé de s'aggraver au cours des âges [1] ».

De tels propos, on le voit, ne sont certainement pas d'un disciple opiniâtre de *La France juive*. Entre 1931 et 1948, date de sa mort, il est patent que le discours bernanosien sur les Juifs a évolué. Si Bernanos continue à honorer le nom de Drumont jusqu'au bout, c'est qu'à ses yeux, dit-il, et contrairement à ceux des « imbéciles », l'œuvre de son vieux maître n'est pas réductible à l'antisémitisme. On peut dire autrement : que sous le mot désormais impossible d'antisémitisme il y avait chez Drumont une vision du monde et de l'Histoire qui reste fondamentalement celle de Bernanos [2].

Un homme de l'Ancienne France.

Aux yeux de Bernanos, le terme d'*antisémitisme* a subi un détournement de sens. Pour un lecteur attentif de Drumont, ce glissement sémantique n'est pas évident : *Mein Kampf* marche sur les talons de *La France juive*. Pourquoi Bernanos ne peut-il se résigner à accepter la continuation ? Pour une raison à la fois chronologique et affective. Il n'avait pas lu Drumont comme nous : avec un Auschwitz dans la tête. Il éprouve une dette à son égard. Dans le contexte historique et dans le milieu où Bernanos a été élevé, Drumont a été son initiateur à la révolte, non pas contre les Juifs — il nous le dit explicitement — mais contre la société contemporaine. Drumont lui a révélé l'injustice sociale, la trahison des conservateurs et l'hypocrisie des bien-pensants. Toute l'œuvre polémique de Bernanos afflue de cette lecture initiatique. De surcroît, derrière l'auteur, l'homme Drumont apparaît à Bernanos comme le représentant de cette ancienne société au nom

1. « L'honneur est ce qui nous rassemble », art. cité.
2. Voir « Encyclique aux Français », hiver 1947, in *La Vocation spirituelle de la France*, inédits présentés et rassemblés par Jean-Loup Bernanos, 1975, p. 208.

de laquelle il se bat. La référence Drumont est l'assise affective de ses luttes : comment pourrait-il la renier ?

Évidemment, la lecture que fait Bernanos de Drumont est sélective. Il n'en voit ni le caractère raciste ni le délire obsessionnel. Pas une fois, l'auteur de la *Grande Peur* ne prête le moindre crédit au « mythe aryen [1] », si en vogue à la fin du XIXe siècle, si en vogue de nouveau dans les années trente. De même, il ne suit guère les explications par la « causalité diabolique [2] » dont Drumont emplit ses livres et ses articles. Bernanos reconnaît au contraire qu'il arrive à son maître de prendre l'effet pour la cause. Il ne voit pas dans les Juifs, comme lui, le principe de tout Mal, la cause de la décadence, l'entreprise de sape occulte installée dans les flancs de la chrétienté, l'obsédant complot visant à la domination du monde. Bernanos n'a cure de ces hallucinations.

Deux aspects corrélatifs de l'œuvre de Drumont l'ont enthousiasmé ; le rejet de la société capitaliste et le référentiel de l'Ancienne France.

Paraphrasant la formule de Bebel selon laquelle « l'antisémitisme est le socialisme des imbéciles », on pourrait dire aussi que l'antisémitisme a été, à la fin du XIXe siècle, le socialisme des catholiques. Catholiques sociaux et premiers démocrates-chrétiens ont mêlé dans leurs attaques la société capitaliste et la Banque juive, l'Argent et les Juifs. On sait que cette confusion n'a pas été le fait exclusif des catholiques, que maints socialistes y sont tombés. Les catholiques avaient cependant des raisons supplémentaires d'y participer. Outre la vieille tradition antijudaïque, encore vivante dans une communauté religieuse imputant aux Juifs la crucifixion de son Messie par ancêtres interposés, les catholiques étaient exclus de l'État et assiégés dans leurs institutions depuis la victoire définitive des républicains.

Les années de collège de Bernanos datent de cette époque où les catholiques les plus soucieux de la « question sociale » l'assimilent aisément à la « question juive ». *La Croix*, moniteur de l'antisémitisme catholique, pouvait alors faire écho avec sympathie à un livre de l'abbé Féret intitulé *Le Capita-*

---

1. Voir Léon Poliakov, *Le Mythe aryen*, Calmann-Lévy, 1971.
2. Voir Léon Poliakov, *La Causalité diabolique*, Calmann-Lévy, 1981.

lisme, voilà l'ennemi. Un hebdomadaire chrétien pouvait être salué conjointement par Drumont et l'abbé Lemire en définissant ses objectifs comme la lutte simultanée contre les Juifs, les francs-maçons et les « panamites ». Un comité ouvrier catholique, constitué à Brest en 1894, pouvait proclamer dans un manifeste : « Vive la République française et chrétienne. A bas la République juive et franc-maçonnique [1] ! »

C'est chez Drumont que Bernanos apprend la protestation sociale parce que cela ne pouvait pas être pour lui chez Guesde ou chez Jaurès. Membre de la communauté catholique, il n'a pas d'indulgence pour ceux de ses coreligionnaires bien nantis, toujours prêts à s'entendre avec la bourgeoisie franc-maçonne et athée pour écraser les grévistes ou les communards. De sorte que, en 1947, au moment des grandes grèves, il pouvait dire à François Mauriac, appelant la bourgeoisie catholique à son « devoir social », que Drumont avait été dans les années 1880 un des rares à lui parler, à cette bourgeoisie, de ce devoir-là, fort oublié par l'enseignement des institutions religieuses [2]. Le Drumont affirmant le 19 mars 1898, dans *La Libre Parole* : « Les antisémites [...] sont les vrais vengeurs de la Commune » ; le Drumont dénonçant les sociétés par actions « plus collectivistes que le collectivisme lui-même [3] » ; le Drumont bravant le pouvoir de l'argent, tel est bien celui dont Bernanos s'inspire et auquel il restera fidèle.

Une fidélité qui a une autre source : Drumont ne poursuit pas la société capitaliste de ses vindictes pour rêver une utopie socialiste — ce qui serait incompatible avec l'idéal chrétien. Drumont est avant tout un « prophète de l'Ancienne France ». La critique du capitalisme chez Bernanos est en effet englobée dans une critique plus large, celle de la société moderne. Cette société industrielle et démocratique, oublieuse des anciennes vertus et des anciens rythmes, dans laquelle le Juif est comme un poisson dans l'eau. Il y a une incompatibilité entre l'ancienne France et la prospérité juive ; il y a au

1. Voir Maurice Montuclard, *Conscience religieuse et Démocratie*, Éd. du Seuil, 1965.
2. « Encyclique aux Français », art. cité.
3. Édouard Drumont, *La Fin d'un monde, op. cit.*, p. 171.

contraire une équivalence entre la société moderne et la conquête juive. « Tant que la chrétienté, dit Drumont, fut fidèle à la doctrine des Pères de l'Église qui avait interdit l'usure et le prêt à intérêt, le Juif erra [1]. » L'effondrement de la doctrine chrétienne, les débuts des Temps modernes ont entraîné l'Occident dans la course au profit et, de proche en proche, dans l'édification d'une société où les laboureurs et les cordonniers ont été remplacés par des banquiers et des agents de change. La révolution industrielle qui a suivi la révolution du capital a métamorphosé le peuple en « prolétariat définitivement coupé de ses racines nationales, politiques, sociales [2] ».

Dans *La France contre les Robots*, qu'il écrit dans les dernières années de sa vie, Bernanos exprime la continuité de ses premières intuitions : « Je suis un homme de l'Ancienne France, j'ai la liberté dans le sang. Vous me direz que l'Ancienne France n'a pas été tendre pour les Juifs. Je n'approuve pas ces injustices, mais il faut les comprendre. Les Juifs ont toujours été des précurseurs. Dès le XIe siècle, ils se sont efforcés par tous les moyens de constituer, à l'intérieur de la cité chrétienne, une société capitaliste [3]. » La « question juive » est née selon lui du monde moderne. Non que le Juif ait créé ce monde-là mais il en est l'expression la plus démonstrative . La chrétienté médiévale, avec une brutalité que condamne Bernanos, a su tenir ses Juifs à leur place ; les Temps modernes ont libéré leurs énergies maintenues sous le joug pendant des siècles.

C'est sur cette équivalence Juif = Moderne que repose ce qui a constitué l'antisémitisme bernanosien. Dans sa vision, le Juif est moins l'image séculaire de l'Usurier que le mythe polyvalent de la modernité. Ce qui n'est pas incompatible avec la représentation de plus en plus répandue qu'on se fait de l'Amérique, parangon de démesure technocratique. Ce n'est pas par hasard si, dans la seule ville de New York, tête de ce « géant au cerveau de baby », vivent trois millions de Juifs. De là résulte peut-être cette évidence pour Bernanos :

1. Édouard Drumont, *La Libre Parole*, 15 avril 1895.
2. « Édouard Drumont », conférence citée.
3. *La France contre les Robots*, Le Livre de poche, 1973, p. 228.

« Un Français est beaucoup plus près d'un Anglais et plus capable de le comprendre qu'un Américain [1]. »

La France contre les Robots, dénonciation du machinisme et du productivisme, déclaration de guerre à la société industrielle, reste inspirée par une vision du monde qui sous-tendait déjà l'œuvre de Drumont et qui témoigne d'une nostalgie et d'une angoisse décelables au cœur du mouvement antisémite.

La nostalgie n'est sans doute pas le mot qui eût plu à Bernanos. Utilisons-le néanmoins pour exprimer cette conviction qu'il a existé jadis un modèle de société, sinon parfaite, à tout le moins en harmonie avec la nature humaine et la conscience chrétienne. A cette société, fondée sur l'honneur et la liberté, s'est substituée la société moderne, fondée sur l'argent et l'*ubris* technologique : « L'ardente minorité juive, écrit Bernanos dans la *Grande Peur*, devint tout naturellement le noyau d'une nouvelle France qui grandit peu à peu aux dépens de l'ancienne [2]. »

Cette nostalgie d'un monde perdu est une autre manière de formuler son angoisse. Celle-ci est particulièrement manifeste dans les couches moyennes de la société, menacées ou ruinées par les conséquences de la révolution industrielle. Bernanos comme Drumont, de ce point de vue, sont sociologiquement représentatifs de ce monde d'artisans et de petits commerçants, que l'usine et le grand magasin ont fait entrer dans le déclin depuis le Second Empire. L'antisémitisme donne une identité à la menace obscure qui pèse sur leurs existences. Ils s'y raccrochent comme le paranoïaque à son délire interprétatif.

La menace n'est pas seulement d'ordre économique — elle est spirituelle et morale. Ce que la révolution industrielle est en train de casser, ce ne sont pas seulement des anciens moyens de vivre mais une psychologie collective, une philosophie séculaire de la vie elle-même. Les Juifs apportent avec eux « une mystique nouvelle, admirablement accordée à celle du Progrès, au moderne Messianisme qui n'attend que de l'homme la révélation du dieu futur [3] ».

---

1. *Les Chemin de la croix des âmes*, *op. cit.*, p. 476-477.
2. *La Grande Peur des bien-pensants*, in *Œuvres de combat I*, *op. cit.*, p. 133-134.
3. *La Grande Peur des bien-pensants*, in *Œuvres de combat I*, *op. cit.*, p. 329.

Dans *La Petite Peur du XXᵉ siècle*, Emmanuel Mounier
écrit que « l'homme européen a achevé vers l'aurore des
Temps modernes une sorte de vie utérine, qu'il menait au sein
d'un univers clos sur lui comme un œuf sur son germe, au
cœur d'une Église qui gardait directement en tutelle ses premiers pas [1] ». La nostalgie de ce monde ancien, dont l'image
protectrice est reconstruite pour les besoins de la cause, reflète
l'inquiétude éprouvée par l'homme moderne face à un avenir indéchiffrable. L'accélération des transformations matérielles et la perte des vieilles croyances ont créé conjointement
un véritable « malaise dans la civilisation ».

Nous tenons là une des motivations les plus fortes de l'antisémitisme moderne — en tout cas tel qu'il s'exprime chez
Drumont et chez ses disciples. Chez eux, l'image du Juif est
liée à celle de l'errance, de l'instabilité, du changement. « Que
font parmi nous ces errants ? demande Bernanos. Qu'ils se
fixent ou supportent que nous imposions des lois à leur
errance [2]. » Sur ces « vagabonds éternels », il a des regards
de terrien menacé par des nomades. La dualité chrétien/Juif
s'enchaîne sur les polarités : stable/changeant, immobi-
lité/évolution, construction de pierre/tente de toile. Péguy
avait écrit qu'il y avait un *grand vice* qui était aussi une *grande
vertu secrète*, une « grande vocation » d'Israël : d'être un
« peuple pour qui les plus immobilières maisons ne seront
jamais que des tentes ». Or Bernanos, qui cite ce texte,
oubliant délibérément « la grande vertu » ne parle que du
« vice » : « Ce vice a fini par devenir celui du monde moderne.
N'est-ce qu'une coïncidence [3] ? » Bernanos avait à cœur de
défendre ainsi contre les agressions de la mobilité moderne
les « races comme les nôtres, si étroitement liées au sol, au
foyer, à la pierre de leur seuil ».

Depuis l'Antiquité, bien des auteurs, Platon en tête, ont
interprété le changement comme synonyme du Mal ; l'idéal
de l'immobilité rassure. Une immobilité qui se fait terre et
pierre, foncière et immobilière. La technique, bancaire et

---

1. Emmanuel Mounier, *Œuvres*, Éd. du Seuil, 1962, t. 3, p. 354.
2. « A propos de l'antisémitisme de Drumont », variante de *Scandale*,
op. cit.
3. « A propos de l'antisémitisme de Drumont », art. cité.

industrielle, a brisé le vieux monde stable, la « société close » dont parle Karl Popper [1], celle qui pendant des millénaires a été le cadre « naturel » de l'humanité. Une société où chacun était à sa place, où chacun perpétuait l'œuvre de ses parents, où les lendemains ressemblaient aux jours passés. Cet ordre ancien est rompu. « Le passage de la société *close* à la société *ouverte*, écrit Popper, est une des plus grandes révolutions que l'humanité ait connues [2]. » La fin de la société rurale et de la famille patriarcale, le développement des villes, l'individualisation de la société, les responsabilités personnelles que les hommes les plus modestes arrachés à leur « tribu » ont dû assumer, cette formidable mutation qui commence lentement à la fin du Moyen Age et s'accélère aux XIXe et XXe siècles, c'est un « saut dans l'inconnu et dans l'incertain » (Popper).

Comme Drumont, Bernanos a certainement exprimé cette angoisse du monde moderne, qui est le fruit de son déracinement. Mais là où réside l'ambivalence de son œuvre et qui l'oppose aux réactionnaires habituels, c'est qu'à ses yeux l'Ancienne France était tout le contraire d'une « société close », celle que rêvent de reconstruire, sur de nouvelles bases, les mouvements fascistes et communistes : « Rien ne ressemble moins au totalitarisme, en effet, que notre ancien ordre français avec son accumulation presque inextricable de services et de privilèges découlant les uns des autres et s'équilibrant entre eux [3]. »

Cette idéalisation de la société préindustrielle a concouru à l'antisémitisme. Mais chez Bernanos l'antisémitisme a été l'expression erronée de valeurs *morales* (honneur et liberté) si fortement ancrées chez lui qu'elles l'ont détourné de la logique *politique* où l'antisémitisme a conduit ordinairement les antisémites, de 1933 à 1945. De là découle la situation proprement inclassable de Bernanos, ce transfuge qui n'a jamais cessé d'être fidèle à lui-même.

---

1. Karl Popper, *La Société ouverte et ses ennemis*, Éd. du Seuil, 1979, 2 t.
2. *Ibid.*, t. I, p. 143.
3. *Le Chemin de la croix des âmes*, *op. cit.*, p. 419.

Au moment de la publication des *Grands Cimetières sous
la lune*, André Thérive s'étonnait dans *Le Temps* de l'incohérence d'un Bernanos dont *La Grande Peur des bien-
pensants*, pamphlet antilibéral, antibourgeois et antidémocratique, annonçait le fascisme ; or voilà que « cet élève de
Drumont deviendrait dreyfusard [1] ». En fait, à qui lit atten-
tivement la conclusion de *La Grande Peur*, Bernanos s'impose
comme l'adversaire le plus résolu de tous les totalitarismes.
Ce n'est pas assez dire : toute son œuvre est tendue, dressée
contre les multiples avatars de la tyrannie moderne et leur
oppose, non point une stratégie (en est-il ?) mais « une certaine conception, proprement religieuse, de la personne
humaine ». Ce qui nous guette, nous menace et bientôt nous
exclura si nous refusons d'y entrer au pas cadencé, c'est
« l'Usine universelle, l'Usine intégrale » que l'ingénieur flanqué du banquier ou du commissaire du peuple est en train
de construire. Cette société sans but — « sinon celui de durer
le plus longtemps possible » — aura pour terme « le total
asservissement de l'individu, son écrasement ». Comme un
signal d'alarme, les dernières phrases du livre retentissent :
« L'air va manquer à nos poumons. L'air manque. »
L'ennemi n'est donc pas à gauche ou à droite ; il est partout
où la liberté de l'homme est en danger.

Il n'est pas contestable que ses références peuvent paraître aujourd'hui chimériques : dans l'image de sa chrétienté
l'imagination du poète a fait sa part. Mais quand Bernanos
affirme : « L'histoire de mon pays a été faite par des gens
qui croyaient à la vocation surnaturelle de la France [2] »,
nous voilà revenus dans une réalité historique : les rédacteurs
des droits de l'homme, les quarante-huitards, un bon nombre de communards et de dreyfusards [3] ne la qualifiaient pas

1. Cité par Joseph Jurt, « *Les Grands Cimetières sous la lune* devant
la presse non catholique en 1938 », *Études bernanosiennes*, 13 (*La Revue
des Lettres modernes*, 1972, t. 2).

2. *Scandale de la vérité*, in *Œuvres de combat I, op. cit.*, p. 581.

3. A dessein, je ne fais référence ici qu'à la tradition républicaine mais
sans trahir, je crois, Bernanos qui, si peu complaisant qu'il fût envers
les dreyfusards, affirmait néanmoins : « Il y a des milliers de Français
qui ont été dreyfusiens, parce qu'ils croyaient à l'innocence de Dreyfus,
refusaient de sacrifier un innocent à la raison d'État. De quoi je ne sau-

de « surnaturelle » mais croyaient certainement dur comme fer à la « mission » de la France.

L'important, me semble-t-il, n'est point tant la référence chrétienne-médiévale que l'esprit qu'elle traduit. Le rêve d'une société perdue peut également inspirer des hommes d'ordre et des esprits libertaires ; Bernanos a imaginé un archétype de Français, homme fier et libre, qui s'est incarné dans l'« homme de l'Ancien Régime ». Celui-ci « avait la conscience catholique, le cœur et le cerveau monarchistes, et le tempérament républicain [1] ». Il n'a pas inventé ce portrait-robot pour mettre les gens au pas mais pour l'opposer à l'esclave des tyrannies modernes.

De même, l'antisémitisme qui affleure dans l'œuvre de Bernanos n'est point central comme dans l'œuvre de son « cher vieux Drumont ». Il s'en est servi parfois, comme d'une mauvaise rhétorique ; il n'a jamais récité un « bréviaire de la haine ». Ce serait manquer à la vérité et à la justice que de laisser suggérer entre l'œuvre de Bernanos et les influences antisémitiques dont celle-ci porte les marques une commune mesure.

---

rais les blâmer... » (*Nous autres Français*, in *Œuvres de combat I, op. cit.*, p. 666).

1. *Scandale...*, in *Œuvres de combat I*, p. 588.

10

De Gaulle
dernier nationaliste

« Je n'agis que sur les imaginations de la nation ; lorsque ce moyen me manquera, je ne serai plus rien. » Ce mot de Napoléon, Charles de Gaulle, un siècle et demi plus tard, aurait pu le reprendre à son compte. Pendant une dizaine d'années, il régna d'abord, en effet, sur l'imaginaire des Français. Ceux-ci se détachèrent de lui parce qu'il fut à court d'inspiration ou parce qu'eux-mêmes ne voulaient plus rêver.

Cependant, le retour du général de Gaulle au pouvoir en 1958 est avant tout le fruit d'une situation. En 1947, l'ancien chef de la France Libre avait déjà une idée bien arrêtée de la Constitution dont il voulait doter les Français. Il disposait, de surcroît, d'une puissante organisation de masse, le Rassemblement du peuple français (RPF), fondé en avril ; les élections municipales d'octobre 1947 avaient donné la mesure de son audience dans le pays. Pourtant, de Gaulle n'obtint pas la dissolution espérée de l'Assemblée élue en 1946 : sans appui réel au Parlement, il dut ronger son frein, fut condamné à l'impuissance, avant de se résigner au « désert », où il aurait pu être condamné à user la fin de ses jours entre ses souvenirs et ses mirages.

Cependant, la crise surgie du conflit algérien le désigne finalement, en 1958, lui, et nul autre, comme suprême recours. Délaissé par ses compatriotes dans les années précédentes, il devient l'arbitre du jeu sous la soudaine menace de guerre civile, moyennant quelques déclarations publiques, quelques rencontres plus ou moins secrètes et quelques minimes concessions de forme. Les qualités du tacticien, les contradictions de la gauche française concourent à ce *come back* imprévu. Une fois installé au pouvoir, de Gaulle va disposer, jusqu'à la fin de la guerre d'Algérie, d'un appui massif de l'opinion publique métropolitaine, comme en témoignent les référendums de 1958, 1961 et 1962. Sur quoi repose cette adhésion populaire ?

Les Français reconnaissent d'abord en Charles de Gaulle une figure historique. Lui-même ne manqua pas de brandir à l'occasion le sceptre invisible que lui ont conféré l'Appel du 18 juin 1940 et son action à la tête de la France Libre. Ainsi, au cours de la fameuse « semaine des barricades » d'Alger, à la fin de janvier 1960, il évoque à la télévision non seulement le mandat du peuple mais encore « la légitimité nationale [qu'il] incarne depuis vingt ans ». Comme si la période allant de janvier 1946, quand il quitte son poste de président du Conseil, à mai-juin 1958, date où il revient « aux affaires », n'avait été qu'une parenthèse insignifiante. Depuis l'abaissement de la France en 1940, il a été et il reste la voix de la Nation résistante et finalement victorieuse. Cette coïncidence entre sa personne et la personne France l'entraîne à des mots extraordinaires qui, dans toute autre bouche, relèveraient de la bouffonnerie. Par exemple, il s'exclame lors d'un Conseil des ministres : « Voilà mille ans que je le dis ! » Mystère gaullien de l'incarnation, sainte trinité française sous le même képi : la Mère-patrie, le Fils Charles, et le Saint-Esprit qui a commencé à souffler sur tous les hommes de bonne volonté à partir d'un micro londonien, quand tout semblait perdu.

L'épisode légendaire du 18-Juin s'est renforcé par ce qu'on apprit — trop tard — sur la prescience militaire du Général. Cet officier vaincu avait tout fait pour prévenir la défaite. En mai 1934, alors lieutenant-colonel, il avait publié, dans *L'Armée de métier*, une apologie de la guerre de mouvement, fondée sur les chars, contre les thèses de l'état-major, acquis à la guerre de position. Cette résurrection des « grandes cavaleries de jadis » devait permettre d'en finir avec l'enlisement des tranchées : 6 divisions et 100 000 hommes, experts et techniciens, tels étaient les moyens à programmer. Les « escadres aériennes », en complément, devaient « jouer un rôle capital dans la guerre de l'avenir ». Or cette vision de l'avenir s'était

heurtée aux bornes étoilées, notamment au glorieux maréchal Pétain. Celui-ci, en 1938, dans une préface donnée à un
livre du général Chauvineau, avait réaffirmé la doctrine
défensive. Mieux, répondant à un interlocuteur le question-
nant sur le fait que la ligne Maginot s'arrêtait à l'ouest des
Ardennes, le « vainqueur de Verdun » avait déclaré superbement : « La forêt des Ardennes est impénétrable, et si les Allemands avaient l'imprudence de s'y engager, nous les
repincerions à la sortie [1]. » La campagne de France de 1940
devait assurer le prestige militaire du Général. Non seulement
il avait sauvé l'honneur — que Pétain avait trahi devant Hitler —, mais il avait démontré sa supériorité intellectuelle sur
le vieux maréchal.

La légitimité de Charles de Gaulle tenait aussi au rôle de
rassembleur national qu'il avait su imposer à la Résistance,
sortie unifiée, ou en apparence unifiée, des combats, malgré
la puissance communiste, qu'il avait réussi à maintenir dans
la discipline et bientôt à désarmer. L'image de l'extraordinaire descente des Champs-Élysées, le 26 août 1944, que les
photographes ont imprimée dans la conscience des Français,
on s'en souvient encore dans les journées cahotiques de mai
1958. Cet océan humain entourant le Libérateur, après la nuit
de l'Occupation, lui inspirera un des plus belles pages de ses
Mémoires de guerre.

Or ce Libérateur, qui avait eu l'intuition de la guerre à
mener, qui avait rétabli la France au rang des vainqueurs,
et, partant, au nombre des Grands, il lui appartenait aussi
d'avoir vu juste sur les faiblesses constitutionnelles de la
IVe République. En 1958, les défenseurs de celle-ci manquent
d'ardeur ; l'antiparlementarisme s'est nourri de l'instabilité
ministérielle et de l'impuissance gouvernementale de tous ces
cabinets sans majorité durable. Tous les sondages montrent
à quel point le régime est décrié. Or de Gaulle, lui, en avait
prédit les malheurs, dès sa mise en place. Contempteur du
« régime des partis », il tire enfin profit de sa mise : n'avait-
il pas raison d'emblée ? Dès lors, on tend à oublier la mésa-

---

1. Cité par Jean Lacouture, *De Gaulle*, t. 1, *Le Rebelle*, Éd. du Seuil,
1984, p. 258.

venture du RPF. Le ralliement d'un François Mauriac en dit long sur l'évolution des esprits, quand bien même de Gaulle n'a pas varié depuis les débats constitutionnels d'après la guerre.

A la légitimité nationale, militaire et politique, s'ajoutait encore une légitimité républicaine. Car, malgré les critiques de gauche qui se livrent à des comparaisons avec l'Italie tombant sous la poigne de Mussolini, de Gaulle a toujours respecté le suffrage universel. Rien, dans son passé, ne peut l'assimiler à un général factieux. L'épisode de 1947, alors qu'il était en position de force, l'a vu opposé à toute entreprise illégale. Même si son retour au pouvoir s'est fait dans des conditions pour le moins ambiguës, il n'a eu de cesse de le faire ratifier, d'abord par le Parlement, ensuite par le référendum. Certes, son idée de la république a peu de points communs avec celle des républicains francs-maçons et positivistes qui l'ont peu à peu installée dans les esprits français après la défaite de 1871. Mais, précisément, il est capable d'en renouveler les principes, pour en faire le régime de tous.

Ainsi, le passé du Général était un certificat de garantie. Sa cause était celle de la France, et non la cause d'une faction : il en avait assez fait la preuve. Mais si forte qu'ait été cette légitimité, les Français l'aimaient-ils, lui ?

Moins forte que la « légende napoléonienne », qui courait sous la Restauration et la monarchie de Juillet, la légende gaullienne n'en a pas moins existé. Entendons par là cette espèce de rumeur élogieuse courant sur son compte ; les images de l'école primaire ; les livres des demi-soldes de la France Libre et autres Compagnons de la Libération. Même dans les rangs de la gauche, qui ne lui étaient pas favorables, il y avait toujours un Roger Stéphane pour rappeler les mérites du grand homme [1]. L'auteur lui-même s'était attaché à magnifier son action passée. Le premier tome des *Mémoires de guerre*, ce « chef-d'œuvre de littérature latine en langue

1. En particulier, Roger Stéphane a défendu des thèses gaullistes dans *France-Observateur*, où Claude Bourdet et Gilles Martinet exprimaient un antigaullisme de gauche. Plusieurs articles publiés dans cet hebdomadaire dans les mois qui ont précédé le 13 mai laissaient transparaître les divergences.

française », comme on a si joliment dit, était sorti en 1954,
le deuxième en 1956 ; le troisième et dernier paraîtrait en 1959.
Dans un style souverain, le Général, parlant de lui à la troisième personne comme César, retraçait l'épopée de la France
combattante, à la tête de laquelle il avait dû lutter non seulement contre l'Allemagne, non seulement contre Vichy, mais
aussi contre des Alliés — Roosevelt particulièrement — qui
rechignaient à entendre par sa bouche « la voix de la France ».
Le succès des deux premiers tomes avait disposé bien des lecteurs en faveur de ce chef intransigeant, traitant de pair à
compagnon avec les chefs d'État quand lui-même n'était
qu'un obscur et même récent général de brigade, tenant tête
au président des États-Unis, sans se soucier des maigres forces matérielles dont il disposait, ramenant tout aux intérêts
de la Nation.

Les films de guerre, pléthoriques après la Libération, remé-
moraient périodiquement aux oublieux le rôle de l'exilé sublime. « Ici Londres, des Français parlent aux Français… » Le
capital de la France libre valait à de Gaulle tous ces dividendes qui avaient forme de récits en tout genre. Quand bien
même on ne pensait plus à lui pour former un gouvernement,
il restait dans les mémoires populaires.

De Gaulle bénéficiait aussi de ce que Max Weber a appelé
le pouvoir charismatique. Sa personne physique en imposait.
Peut-être ne convient-il pas d'insister sur sa taille : une fois
pour toutes, Napoléon a prouvé qu'aux petits sous la toise
l'histoire n'interdisait nullement la grandeur temporelle.
Néanmoins, cette taille qu'il avait si haute ajoutait encore
à son caractère exceptionnel. Dans les bains de foule, qu'il
prisait tant, il dépassait tout le monde, on le voyait de loin,
et l'on se demandait comment les tueurs à ses trousses pouvaient le rater. Je me souviens qu'étant enfant, ce devait être
vers 1945, j'avais été fasciné en le voyant passer, dans une
voiture à toit couvert, sur une avenue parisienne. Je regar-
dai bouche bée ses longs bras qui se dépliaient au-dessus de
son képi, comme un sémaphore répétant inlassablement l'unique lettre « V ». En 1958, comparant naturellement son port,
ses gestes, son verbe à ceux du président René Coty ou à quelque autre de ses collègues, les Français étaient pénétrés par
le sentiment obscur d'avoir affaire à « quelqu'un ».

Ce verbe, en particulier, devait être une de ses meilleures armes. La radio, désormais portative grâce aux transistors, la télévision qui allait se diffuser à un rythme rapide, seront les auxiliaires efficaces de l'orateur. Encore faut-il à celui-ci le talent et l'art de s'adapter aux nouvelles techniques de communication. Sur le style du Général, on a beaucoup plaisanté ; Jean-François Revel a même écrit un petit pamphlet savoureux [1], où il met à mal la tournure tautologique propre au discours gaullien : « La situation étant celle que vous savez », « Les Français étant ce qu'ils sont », etc. A côté de ces facilités délibérées mais qui ne sont pas insignifiantes (elles rappellent que l'homme d'action doit compter avec « les choses », les pesanteurs, les lois naturelles), de Gaulle sait tirer de son art des morceaux de bravoure d'autant plus admirés qu'ils ont été conçus au milieu de la tempête.

Dans la crise, il est presque toujours à son plus haut niveau ; devant le danger, il retrouve ce mélange de gouaille et de classicisme qui rend ses appels à la raison émouvants, savoureux, parfois grandioses. Point d'improvisation : il apprend par cœur des formules qu'il a construites, aiguisées et répétées, et qu'il assène ensuite devant des journalistes ou des téléspectateurs médusés. Les demandes réitérées qu'il fait aux Français pour le soutenir resserrent régulièrement les liens qu'il a avec eux : « Eh bien, mon cher et vieux pays, nous voici donc ensemble, encore une fois, face à une lourde épreuve » ou : « Françaises, Français, aidez-moi ! » Comment les enfants resteraient-ils indifférents à la voix du père qui s'est faite si familière, si chaleureuse ? Dès 1958, les discours du Général, complétés au besoin par ceux d'André Malraux, situent la naissance de la Ve République dans la légende des siècles.

Ce général a été formé par l'armée : nulle part il ne se sent mieux que dans un mess d'officiers ; son cabinet est rempli de « culottes de peau » ; il n'a de cesse que la France retrouve sa grandeur militaire (la bombe atomique en sera une condition)... Pourtant, il échappe à toutes les tares de la caste. Dans les deux petites étoiles qui ornent son képi, on est tenté de voir une modestie qui se rit des vanités soldatesques. En fait,

1. Jean-François Revel, *Le Style du Général*, Julliard, 1960.

elles témoignent plus de son orgueil. En restant de propos
délibéré au bas de la hiérarchie des officiers généraux, la
vareuse ou le veston réfractaire aux décorations, il veut signifier que son destin transcende les grilles d'avancement, et,
que s'il appartient à l'armée, celle-ci doit rester un instrument, rien qu'un instrument. Le pouvoir politique prime. Les
Français perçoivent combien ce militaire jusqu'à la moelle
ne se laissera jamais imposer sa ligne de conduite par les
« colonels ». L'aventure de la France Libre, qui lui a valu une
condamnation à mort par contumace et la haine de tant
d'officiers, a hissé de Gaulle très au-dessus de son milieu professionnel d'origine.

Je ne sais pas si on l'aime, en 1958. Du moins, on le res-
pecte. Même ses adversaires, comme l'illustre le discours de
Pierre Mendès France à l'Assemblée, disant non au retour
du Général à la faveur d'un coup de force, mais gardant son
admiration pour l'homme du 18-Juin. Si de Gaulle prend,
chez les hommes politiques, cette figure qui désarme l'hostilité, il sait aussi susciter l'enthousiasme, les fidélités incon-
ditionnelles, les dévouements héroïques chez ceux qu'il a,
pour toujours, convertis à sa personne. Que des personnalités aussi différentes que Michel Debré, André Malraux,
Edmond Michelet, aient été de manière indéfectible à ses
côtés, malgré toutes leurs déceptions (je pense à Michel Debré,
défenseur de l'« Algérie française »), laisse deviner quel
magnétisme de Gaulle pouvait exercer.

Cet attachement ne va pas sans une bonne dose d'irrationnel. On a beau aligner tous ses mérites, vérifier tous ses titres
de gloire : ils ne suffisent pas à expliquer en profondeur cette
espèce de confiance spontanée que la majorité des Français
lui offre alors. Dans la situation de crise, il dispose en fait
de tous les attributs de l'homme providentiel. Sa légende, sa
solitude, sa carrière de prophète incompris, tout désigne en
lui le sauveur dont le pays, au bord de l'abîme, a besoin. On
lui prête d'autant plus de pouvoir que les professionnels de
la politique en ont manqué. Dans le chaos, on n'ajoute plus
foi aux procédures réglementaires et ordinaires ; la solution
doit être à la mesure du danger ; elle ne peut venir des simples mortels, divisés et impuissants. Dans ce pays où l'incrédulité est devenue un système politique, on n'a jamais cessé

de croire aux miracles. Quand les églises se vident, les cabinets d'astrologues font fortune. Sorti de sa thébaïde de Colombey, de Gaulle va assouvir en demi-dieu le besoin de croyance surgi du désespoir, le besoin d'ordre ressenti dans la tourmente, la demande d'État favorisée par l'impéritie parlementaire.

Que dit-il ? On ne le sait pas toujours bien. Ses discours sont souvent des logographes à déchiffrer, que chacun interprète selon ses vœux. Pour faire l'unanimité, il importe d'être ambigu. Lui-même ne sait pas toujours le parti qu'il prendra. Le principal est qu'on le suive ; qu'on lui accorde toute confiance ; qu'on sache une fois pour toutes qu'il n'a rien d'autre à cœur que de servir la France.

Entre les Français et de Gaulle, la communication doit être directe. Sur ce point, le Général est explicite. Par exemple, pour annoncer le référendum sur l'autodétermination en Algérie, il déclare le 6 janvier 1961 : « Françaises, Français, vous le savez, c'est à moi que vous allez répondre. [...] je me tourne vers vous par-dessus tous les intermédiaires. En vérité — qui ne le sait ? — l'affaire est entre chacune de vous, chacun de vous, et moi-même. » On ne saurait être plus clair sur le court-circuit politique.

Ces relations privilégiées avec son peuple, de Gaulle veut en avoir la sensation physique. De là résulte, dans le rituel gaullien, la fréquence des voyages à travers les provinces. Il y énonce des banalités devant les notables. Le sérieux est ailleurs, hors des hôtels préfectoraux et des monuments officiels : dans la rue, où la foule est à peine retenue derrière les barrières métalliques. De Gaulle veut en entendre les vivats, en sentir les frémissements, en recueillir l'élan et l'adhésion. Quittant le cortège, et à la grande frayeur de ses gardes du corps, il plonge ses bras immenses dans l'océan de mains qui s'agite vers lui ; il en serre autant qu'il peut ; il s'immerge dans l'enthousiasme populaire comme pour recevoir un nouveau baptême. Dans la foule, la « sortie » du grand homme a réanimé les sentiments de filiation. On reviendra chez soi, bouleversé d'avoir touché la main ou un morceau d'étoffe du souverain. Même dans les « bains de foule » bon enfant, le caractère sacré de l'échange entre de Gaulle et le peuple assemblé n'échappe à personne. La démocratie directe commence dans le gaullisme avec cette théophanie directe, sur le pavé des villes pavoisées.

L'institution par excellence devient le référendum. Chacun d'eux, quelle que soit la question posée, a pour fin de renouveler la confiance donnée par les Français à leur guide. Les démocrates, les adversaires, les juristes parfois protestent contre le plébiscite déguisé. En fait, rien n'est plus clair, et pour de Gaulle, et pour les électeurs. Lui le répète : si vous ne me donnez pas votre aval, je me retire. Eux ne votent pas autrement, ne lisent pas les textes proposés à leur sagacité, ne cherchent pas midi à quatorze heures : ils confirment (ou non) leur profession de foi. De Gaulle est peut-être roi, mais sa monarchie n'est ni héréditaire ni viagère : elle est suspendue au crédit accordé par le suffrage universel. Celui-ci est sa caution, son garant, son soutien, contre les manœuvres de ses adversaires ; mais il est l'arbitre suprême, qui pourra, un jour ou l'autre, le déjuger. Il n'y a pas de clause de « tacite reconduction » : le bail doit être renouvelé régulièrement.

Après la consultation triomphale du 28 septembre 1958, qui assurait 80 % de suffrages à la nouvelle Constitution, alors que celle de la IVe République n'avait obtenu, en 1946, qu'une majorité relative, de Gaulle organise deux référendums décisifs : celui du 8 janvier 1961 sur l'autodétermination du peuple algérien, et celui du 8 avril 1962 sur l'indépendance de l'Algérie. Le premier se situe à un moment où le président de la République est acquis à l'idée de l'indépendance algérienne. Mais, outre les difficultés restant sur les modalités d'un accord avec le FLN, il doit imposer ses vues aux Français d'Algérie et surtout à l'armée, dont la plupart des cadres n'ont pas renoncé à l'« intégration » et dont certains envisagent un nouveau « 13-Mai » pour faire pièce à la politique d'autodétermination mise en œuvre à Paris. Aussi bien face aux chefs du nationalisme algérien que devant les officiers supérieurs de l'armée française, de Gaulle a besoin d'un large appui du pays. Il confie à son entourage qu'il abandonnerait tout si le OUI n'emportait pas 50 % des inscrits. Finalement, il en obtient 56 %, soit 75 % des suffrages exprimés. Comme le Parti communiste, favorable à l'indépendance de l'Algérie, a préconisé le NON, le chef de l'État peut se flatter d'avoir fait la démonstration que les adversaires de la négociation sont une petite minorité.

Cependant, sa campagne électorale à la télévision n'a fait que durcir le camp des opposants. Le général Challe avouera que le discours tenu par de Gaulle l'avant-veille du vote — discours jugé indigne — le décidera à l'action. Il sera du putsch en avril, en ce même mois où l'OAS donne ses premiers signes de vie. Au pouvoir politique écrasant du président de la République, appuyé sur l'opinion métropolitaine, les partisans de l'Algérie française doivent se résigner à l'action illégale, clandestine et violente. Contre eux, de Gaulle va jouer de la télévision en grand artiste. Autre instrument de la monocratie directe, les «étranges lucarnes», selon l'expression du *Canard enchaîné*, offrent au Général le moyen de terrasser l'adversaire en faisant l'unanimité du côté métropolitain. On sait de quels mots il a flétri les fauteurs de putsch et de quelle efficacité ils ont été auprès des soldats du contingent, les entendant sur leurs «transistors», via RMC. Les sondages de l'IFOP, autre moyen de relations entre l'hôte de l'Élysée et les Français, révèlent un record de popularité atteint par de Gaulle en ce mois d'avril 1961, comme ç'avait déjà été le cas au moment des «barricades» d'Alger, en janvier 1960. Le Général apparaît bien aux Français les plus nombreux — ceux qui vivent entre Dunkerque et Perpignan — comme le protecteur de la paix civile.

Le référendum du 8 avril 1962, sur l'indépendance de l'Algérie, procure au Général son plus grand succès : près de 91 % des suffrages exprimés. L'interminable conflit a ancré dans les esprits le caractère inéluctable de la décolonisation. Le problème, qui a tant coûté, en vies humaines plus encore qu'en milliards de francs, est enfin réglé. Un immense soulagement est ressenti ; de Gaulle, qui a su triompher de toutes les résistances, d'abord celle de l'armée, ensuite celle de l'OAS, récolte les fruits de son action. Les violences meurtrières des *desperados* de l'Organisation armée secrète ont suscité l'indignation et renforcé le pouvoir du Général, qui est à son apogée.

En même temps, l'indépendance de l'Algérie va lui valoir la haine durable de ceux qui s'étaient voués à la défense de la «province» perdue. Par un de ces paradoxes qui ne cessent d'étonner, le plus nationaliste des chefs d'État que la France ait jamais eus comptera comme adversaires les plus implacables les nationalistes eux-mêmes. Petit noyau dur, où se recrutent soldats perdus et politiciens en exil, et qui polarise la rancune d'une partie des « rapatriés ». Dans l'histoire des rapports entre les Français et le général de Gaulle, nul parti, nul groupement ne distillera plus d'exécration que ces mutilés de l'Algérie française. Là où le Général reçoit la reconnaissance du grand nombre, cette petite minorité ne se départit pas de son ressentiment. Parfois, la rancune s'additionne à une rancune plus ancienne : c'est dans ce camp que l'on retrouve tant de fidèles du maréchal Pétain, les épurés de 1944, les rescapés de la Collaboration. Dans cette minorité farouche, aveugle sur la marche du temps, et méprisant la majorité écrasante qui les désavoue, le désespoir et la colère iront jusqu'à l'attentat.

En fait, l'épisode du Petit-Clamart, au cours duquel, le 22 août 1962, la voiture officielle du président de la République est mitraillée sans succès, complète le pouvoir magique d'un homme hors du commun, gardant sa tête olympienne en toute circonstance, cuirassé contre toutes les adversités et inexpugnable pour les conjurés.

L'attentat, d'autre part, remet en question la succession du président. De Gaulle avait déjà songé à la solution : donner à celui qui occuperait son poste, sans avoir son pouvoir charismatique, un surcroît de légitimité par l'élection au suffrage universel. L'affaire est délicate. De Gaulle a contre lui la majorité de la classe politique : maintenant que la guerre d'Algérie est finie, on rêve de renvoyer le Général entre les deux clochers de Colombey ; on se retrempe aussi dans les principes républicains ; depuis Napoléon III, le président de la République ne peut être élu au suffrage universel, c'est une règle que les IIIe et IVe Républiques ont rendue imprescriptible. De Gaulle n'en tient pas compte ; une fois de plus, il usera de l'appel au peuple ; il proposera un référendum. Les juristes du Conseil constitutionnel donnent un avis défavorable : la procédure choisie pour changer la Constitution n'est pas constitutionnelle. Le président du Sénat, Gaston Monnerville, parle de « forfaiture ». Qu'à cela ne tienne, de Gaulle passe outre. Le 28 octobre 1962, près de 62 % des votants approuvent le projet. L'institution qui allait devenir la plus populaire de la Ve République était fondée contre l'avis des professionnels de la politique et du droit.

Le procédé avait été discutable. Le résultat était probant. « Seul contre tous », de Gaulle avait convaincu les Français qu'on ne pouvait attenter à la démocratie en s'adressant directement à eux pour désigner leur président. Trop longtemps, sous les républiques précédentes, ils avaient été floués de leur vote ; le « système des partis » faisait écran entre leur volonté et les décisions gouvernementales. En dépit des souvenirs historiques décourageants, les Français adopteront très vite ce nouvel instrument de démocratie directe. La simplification du jeu leur donnera le sentiment de participer enfin au choix d'un pouvoir exécutif, jusque-là abandonné aux arcanes politiciennes. Le rapport direct entre le chef et ses troupes était institutionnalisé. Il ne tenait plus à une rencontre fortuite entre un homme exceptionnel et les électeurs ; il devenait une loi de la République.

Le ballottage-surprise de 1965.

Si la guerre d'Algérie, en définitive, vaut au Général son maximum de popularité, elle reste aussi le drame douloureux qui entache sa mémoire. La postérité lui sait gré d'avoir débourbé la France des guerres stériles de défense coloniale. Mais la manière a souvent meurtri les victimes, et certains ne lui ont jamais pardonné ce qu'ils ont assimilé à du mépris, à de l'indifférence ou à une conception inhumaine de l'État.

« Rien ne rehausse l'autorité mieux que le silence », écrivait dans *Le Fil de l'épée* celui qui savait si opportunément en sortir. En fait, lui, si prompt à se prononcer en public, se réfugie parfois dans un mutisme blessant. La « nuit d'horreur » — selon les termes du député centriste Claudius-Petit — du 17 au 18 octobre 1961, au cours de laquelle sont tués par la police près d'une centaine de travailleurs algériens, manifestants pacifiques de la Région parisienne, ne lui arrache pas un mot de condoléance. Les « morts du métro Charonne » — une manifestation contre l'OAS, en décembre 1961, qui finit dans l'épouvante sous la répression policière — ne lui font pas desserrer les dents.

Les rapatriés d'Algérie ou, comme certains préfèrent dire, les expatriés, ceux-là ne peuvent oublier le dédain qu'il leur témoigne. Beaucoup admettent sans doute aujourd'hui le caractère inéluctable de l'indépendance algérienne mais considèrent toujours avoir été « abusés » par de Gaulle. Ils lui reprochent, après le faux espoir qu'il a laissé planer sur leur vie, de n'avoir pas même su faire voter la grande loi d'indemnisation en leur faveur qu'ils attendaient en toute justice. De même, le sort réservé à ces autres victimes de l'indépendance qu'ont été les supplétifs musulmans — les « harkis » —, tantôt laissés exposés aux règlements de comptes en Algérie, tantôt accueillis en France sans excès d'hospitalité, ne s'impose pas au tableau d'honneur de la générosité gaulliste. « Tout sauf de Gaulle », disaient les associations pieds-noirs, lors de la campagne électorale de 1965. Dans la haine comme dans la ferveur, de Gaulle a été situé hors du commun. Chez lui, le Caractère a pu abroger les droits du cœur : « La passion d'agir par soi-même, écrivait-il encore dans *Le Fil de l'épée*, s'accompagne évidemment de quelque rudesse dans les procédés. L'homme de caractère incorpore à sa personne la rigueur propre à l'effort. Les subordonnés l'éprouvent et, parfois, ils en gémissent. » Certes. Encore faudrait-il démontrer que pareille « rudesse » était en tous les cas justifiée.

Le premier tour de la première élection présidentielle au suffrage universel dans le cadre de la Vᵉ République a lieu le 5 décembre 1965. Tous les commentateurs ne retiennent qu'un fait éclatant : de Gaulle est mis en ballottage ; il n'a obtenu que 43,7 % des suffrages exprimés, (36,78 % des inscrits). Le Général est suivi par François Mitterrand, qui en a rassemblé 32,2 %, par Jean Lecanuet, fort de 15,9 %, et Jean-Louis Tixier-Vignancour, qui a fait le plein des irréductibles d'extrême droite et des nostalgiques de l'Algérie française (5,3 %), le solde étant à porter au compte du sénateur Pierre Marcilhacy (1,7) et de l'imprévu Marcel Barbu (1,2). La stupeur éprouvée par les fidèles du Général, la déception ressentie par de Gaulle lui-même peuvent nous étonner car nous avons connu entre-temps d'autres élections présidentielles et nous savons le faible écart dont peut bénéficier le vainqueur final. Mais en 1965 il n'existe aucune référence de comparaison. On se souvient seulement des référendums triomphaux des années algériennes. Surtout, on croit encore de Gaulle inaccessible.

Le président de la République, du reste, a négligé de faire campagne, restant dans l'empyrée de sa grande politique, tandis que ses adversaires socialiste et centriste marquaient chaque semaine des points grâce au dynamisme de leurs interventions. Les Français découvraient qu'en face de l'éternel Général il existait des solutions de rechange, des hommes de réserve. Pour la première fois, ils entendaient sur les ondes hertziennes des jugements acérés sur sa gestion et ses choix. L'occasion était bonne pour faire connaître au président les griefs qu'on avait accumulés parfois contre lui. En particulier, si le thème de l'Europe, défendu avec éloquence par Jean Lecanuet, était peu propre à remettre en cause la politique extérieure gaulliste, dont le prestige international flattait la fierté des Français, il n'en allait pas de même des critiques qui étaient portées, notamment par le candidat de la gauche, à sa politique économique et sociale.

Sur ce terrain, de Gaulle était fragile. Préoccupé d'abord de faire la paix en Algérie ; ensuite de remettre la France au premier rang des puissances moyennes par une politique militaire et une diplomatie idoines, il avait paru négliger ce qu'il appelait avec quelque désinvolture « l'intendance ». Non qu'il méprisât l'économie, mais celle-ci devait être soumise à la grandeur nationale plus qu'à la satisfaction matérielle des Français. Les sondages démontrent que, durant toute sa magistrature, de Gaulle, dans ce domaine, a eu contre lui la majorité de l'opinion. Le niveau le plus bas de sa popularité avait été atteint en 1963, lors de la grève des mineurs, mais, au-delà de cet événement, un spécialiste du gaullisme et de l'analyse politique, Jean Charlot, a pu parler d'un « mécontentement endémique » sur ces questions économiques et sociales [1]. Ainsi, en juillet 1964, les trois quarts des Français considèrent comme un échec le plan de stabilisation décidé l'année précédente. Les glorieuses années soixante, emportées dans la course à la croissance, ont fait plus d'insatisfaits

1. Cf. Jean Charlot, *Les Français et de Gaulle*, présentation et commentaire des sondages de l'IFOP, Plon, 1971.

que d'heureux. Il faut du recul pour apprécier les progrès accomplis ; sur le coup, on ne ressent que ses frustrations propres, les inégalités des gains en niveau de vie, l'impression personnelle de n'avoir droit qu'aux miettes de l'expansion.

La vérité est que de Gaulle est moins nécessaire désormais à la vie du pays : on le ressent plus ou moins consciemment. Le temps des tempêtes est accompli. La politique de grandeur et de neutralité face aux deux blocs antagoniques de la scène internationale peut bien séduire certains intellectuels de gauche ; son antiaméricanisme, en particulier, a beau satisfaire l'ambassade soviétique et être apprécié par la presse communiste : ce sont là des réalités éloignées des sujets de préoccupation immédiate. La grande mutation industrielle qui est en cours déracine les uns et inquiète les autres ; la fin de l'inflation elle-même n'est pas sans conséquences sur la représentation qu'on a de ses revenus. Cette fois, le choix n'est plus entre un OUI rassurant et un NON aventureux, mais entre des hommes et des politiques en concurrence.

Au second tour, de Gaulle l'emporte avec 55 % des suffrages exprimés, contre 45 % à François Mitterrand. Chiffres nets, qui reconduisent le Général au pouvoir, mais qui limitent l'assise. Par rapport aux inscrits, de Gaulle n'a pas obtenu 45 % des suffrages. La désacralisation est en cours. A l'opposé des foules unanimes qui clament encore leur ferveur, on entend monter des manifestations les slogans profanes de la revendication sociale : « Charlot, des sous ! » La déception du premier tour passée, de Gaulle entrera pleinement dans son rôle de candidat, sans rien négliger, surtout pas ces caméras de télévision par lesquelles désormais les jeux se font. Une fois de plus, l'adversité le hisse au meilleur de son art ; il regagne avec maestria le terrain perdu. Du moins en apparence. Car tout est changé désormais. Le héros est tombé de son piédestal. La démocratie directe a contrarié la monocratie directe. Dans cette bataille, le colosse a découvert ses pieds d'argile.

Les deux années suivantes imposent cette double réalité du Général : une réussite, du moins apparente, et parfois insolente, de sa politique extérieure ; une contestation croissante à l'intérieur. Le grand dessein gaullien : que la France devienne la championne des nations moyennes face à la politique des deux blocs, s'affirme avec éclat. En mars 1966, de Gaulle signifie au président Johnson sa résolution de retirer les forces françaises de l'OTAN. En septembre, à Phnom Penh, devant le prince Sihanouk, 200 000 Cambodgiens et la presse internationale, il dénonce avec audace l'intervention américaine au Vietnam, peu de temps avant de se retrouver à Mururoa, où il assiste à l'explosion d'une bombe atomique française. Cette volonté farouche d'indépendance stratégique et diplomatique, le Général en proclame la nécessité pour toutes les nations, jusques et y compris ceux qu'il appelle les « Français du Canada », lors d'un retentissant discours prononcé à Montréal, le 24 juillet 1967, sur le thème du « Québec libre ». L'accomplissement symbolique de cette politique est le choix de Paris comme lieu de négociation entre Américains et Vietnamiens en guerre. Même les dieux sportifs paraissent s'en mêler : les Jeux olympiques d'hiver, disputés à Grenoble, en février 1968, sont une apothéose pour les skieurs et skieuses français.

Cependant, la « *grogne* » menace à l'intérieur. Les premiers indicateurs de chômage clignotent ; des grèves assez dures éclatent en 1967 ; les élections législatives, en cette même année, confirment la fragilité du pouvoir gaulliste, auquel il faut l'appui des députés d'Outre-mer pour s'assurer une courte majorité à l'Assemblée. Même en politique extérieure, de Gaulle est désavoué au lendemain de la guerre des Six Jours : à sa décision de neutralité défendue au Proche-Orient, les sondages révèlent l'opposition d'une majorité de Français favorables à Israël. La politique d'indépendance de la France, sur un plan plus général, devient illusoire. Jean Charlot, analysant ces sondages, évoque « le charme rompu ». La crise de mai 1968 va achever d'altérer la figure jupitérienne du monarque républicain.

Dans les semaines qui séparent la révolte étudiante (début mai) du deuxième tour des législatives (30 juin), de Gaulle se trouve aux prises avec deux tendances profondes de la société, qu'il ne saura satisfaire, ni l'une ni l'autre. On pourrait, sinon résumer, tout au moins schématiser la crise par la dialectique de la libération et du besoin de sécurité. D'un côté, entraînée par une nouvelle génération, dont le fer de lance est dans les universités, la société exprime un désir d'autonomie contre toutes les institutions contraignantes, autoritaires, hiérarchiques. D'un autre côté, elle manifeste, d'abord avec prudence puis avec une conviction croissante, son exigence de protection. Le double mouvement peut se produire parfois chez les mêmes personnes : en mai la grève, en juin la trêve ! Le plus souvent la tension oppose deux camps définis, tantôt par leurs classes d'âge, tantôt par leurs revenus et autres déterminants. Or de Gaulle semble impuissant face à cette contradiction.

Dans le feu des événements, il peine à en percer le sens. Son départ en voyage officiel en Roumanie, le 14 mai, c'est-à-dire au lendemain de la grande manifestation qui a réuni étudiants et salariés et qui annonce la crise sociale, en fait foi et illustre de manière caricaturale le déséquilibre de la politique gaullienne. Le primat de la politique extérieure reste réaffirmé en pleine crise intérieure. L'Hercule de l'Élysée n'avait pas pensé à ce que Pascal nomme « la puissance des mouches : elles gagnent des batailles, empêchent notre âme d'agir, mangent notre corps ». Ces « mouches », ces Français, voilà qu'il leur prend l'idée d'exister ! Le 14 mai, de Gaulle n'en convient pas encore : la France le préoccupe plus que ses habitants. Ce départ confirme aux yeux de ses concitoyens l'éloignement psychologique, et pas seulement géographique, du Général par rapport à leurs problèmes quotidiens.

La révolte étudiante et sociale n'attend rien du pouvoir gaullien. Sa présence même le nourrit : « Dix ans, ça suffit ! » Le vieux monsieur, perdu en des rêves anachroniques de grandeur nationale, n'est pas exactement antipathique : il est dépassé ; il a fait son temps ; il symbolise l'État hiérarchique, énarchique, militaro-industriel, technostructurel, bureaucratique, national-productiviste (j'en passe) dont on veut précisément se débarrasser. Les « *mouches* » veulent vivre leur vie de mouches et non pas servir de halo au chevalier solitaire qui combat des moulins à vent. Les mouches les plus nobles, les moins intéressées, les moins nécessiteuses, préfèrent la liberté à la « grandeur ».

Mais le camp d'en face, celui qui s'inquiète au fil des jours, au vu des barricades et des voitures incendiées, dans l'inconfort de la grève généralisée, et qui s'interroge sur la fin de ce tohu-bohu, auprès de celui-là non plus le Général n'est plus en grâce. En d'autres temps, de Gaulle, en une apparition à la télé, trois mots et quelques injonctions, rétablissait le calme. Or le voici, dans cette crise, une fois qu'il a pris conscience de sa gravité, hors d'état de ramener l'ordre. Le fiasco de sa sortie télévisée du 24 mai laisse présager un redoublement de l'agitation. On s'émeut, on s'alarme, et l'on s'habitue peu à peu à trouver un remplaçant à de Gaulle. Bientôt il n'est plus qu'un bruit dans les rangs de l'ordre : c'est Pompidou qu'il nous faut. Un remplaçant est là, dont de Gaulle a fait le lit lui-même. A tort ou à raison (car Dieu sait s'il faut se défier de la légende d'un de Gaulle déliquescent et d'un Pompidou resplendissant, celui-ci absorbant la substance de celui-là comme en deux vases communicants), l'homme rond de Cajarc, l'Auvergnat matois, le Sancho Pança du régime a offert l'image rassurante, en ces jours agités, d'un réaliste quiet, là même où de Gaulle n'était plus qu'un rêveur déboussolé.

N'examinons point ici le bilan de ces deux actions, de ces deux hommes, de ces deux alliés devenus sans le vouloir concurrents. Retenons seulement l'idée forte désormais répandue : c'est grâce à Pompidou que de Gaulle s'est ressaisi. La vieillesse est un naufrage, disait le Général à propos de Pétain. A son tour, de Gaulle a vieilli ; il ne maîtrise plus l'événement ; il déçoit les apeurés, les propriétaires, les pères de famille en mal d'autorité, les mandarins qui ne peuvent même plus souffrir dans leur chaire puisqu'on les en a fait descendre, les automobilistes en quête d'essence, et tous ceux qui étaient dans le mouvement et qui se fatiguent. Dans cette pagaille, dans cette situation « *insaisissable* » (mot du Général lui-même) monte de plus en plus forte la demande d'État. Or de Gaulle, pendant des jours et des jours, donne à croire qu'il n'est plus l'État, qu'il n'y a plus d'État.

Écoutons François Mauriac, gaulliste de gauche : « Je me sens tout entier, et passionnément, du côté de l'État, non pas du tout parce que je suis né bourgeois, mais parce que je ne doute pas que le plus grand malheur pour un peuple c'est qu'il n'ait plus d'État [1]. »

---

1. François Mauriac, *Le Dernier Bloc-Notes, 1968-1970*, Flammarion, 1971, à la date du 22 juin 1968.

Passé la crise de mai et le sursis de juin, de Gaulle va se reprendre. Et pas seulement sur le terrain de la manœuvre politique. La contre-offensive avait été consommée en quelques semaines. Le voyage de Baden-Baden + l'allocution radiodiffusée du 30 mai + la manifestation massive de soutien aux Champs-Élysées + les élections d'une chambre introuvable : le retour du balancier redonnait le pouvoir, un moment menacé, au grand stratège de l'Élysée. Mieux, de Gaulle avait assimilé les deux impératifs nés de la crise : réaffirmer sa légitimité et répondre aux aspirations du mouvement social. Le référendum serait de nouveau utilisé à ce double effet. Plus profondément, ayant senti les besoins diffus d'une société souhaitant plus d'autonomie, il va tenter de réaliser la synthèse de la libération et de l'autorité ; de résoudre la contradiction en offrant lui-même les instruments de participation et de régionalisation qui devaient casser les carcans de la France sclérosée tout en maintenant la solidité de l'État. Auguste Comte appelait cela l'alliance de l'ordre et du progrès. C'est tout le sens du référendum du 27 avril 1969.

Tout le monde devient gaulliste.

53 % des votants lui répondent NON. Les uns ont achevé de tuer le Père : la société n'a plus besoin de tuteur ; elle doit devenir adulte ; elle doit prendre le risque de son émancipation. Les autres ont décidé d'en changer : de Gaulle est mort, vive Pompidou ! Hommes d'ordre et hommes de progrès ont additionné leurs refus. De Gaulle tombe à droite et à gauche à la fois. Rejeté par l'esprit de jeunesse insurgé en mai ; rejeté par l'esprit de vieillesse en mal d'assurance, de Gaulle n'était plus à même d'inventer l'avenir des hommes ni d'assurer l'avenir du patrimoine.

De Gaulle mort, le 9 novembre 1970, tout le monde devient ou redevient gaulliste. Tout le monde ou presque. Et plus le temps passe et plus le nouveau parti recrute, à gauche comme à droite. A l'exception du dernier carré de vieux pétainistes blanchis sous la photo du maréchal et de la dernière compagnie de réprouvés restés figés, malgré l'amnistie, dans leur rancune « algérienne », tout le monde chante ses mérites. Les uns s'en réclament pour légitimer leur parti politique; les autres pour stigmatiser la trahison des épigones : on utilise à qui mieux mieux son souvenir à des fins immédiates et peu glorieuses. Plus profondément, les Français qui, entre-temps, ont connu le chômage et retrouvé la platitude des jours ordinaires et des politiciens du même nom, sont portés à s'attendrir sur l'image du dernier des grands.

Et quelles années, ces années soixante ! On a oublié les insatisfactions d'alors, les mauvais sondages, « *la hargne, la rogne et la grogne* » : c'était le temps de la croissance; les années où l'on a acheté la télévision, la première auto, la machine à laver... Dans la grisaille de nos difficultés économiques, ces années d'expansion font rêver. « L'intendance suivra », disait de Gaulle. Elle a suivi, elle a couronné cette magistrature gaullienne d'abondance.

Dans cet amour posthume pour de Gaulle, il faut cependant chercher plus haut. Plus ou moins clairement pénétrés par le sentiment de vivre la fin, ou le commencement de la fin de l'État-nation, l'Europe devenant la seule issue de nos médiocrités, nous savons peut-être gré à de Gaulle d'avoir été celui — ultime prophète — qui a « voulu ressusciter la France [1] ». Si fragile soit son œuvre diplomatique; quelque illusoire, son grand dessein, les Français sous de Gaulle avaient regagné une fierté nationale qui, aujourd'hui, n'est plus de saison. « *J'étais un mythe aussi* », lui fait dire Malraux. La fin de ce mythe, on le pressent, pourrait bien être en même temps la fin de cette histoire nationale qui, des soldats de Valmy aux va-nu-pieds des maquis, de l'appel du 18-Juin au discours de Phnom Penh, avait — fût-ce par procuration — donné le sentiment aux Français d'être une grande nation. De Gaulle a été le dernier nationaliste crédible.

Le rideau est tombé. Cyrano ne reviendra plus. On est rentré chez soi la tête pleine d'alexandrins claquants comme des étendards. L'âge héroïque est fini. Nous voici désenchantés.

---

1. André Malraux, *Les Chênes qu'on abat*, Gallimard, 1971, p. 175.

Index

Table

4. Figures et moments

COMPOSITION : CHARENTE-PHOTOGRAVURE À L'ISLE-D'ESPAGNAC (16340)
IMPRESSION : IMP. BRODARD ET TAUPIN À LA FLÈCHE (SARTHE)
DÉPÔT LÉGAL MARS 1990. Nº 11628 (1433C-5).

Collection Points

SÉRIE HISTOIRE

DERNIERS TITRES PARUS